Princesa Mia
+
Princesa para sempre

Obras da autora publicadas pela Editora Record:

Avalon High
Avalon High – A coroação: a profecia de Merlin
Cabeça de vento
Sendo Nikki
Como ser popular
Ela foi até o fim
A garota americana
Quase pronta
O garoto da casa ao lado
Garoto encontra garota
Todo garoto tem
Ídolo teen
Pegando fogo!
A rainha da fofoca
A rainha da fofoca em Nova York
A rainha da fofoca: fisgada
Sorte ou azar?
Liberte meu coração
Insaciável
Mordida
Sem julgamentos

Série O Diário da Princesa
O diário da princesa
A princesa sob os holofotes
A princesa apaixonada
A princesa à espera
A princesa de rosa-shocking
A princesa em treinamento
A princesa na balada
A princesa no limite
Princesa Mia
Princesa para sempre
Lições de princesa
O presente da princesa
O casamento da princesa

Série Heather Wells
Tamanho 42 não é gorda
Tamanho 44 também não é gorda
Tamanho não importa
Tamanho 42 e pronta para arrasar
A noiva é tamanho 42

Série A Mediadora
A terra das sombras
O arcano nove
Reunião
A hora mais sombria
Assombrado
Crepúsculo
Lembrança

Série As leis de Allie Finkle para meninas
Dia da mudança
A garota nova
Melhores amigas para sempre?
Medo de palco
Garotas, glitter e a grande fraude
De volta ao presente

Série Desaparecidos
Quando cai o raio
Codinome Cassandra
Esconderijo perfeito
Santuário

Série Abandono
Abandono
Inferno
Despertar

Série Diário de uma Princesa Improvável
Diário de uma princesa improvável
Desastre no casamento real

meg cabot

Princesa Mia + Princesa para sempre

Tradução
Ana Ban

2ª edição

— Galera —

RIO DE JANEIRO

2025

REVISÃO
Jorge Luz

CAPA
Isadora Zeferino

TÍTULO ORIGINAL
Princess Mia
Forever Princess

CIP-BRASIL. CATALOGAÇÃO NA PUBLICAÇÃO
SINDICATO NACIONAL DOS EDITORES DE LIVROS, RJ

C116d

Cabot, Meg, 1967-
  Princess Mia ; Princesa para sempre / Meg Cabot ; tradução Ana Ban. – 2. ed. – Rio de Janeiro : Galera Record, 2025.
    (O diário da princesa ; 9 , 10)

  Tradução de: Princess Mia ; Forever princess
  ISBN 978-65-5981-143-4

  1. Ficção. 2. Literatura infantojuvenil americana. I. Ban, Ana. II. Título: Princesa para sempre. III. Título. IV. Série.

22-76701

CDD: 808.899282
CDU: 82-93(73)

Meri Gleice Rodrigues de Souza – Bibliotecária – CRB-7/6439

Copyright © 2022 Meg Cabot, LLC.

Todos os direitos reservados.
Proibida a reprodução, no todo ou em parte, através de quaisquer meios.
Os direitos morais da autora foram assegurados.

Texto revisado segundo o novo Acordo Ortográfico da Língua Portuguesa.

Direitos exclusivos de publicação em língua portuguesa somente para o Brasil adquiridos pela
EDITORA RECORD LTDA.
Rua Argentina, 171 - Rio de Janeiro, RJ - 20921-380 - Tel.: (21) 2585-2000,
que se reserva a propriedade literária desta tradução.

Impresso no Brasil

ISBN 978-65-5981-143-4

Seja um leitor preferencial Record.
Cadastre-se e receba informações sobre nossos
lançamentos e nossas promoções.

Atendimento e venda direta ao leitor:
sac@record.com.br

Princesa Mia

*Para Amanda Maciel,
com amor e gratidão*

Agradecimentos

Muito obrigada a Beth Ader, Jennifer Brown, Barbara Cabot, Sarah Davies, Michele Jaffe, Laura Langlie, Amanda Maciel, Abigail McAden e, especialmente, Benjamin Egnatz

"Ah, sim, Vossa Alteza Real", ela disse. "Somos princesas, acredito. Pelo menos uma de nós é." Sara sentiu o sangue subir para o rosto. Por pouco, conseguiu se segurar. Quando se é princesa, você não tem ataques histéricos. "É verdade", ela respondeu. "Às vezes, eu de fato finjo ser princesa. Finjo ser princesa para tentar me comportar como se fosse."

A Princesinha
Frances Hodgson Burnett

Sexta, 10 de setembro, 21h,
A Bela e a Fera, no banheiro feminino do Teatro Lunt-Fontanne

Ele não ligou. Acabei de checar com a minha mãe.
Acho que não é totalmente justo da parte dela me acusar de acreditar que o mundo todo gira em volta do meu término com Michael. Porque eu não acredito. Mesmo. Como é que poderia saber que ela tinha acabado de colocar o Rocky na cama? Ela deveria ter silenciado o telefone, já que meu irmãozinho tem tido tanta dificuldade para pegar no sono.

Bom, mas não tinha nenhum recado para mim. Acho que eu não devia ter esperado que houvesse. Quer dizer, eu dei uma olhada no voo dele e ele só vai chegar ao Japão daqui a catorze horas.

E a gente não pode usar celular nem tablet quando o avião está no ar. Pelo menos não para ligar ou mandar mensagens.

Nem para responder a e-mails.

Mas tudo bem. De verdade, tudo bem. Ele vai ligar. Ele vai receber meu e-mail e daí vai ligar para mim e nós vamos reatar e tudo vai voltar a ser como era.

Tem que voltar.

Enquanto isto, simplesmente preciso seguir em frente como se as coisas estivessem normais. Bom, tão normais quanto podem estar quando você está esperando notícias de alguém que foi seu namorado por dois anos e com quem você terminou, mas a quem enviou um e-mail de desculpas porque percebeu que estava completa e irrevogavelmente errada.

Principalmente porque, se vocês não reatarem, você sabe que só vai viver uma espécie de meia-vida e que estará destinado a uma série de relacionamentos sem sentido com modelos.

Ah, espera aí. Este é o meu pai. Deixa pra lá.

Mas sabe como é. Sou eu também. Sem a parte das modelos.

Assistir à *A Bela e a Fera* hoje à noite com o J.P. me fez perceber como eu fui totalmente estúpida na semana passada.

Não que eu já não tivesse me dado conta disso. Mas o espetáculo *realmente* me fez cair na real.

O que é especialmente esquisito, porque Michael e eu nunca entramos exatamente num acordo no que diz respeito ao teatro. Quer dizer, eu mal conseguia fazer Michael me acompanhar para ver os tipos de espetáculo que gosto, que basicamente são os que envolvem garotas com saias armadas e coisas que voam do teto do teatro (tipo *O fantasma da ópera* e *Tarzan: o musical*).

E, nas poucas ocasiões em que ele REALMENTE me acompanhou, passou o tempo todo se inclinando para cima de mim e cochichando: "Dá para ver por que este espetáculo vai sair de cartaz. Não tem jeito de um cara aguentar ficar por aí cantando para uma chaleira falante a respeito de como ele gosta de uma garota. Você sabe disso, não sabe? E de onde é que esse som de orquestra completa supostamente viria? Quer dizer, eles estão em um calabouço. Simplesmente não faz o menor sentido."

E eu achei que isso estragou a experiência toda, de verdade. O mesmo vale para o fato de Michael ter pedido licença a cada cinco minutos para ir ao banheiro, fingindo ter bebido água demais no jantar. Mas a verdade é que ele só queria ficar conferindo os alertas do World of Warcraft no celular dele.

Mas, apesar de eu estar me divertindo com o J.P. e tal, não consigo parar de desejar que Michael estivesse aqui para reclamar que *A Bela e a Fera* não passa de um musical cafona da Disney feito para crianças, que não são exatamente um público qualificado, e que a música realmente é horrível e que a coisa toda só serve para fazer os turistas gastarem dinheiro com camisetas, canecas e programas de teatro em papel brilhante.

É especialmente triste o fato de ele não estar aqui, porque nesta noite percebi que, na verdade, a história de *A Bela e a Fera* é a história do Michael e eu.

Não a parte da Bela (é claro). E nem a parte da Fera.

Mas a parte das pessoas que começam como amigas e que nem percebem que se gostam até que seja quase tarde demais...

Isso é totalmente a gente.

Tirando, é claro, o fato de a Bela ser mais inteligente do que eu. Tipo: será que realmente teria feito diferença para a Bela se a Fera, muito antes de ele a ter aprisionado em seu castelo, tivesse ficado com Judith Gershner e não tivesse comentado com ela?

Não. Porque tudo aquilo aconteceu ANTES de a Bela e a Fera terem se conhecido. Então que diferença faz?

Exatamente: nenhuma.

Simplesmente não dá para acreditar como eu fui idiota em relação a isso. Juro que, por mais cafona que seja — e, tudo bem, admito que agora eu enxergo o grau de cafonice da história —, é preciso dizer que *A Bela e a Fera* trouxe uma nova clareza à minha vida.

O que não deveria ser assim tão surpreendente, já que, afinal de contas, é uma história tão antiga quanto o tempo.

De todo modo, eu sei que, no passado, já disse que o homem ideal para mim seria alguém capaz de assistir a uma apresentação inteira de *A Bela e a Fera*, a história mais linda e mais romântica já contada, sem ficar implicando com as coisas erradas (tipo quando a Fera passa por sua transformação de príncipe no palco, ou quando os lobos falsos de pelúcia aparecem — bom, eles não podiam ser assustadores DEMAIS, pois há crianças na plateia).

Mas agora percebo que o único cara com quem assisti ao espetáculo e que passou no teste foi J.P. Reynolds-Abernathy IV. Não pude deixar de notar que ele até derramou uma lágrima, que escorreu pela bochecha dele, durante a cena em que a Bela, com muita valentia, troca a própria vida pela do pai.

Michael nunca chorou durante um espetáculo da Broadway. Tirando a cena em que o pai macaco do Tarzan é assassinado brutalmente.

E isso só aconteceu porque ele estava tendo um ataque de riso.

Mas o negócio é o seguinte: estou começando a achar que isso não é necessariamente uma coisa ruim. Acho que talvez os garotos simplesmente sejam diferentes das garotas. Não só pelo fato de eles realmente se importarem com coisas como, por exemplo, se vai ou não ter um filme de *Nightstalkers* com a Jessica Biel reprisando o papel de Abby Whistler de *Blade: Trinity*.

Ou porque eles acham que tudo bem ir para a cama com Judith Gershner e nunca comentar com a namorada porque aconteceu antes de eles começarem a sair.

Mas isso só acontece porque eles são *programados* de um jeito diferente. Tipo para ficarem impassíveis ao ver um cara com fantasia de gorila levar um tiro falso no palco.

Ao mesmo tempo, eles totalmente acreditam naquela cena do filme *Um lugar chamado Notting Hill* em que a personagem da Julia Roberts volta para aquele cara interpretado pelo Hugh Grant, apesar de que uma estrela de cinema daquelas não se apaixonaria, nem em um milhão de anos, por um dono de livraria pobretão.

E digo isso na pele de uma princesa apaixonada por um universitário.

O negócio é que, agora, eu finalmente entendi tudo: os caras são diferentes da gente.

Mas isso nem sempre é ruim. Aliás, como meus ancestrais diriam, *Vive la différence*, que quer dizer "Viva a diferença", em francês. Porque, tudo bem, muitos caras não gostam de musicais.

Mas esses mesmos caras podem dar de presente para você um colar com pingente de floco de neve no seu aniversário de 15 anos para representar o Baile Inominável de Inverno, onde vocês se declararam pela primeira vez.

E isso, é preciso reconhecer, é uma coisa muito romântica.

Ah, as luzes acabaram de piscar. Está na hora de voltar para o meu lugar para o segundo ato.

E, para falar a verdade, não estou nem um pouco a fim de voltar. Seria ótimo se J.P. parasse de perguntar toda hora se eu estou bem.

Eu superentendo ele ser um bom amigo que está preocupado comigo e tal, mas o que ele espera que eu diga? Como pode não saber que a resposta é não, não estou bem coisa nenhuma? Será que preciso lembrar a ele que, há duas noites, eu fui a maior idiota de ARRANCAR aquele colar de floco de neve e JOGAR em cima do cara que tinha me dado de presente? Será que ele acha que a gente simplesmente se recupera de uma coisa assim só porque vai assistir a um musical com xícaras dançantes?

J.P. é mesmo um amor, mas às vezes é totalmente sem noção.

Mas acontece que Tina sabe: J.P. realmente é um vulcão adormecido de paixão. Aquela lágrima comprova isso. Ele só precisa da mulher certa para destrancar seu coração — que até agora ele manteve em uma casca fria e dura, para se proteger emocionalmente —, e ele vai explodir como a caldeira borbulhante do Parque Nacional de Yellowstone.

E essa mulher obviamente não era Lilly (que, aliás, também não me ligou, nem me mandou mensagem, nem para me dar mais um pouco de bronca por ser uma ladra de namorado, e isto não faz nem um pouco o feitio dela).

Por outro lado, talvez J.P. não seja sem noção. Talvez ele simplesmente seja homem.

Acho que nem todos eles podem ser iguais à Fera.

Sexta, 10 de setembro, 23h45, em casa

CAIXA DE ENTRADA: 0
Nenhum recado no telefone também.

Mas o voo do Michael ainda vai durar mais onze horas e meia. Ele vai me ligar quando pousar.

Quer dizer, ele tem que ligar. Certo?

Bom, não vou pensar sobre isso agora. Porque cada vez que eu penso, sinto umas palpitações estranhas no coração e as palmas das minhas mãos começam a suar.

Enquanto eu estava fora, um mensageiro entregou um envelope pra mim aqui em casa. Minha mãe me contou (não muito contente) quando eu a acordei para perguntar se Michael tinha ligado. (Na verdade, não percebi que ela estava dormindo. Normalmente ela fica acordada assistindo a David Letterman até que o convidado musical apareça, à meia-noite e meia. Como eu ia saber que a convidada musical era a Fergie, e por isso minha mãe tinha ido mais cedo para a cama?)

O envelope entregue pelo mensageiro obviamente não era do Michael. Era um envelope cor de marfim todo chique, com um enorme lacre de cera com as letras D e R no meio. Tinha alguma coisa naquilo que simplesmente berrava Grandmère.

Então não fiquei surpresa quando minha mãe disse, toda mal-humorada: "A sua avó disse que era para você abrir assim que chegasse."

Mas *eu* fiquei surpresa quando ela completou: "E disse para você ligar para ela depois de ler. Não importasse a hora."

"É para eu ligar para Grandmère depois das onze da noite?" Isto não fazia o menor sentido. Grandmère vai para a cama todo dia, sem exceção, antes do noticiário das onze, a não ser que esteja em alguma festa com Henry Kissinger ou alguém assim. Ela diz que, se não dormir suas oito horas de sono da beleza, no dia seguinte não pode fazer nada para sumir com as olheiras, por mais creme de hemorroidas que passe.

"Esse foi o recado", minha mãe resmungou, e puxou as cobertas de novo para cima da cabeça. (Como ela consegue dormir com o Sr. Gianini roncando daquele jeito ao lado dela é um mistério para mim. Só pode ser amor verdadeiro.)

Eu não estava gostando nada da aparência daquele envelope e com toda a certeza não estava gostando nada da ideia de ter que ligar para Grandmère às onze e meia da noite.

Mas fui para o quarto, tirei o lacre, peguei a carta, comecei a ler...

E quase infartei.

Em dois segundos exatos, já estava ao telefone com Grandmère.

"Ah, Amelia", ela disse, parecendo completamente desperta. "Que bom. Finalmente. Recebeu a carta?"

"Da MÃE da Lana Weinberger?", eu praticamente berrei. Só me lembrei de manter a voz baixa porque moro em um apartamento e meu irmãozinho estava dormindo no quarto ao lado e eu não queria me arriscar a provocar a ira da minha mãe se o acordasse. "Pedindo para eu fazer o discurso de abertura no evento de gala da sociedade feminina dela para arrecadar dinheiro para os órfãos da África? Recebi. Mas... como é que você sabia? Também recebeu um?"

"Não seja ridícula", ela desdenhou. "Eu tenho minhas maneiras de descobrir essas coisas. Então, Amelia, eu preciso saber. Isto é muito importante. Ela mencionou fazer um convite para que você se junte à Domina Rei quando atingir a maioridade?" Praticamente dava para ouvir que ela estava babando de tão ansiosa. "*Ela mencionou alguma coisa sobre pedir para que você faça o juramento quando completar dezoito anos?*"

"Mencionou sim", respondi. "Mas, Grandmère, nunca ouvi falar desta tal de Domina Rei antes. E não tenho tempo para isto neste momento. Estou passando por um período muito estressante agora e realmente preciso me concentrar em manter a cabeça no lugar..."

No entanto, esta foi a coisa totalmente errada de se dizer. Grandmère praticamente cuspia fogo quando respondeu em seu tom mais nobre: "Para a sua informação, a Domina Rei é uma das sociedades femininas mais importantes do mundo. Como você pode não saber disto, Amelia? Elas são como a Opus Dei das organizações de mulheres. Só que não têm filiação religiosa."

Preciso confessar que fiquei um pouco interessada, apesar de não ser minha intenção. "É mesmo? Aquela sociedade secreta de *O código Da Vinci*? Aquela em que os membros se chicoteiam? A mãe da Lana anda com um espeto de metal esquisito preso em volta da perna?"

"Claro que não", Grandmère respondeu com uma fungada. "Estou falando de maneira figurada."

Isso foi muito decepcionante de ouvir. Nunca fui apresentada à mãe da Lana (e ficou bem óbvio que ela não sabe nada sobre mim, porque na carta mencionou como Lana tem apreciado minha amizade ao longo dos anos e como é uma pena que a minha agenda real tenha me impedido de comparecer a mais festas na casa delas, para as quais ela sabe que Lana me convidou. Até parece), mas a ideia de que algum integrante da família Weinberger tenha possíveis espetos entrando em suas carnes me enche de imensa alegria.

"E", Grandmère prosseguiu, "eu sei que já lhe falei sobre a Domina Rei, Amelia. A condessa Trevanni é integrante."

"A avó da Bella?" Grandmère não tem mencionado muito sua arqui-inimiga, a condessa, desde que a neta dela, Bella, deixou toda a família Trevanni deliciada, no último Natal, ao fugir com o meu pseudoprimo, o príncipe René, e ter, bom, engravidado dele. (Grandmère diz que é mais educado dizer *enceinte*, que é o termo em francês, mas a verdade é que dá tudo no mesmo. Quer dizer, se liga, será que *ninguém* na minha família ouviu falar de camisinha?)

Depois de uma conversinha séria com meu pai (e, desconfio, uma troca monetária: René iria assinar, dali a apenas alguns dias, um contrato televisivo para um novo reality show, *Príncipe encantado*, em que algumas meninas iriam competir pela oportunidade de ter um encontro com um príncipe de verdade… especificamente ele próprio), René finalmente se casou com Bella. Infelizmente para a avó dela, o casamento ocorreu em uma cerimônia discreta e fechada, já que René demorou tanto para pedir a mão dela que a barriga da Bella obviamente estava aparecendo, e o pessoal da *Majesty Magazine* ainda se ressente muito desse tipo de coisa.

Agora, Bella e René estão morando aqui em Manhattan, no Upper East Side, em uma cobertura que a condessa deu para eles de presente de casamento, vão a aulas de Lamaze juntos e parecem estar realmente felizes.

Grandmère ficou com tanta inveja de ter sido Bella a ficar com René e não eu — apesar de eu ainda estar no *ensino médio*, acorda — que poderia ter tido um colapso. Basicamente, nunca tocamos no assunto.

"Audrey Hepburn também era da Domina Rei", Grandmère prosseguiu. "Assim como a princesa Grace de Mônaco. Hillary Rodham Clinton. A Juíza da Suprema Corte dos Estados Unidos, Sandra Day O'Connor. Jacqueline Kennedy Onassis. Até Oprah Winfrey."

Um silêncio recaiu sobre a nossa conversa, como sempre acontece entre os integrantes educados da sociedade quando o nome da Sra. Winfrey é mencionado.

Então eu falei: "Bom, isso tudo é muito legal, Grandmère. No entanto, como já disse, este realmente não é o melhor momento para mim. Eu…"

Mas Grandmère, para variar, não estava nem ouvindo.

"Eu, é claro, fui convidada para me filiar há anos. No entanto, devido a um engano completo, envolvendo um certo cavalheiro, que não será citado nesta conversa, fui considerada *persona non grata* de modo muito rude."

"Ah, bom, é uma pena. Eu…"

"Certo. Se você quer mesmo saber, foi o príncipe Rainier de Mônaco. Mas os boatos eram completamente falsos! Eu nunca nem dei uma segunda olhada nele! Por acaso era culpa minha o fato de ele ter ficado tão fascinado por mim que costumava me seguir por aí como um cachorrinho? Não posso imaginar como alguém pode ter pensado que era alguma coisa além do que realmente foi… uma simples paixão que um homem bem mais velho nutriu por uma jovem que não podia evitar brilhar com tanta personalidade e *joie de vivre*?"

Demorou um minuto para eu me dar conta de quem ela estava falando. "Quer dizer… *você*?"

"Claro que fui eu, Amelia! Qual é o seu problema? Por que você acha que ele se casou com Grace Kelly? Por que você acha que a família dele permitiu que se casasse com uma atriz de cinema? Só porque ficaram muito aliviados por ele ter resolvido se casar com alguém depois da mágoa que viveu quando eu o rejeitei…"

Engoli em seco. "Grandmère! Você tirou ele do armário?"

"Claro que não! Amelia, não seja ridícula. Eu... Ah, deixa pra lá. Como foi mesmo que chegamos a este assunto? O negócio é que a condessa Trevanni vai morrer de inveja se você fizer o discurso de abertura do baile beneficente da sociedade feminina. Nunca pediram à neta dela que fizesse discurso. Mas é claro que não, por que pediriam? Ela nunca realizou nada, a não ser engravidar, e isto qualquer idiota pode fazer, e ela é tão abobada que provavelmente ficaria paralisada ao ver duas mil empresárias de sucesso com traje impecável olhando para ela..."

Engoli em seco de novo, mas desta vez por outro motivo. "Espera aí... duas mil?"

"Vamos ter que marcar um horário na Chanel agora mesmo", Grandmère continuou tagarelando. "Alguma coisa discreta, acho, mas bem jovem. Acredito que esteja na hora de mandarmos fazer um tailleur para você. Vestidos são ótimos, mas um bom tailleur de lã é sempre uma escolha acertada..."

"Empresárias de sucesso com traje impecável?", repeti, sentindo-me meio tonta. "Achei que a plateia seria de gente como a mãe da Lana... mulheres casadas da alta-sociedade com babás, cozinheiras e arrumadeiras em tempo integral..."

"Nancy Weinberger é uma das decoradoras mais requisitadas de Manhattan", Grandmère interrompeu com frieza. "Ela decorou todo o apartamento que a condessa comprou para René e Bella. Deixe-me ver, então, as cores da Domina Rei são azul e branco. Azul nunca foi a melhor cor para você, mas vamos ter que dar um jeito..."

"Grandmère", o pânico estava subindo pela minha garganta. Era mais ou menos a mesma sensação que eu tinha sempre que pensava no Michael, mas sem o suor nas mãos. "Não posso fazer isso. Não posso fazer um discurso para duas mil empresárias de sucesso. Você não entende... estou passando por uma crise romântica no momento, e até que essa situação esteja resolvida, acho que preciso ficar na minha... aliás, mesmo depois que tudo estiver resolvido, acho que não vou conseguir falar na frente de tanta gente."

"Quanta bobagem", Grandmère disse, ríspida. "Você falou perante o Parlamento de Genovia sobre os parquímetros, lembra? Como se algum de nós pudesse esquecer daquele momento."

"É, mas eram só uns velhos de peruca, não a mãe da Lana Weinberger! Não sei não, Grandmère. Acho que eu deveria..."

"Claro, só Deus sabe o que vamos fazer a respeito do seu cabelo. Acho que, até lá, ainda não vai ter crescido. Talvez Paolo possa fazer algum alongamento. Vou ligar para ele amanhã de manhã..."

"Falando sério, Grandmère, acho que eu..."

Mas já era tarde demais. Ela já tinha desligado o telefone, sem parar de resmungar sobre alongamento capilar.

Maravilha. Era disso que eu estava precisando.

Sábado, 11 de setembro, 9h, em casa

CAIXA DE ENTRADA: 0
O que não é estranho. Quer dizer, ele ainda tem três horas de voo. E depois precisa passar pela alfândega.

Então só preciso ter paciência. Só preciso ficar calma. Só preciso...

> **FtLouie:** TINA!!!! VOCÊ ESTÁ AÍ???? Se estiver, responda. ESTOU MORRENDO!!!!

> **Iluvromance:** Oi, Mia! Estou aqui. Por que você está morrendo?????

Ah, graças a Deus. Graças a Deus pela existência da Tina Hakim Baba.

> **FtLouie:** Porque ao mesmo tempo em que eu sei que a ligação que Michael e eu temos é forte demais para ser dilacerada por um simples mal-entendido, e que ele vai ligar quando chegar ao Japão e vai me dizer que me perdoa e tudo vai ficar bem... E se não for ficar? E se ele não ligar? Ai, meu Deus... minhas mãos não param de suar!!!!! E acho que eu talvez esteja tendo um ataque cardíaco...

Iluvromance: Mia! Tudo vai dar certo! Claro que Michael vai perdoar você! Vocês vão voltar e tudo vai ficar exatamente como era. Até melhor. Porque casais que passam por momentos difíceis juntos sempre saem fortalecidos...

FtLouie: Tem razão! E tanto faz, certo? Minhas ancestrais enfrentaram adversidades mais graves. Como invasores que saquearam seus palácios, sequestros e ser forçadas a tomar vinho no crânio do pai assassinado e tal. Michael e eu vamos ficar bem!

Iluvromance: Totalmente! Então acho que você não vai lá hoje à noite, né?

FtLouie: Não vou lá aonde?

Iluvromance: À festa da vitória.

FtLouie: Que festa da vitória?

Iluvromance: Você sabe. A festa da vitória da Lilly e da Perin. Por terem vencido a eleição do conselho estudantil.

FtLouie: Não fui convidada para nenhuma festa da vitória.

Iluvromance: Você não recebeu o e-mail?

FtLouie: Nãããããão...

Iluvromance: Ah.

FtLouie: Ah, o quê?

Iluvromance: Achei que ela não tinha falado sério.

FtLouie: Quem? Do que você está falando?

Iluvromance: Da Lilly. Ela ficou dizendo que nunca mais ia falar com você porque você puxa o tapete dos outros e é uma ladra de namorado. Mas eu achei que ela estava brincando.

!!!!!!

FtLouie: O QUÊ???? COMO ELA PÔDE DIZER ISSO??? FOI SÓ UM SELINHO!!! ERA PARA SER NA BOCHECHA!!! EU ACERTEI A BOCA DELE POR ENGANO!!!!

Iluvromance: Certo. Mas você não foi ver *A Bela e a Fera* com J.P. ontem à noite?

FtLouie: Bom, fui. Mas não foi nada demais. Nós fomos só como AMIGOS.

Iluvromance: Mas você já não disse que o seu homem ideal seria um que conseguisse assistir a uma apresentação inteira de *A Bela e a Fera*, a história mais romântica já contada, sem fazer piada nas horas erradas?

FtLouie: É. Mas isso faz muito tempo. E desde então percebi que eu estava errada. Agora, meu homem ideal é um que faz piada.

Iluvromance: Bom, é melhor dizer isso a Lilly.

FtLouie: Por quê? O que ela anda dizendo? Espera um pouco... como ela SABE o que o J.P. e eu fizemos ontem à noite? Como VOCÊ sabe?

Iluvromance: Ah... Você não viu?

FtLouie: NÃO VI O QUÊ????

Iluvromance: A foto gigantesca de você e do J.P. saindo do teatro que está no *New York Post* de hoje com a manchete "princesa magoada encontra novo amor"?

PRINCESA MAGOADA ENCONTRA NOVO AMOR

Parece que o fim chegou para a princesa Mia Thermopolis (de Genovia), que mora aqui em Nova York, e seu namorado de longa data, Michael Moscovitz, aluno da Universidade de Columbia (e plebeu).

Segundo boatos, Moscovitz teria assinado um contrato de um ano com uma empresa japonesa de robótica localizada em Tsukuba, onde trabalhará em um projeto altamente sigiloso.

Mas parece que Sua Alteza Real não está sofrendo tanto assim por seu amor perdido — nem perdendo tempo antes de voltar ao mercado. Seu ex-bonitão foi substituído por um homem misterioso que acompanhou a jovem representante da realeza a uma apresentação do espetáculo da Broadway *A Bela e a Fera*, que está há um bom tempo em cartaz, na sexta-feira à noite. Fontes que não quiseram se identificar dizem que o rapaz não é ninguém menos do que John Paul Reynolds-Abernathy IV, filho do rico promotor e produtor de teatro John Paul Reynolds-Abernathy III.

Uma pessoa que também esteve na plateia do espetáculo e que viu o jovem casal em seu camarote particular afirmou: "Com certeza pareciam bem íntimos lá." Outra espectadora disse: "Eles formam um casal lindo. Os dois são tão altos e loiros…"

Quando procuramos um porta-voz do palácio real de Genovia para obter uma declaração, recebemos o seguinte comunicado: "Não fazemos comentários sobre a vida pessoal da princesa."

Sábado, 11 de setembro, 10h, em casa

Bom. Pelo menos agora eu sei por que não tive notícias da Lilly. O que é a maior confusão, em muitos níveis. Quer dizer, para começo de conversa, foi só um selinho.

E, em segundo lugar, eles já haviam terminado quando o selinho aconteceu. E, em terceiro lugar, FOMOS AO TEATRO COMO AMIGOS. Como alguém em sã consciência pode achar que eu estou SAINDO com J.P. Reynolds-Abernathy IV?

Quer dizer, claro que ele é engraçado, fofo, legal e tal. Não me entenda mal. Mas o meu coração pertence ao Michael Moscovitz, e sempre pertencerá!

Nada disso faz o menor sentido. Lilly supostamente é minha melhor amiga. Como pode acreditar em uma coisa tão horrível a meu respeito?

E é verdade, eu fui bem má com o irmão dela na semana passada. Mas isto foi só porque eu (feito uma idiota) não percebi a coisa maravilhosa que existia entre nós até que fui lá e destruí tudo.

Mas eu PEDI DESCULPAS para ele. É só uma questão de tempo (duas horas) até que ele receba o meu e-mail e me ligue (por favor, Deus) e nós ajeitemos tudo e ele envie meu colar de floco de neve de volta e tudo fique bem.

A menos que por acaso ele dê uma olhada no Google e veja o artigo gigantesco sobre mim e J.P.

Mas por que ele acreditaria naquilo? Ele nunca acreditou em nenhuma das mentiras que os paparazzi sempre publicavam sobre mim e James Franco. Por que acreditaria NISSO?

Não acreditaria. *Não pode* acreditar.

Então qual é o *problema* da Lilly?

Sei lá. Não vou entrar em pânico. É verdade que, no passado, eu ficaria histérica com uma coisa dessas. Já estaria ligando para o meu pai e implorando para que nossos advogados exigissem uma retratação. Estaria tentando descobrir quem deu a dica para os jornais — como se eu já não soubesse (Grandmère). Estaria enlouquecida mandando e-mails para Michael, toda histérica, explicando que nada disso é verdade.

Mas não agora. Sou muito madura para tudo isso. Além do mais, estou acostumada.

E, além disso, já estou apavorada *demais* com o estado atual das coisas. Como posso ficar ainda mais desesperada? Mal consigo segurar a caneta para escrever isto, de tão suada que minha mão está.

Então tanto faz. Vou dar um tempo pra que Lilly se acalme. Tenho certeza de que quando ela estiver dando a festa dela e todo mundo, menos eu, estiver lá (eu liguei para Tina depois que saí correndo para comprar o jornal. Eu disse a ela que COM CERTEZA ela tem que ir à festa da Lilly, apesar de querer boicotá-la em solidariedade a mim. Mas eu realmente preciso que ela vá para eu poder saber o que Lilly anda falando sobre mim. Juro que se Lilly estiver falando mal de mim vou ligar para a Comissão Federal das Comunicações e relatar o fato de que ela usou a palavra com M no episódio da semana passada de *Lilly manda a real* enquanto descrevia a atual situação no Iraque), ela vai começar a sentir a minha falta e vai me convidar para a festa.

E daí eu vou e nós vamos nos abraçar e tudo vai ficar bem.

Simplesmente vou ficar aqui fazendo o meu dever de pré-cálculo até lá. Porque Deus bem sabe que eu não prestei muita atenção na semana passada, então NÃO FAÇO IDEIA do que está acontecendo naquela aula. E, para falar a verdade, o mesmo vale para todas as outras matérias. A última coisa de que eu preciso, além do que está acontecendo, é repetir o ano na escola e ser expulsa.

E acho que, enquanto estiver fazendo isso, vou dar um fim nos pasteizinhos de carne de porco que sobraram do Number One Noodle Son (esse negócio de carne é surreal. Uma vez que a gente começa a comer, *não dá* para parar).

Porque é assim que uma pessoa adulta lidaria com essa situação.

FALTAM DUAS HORAS PARA ELE POUSAR!!!!!!! ÊÊÊÊÊÊÊÊÊÊÊÊÊÊ
ÊÊÊÊÊÊÊÊÊÊÊÊÊÊÊÊÊÊÊÊÊÊÊÊÊÊÊÊÊÊÊÊÊÊÊÊ
ÊÊÊÊÊÊÊÊÊÊÊÊÊÊÊÊÊÊÊÊÊÊÊÊÊÊÊÊÊÊÊÊÊÊÊÊ
ÊÊÊÊÊÊÊÊÊÊÊÊÊÊÊÊÊÊÊÊÊÊÊÊÊÊÊÊÊÊÊÊÊÊÊÊ
ÊÊÊÊÊÊÊÊÊÊÊÊÊÊÊÊÊÊÊÊÊÊÊÊÊÊÊÊÊÊÊÊÊÊÊÊ
ÊÊÊÊÊÊÊÊÊÊÊÊÊÊÊÊÊÊÊÊÊÊÊÊÊÊÊÊÊÊÊÊÊÊÊÊ

Sábado, 11 de setembro, 10h15, em casa

Então, acabei de pesquisar o meu nome no Google para ver quantos artigos havia sobre mim e qual seria a probabilidade de o Michael ver aquele texto sobre mim e J.P....

... tem 527 artigos sobre o assunto.

Mas não é só.

Descobri um novo site que entrou no ar chamado www.euodeiomiathermopolis.com.

Lá tem uma lista com as dez coisas mais idiotas sobre Mia Thermopolis. A primeira é o meu cabelo.

A décima é o meu nome.

O que tem no meio vai ficando cada vez pior.

Eu sei que deveria ignorar as coisas ruins que as pessoas falam de mim. Grandmère me disse que se eu reagir ou demonstrar que estou a par daquilo de alguma maneira só irei alimentar a coisa toda, dando MAIS assunto para os haters.

Mas isso? Isso realmente é...

Uma maravilha. É mesmo uma maravilha. Como se eu já não tivesse BASTANTE coisa com que me preocupar.

Agora tem alguém por aí que me odeia tanto a ponto de comentar com o mundo todo que, com o meu cabelo novo, as minhas orelhas ficam parecendo asas de chaleira.

Era bem disso que eu precisava.

Sábado, 11 de setembro, 10h30, em casa

Querido Michael,

~~A esta altura você provavelmente já viu~~

Querido Michael,

~~Oi! Eu estava aqui imaginando se você viu~~

Querido Michael,

~~Antes de qualquer coisa, não olhe o~~

Caro fundador do euodeiomiathermopolis.com,

~~SE VOCÊ ME ODEIA TANTO ASSIM, POR QUE SIMPLESMENTE NÃO FALA NA MINHA CARA, SEU COVARDE????~~

Sábado, 11 de setembro, meio-dia, em casa

CAIXA DE ENTRADA: 0

Meu celular acabou de tocar. Eu tinha tanta certeza de que era Michael (o avião dele já pousou a esta altura) que quase derrubei o telefone de tão suadas que as minhas mãos estavam, além de tremerem tanto (também estavam engorduradas da coxa de frango que eu encontrei no fundo da geladeira e que estava comendo).

Mas era só o J.P. Ele queria saber se eu tinha visto o jornal.

"Vi, não é engraçado?" Tentei parecer despreocupada. O que é difícil fazer com um resto de coxa de frango frito na boca. "As pessoas acham que nós estamos apaixonados. Haha."

"Pois é", J.P. respondeu. "Haha."

Tenho sorte por ele ser um cara que leva as coisas na esportiva.

"Sinto muito, de verdade", falei. "Andar comigo é um pouco perigoso. Quer dizer, você acaba saindo no jornal." Não mencionei o site euodeiomiathermopolis.com. Achei que ele ia descobrir logo, logo.

"Eu não me importo de ser associado a uma princesa, herdeira de um trono real. E os meus pais estão totalmente impressionados. Acham que eu finalmente consegui fazer alguma coisa útil."

Foi a minha vez de dar risada. Mas a verdade é que eu estava me sentindo meio enjoada. Talvez fosse por causa de tanta carne que eu comi na última hora e meia. Basicamente, tudo o que estava na geladeira. Eu sinceramente não sei qual é o meu problema. Passei de vegetariana a praticamente canibal em menos de uma semana.

Bom, tudo bem, não exatamente uma canibal. Sabe-se lá qual é o nome que se dá para quem come carne em excesso.

Só que eu sabia a verdade. Meu enjoo não tinha nada a ver com a quantidade de carne que comi e tudo a ver com o fato de que o avião do Michael já pousou, com certeza, e que ele obviamente iria checar as mensagens dele a qualquer momento.

"Olha", J.P. disse. "Eu estava aqui pensando se você soube da festa da Lilly."

"Soube sim. Não fui convidada. Obviamente."

"Imaginei", J.P. suspirou. "Estava torcendo para que ela já tivesse superado a esta altura."

"Bom, ver as nossas fotos juntos estampadas em toda a imprensa não vai ajudar em nada a situação", falei.

"Não", concordou. "Talvez se nós dermos o fim de semana para ela..."

"Talvez." Espero que sim. Mas acho que o fim de semana não vai adiantar.

"Quer me encontrar hoje à noite e fazer a nossa própria festa? Sabe como é, para mostrar para eles como se faz?"

"Ai, meu Deus, que fofo da sua parte. Mas acho que é melhor eu ficar aqui. Porque o avião do Michael pousou, então ele deve dar uma olhada no e-mail dele logo, logo. E eu realmente quero estar aqui quando ele ligar." Se ele ligar. Mas ele tem que ligar. *Certo??????*

"Ah." J.P. pareceu meio chateado. "Bom, não seria melhor se você não estivesse aí quando ele ligar? Para ele perceber como você é requisitada e popular?"

Dei risada. Ele realmente tem um senso de humor distorcido.

"Engraçado! Mas acho que ele já vai ter uma boa noção disso quando vir o jornal. Se aquela foto nossa chegar até o Japão. Além do mais, eu realmente preciso estudar pré-cálculo se quiser passar."

"Bom, se você precisar de ajuda, posso passar aí, na boa", J.P. ofereceu. "Sou ótimo com a soma de diferenças infinitesimais."

Ele não é um fofo? Imagine só, se oferecer para me ajudar com pré-cálculo em pleno sábado à noite!

"Ah", respondi. "É muito legal da sua parte. Mas está tudo bem. Na verdade, tem um professor de álgebra que mora aqui em casa e eu posso recorrer a ele se começar a arrancar os cabelos de desespero. Quer dizer, o que sobrou do meu cabelo."

"Bom", J.P. continuou. "Tudo bem. Mas se você mudar de ideia..."

"Eu sei para quem ligar." Eu meio que estava tentando me apressar para desligar o telefone, porque Michael podia estar ligando naquele exato momento. Não que meu celular não fosse avisar. Mas sabe como é.

"Certo", J.P. disse. "Bom, não esqueça: nós formamos um casal 'lindo'."

"Porque nós dois somos tão altos e loiros", dei risada.

J.P. também riu, depois desligou.

Quando a caldeira de Yellowstone entrou em erupção pela última vez, há quarenta mil anos, despejou mil quilômetros cúbicos de dejetos, cobrindo basicamente a metade da América do Norte com uma camada de 1,80m de cinzas.

Isto é totalmente o que vai acontecer quando J.P. finalmente encontrar seu amor verdadeiro.

Eu sei que isso é uma coisa totalmente egoísta de se dizer, mas só espero que, quando ele encontrar o dele, eu ainda tenha o meu.

Sábado, 11 de setembro, 16h, em casa

CAIXA DE ENTRADA: 0
Recados no telefone: 0

Não dá para acreditar. Ele ainda não respondeu ao meu e-mail, nem ligou.

Minha mãe acabou de enfiar a cabeça aqui e disse: "Mia? Você não vai sair hoje à noite?"

Acho que ela percebeu, pelo fato de eu estar usando meu pijama de flanela da Hello Kitty, que vou ficar em casa hoje à noite.

"Hoje não", respondi, em um tom mais despreocupado do que o verdadeiro. POR QUE ELE NÃO LIGOU? "Só vou ficar aqui e terminar meu dever de casa de pré-cálculo."

"Dever de casa de pré-cálculo?" Minha mãe chegou a me tocar para sentir a temperatura da minha testa. "Você não *parece* estar com febre…"

"Haha." Todo mundo ao meu redor está revelando um grande dom para comédia ultimamente. Eu discretamente coloquei as mãos nas costas para ela não ver como estavam suando.

"Mia", minha mãe disse, estampando sua expressão maternal no rosto. "Você não pode ficar trancada neste apartamento, se lamentando por causa do Michael para sempre."

"Eu sei disso", respondi, chocada. "Meu Deus, mãe! Você acha que eu faria isso? Sou feminista, você sabe. Não preciso de um homem para me fazer feliz." É só que, sabe como é, quando aquele homem especificamente está por perto, e eu cheiro o pescoço dele, meus níveis de oxitocina aumentam e eu me sinto mais calma e mais relaxada do que quando estou sozinha. Ou com qualquer outra pessoa.

"Bom." Minha mãe não pareceu acreditar. Ela sabe sobre a coisa da oxitocina. "Não sei. Você não resolveu ficar em casa por causa daquela reportagem boba do jornal, resolveu?"

"Está falando daquela que me acusa de ficar com o ex-namorado da minha melhor amiga quando não faz nem uma semana que eu e o meu próprio namorado terminamos?" Perguntei, como quem não quer nada. "Caramba, não, por que diabos eu deixaria isso me incomodar?"

"Mia." Os lábios da minha mãe estão começando a se apertar, sinal claro de que ela não estava nada contente comigo. "Você não pode permitir que o fato de Michael estar tocando a vida dele impeça você de tocar a sua. Claro que é importante você sofrer com a perda, mas…"

"QUE PERDA? TALVEZ MICHAEL AINDA NÃO TENHA RECEBIDO MEU E-MAIL DE DESCULPAS. ATÉ ONDE A GENTE SABE, ELE PODE ESTAR ABRINDO O E-MAIL AGORA E, AO VER QUE EU PEDI DESCULPAS, ESTÁ SE PREPARANDO PARA LIGAR E ME ACEITAR DE VOLTA. A QUALQUER SEGUNDO."

"Pare de gritar. Tem certeza que está se sentindo bem? Parece um pouco exaltada. Você comeu alguma coisa hoje?"

"Hm." Eu não sabia muito bem como dar a ela a notícia de que eu tinha acabado com toda a carne do almoço e com o bacon canadense que ela reservara para o café da manhã. Não tinha sobrado nem um pedaço de carne em casa. O sorvete também tinha acabado. E eu ainda comi todos os biscoitos das escoteiras. "Comi."

"Bom, se você tem certeza de que está se sentindo bem e que vai ficar aqui mesmo", minha mãe disse, "acho que Frank e eu vamos ao cinema Angelika ver aquele novo documentário sobre o movimento grunge. Você se importa de cuidar do Rocky enquanto a gente estiver fora?"

"Claro que não", respondi. Em vez de cheirar o pescoço do Michael, achei que algumas horas da brincadeira preferida do Rocky, que inclui apontar para várias peças da coleção de caminhões Tonka e gritar "Minhão!", que significa caminhão na língua dele, fariam bem para mim. Pode ser que eu relaxe um pouco.

Então agora estou aqui, cuidando do meu irmão. Ah, se pelo menos os fotógrafos do *New York Post* pudessem me ver agora... A vida glamourosa da princesa preferida dos Estados Unidos: sentada no chão da sala com o irmãozinho, brincando de "Minhão" com um pijama de flanela da Hello Kitty...

... enquanto seu coração se despedaça lenta e irrevogavelmente.

Domingo, 12 de setembro, 10h, em casa

Caixa de entrada: 0
Ligações: 0
Mas recebi uma mensagem!!!
Ah, é só a Tina. Mas acho que isto é melhor do que nada.

Iluvromance: Oi, Mia!!!! Ele ligou?????

FtLouie: Ainda não. Mas tenho certeza de que logo terei notícias. Ele ainda deve estar se acomodando e tal. Ele vai ligar ou escrever assim que puder.

Meu Deus, eu pareço tão corajosa e forte, mas por dentro estou tremendo igual a uma... nem sei o quê. Uma coisinha que fica lá tremendo. POR QUE ELE NÃO LIGOU????

Iluvromance: Claro que vai ligar. A menos que tenha visto aquela foto, quer dizer.

Certo. É hora de mudar de assunto.

FtLouie: E aí, como foi a festa????

Iluvromance: Foi tudo bem, acho. Nada de muito emocionante aconteceu. Kenny Showalter apareceu com um monte de caras da aula de

muay thai dele, e todos começaram a fazer flexão de braços sem camisa, e acho que Lilly ficou impressionada com o que viu, já que ficou se agarrando em um deles. E Perin comeu cerejas ao marrasquino demais e vomitou na pia do banheiro, e um monte de cerejas ainda estavam inteiras, então Ling Su precisou cortar tudo com uma tesoura para que pudesse passar pelo ralo. Foi meio que só isso. Como eu disse, você não perdeu muita coisa.

FtLouie: Espera aí um minuto. Lilly SE AGARROU com um cara da AULA DE MUAY THAI DO KENNY SHOWALTER?

Iluvromance: Ah. É, foi. Bom, quer dizer, Boris disse que viu Lilly agarrando um cara qualquer na cozinha. Mas ela jogou uma luva de forno em forma de lagosta na cabeça dele antes que pudesse ver direito quem era. Você sabe que Boris tem medo de lagosta...

FtLouie: Mas era com certeza um dos caras da aula de muay thai????

Iluvromance: Era. Bom, o cara estava sem camisa, então só podia ser.

FtLouie: Mas isto simplesmente é... é tão errado! Quer dizer, ela nem teve oportunidade de se recuperar da tristeza de terminar com J.P.! É óbvio que ela só ficou com o cara para se vingar! O que Lilly acha que está fazendo? Alguém precisa conversar com essa garota. Você tentou falar com ela????

Iluvromance: Bom, mais ou menos. Mas ela só deu risada na minha cara e me disse para não ser tão...

FtLouie: Tão o quê? Tão O QUÊ?

Iluvromance: Nada. Mia, preciso ir, minha mãe está chamando. A gente se fala mais tarde!

Mas o negócio é que ela não precisava dizer. Eu sei o que Lilly disse a ela.

Para não ser tão Mia.

Mas existe uma RAZÃO para eu me preocupar tanto com ela. Às vezes Lilly faz escolhas realmente muito ruins. E daí ela se magoa.

E é verdade que às vezes ela também faz boas escolhas — tipo ficar com J.P. — e se magoa do mesmo jeito.

Mas ficar com um lutador de muay thai qualquer na cozinha da casa dela, só um dia depois de terminar com um namorado de seis meses?

Não sei como esta pode ser uma boa escolha.

Alguém precisa falar com ela antes que faça algo de que se arrependa.

Se a Dra. Moscovitz não me odiasse completamente agora — por ter dado um fora no filho dela e depois SUPOSTAMENTE ter saído com o namorado de sua filha —, eu ligaria para ela.

Mas, levando em conta o atual estágio do nosso relacionamento, provavelmente esta não seja a atitude mais prudente a se tomar.

Domingo, 12 de setembro, 11h, em casa

CAIXA DE ENTRADA: 0
Mas então o celular tocou!
Só que não era o Michael. Era só o J.P.

J.P.: "E aí, como você está?"

Foi meio difícil esconder a minha decepção desesperadora.

Eu: "Tudo bem. E você?"

J.P.: "Qual é o problema? Espera… não vai dizer que ele não ligou."

Eu: "Ele não ligou."

Resmungos ininteligíveis do outro lado da linha. Daí:

J.P.: "Não se preocupe. Ele vai ligar."

Eu: "Espero que sim."

J.P.: "Tá brincando? Seria burrice não ligar. Então, como foi a sua noite de ontem?"

Eu: "Boa. Quer dizer, não fiz muita coisa. Só brinquei de minhão com o meu irmão."

J.P.: "Você brincou DO QUÊ?"

Tá vendo? Michael sabe o que é Minhão. Além de saber, ele também já BRINCOU disso com o Rocky. Acho até que ele GOSTA dessa brincadeira. Ele fica tão relaxado quanto eu.

Eu: "É... Ah, deixa pra lá. Você soube da Lilly?"

J.P.: "Não. O que tem ela?"

Eu não queria ser a portadora de más notícias sobre a ex do J.P., mas achei que era melhor ele saber por mim do que por alguém na escola, na segunda.

Eu: "Ela ficou com um lutador de muay thai qualquer na festa dela ontem à noite."

Em vez do suspiro de horror que eu esperava ouvir, quase parece que J.P. ficou... bom, foi quase como se ele estivesse dando risada.

J.P.: "É bem a cara da Lilly mesmo."

Fiquei chocada. Quer dizer, claro, era a cara da ANTIGA Lilly — da Lilly pré-J.P. Mas não da nova Lilly, melhorada.
    E ele estava *dando risada*!

Eu: "J.P., você não percebe? Lilly só está fazendo isso porque está arrasada e magoada com o que considera ser uma traição nossa! Essa coisa toda de lutador de muay thai está relacionada diretamente àquele artigo do *New York Post*. A gente precisa fazer alguma coisa antes que ela entre em uma espiral cada vez mais profunda de comportamento autodestrutivo, como aconteceu com a Lindsay Lohan!"

J.P.: "Bom, não sei o que a gente pode fazer. Lilly já está bem grandinha para tomar as próprias decisões. Se ela quiser ficar com um lutador de muay thai qualquer, o problema realmente é dela, não nosso."

Não dava para acreditar que ele ainda estava *dando risada*.

Eu: "J.P., não é engraçado."

J.P.: "Bom, meio que é sim."

Eu: "Não, não é, é…"

Domingo, 12 de setembro, meio-dia, em casa

Eu tive que parar de escrever porque meu celular tocou de novo. Era Michael. Ele está no Japão. E recebeu meu e-mail.
Também viu a foto do J.P. e eu no *Post*.
Mas ele disse que aquilo não fazia a menor diferença. Ele disse que lamentava a gente ter que fazer isto pelo telefone, mas que não tinha outro jeito.
Perguntei o que ele queria dizer com "isto", e ele disse que tinha passado a viagem inteira até o Japão pensando no assunto, e que realmente acha que seria melhor se ele e eu voltássemos a ser o que éramos antes de começar a namorar: amigos.
Ele disse que achava que nós dois provavelmente precisávamos amadurecer um pouco, e que talvez um tempo afastados — saindo com outras pessoas — pudesse ser bom para nós.
Eu disse que tudo bem. Apesar de cada palavra que ele proferia parecer uma punhalada no meu coração.
E daí eu me despedi e desliguei. Porque fiquei com medo de que ele me ouvisse soluçando.
E não é assim que eu quero que ele se lembre de mim.

Domingo, 12 de setembro, 12h30, em casa

Por que eu disse que tudo bem?????????????????
Por que eu não disse o que realmente sentia, que eu entendia a parte de precisar amadurecer um pouco e de passar um tempo longe…

Mas não a parte de sermos apenas amigos e sair com outras pessoas????

Por que eu não disse o que eu estava pensando, que eu preferia MORRER a ficar com alguém que não fosse ele?????

Por que eu não disse a verdade?????

E eu SEI que não teria feito nenhuma diferença, e que eu só teria soado exatamente o que ele acha que eu sou: uma menininha imatura.

Mas pelo menos ele não ia achar que eu acho que está tudo tão bem assim.

Porque eu NÃO acho que esteja tudo tão bem assim.

Eu NUNCA vou achar que está tudo tão bem assim.

Acho que eu nunca mais vou ficar bem.

Segunda, 13 de setembro, 8h, em casa

Minha mãe acabou de entrar no quarto para dizer que entende que eu esteja triste por ter perdido o amor da minha vida.

Ela disse que entende como deve ser difícil ter passado por um rompimento tão horrível e ainda ter perdido a minha melhor amiga na mesma semana.

Ela disse que simpatiza com a minha situação difícil, e entende que eu precise de tempo para curtir a tristeza da minha perda.

Ela disse que tentou me dar o tempo e a liberdade que eu preciso para ficar triste.

Mas ela disse que um dia inteiro na cama já está bom demais.

E também que está cansada de me ver com o pijama de flanela da Hello Kitty que, se não está enganada, eu não tiro desde sábado. E também que está na hora de levantar, trocar de roupa e ir para a escola.

Eu não tive outra escolha além de dizer a verdade a ela:

Que eu estou morrendo.

Claro que eu sei que não estou morrendo.

Mas por que eu me sinto assim?

Fico torcendo para que tudo simplesmente… desapareça.

Mas não vai desaparecer. Não desaparece. Quando fecho os olhos e vou dormir, fico torcendo para que, quando abri-los de novo, tudo não tenha passado de um pesadelo terrível.

Só que nunca é assim que acontece. Cada vez que eu acordo, continuo com meu pijama da Hello Kitty — o mesmo que eu estava usando quando Michael disse que achava que nós simplesmente deveríamos voltar a ser amigos — e nós CONTINUAMOS SEPARADOS.

Minha mãe disse que eu não vou morrer. Mesmo depois de eu ter deixado ela sentir as palmas das minhas mãos suadas e meus batimentos cardíacos erráticos. Mesmo depois de eu ter mostrado a ela a parte branca dos meus olhos, que ficou visivelmente amarelada. Mesmo depois de eu mostrar a minha língua para ela, que ficou basicamente branca, em vez de cor-de-rosa e saudável. Mesmo depois de eu ter informado a ela que visitei o site diagnosticoerrado. com, e que é óbvio que eu estou com meningite.

Nesse caso, minha mãe disse, era melhor eu me vestir logo para ela poder me levar para o pronto-socorro.

Foi aí que percebi que tinha caído na armadilha dela. Então eu simplesmente implorei a ela que me deixasse ficar na cama mais um dia. E ela finalmente cedeu.

Eu não contei a verdade para ela: que nunca mais vou sair da cama.

É verdade. Quer dizer, pensa bem: agora que Michael saiu da minha vida, não existe nenhuma razão verdadeira para eu sair da cama. Tipo ir pra aula.

É verdade. Eu sou a princesa de Genovia. Eu vou SEMPRE ser a princesa de Genovia, independentemente de eu ir à escola ou não. Então que diferença faz se eu for à escola? Não vou deixar de ter emprego — princesa de Genovia —, independentemente de eu me formar ou não.

E, como agora eu tenho dezesseis anos, ninguém pode me FORÇAR a ir à escola.

Portanto, decido que não vou. Nunca mais.

Minha mãe disse que vai ligar para a escola e dizer que eu não vou à aula hoje, e que vai ligar para Grandmère e dizer a ela que também não vou conseguir ir à aula de princesa desta tarde. Ela até disse que vai falar para Lars que ele pode tirar o dia de folga, e que eu posso ficar mais um dia deprimida na cama, se eu quiser.

Mas que amanhã, independentemente do que eu disser, vou ter que ir à escola.

E quanto a isso eu só posso dizer uma coisa: é o que ELA pensa.

Talvez meu pai deixe eu me mudar para Genovia.

Segunda, 13 de setembro, 17h, em casa

Tina acabou de passar aqui. Minha mãe deixou que ela entrasse para me fazer uma visita.

Eu realmente preferia que não tivesse deixado.

Acho que o fato de que eu não tomo banho há dois dias deve estar aparente, já que os olhos da Tina se arregalaram quando ela me viu.

Mesmo assim, ela fingiu que não estava chocada com a quantidade de oleosidade no meu cabelo nem nada. Ela falou assim: "A sua mãe me contou. Sobre o Michael. Mia, sinto muito, de verdade. Quando você vai voltar para a escola? Todo mundo está sentindo a sua falta!"

"Lilly não está", respondi.

"Bom." Tina fez uma careta. "Não, isto é verdade. Mas mesmo assim. Você não pode ficar trancada no quarto o resto da vida, Mia."

"Eu sei. Vou voltar para a escola amanhã." Mas esta era uma grande mentira. Mesmo enquanto dizia essas palavras, já dava para sentir as palmas das minhas mãos suando. Só a ideia de ir à escola me fazia gemer.

"Ah, que ótimo", Tina disse. "Eu sei que as coisas não deram certo com Michael, mas talvez seja melhor assim. Quer dizer, ele é muito mais velho do que você, e vocês estão em momentos tão diferentes da vida, com você ainda no ensino médio e ele já na faculdade e tal."

Eu não estava acreditando. Até Tina, a maior apoiadora do meu romance com Michael, estava me traindo. Mas tentei não deixar que o meu choque transparecesse.

"Além do mais", Tina prosseguiu, sem nem se dar conta da dor que me causava, "agora você realmente pode se concentrar em começar aquele romance que sempre quis escrever. E vai poder se esforçar mais na escola e melhorar as suas notas para entrar em uma ótima faculdade, onde vai conhecer um cara realmente incrível, que vai fazer você esquecer a existência do Michael!"

É. Porque é bem isto que eu quero fazer. Esquecer a existência do Michael. O único cara — a única PESSOA — perto de quem eu já me senti completamente calma.

Mas eu não disse isso. Em vez disso, falei: "Quer saber de uma coisa, Tina? Você tem razão. A gente se vê amanhã na escola. Prometo."

E Tina foi embora toda feliz, achando que tinha me alegrado.

Mas eu realmente não acredito nisso. Sabe como é, que alguma coisa do que Tina tenha dito seja verdade.

E realmente não vou à escola amanhã. Eu só disse aquilo para Tina ir embora. Porque ter que falar com ela me deixou esgotada. Eu só queria voltar a dormir.

Aliás, é o que vou fazer agora. Escrever isto aqui me deixou completamente exausta.

Só o fato de *viver* me deixa exausta.

Talvez desta vez, quando eu acordar, realmente descubra que foi só um pesadelo...

Terça, 14 de setembro, 8h, em casa

Mas não tive tanta sorte assim com a coisa do pesadelo. Deu para ver pela maneira como o Sr. Gianini entrou aqui com uma caneca fumegante de chocolate quente e disse: "Vamos acordar para este lindo dia, Mia! Olhe só o que eu trouxe! Chocolate quente! Com chantili! Mas você só vai poder tomar se sair da cama, trocar de roupa e entrar na limusine para ir à escola."

Ele nunca teria feito isso se eu não tivesse levado um grande fora do meu namorado de longa data e não estivesse à beira do desespero naquele momento.

Coitado do Sr. G. Quer dizer, ele merece pontos por tentar. Realmente merece.

Eu disse que não queria chocolate quente nenhum. Daí expliquei — com muita educação — que não vou à escola. Nunca mais.

Dei uma olhada na minha língua no espelho agora mesmo. Não está tão branca quanto ontem. É possível que eu não esteja com meningite, no fim das contas.

Mas o que mais pode explicar o fato de que sempre que penso que Michael não faz mais parte da minha vida meu coração começa a bater muito rápido e não desacelera por sessenta segundos, às vezes até mais?

Vai ver que estou com febre de lassa. Mas nunca estive na África Ocidental.

Terça, 14 de setembro, 17h, em casa

Tina veio me visitar de novo depois da escola hoje. Desta vez trouxe todo o dever de casa que eu havia perdido.

E também Boris.

Boris ficou um pouco surpreso de me ver na minha atual condição. Sei disto porque ele disse: "Mia, é muito surpreendente para mim o fato de uma feminista ficar tão aborrecida porque um homem a rejeitou."

Daí, ele disse: "Aaai!", porque Tina deu a maior cotovelada nas costelas dele. Ele não acreditou na minha história de febre de lassa.

Então, apesar de eu realmente não querer magoar ninguém — porque só Deus sabe que eu mesma já estou sofrendo o bastante por todo mundo —, fui forçada a lembrar ao Boris de que no passado, quando uma certa ex-namorada dele o rejeitou, ele largou um globo inteiro em cima da cabeça na tentativa equivocada de conquistá-la de volta. Eu disse que comparado a isso o fato de eu estar me recusando a tomar banho e a sair da cama durante alguns dias realmente não é nada.

E ele concordou. Mas ficou cheirando o ar do meu quarto e perguntando: "Mia, posso abrir a janela? Parece que está um pouco... quente aqui dentro."

Não me importo de estar fedendo. A verdade é que eu não me importo com nada. Não é uma tristeza?

Isso dificultou que a Tina conseguisse fazer eu falar bobagens com ela, algo que dá para ver que foi ideia da minha mãe. Tina tentou fazer com que eu me interessasse em voltar para a escola dizendo que tanto J.P. quanto Kenny tinham ficado perguntando de mim... especialmente o J.P., que tinha dado uma coisa para Tina me entregar: um bilhetinho bem dobrado, que eu tive zero interesse de ler.

Depois do que pareceu uma eternidade — eu sei! É muito triste quando as tentativas da sua melhor amiga de animar você falham completamente —, Tina e Boris finalmente foram embora. Abri o bilhete que J.P. deu para Tina entregar para mim. Dizia um monte de coisas, tipo: *Vamos lá, não pode ser* TÃO *ruim assim* e *Por que você não atende às minhas ligações?* e *Eu vou levar você para ver* Tarzan! *Assentos de orquestra!* e *Volte logo para a escola. Estou com saudade de você.*

O que foi totalmente fofo da parte dele.

Mas quando a sua vida está totalmente se despedaçando ao seu redor, o último lugar do mundo em que você quer estar é na escola... por mais que lá tenha garotos fofos dizendo que estão com saudade de você.

Quarta, 15 de setembro, 8h, em casa

Minha mãe irrompeu aqui hoje de manhã, com a boca praticamente invisível de tão apertados que os lábios dela estavam. Ela disse que entende que eu estou triste. Disse que entende que eu sinto que não existe motivo para viver porque meu namorado me deu um fora, minha melhor amiga não fala comigo e eu não tenho escolha a respeito da carreira que vou seguir algum dia. Ela disse que entende que as palmas das minhas mãos não parem de suar, que eu estou com palpitação e que a minha língua está com uma cor esquisita.

Mas daí ela disse que três dias de fossa é o limite dela. Disse que eu ia me levantar e ia me vestir e ir para a escola, nem que ela tivesse que me arrastar até o banheiro e me enfiar embaixo do chuveiro por conta própria.

Eu simplesmente fiquei no lugar exato onde estive nas últimas setenta e duas horas — a minha cama — e continuei olhando para ela sem dizer nada. Não dava para acreditar como ela podia ser tão fria. Quer dizer, estou falando sério.

Daí ela tentou uma tática diferente. Começou a chorar. Disse que estava preocupada de verdade comigo e que não sabia o que fazer. Disse que nunca me viu assim — que eu nem fiz nada no outro dia, quando o Rocky tentou enfiar uma moeda de dez centavos no nariz. Ela disse que, há uma semana, eu teria tido um ataque por ver moedas soltas pela casa, porque ele poderia se engasgar com elas.

Agora eu nem ligava mais.

E isso nem é verdade. Eu *não* quero que o Rocky se engasgue. E *não* quero fazer minha mãe chorar.

Mas, ao mesmo tempo, não sei o que posso fazer para evitar que qualquer uma dessas coisas aconteça.

Daí a minha mãe mudou a abordagem de novo, parou de chorar e perguntou se eu queria que ela pegasse pesado. Ela disse que não quer incomodar meu pai enquanto ele está ocupado com a Assembleia-Geral da ONU, mas que eu realmente não estava lhe dando muita escolha. O que eu queria que ela fizesse? Que fosse incomodar meu pai com isso?

Eu disse a ela que podia chamar meu pai se quisesse. Disse que estava mesmo querendo falar com ele, para discutir a possibilidade de me mudar permanentemente para Genovia. Porque a verdade é que eu não quero mais morar em Manhattan.

Eu só queria que minha mãe me deixasse sozinha para eu poder continuar sentindo pena de mim mesma em paz. O meu plano de fato funcionou... um pouco bem demais. Ela ficou tão desnorteada que saiu correndo do meu quarto e começou a chorar de novo.

Eu realmente não queria fazer com que ela chorasse! Sinto muito por tê-la deixado mal. Principalmente porque na verdade eu não quero me mudar para Genovia. Tenho certeza de que não vão me deixar ficar o dia inteiro na cama sem fazer nada lá. E isto realmente é o que eu estou começando a fazer. Todo dia de manhã, acordo antes de todo mundo e tomo meu café — geralmente qualquer coisa da noite anterior que tenha sobrado na geladeira —, dou comida para o Fat Louie e limpo a caixa de areia dele.

Daí volto para a cama, e no final Fat Louie acaba vindo se juntar a mim, e juntos assistimos à contagem regressiva dos dez melhores videoclipes da MTV e depois à do VH1. Quando a minha mãe ou o Sr. G entram no quarto e tentam me fazer ir à escola, eu digo não... o que geralmente me deixa tão exausta que preciso dormir um pouquinho.

Daí eu acordo a tempo de assistir *The View* e um episódio inteiro de *Judging Amy*.

Depois que eu me asseguro de que não há ninguém por perto, vou para a cozinha e almoço alguma coisa — um sanduíche de presunto ou um saco de pipocas de micro-ondas ou algo assim. Não importa muito o quê — e volto para a cama com o Fat Louie e assisto à juíza Milian em *The People's Court*, e depois à *Judge Judy*.

Daí a minha mãe manda a Tina, e eu finjo estar viva, e então a Tina vai embora, e eu volto a dormir, porque a Tina me deixa exausta. Daí, depois que a minha mãe e todo mundo está dormindo, eu levanto, faço um lanche e assisto à TV até às três da manhã.

Daí acordo algumas horas depois e faço tudo de novo, depois percebo que não estava sonhando e que realmente não estou mais com Michael.

Eu supostamente poderia fazer isto até os dezoito anos, até começar a receber meu salário anual como princesa de Genovia (que só começa a ser pago quando eu atingir a maioridade e dê início às minhas funções oficiais como herdeira do trono).

E, tudo bem, vai ser difícil cumprir as minhas funções oficiais da cama. Mas aposto que consigo encontrar um jeito.

Mesmo assim. É um saco fazer a mãe da gente chorar. Talvez eu deva escrever um cartão ou algo assim para ela.

Só que isso incluiria sair da cama para procurar umas canetinhas e tal. E eu estou muito, muito cansada para fazer tudo isto.

Quarta, 15 de setembro, 17h, em casa

Acho que a minha mãe não estava brincando sobre pegar pesado. Tina hoje não apareceu depois da escola.

Grandmère apareceu.

Mas — por mais que eu a ame, e por mais que eu lamente tê-la feito chorar — a minha mãe está totalmente errada se acha que qualquer coisa que Grandmère diga ou faça vá me fazer mudar de ideia a respeito de ir à escola.

Não vou voltar. Simplesmente não há motivo.

"Como assim não há motivo?", Grandmère perguntou quando eu disse isso. "Claro que tem motivo. Você precisa aprender."

"Por quê?", perguntei a ela. "O meu futuro emprego está totalmente garantido. Ao longo dos séculos, a maior parte dos monarcas foi um monte de imbecis completos e, no entanto, tiveram permissão para governar. Que diferença faz se eu me formar no ensino médio ou não?"

"Bom, você não vai querer ser uma ignorante", Grandmère insistiu. Ela estava empoleirada bem na beirada da minha cama, segurando a bolsa no colo e olhando para tudo cheia de desdém, como, por exemplo, para as folhas de dever de casa que Tina havia deixado no dia anterior e que eu meio que jogara pelo chão, e para os meus bonequinhos de *Buffy, a caça-vampiros*, aparentemente sem perceber que eles agora são peças de colecionador caras, igual às xícaras Limoges idiotas dela.

Mas, pela expressão de Grandmère, deu para ver que, em vez de estar no quarto de sua neta adolescente, ela se sentia como se estivesse em alguma loja de penhores em um beco fedido de Chinatown ou algo assim.

E, tudo bem, acho mesmo que está um pouco bagunçado. Mas que se dane.

"Por que eu não vou querer ser ignorante?", perguntei. "Algumas das mulheres mais influentes do planeta também não se formaram no ensino médio."

"Cite uma", Grandmère exigiu, com uma fungada de desdém.

"Paris Hilton", respondi. "Lindsay Lohan. Nicole Richie."

"Tenho bastante certeza de que todas essas mulheres se formaram no ensino médio. E, mesmo que não tenham se formado, não há nada de que se orgulhar. Ignorância nunca é bonito. Falando nisso, quanto tempo faz que você não lava o cabelo, Amelia?"

Não consigo entender a razão de tomar banho. Que diferença faz a minha aparência, agora que Michael está fora da minha vida?

Quando mencionei isso, no entanto, Grandmère perguntou se eu estava me sentido bem.

"Não, não estou, Grandmère. E eu achei que estava bem óbvio pelo fato de eu não ter levantado da cama em quatro dias, a não ser para comer e para ir ao banheiro."

"Ah, Amelia", Grandmère pareceu ofendida. "Agora também nos rebaixamos a referências escatológicas? *Sinceramente.* Eu compreendo que você esteja triste por perder Aquele Rapaz, mas..."

"Grandmère, acho que é melhor você ir embora agora."

"Não vou embora até decidirmos o que vamos fazer em relação a *isto*."

E então Grandmère bateu com o dedo no papel de carta da Domina Rei da Sra. Weinberger, que ela encontrou caído debaixo da minha cama.

"Ah, isso aí", eu disse. "Por favor, peça à sua secretária que recuse para mim."

"Recusar?" As sobrancelhas desenhadas de Grandmère se ergueram. "Não faremos nada desse tipo, mocinha. Você faz alguma ideia do que Elana Trevanni disse quando cruzei com ela na Bergdorf's ontem e mencionei, como quem não quer nada, que a minha neta havia sido convidada para fazer um discurso no baile beneficente da Domina Rei? Ela disse..."

"Certo", interrompi de novo. "Eu farei."

Grandmère não disse nada por um segundo. "Você acabou de dizer que fará o discurso, Amelia?"

"Sim", respondi. Qualquer coisa para ela ir embora. "Eu faço. Mas é só que... será que a gente pode falar disso mais tarde? Estou com dor de cabeça."

"Você deve estar desidratada, provavelmente. Bebeu seus oito copos d'água hoje? Você sabe que precisa beber oito copos d'água por dia, Amelia, para ficar sempre hidratada. É assim que nós, as mulheres Renaldo, conservamos nossa pele de veludo, ao consumir líquido suficiente..."

"Acho que eu só preciso descansar", eu disse com a voz fraca. "A minha garganta está começando a doer um pouco. Não quero ficar com laringite e perder a voz antes do grande evento... É na sexta da outra semana, certo?"

"Pelo amor de Deus", Grandmère pulou da minha cama tão rápido que assustou o Fat Louie do forte de travesseiros que eu havia montado para ele ao meu lado. Só deu para ver uma mancha cor de laranja quando ele correu para a segurança do armário. "Não podemos permitir que você fique com alguma doença que ameace a sua presença no baile! Enviarei meu médico particular imediatamente!"

Ela começou a remexer na bolsa, em busca do celular cravejado de pedrarias — que ela só sabe usar porque eu mostrei para ela como funcionava um milhão de vezes —, mas eu a detive ao dizer, com a voz bem fraca: "Não, está tudo bem, Grandmère. Acho que eu só preciso descansar... É melhor você ir embora. Seja lá o que eu tenha, acho que você não vai querer pegar..."

Grandmère saiu do quarto como uma bala.

E eu FINALMENTE pude voltar a dormir.

Ou pelo menos foi o que eu achei. Porque, alguns minutos depois, a minha mãe apareceu à porta e ficou olhando para mim, cheia de preocupação no rosto.

"Mia", ela falou. "Você disse à sua avó que vai fazer um discurso no Baile Beneficente da Sociedade Feminina Domina Rei?"

"Sim", respondi, cobrindo a cabeça com o travesseiro. "Falei qualquer coisa para fazer com que ela fosse embora."

Minha mãe foi embora, com cara de preocupação.

Não sei por que ELA está tão preocupada. Sou eu que vou ter que encontrar um jeito de fugir da cidade antes que o evento aconteça.

Quinta, 16 de setembro, 11h, na limusine do meu pai

Hoje de manhã, às 9h, eu estava na cama, com os olhos fechados bem apertados (porque ouvi alguém entrando e não queria ter que lidar com isto), quando minhas cobertas foram arrancadas e uma voz muito severa e profunda disse: "Levanta."

Abri os olhos e fiquei surpresa de ver meu pai ali parado, com o terno de negócios dele e cheirando a outono.

Faz tanto tempo que eu não saio de casa que me esqueci do cheiro do outono. Dava para ver pela expressão dele que eu estava ferrada.

Então eu disse: "Não", puxei as cobertas de volta e enfiei a cabeça embaixo delas.

E foi aí que o meu pai disse: "Lars. Por favor."

E daí meu guarda-costas me pegou no colo — eu ainda com a cabeça enfiada embaixo das cobertas — e me tirou da cama e começou a me carregar para fora do apartamento da minha mãe.

"O que você está fazendo?", perguntei, quando consegui desvencilhar a minha cabeça das cobertas, e vi que estávamos no corredor de entrada e que Ronnie, nossa vizinha de porta, estava olhando para nós, estupefata, com os braços cheios de sacolas de compras.

"Algo que é para o seu próprio bem", meu pai disse detrás de Lars, na escada.

"Mas..." Eu realmente não conseguia acreditar naquilo. "Estou de pijama!"

"Eu mandei você levantar", meu pai disse. "Foi você que não quis obedecer."

"Você não pode fazer isto comigo", exclamei, quando saímos do prédio e fomos na direção da limusine do meu pai. "Eu sou americana, eu tenho direitos, sabe?"

Meu pai olhou para mim e disse, todo sarcástico: "Não, não tem não. Você é uma adolescente."

"Socorro!", gritei para todos os alunos da Universidade de Nova York que moram no nosso bairro e que estavam chegando em casa depois de uma noite de farra no East Village. "Liguem para a Anistia Internacional! Estou sendo levada contra a minha vontade!"

"Lars", meu pai disse todo desgostoso, quando os universitários começaram a olhar ao redor em busca das câmeras que eles tinham certeza que estavam filmando, já que a coisa toda parecia alguma cena de um episódio de *Law & Order* cujo cenário era a rua Thompson, ou algo assim. "Coloque Mia no carro."

E Lars obedeceu! Ele me colocou no carro!

E, tudo bem, ele jogou o meu diário atrás de mim. E uma caneta.

E os meus chinelos chineses com pequenas flores de lantejoulas bordadas.

Mas mesmo assim! Por acaso isto é maneira de se tratar uma princesa? É o que eu quero saber. Ou até mesmo um ser humano qualquer?

E o meu pai não quer nem me dizer onde estamos indo. Ele só diz "Você vai ver", quando eu pergunto.

Depois de superar o choque inicial de ser carregada daquela maneira, percebo, para minha surpresa, que não me importo muito. Quer dizer, é esquisito estar na limusine do meu pai com o meu pijama da Hello Kitty, meu lençol e meu edredom enrolados no corpo.

Mas, ao mesmo tempo, não consigo sentir nenhuma indignação verdadeira com a situação.

Acho que, na verdade, pode ser que o problema seja este. Que eu simplesmente não me importo mais com *nada*.

Só que eu também não posso me dar ao trabalho de me importar muito com isso.

Quinta, 16 de setembro, meio-dia, no consultório do Dr. Loco

Estamos esperando no consultório de um *psicólogo*.

Não estou brincando. Meu pai não me levou para o jato real, para retornar a Genovia. Ele me trouxe para o Upper East Side, para uma consulta com um *psicólogo*.

E também não é um psicólogo qualquer. Mas sim um dos especialistas de mais destaque em psicologia adolescente e infantil do país. Pelo menos se os diversos diplomas e prêmios enquadrados e pendurados nas paredes da sala de espera servirem como indicação.

Imagino que isso tenha o intuito de me impressionar. Ou pelo menos de me confortar.

Mas não posso dizer que me sinto muito confortada ao saber que o nome dele é Dr. Arthur T. Loco.

É isso aí. Meu pai me trouxe para uma consulta com o Dr. Loco. Porque ele — e a minha mãe e o Sr. G — aparentemente acham que eu *sou* louca.

Eu sei que provavelmente pareço louca, aqui sentada de pijama, com meu edredom apertado ao redor do corpo. Mas de quem é a culpa? Eles podiam ter me deixado trocar de roupa.

Não que eu teria trocado, é claro. Mas se me dissessem que iriam me tirar do apartamento, eu poderia pelo menos ter colocado um sutiã.

Mas parece que a recepcionista do Dr. Loco — ou enfermeira, ou sei lá o que ela é — não se incomoda com as minhas vestimentas. Ela só falou assim: "Bom dia, príncipe Phillipe", para o meu pai, quando ele entrou comigo. Quer dizer, quando Lars me carregou para dentro. Porque quando a limusine estacionou na frente do prédio antigo de tijolinhos onde fica o consultório do Dr. Loco, eu não quis sair do carro. Eu não ia atravessar a rua East 78 de pijama da Hello Kitty! Posso ser louca, mas não TÃO louca assim.

Então Lars me carregou.

Parece que a recepcionista não achou nada estranho no fato de a nova paciente de seu patrão precisar ser carregada para dentro do consultório. Ela só falou: "O Dr. Loco a atenderá em um instante. Enquanto isso, pode por favor preencher isto aqui, querida?"

Não sei por que entrei em pânico de repente. Mas fiquei toda: "Não. O que é isto? Um teste? Não quero fazer teste nenhum." É estranho, mas meu coração começou a bater enlouquecido com a ideia de ter que fazer um teste.

A recepcionista só ficou olhando para mim de um jeito esquisito e falou: "É só uma avaliação de como você está se sentindo. Não existe resposta certa ou errada. Só vai levar um minuto para preencher."

Mas eu não queria fazer uma avaliação, mesmo que não houvesse resposta certa ou errada.

"Não", respondi. "Acho que não."

"Pronto", meu pai estendeu a mão para a recepcionista. "Eu também faço um. Assim você se sente melhor, Mia?"

Por alguma razão, eu me senti. Porque, para ser sincera, se eu sou louca, meu pai também é. Quer dizer, você tinha que ver quantos sapatos ele tem. E ele é *homem*.

Então a recepcionista entregou ao meu pai o mesmo formulário para preencher. Quando olhei, vi que era uma lista de afirmações que a gente tinha que avaliar, marcando a resposta mais apropriada. Afirmações do tipo: *Não vejo motivo em viver*. Às quais eu podia dar uma das seguintes respostas:

- O tempo todo
- A maior parte do tempo
- Algumas vezes
- Poucas vezes
- Nunca

Como eu não tinha mais nada para fazer e estava mesmo com uma caneta na mão, preenchi o formulário. Quando terminei, reparei que tinha marcado quase só *O tempo todo* e *A maior parte do tempo*. Tipo para coisas como *Sinto que todo mundo me odeia... A maior parte do tempo* e *Sinto que sou inútil... A maior parte do tempo*.

Mas o meu pai tinha marcado quase tudo como *Poucas vezes* e *Nunca*.

Até as respostas para afirmações como: *Sinto que o verdadeiro amor romântico me deixou para trás*.

O que eu por acaso sei que é a maior mentira. Meu pai me disse que só teve um amor de verdade na vida toda, a minha mãe, e que ele a deixou partir, e que se arrependia totalmente. Foi por isso que ele me disse para não ser tonta de deixar Michael ir embora. Porque ele sabe que talvez eu nunca mais encontre um amor assim.

Pena que eu só fui me dar conta de que ele tinha razão quando já era tarde demais.

Mesmo assim, é fácil para ele achar que ninguém nunca o odeia. Não existe nenhum euodeiooprincipephillipedegenovia.com.

A recepcionista — a Sra. Hopkins — pegou os formulários de volta e os levou por uma porta à direita da mesa dela. Não deu para ver o que tinha atrás da porta. Enquanto isso, Lars pegou o exemplar mais novo da revista *Sports Illustrated* da mesinha de centro da sala de espera do Dr. Loco e começou a ler, todo despreocupado, como se ele carregasse princesas de pijama para o consultório de psicólogos todos os dias.

Aposto que ele nunca achou que isso seria parte do seu trabalho quando se formou na escola de guarda-costas.

"Acho que você vai gostar do Dr. Loco, Mia", meu pai diz. "Eu o conheci em um baile beneficente no ano passado. Ele é um dos profissionais de mais destaque no país em psicologia adolescente e infantil."

Apontei para os prêmios da parede. "É, eu tinha percebido essa parte."

"Bom, é verdade. Ele me foi muito bem recomendado. Não permita que o nome — nem o jeito dele — a engane."

O jeito dele? O que isto quer dizer?

A Sra. Hopkins voltou. Disse que o médico vai nos receber agora.

Maravilha.

Quinta, 16 de setembro, 16h, na limusine do meu pai

Bom. Foi a coisa mais esquisita. Do mundo.

O Dr. Loco era... não era o que eu esperava. Na verdade, não sei bem o que eu estava esperando, mas com certeza não era o Dr. Loco. Eu sei que o meu pai disse para eu não deixar nem o nome nem o jeito dele me enganarem, mas quer dizer, pelo nome e pela profissão dele, achei que seria um carinha careca, velho, de cavanhaque e óculos, e talvez sotaque de alemão.

E ele *era* velho. Tipo da idade da Grandmère.

Mas ele não era baixinho. E não era careca. E não tinha cavanhaque. E tinha um sotaque meio do Oeste. Isso porque, ele me explicou, quando não está no consultório dele em Nova York, fica no rancho que tem no estado de Montana.

É. É isso mesmo. O Dr. Loco é um psicólogo caubói.

É bem típico mesmo: com todos os psicólogos que existem em Nova York, eu fui logo acabar com um que é caubói.

O consultório dele é decorado como o interior de uma casa de fazenda. No revestimento de madeira das paredes da sala dele há fotografias de mustangues selvagens correndo livremente. E cada um dos livros nas estantes atrás da mesa foram escritos por Louis L'Amour e Zane Grey, que são autores famosos de faroeste. A mobília é toda de couro escuro, cravejada de tachas de latão. Tem até um chapéu de caubói pendurado no gancho atrás da parede. E o carpete é de uma tapeçaria navajo.

Com tudo isso, deu para ver na hora que o Dr. Loco com certeza fazia jus ao nome dele. E também que ele era mais louco do que eu.

Aquilo só podia ser piada. Meu pai só podia estar brincando. O Dr. Loco não pode ser um dos principais especialistas do país em psicologia adolescente e infantil. Talvez estivessem fazendo uma pegadinha comigo, tipo as do programa *Punk'd*. Talvez o Ashton Kutcher fosse aparecer a qualquer momento para falar assim: "Dããã! Princesa Mia! Você caiu na pegadinha! Este cara aqui não é psicólogo coisa nenhuma! É o meu tio!"

"Então", Dr. Loco disse, com uma voz de caubói grandiosa e profunda, depois que eu me sentei ao lado do meu pai no sofá diante da poltrona grande de couro dele. "Você é a princesa Mia. Prazer em conhecê-la. Ouvi dizer que você foi estranhamente simpática com a sua avó ontem."

Fiquei completamente chocada com isso. Diferentemente dos outros pacientes do Dr. Loco que, presumo, são todos crianças, eu por acaso conheço uma dupla de psicólogos jungianos — o Dr. e a Dra. Moscovitz —, então sei como a relação entre médico e paciente deve ser.

E que, supostamente, não começam com acusações completamente falsas da parte do médico.

"Essa é uma calúnia total e completa", corrigi. "Não fui simpática com ela. Eu só disse o que ela queria ouvir para que fosse embora."

"Ah", Dr. Loco falou. "Isso é diferente. Então está me dizendo que as coisas estão uma beleza, não é?"

"Obviamente que não", respondi. "Já que estou aqui no seu consultório de pijama e edredom."

"Sabe, eu reparei", continuou. "Mas vocês, mocinhas, estão sempre usando as coisas mais esquisitas, então achei que era só a última moda ou qualquer coisa assim."

Deu para ver na hora que aquilo nunca daria certo. Como eu poderia confiar minhas emoções mais profundas a alguém que chama a mim e as minhas amigas de "vocês, mocinhas" e acha possível alguma de nós sair na rua com um pijama da Hello Kitty e um edredom?

"Isto não vai funcionar", eu disse ao meu pai e me levantei. "Vamos embora."

"Espere aí um segundo, Mia", papai pediu. "A gente acabou de chegar, certo? Dê uma chance ao homem."

"Pai." Não dava para acreditar naquilo. Quer dizer, se eu tinha que fazer terapia, por que os meus pais não puderam achar um terapeuta de verdade, em vez de um terapeuta CAUBÓI? "Vamos embora. Antes que ele me MARQUE A FERRO E FOGO."

"Você tem alguma coisa contra fazendeiros, mocinha?", Dr. Loco perguntou.

"Hm, levando em conta que sou vegetariana", respondi. Não mencionei que tinha parado de ser vegetariana havia uma semana. "Tenho, tenho *sim*."

"Você parece mesmo muito esquentadinha", Dr. Loco disse. Juro que ele usou este termo mesmo. "Para alguém que, de acordo com isto aqui, diz que acha que não se importa com nada a maior parte do tempo."

Ele bateu com o dedo na folha de avaliação que eu havia preenchido na sala de espera. Eu afundei de novo no sofá, porque vi logo que aquilo ia demorar um pouco, e disse: "Olhe, Dr., hm…" Eu nem conseguia dizer o nome dele! "Acho que deveria saber que eu já estudo a obra do Dr. Carl Jung há algum tempo. Tenho me esforçado para atingir a autorrealização há anos. A psicologia não é algo desconhecido para mim. Por acaso eu sei perfeitamente bem qual é o meu problema."

"Ah, então sabe", o Dr. Loco disse, com um ar de curiosidade. "Então explique."

"É que eu só estou me sentindo meio pra baixo", eu disse. "É uma reação normal a algo que aconteceu comigo na semana passada."

"Certo", o Dr. Loco disse, olhando para um papel na mesa dele. "Você terminou com o seu namorado... Michael, certo?"

"Certo", concordei. "E, tudo bem, talvez seja um pouco mais complicado do que o fim de namoro de uma adolescente normal, porque eu sou princesa, e o Michael é um gênio, e ele acha que precisa ir para o Japão para construir um braço cirúrgico robotizado para provar para a minha família que ele é digno de mim, quando a verdade é que *eu* não sou digna *dele*, e suponho que porque, lá no fundo, eu sabotei totalmente o nosso relacionamento. E, tudo bem, talvez nós já estivéssemos amaldiçoados desde o início, porque eu obtive o resultado INFJ no teste de personalidade jungiano Myers-Briggs on-line que fizemos no verão passado, e ele obteve ENTJ, e agora ele quer ser só meu amigo e sair com outras pessoas, e esta é a última coisa que eu quero. Mas eu respeito a vontade dele, e sei que, se algum dia quiser atingir os frutos da autorrealização, preciso passar mais tempo construindo as raízes da minha árvore da vida, e... e... e, realmente, é só isso. Tirando a possibilidade de meningite. Ou de febre de lassa. É isso que há de errado comigo. Eu só preciso me ajustar. Estou bem. Estou bem de verdade."

"Você está bem?", o Dr. Loco perguntou. "Você perdeu quase uma semana de aula, apesar de não estar com nenhum problema físico — vamos dar uma olhada na meningite, é claro — e faz dias que não tira o pijama. Mas está tudo bem."

"Está", respondi. De repente eu estava muito perto de chorar. E o meu coração também estava batendo muito rápido. "Posso ir para casa agora?"

"Por quê?", o Dr. Loco quis saber. "Para poder se enfiar de novo na cama e continuar a se isolar dos seus amigos e das pessoas que gostam de você — o que é um sinal clássico de depressão, aliás?"

Só fiquei lá olhando estupefata para ele. Não dava para acreditar que ele — um desconhecido completo, PIOR, um desconhecido que gosta de COISAS DE CAUBÓI — estava falando comigo daquele jeito. Aliás, quem ele achava que era — além de um dos especialistas em psicologia adolescente e infantil de maior destaque no país?

"Para que você possa continuar a se afastar do seu longo relacionamento com a sua melhor amiga, Lilly", ele consultou uma anotação no bloquinho que tinha no colo, "assim como outros amigos, ao evitar a escola e outros ambientes sociais em que possa ser obrigada a interagir com eles?"

Fiquei olhando estupefata para ele mais um pouco. Eu sei que supostamente a louca ali era eu, mas era difícil acreditar, com aquela afirmação, que ele *não era* louco.

Porque eu não estava evitando a escola por causa do risco de encontrar Lilly, nem de interagir socialmente com os outros. Não era *nada* disso. Nem é por isso que eu quero me mudar para Genovia.

"Para que você possa continuar a ignorar as coisas que você sempre amou — como trocar mensagens com a sua amiga Tina — e durma durante o dia, para depois ficar acordada a noite inteira", o Dr. Loco prosseguiu, "ganhando peso por causa de assaltos compulsivos à geladeira quando acha que ninguém está vendo?"

Espera... como é que ele sabe DISSO? COMO É QUE ELE SABIA DA TINA? OU DOS BISCOITOS DAS ESCOTEIRAS?

"Para que você possa simplesmente continuar dizendo o que acha que as pessoas querem ouvir para elas irem embora e a deixem em paz, e se recusando a seguir as normas básicas da higiene — mais uma vez, exemplos clássicos da depressão adolescente?"

Eu só revirei os olhos. Porque tudo o que ele estava dizendo era totalmente ridículo. Não estou deprimida. Talvez esteja triste. Porque está tudo uma merda. E provavelmente estou com meningite, apesar de parecer que todo mundo está ignorando os meus sintomas.

Mas não estou deprimida.

"Para que você continue a se isolar das coisas que sempre amou — sua escrita, seu irmão mais novo, seus pais, suas atividades escolares, seus amigos — e continue se deixando consumir pelo autodesprezo, no entanto sem nenhuma motivação para mudar ou para voltar a aproveitar a vida?" A voz do Dr. Loco ecoava muito alta no consultório em estilo country dele. "Eu posso continuar. É necessário?"

Fiquei olhando estupefata para ele mais um pouco. Só que agora eu estava segurando as lágrimas. Não dava para acreditar naquilo. Não dava mesmo.

Não estou com meningite. Não estou com febre de lassa.

Estou deprimida. Estou deprimida *de verdade*.

"Pode ser que eu esteja um pouco pra baixo", eu disse, depois de limpar a garganta, porque era um pouco difícil falar com o nó enorme que de repente tinha aparecido lá.

"Você sabe que não há problema nenhum em reconhecer que está deprimida", o Dr. Loco prosseguiu, em tom simpático. Quer dizer, para um caubói. "Muita, muita gente já sofreu de depressão. Ter depressão não significa que você é louca, nem fracassada, nem má."

Eu tive que engolir muitas lágrimas.

"Tudo bem", foi a única coisa que eu consegui dizer.

Daí o meu pai estendeu o braço e pegou a minha mão. O que eu realmente não gostei, porque só me deu mais vontade de chorar. Além do mais, a minha mão estava completamente suada.

"E não faz mal chorar", o Dr. Loco prosseguiu, entregando para mim uma caixa de lenços que ele tinha escondida em algum lugar.

Como ele faz isso? Como ele era capaz de ler a minha mente daquele jeito? Será que era porque passava muito tempo nas pradarias? Com os cervos? E os antílopes? Aliás, o que é um antílope?

"É perfeitamente normal, e até mesmo saudável, levando em conta o que andou acontecendo na sua vida ultimamente, Mia, que você esteja triste e precise conversar sobre isso com alguém", o Dr. Loco ia dizendo. "Foi por isso que a sua família trouxe você aqui para falar comigo. Mas, a menos que você mesma reconheça que tem um problema e que precisa de ajuda, eu não poderei fazer muita coisa. Então por que você não diz o que realmente a está incomodando, e como você realmente está se sentindo? E, desta vez, deixe de fora a árvore jungiana da autorrealização."

E daí — antes que eu me desse conta do que estava acontecendo — percebi que nem me preocupava mais com a possibilidade de estarem fazendo uma pegadinha comigo.

Talvez fosse a tapeçaria navajo. Talvez fosse o chapéu de caubói no gancho atrás da porta. Talvez eu simplesmente tenha chegado à conclusão de que ele estava certo: eu não poderia passar o resto da vida enfiada no quarto.

De todo modo, quando eu vi, já estava contando tudo para aquele caubói velho e esquisito.

Bom, não TUDO, obviamente, porque meu PAI estava sentado ali. E parece que isto é um tipo de regra do Dr. Loco, que na primeira consulta de um menor o pai, a mãe ou o responsável legal esteja presente. Esta não seria a regra se o Dr. Loco me aceitasse como paciente regular.

Mas eu disse a ele a coisa mais importante — a coisa que não consigo tirar da cabeça desde domingo, quando desliguei o telefone depois de falar com Michael. A coisa que me fez ficar na cama desde então.

E foi que, na primeira vez que eu me lembro de ter ido com a minha mãe visitar os pais dela em Versailles, no estado de Indiana, vovô me avisou para ficar longe da cisterna abandonada nos fundos da casa da fazenda, que estava coberta com uma placa velha de compensado, e que ele estava esperando uma escavadeira que viria enchê-la de terra.

Só que eu tinha acabado de ler *Alice no País das Maravilhas* e, é claro, estava obcecada com qualquer coisa que se assemelhasse a uma toca de coelho.

Então, é claro que tirei o compensado de cima da cisterna, e fiquei lá parada na beiradinha, olhando para o buraco fundo e escuro, imaginando se ele levava ao País das Maravilhas e se eu realmente poderia ir até lá.

E daí a terra da beirada cedeu, e eu caí no buraco.

Só que não fui parar no País das Maravilhas. Muito pelo contrário.

Não me machuquei nem nada, e no fim consegui sair, me agarrando em algumas raízes que cresciam na lateral do buraco. Coloquei a placa de compensado de volta no lugar em que estava e voltei para casa, abalada, fedorenta e suja, mas ilesa. Nunca contei para ninguém o que eu tinha feito, porque sabia que vovô simplesmente ficaria bravo comigo. E por sorte ninguém nunca descobriu.

Mas o negócio é que, desde que eu falei com Michael no domingo, estou me sentindo como se estivesse sentada no fundo daquele buraco de novo. De verdade. Como se eu estivesse lá embaixo, olhando para o céu azul lá no alto, totalmente sem saber como eu tinha me metido naquela situação.

Só que, desta vez, não tinha nenhuma raiz para me ajudar a me firmar e sair do buraco. Eu estava empacada lá no fundo. Enxergava a vida normal passando lá em cima — gente rindo, se divertindo; o sol brilhando; os passarinhos e as nuvens no céu —, mas não conseguia voltar para me juntar àquilo. A única coisa que eu podia fazer era observar, do fundo daquele enorme buraco escuro.

Bom, mas quando terminei de explicar tudo isso — que foi basicamente quando mal conseguia continuar falando, de tanto que eu soluçava — que meu pai começou a resmungar bem bravo que vovô ia ver só da próxima vez que eles se encontrassem (e parece que a coisa envolvia um daqueles aparelhinhos de dar choque e vovô no chuveiro).

O Dr. Loco, por sua vez, ergueu os olhos do papel em que ficou escrevendo durante o tempo todo em que falei, olhou bem dentro dos meus olhos e disse uma coisa surpreendente.

Ele disse: "Às vezes na vida a gente cai em buracos dos quais não consegue sair sozinho. É para isso que os amigos e a família servem, para ajudar. Mas eles só podem ajudar se você informar a eles que está lá embaixo."

Fiquei olhando estupefata para ele mais um pouco. Foi realmente estranho, mas... eu não tinha pensado nisso. Eu sei que parece idiota. Mas a ideia de pedir ajuda nunca tinha me ocorrido.

"Então, agora que sabemos que você está lá no fundo", o Dr. Loco prosseguiu, com sua fala cantada de caubói, "que tal você nos deixar dar uma ajudinha?"

O negócio era que eu não tinha certeza se alguém *podia* me ajudar. A sair daquele buraco, quer dizer. Eu estava tão no fundo, e tão cansada... Mesmo se alguém me jogasse uma corda, eu não tinha certeza se teria forças para me agarrar a ela.

"Acho", eu disse, fungando, "que seria bom. Quer dizer, se der certo."

"Vai dar certo", o Dr. Loco afirmou com muita certeza. "Então, amanhã de manhã, eu quero que você vá ao seu clínico-geral para fazer um exame de sangue, só para nos certificarmos de que não há nada de errado desse lado. Certos problemas de saúde podem afetar o humor, então vamos eliminar essas possibilidades — além da meningite, é claro. Daí você pode vir me ver para a sua primeira sessão de terapia depois da aula. E o meu consultório tem uma localização muito conveniente, apenas a alguns quarteirões da sua escola."

Fiquei olhando para ele, com a boca de repente seca. "Eu... eu realmente não acho que vou conseguir ir à escola amanhã."

"Por que não?" O Dr. Loco parecia surpreso.

"É só que..." Meu coração tinha começado a bater com toda força contra as minhas costelas. "Será que não dá... que não seria melhor se eu voltasse para a escola na segunda? Sabe como é, para começar tudo do zero e tal?"

Ele só ficou olhando para mim através dos óculos com aro prateado. Reparei que os olhos dele eram azuis. A pele ao redor deles era enrugada e ele tinha um ar simpático. Exatamente como os olhos de um caubói deveriam ser.

"Ou talvez", eu disse, "você poderia, sabe como é. Receitar alguma coisa. Algum remédio ou qualquer coisa assim. Talvez isso torne as coisas mais fáceis."

Idealmente algum remédio que me fizesse apagar completamente, para eu não precisar pensar nem sentir nada até, ah, a formatura.

Mais uma vez, o Dr. Loco parecia saber exatamente do que eu estava falando. E parecia achar divertido.

"Eu sou psicólogo, Mia", ele disse, com um sorrisinho. "Não psiquiatra. Não posso receitar medicamentos. Tenho um colega que receita, quando acho que um paciente está precisando. Mas não acho que seja o seu caso."

O quê? Ele não poderia estar mais enganado. Preciso de remédios. E muitos! Quem precisava mais de drogas do que eu? Ninguém! Ele só estava me negando remédios porque não conhece Grandmère.

Quando dei por mim, o Dr. Loco estava me olhando fixamente, e o meu pai se remexia todo desconfortável na cadeira. Foi aí que percebi que tinha falado a última parte em voz alta.

Ops.

"Bom", eu disse na defensiva para o meu pai. "Você sabe que é verdade."

"Eu sei." Meu pai olhou para o céu. "Pode acreditar."

"Conhecer a sua avó é algo que anseio em fazer algum dia", o Dr. Loco disse. "Ela obviamente é muito importante para você e eu teria interesse em ver a dinâmica entre vocês duas. Mas, bom... em nenhum lugar desta avaliação você indicou que sente ímpetos suicidas. Aliás, à pergunta se alguma vez você já se sentiu compelida a tirar a própria vida, você respondeu *nunca*."

"Bom", eu disse, desconfortável. "Só porque, para me matar, eu teria que sair da cama. E realmente não estou a fim de fazer isso."

O Dr. Loco sorriu. "Acho que remédios não são a solução no seu caso específico."

"Bom, eu preciso de alguma coisa", eu disse. "Porque senão, não sei como vou conseguir chegar até o fim do dia. Estou falando sério. Sem ofensa, mas você não sabe como as coisas são no ensino médio hoje em dia. Não estou brincando. É de dar medo."

"Sabe, Eleanor Roosevelt, uma senhora que pouquíssimas pessoas diriam que não tinha a cabeça no lugar, certa vez disse: 'Faça todo dia uma coisa que lhe dá medo'", o Dr. Loco observou.

Sacudi a cabeça. "Isso não faz o menor sentido. Por que alguém vai querer fazer coisas que lhe dão medo?"

"Porque esta é a única maneira de crescer como indivíduo", o Dr. Loco respondeu. "Claro, muitas coisas podem ser assustadoras — aprender a andar de bicicleta; andar de avião pela primeira vez; voltar para a escola depois de ter terminado com o seu namorado de longa data e ver uma foto sua com o namorado da sua melhor amiga nas páginas de um jornal de circulação nacional. Mas, se você não correr riscos, vai continuar sempre a mesma. E será que realmente é assim que você acha que vai conseguir sair do buraco em que caiu? Você não acha que o único jeito de sair de lá é mudar?"

Respirei fundo. Ele tinha razão. Eu sabia que ele tinha razão. É só que... ia ser tão *difícil*...

Bom, Michael realmente disse que nós dois precisávamos amadurecer um pouco.

O Dr. Loco prosseguiu: "E, além do mais, qual é a pior coisa que pode acontecer? Você tem um guarda-costas. E até parece que não tem outras amigas além da Lilly, certo? Que tal aquela tal de Tina que a sua mãe mencionou?"

Eu tinha me esquecido da Tina. É engraçado como isso pode acontecer quando a gente está no fundo do poço. A gente se esquece das pessoas que fariam qualquer coisa — qualquer coisa mesmo, provavelmente — para ajudar você a sair dele.

"É", eu disse, sentindo, pela primeira vez em muito tempo, uma pequena fagulha de esperança. "Tem a Tina."

"Que bom. É um começo. E quem sabe?", ele completou, com um sorriso. "Pode ser até que você se divirta!"

Certo. Agora eu sei que o nome dele *é* realmente apropriado. Ele é mais louco do que eu.

E, levando em conta que sou eu quem não tira o pijama da Hello Kitty há quase uma semana, isto quer dizer muita coisa.

Quinta, 16 de setembro, 18h, em casa

Depois que saímos do consultório do Dr. Loco, meu pai perguntou o que eu tinha achado. Ele disse: "Se você achar que não gostou, a gente pode arrumar outro, Mia. Todo mundo, inclusive a diretora da sua escola, concorda que ele é o terapeuta com mais recomendações na cidade, mas..."

"VOCÊ CONTOU PARA A DIRETORA GUPTA!", eu berrei.

Parece que o meu pai não apreciou muito o meu berro.

"Mia", ele disse, "faz quatro dias que você não vai à escola. Achou que ninguém iria notar?"

"Bom, você poderia ter dito que eu estava com bronquite!", berrei. "Não que eu estava deprimida!"

"Não contamos a ninguém que você está deprimida", meu pai disse. "A diretora da escola ligou para saber por que você havia faltado tantos dias..."

"Maravilha!", exclamei e afundei no assento de couro. "Agora a escola inteira vai saber!"

"Só se você contar para todo mundo", meu pai disse. "A diretora Gupta certamente não vai dizer nada para ninguém. Ela é profissional demais para fazer algo assim. Você sabe disso, Mia."

Por mais que me doa admitir, meu pai tem razão. A diretora Gupta pode ser muitas coisas — controladora, despótica, ensandecida, por exemplo —, mas nunca trairia o sigilo profissional entre aluno e diretor.

Além do mais, até parece que a metade dos alunos da Escola Albert Einstein não faz terapia também. Mesmo assim. A última coisa de que eu preciso é que *Michael* descubra que eu fiquei tão arrasada com a rejeição dele que estou me consultando com um psicólogo. Que humilhação!

"Quem *mais* sabe?", perguntei.

"Ninguém, Mia. A sua mãe, o seu padrasto e Lars."

"Não vou contar para ninguém", Lars disse, sem tirar os olhos da partida emocionante de Halo que ele estava jogando no celular.

"Só nós sabemos", meu pai prosseguiu.

"E Grandmère?", perguntei, toda desconfiada.

"Ela não sabe. Ela, como sempre, demonstra ignorância total e completa por tudo que não a envolve."

"Mas ela vai descobrir quando eu não aparecer para as aulas de princesa. Ela vai querer saber onde eu estou."

"Deixa que eu me preocupo com a minha mãe", meu pai disse, com um ar bem frio nos olhos, tipo Daniel Craig em *Casino Royale*. Se o James Bond fosse completamente careca. "Você só trate de melhorar."

Isso é fácil para ele dizer. Não foi ele quem assumiu o compromisso de falar para a Opus Dei das organizações femininas na sexta da semana que vem.

De todo modo, quando voltei para o apartamento, descobri que minha mãe havia aproveitado a minha ausência para limpar meu quarto e mandar toda a minha roupa de cama para a lavanderia. Ela também abrira todas as janelas e ligado todos os ventiladores e estava arejando o meu quarto com tanta vontade que Fat Louie não saía de debaixo da cama por medo de ser varrido pela tempestade de vento.

Nesse ínterim, o Sr. G havia levado embora minha TV. E o meu pai informou que não vão substituí-la, porque o Dr. Loco acha que as crianças não devem ter uma TV só para elas.

Então agora eu já sei sobre o que o Dr. Loco e eu vamos passar uma boa parte da nossa hora marcada para amanhã discutindo.

Tanto faz. Acho que tenho coisas mais importantes com que me preocupar. Tipo que, quando eu estava tomando banho, agorinha mesmo, a minha mãe se esgueirou para dentro do banheiro e roubou meu pijama da Hello Kitty. E jogou no incinerador.

"Pode acreditar, Mia, é melhor assim", foi o que ela disse quando eu a confrontei a respeito.

Acho que ela tem razão. Talvez eu estivesse ficando um pouco apegada demais a ele.

Mesmo assim. Sinto falta dele. Nós passamos por muita coisa juntos, meu pijama da Hello Kitty e eu.

Minha mãe, meu pai e o Sr. G estão todos sentados ao redor da mesa da cozinha agora, em uma espécie de conferência não tão secreta assim a meu respeito. Não tão secreta assim porque estou ouvindo tudo, total. Quer dizer, posso estar deprimida, mas eu ainda consigo ESCUTAR.

Para me distrair, entrei na internet pela primeira vez em, tipo, um milhão de anos, para ver se alguém havia me mandado um e-mail.

Acontece que tinham mandado sim. Um monte deles. Estava com 243 mensagens não lidas.

E, tudo bem, a maior parte delas era spam. Mas um bom número era da Tina tentando me animar. Havia algumas da Ling Su e da Shameeka também, e até algumas do Boris. (Ele é mesmo um namorado muito bom. Sempre faz exatamente o que a Tina manda.) Havia algumas do J.P., na maior parte piadas encaminhadas que supostamente deixariam a gente alegre ou algo assim. Não que ele saiba que eu estou pra baixo. É MELHOR que ele não saiba, de todo modo.

Então, quando eu estava examinando as mensagens e movendo uma por uma para a lixeira, eu vi.

Um e-mail do Michael.

Juro que o meu coração começou a bater a uns mil quilômetros por minuto, e as palmas das minhas mãos ficaram instantaneamente encharcadas. Porque e se aquilo fosse apenas para reiterar o que Michael havia me dito no domingo? Aquela coisa sobre como nós deveríamos ser só amigos e sair com outras pessoas? Não quero ver isso de novo. Não quero ouvir isso de novo. Nem quero pensar nisso de novo. Passei a semana inteira fazendo tudo que eu podia para NÃO ter que reviver aquela conversa específica na minha mente… e agora havia uma chance de que ela se revelasse diante dos meus olhos.

De jeito nenhum.

Mas daí, bem quando estava prestes a apertar o EXCLUIR, eu hesitei. Porque e se não fosse sobre aquilo? E se — e, tudo bem, mesmo enquanto eu estava tendo a ideia, já me dei conta de que este era um enorme E SE, mas tanto faz —, mas e se fosse um e-mail para me dizer que ele tinha mudado de ideia e que, no final das contas, não queria terminar?

E se ele tivesse passado esta última semana tão deprimido quanto eu?

E se, depois de uma semana separados, ele tivesse percebido como sente a minha falta, e do mesmo jeito que eu estava aqui parada, morrendo de vontade de estar nos braços dele, cheirando o pescoço dele, Michael estivesse morrendo de vontade de estar comigo nos braços, cheirando o pescoço dele?

E, antes que eu pudesse mudar de ideia, cliquei em ABRIR….

SkinnerBx: Oi, Mia. Sou eu. Bom, é óbvio. Só queria saber como você está. Lilly me disse que você faltou à escola a semana toda... espero que esteja tudo bem.

Estou me acomodando aqui em Tsukuba. Este lugar é meio maluco — o pessoal realmente come macarrão no café da manhã! Mas por sorte dá para achar sanduíche de ovo na maior parte dos lugares. O trabalho é bem o que eu achava que ia ser — difícil —, mas realmente acredito que tenho uma boa chance de conseguir fazer esta coisa decolar. Mas vai saber, talvez eu não esteja mais tão otimista depois de algumas semanas disto aqui.

Você viu as supostas negociações para um filme de reunião de *Buffy, a caça-vampiros* com *Angel*? Achei que você ia ficar animada com isso.

Bom, preciso ir... Espero de verdade que você não esteja indo à escola porque foi enviada para algum lugar maravilhoso no seu jatinho para cumprir alguma função de princesa, e não que esteja doente.

Michael

Fiquei lá sentada durante muito tempo, com o dedo pronto para apertar RESPONDER. Quer dizer, ele expressou preocupação com a minha saúde (física, não mental, mas tudo bem. Duvido que mesmo Michael fosse capaz de deduzir que eu pudesse chegar ao fundo do poço no quesito autorrealização e acabasse no consultório de um psicólogo caubói com o meu pijama da Hello Kitty, enrolada em um edredom).

Mas isso deve significar alguma coisa, não é mesmo? Tem que ter alguma coisa ali. Pode ser que ele ainda me ame, pelo menos um pouquinho, não? Que talvez exista uma chance, no final das contas, de que algum dia, de algum jeito, eu possa voltar a sentir o cheiro do pescoço dele em frequência semirregular, não?

Mas então... não sei. Pensei sobre o que ele disse ao telefone. Sobre querer ser só meu amigo. Percebi que este e-mail era só isso mesmo. Um recado simpático para me mostrar que ele não havia ficado magoado com a coisa do J.P.

COMO É QUE ELE PODE NÃO TER FICADO MAGOADO COM AQUILO? POR ACASO ELE NÃO SE IMPORTAVA COMIGO NEM UM POUQUINHO?????

OU será que eu, no ataque psicótico total que tive na semana passada por causa da coisa com a Judith Gershner, consegui destruir a quantidade mínima de sentimentos românticos que ele já teve por mim?

E foi aí que eu tirei o mouse de cima do botão RESPONDER e passei para o EXCLUIR. E apertei.

E assim, sem mais nem menos, o e-mail dele desapareceu.

E não ia ter jeito de eu mandar uma resposta para ele.

Michael pode ter me superado. Mas eu não o superei. Não ainda, pelo menos.

E não posso fingir que superei. E não vou fazer uma coisa tão idiota e indigna quanto clicar em RESPONDER e pedir para ele me aceitar de volta.

Mas a única maneira que eu conheço para não fazer isso é simplesmente não dizer absolutamente nada para ele.

Depois que excluí o e-mail do Michael, dei uma olhada no site euodeiomiathermopolis.com. Não tinha nenhuma atualização, graças a Deus.

Bom, e por que haveria? Eu não saí de casa a semana toda. Seja lá quem cuida desse site, não tem nenhum material novo.

Agora a minha mãe está me chamando. Ela, o meu pai e o Sr. G pediram uma pizza do Tre Giovanni. Vamos todos sentar para jantar como uma família normal. Só eu, minha mãe, o marido dela, o filho dele e o meu pai, o príncipe de Genovia.

Ah, é. Nós somos mesmo uma família bem normal.

Não é para menos que eu estou fazendo terapia.

Sexta, 17 de setembro, Francês

Ai, meu Deus. É tão... surreal estar aqui.

Acho que o Dr. L estava enganado, e eu preciso, sim, de remédios. Porque simplesmente não sei como vou aguentar. Sei que ele disse que é bom fazer uma coisa assustadora por dia — muito obrigada por isso, aliás, Eleanor Roosevelt, muito obrigada mesmo —, mas isto aqui é tipo NOVE MILHÕES DE COISAS, tudo ao mesmo tempo.

E, tudo bem, eu não sei por que a ESCOLA deve ser assim tão assustadora. Eu nunca tive medo da escola antes. Pelo menos não tanto assim.

Mas tem muito mais coisas do que a escola simplesmente. É ter que FALAR com as pessoas. É ter que agir de forma NORMAL, quando eu sei que NÃO estou normal.

E, tudo bem, a verdade é que eu nunca fui normal. Mas estou mais NÃO normal do que nunca. Eu perdi minha rede de apoio, a ÚNICA coisa com que fui capaz de contar nos últimos dois anos para manter a minha sanidade neste mar de loucura completa: Michael.

E agora, sem mais nem menos, ele foi embora, foi completamente arrancado da minha vida, e eu simplesmente devo seguir em frente como se nada tivesse acontecido? Sei. Até parece.

E eu preciso estar aqui, neste — vamos encarar — hospício, com toda essa gente que é MUITO MAIS LOUCA DO QUE EU (elas simplesmente não reconhecem que há algo de errado, diferentemente de mim), sem absolutamente ninguém me esperando fora daqui e dizendo: "Ai, meu Deus, você não acredita o que a fulaninha fez hoje."

Fala sério, isto é simplesmente cruel.

Mas acho que é o que eu mereço. Quer dizer, até parece que não fui eu mesma quem causou tudo isto com a minha própria estupidez.

Pelo menos não fui forçada a sofrer o massacre de um dia inteiro neste lugar. Tive que passar a manhã esperando sem fazer nada no consultório do Dr. Fung para tirarem o meu sangue. E como eu tive que ficar sem comer desde a meia-noite de ontem para que o resultado do exame saísse certo, eu estava praticamente MORRENDO DE FOME. Quer dizer, já foi bem ruim ter que sair da cama, tomar banho e me vestir.

Mas eu nem tomei café da manhã!

Pior ainda, apesar de a minha barriga estar totalmente vazia, não consegui... bom, por alguma razão, a saia do meu uniforme não queria fechar. Quer dizer, o zíper fechava — quase todo —, mas eu não consegui fechar o botão, porque tinha um monte de PELE no caminho. No final, tive que usar um alfinete de fralda para manter minha saia no lugar.

No começo, achei que ela devia ter encolhido na lavanderia e fiquei meio brava com isto.

Mas meu sutiã também não cabia! Quer dizer, sei que já faz um tempinho que não visto roupa de baixo, já que passei a maior parte da semana com meu pijama da Hello Kitty.

E admito que reparei que tudo anda ficando meio apertado em todos os lugares ultimamente. E eu só coloquei o meu jeans com stretch. E tive que usar os últimos ganchos de todos os meus sutiãs.

E mesmo assim fiquei toda marcada.

Mas, quando vesti meu sutiã preferido hoje de manhã, pela primeira vez na vida, eu fiquei com UM BURAQUINHO ENTRE OS SEIOS, porque ele estava apertando muito os meus peitos.

É isso aí. Eu realmente *tenho* peitos para serem apertados. Não sei de onde eles surgiram, mas olhei para baixo e lá estavam eles. Olá, peitos!

Daí eu achei que a lavanderia tinha encolhido meu sutiã também, então experimentei outro. A mesma coisa. Depois outro. A MESMA COISA. Não dava para entender.

Mas quando eu cheguei à Clínica Médica do SoHo e FINALMENTE chamaram meu nome, e eu entrei, e me pesaram, eu descobri o que estava acontecendo. Fiquei CHOCADA de descobrir que eu estava pesando quase SEIS Fat Louies!

Isso é quase um Fat Louie a mais do que eu pesava da última vez que subi em uma balança! E admito que já faz um tempinho, mas mesmo assim!

E, tudo bem, talvez eu esteja mandando ver na carne de um jeito um tanto pesado há mais ou menos uma semana. Bom, não só na carne, mas também na pizza, nos biscoitos das escoteiras, na manteiga de amendoim, no macarrão frio com gergelim, na pipoca de micro-ondas (com manteiga derretida), nos biscoitos Oreo, no sorvete Häagen-Dazs e nas famosas fritas do Baluchi's...

Mas engordar quase um GATO inteiro?

Uau. É tudo que eu tenho a dizer. Só... uau.

Claro que havia uma explicação racional por trás da carne. O Dr. Fung disse assim: "Você ainda está bem dentro do índice de massa corporal ideal para a sua altura, princesa. Na verdade, é bem normal ter esse tipo de pico de crescimento na sua idade. Algumas mulheres têm isso até com vinte e poucos anos."

É que eu não cresci só para os lados. Cresci para cima também — agora estou com 1,78 metro. Eu cresci mais de dois centímetros desde a última vez que estive no consultório do médico!

Se eu continuar assim, vou estar com 1,80m quando chegar aos dezoito anos.

E o lado positivo de engordar um Fat Louie inteiro? Acho que não tenho mais o peito achatado.

E pelo lado não tão positivo assim? Vou ter que falar com a minha mãe sobre comprar sutiãs novos. E calcinhas. E calças jeans. E pijamas. E moletons. E um uniforme novo.

E vestidos de baile novos.

Ai, meu Deus.

Mas tanto faz. Até parece que eu não tenho coisas mais importantes com que me preocupar (rá!) do que o tamanho dos meus peitos (gigantescos) e o fato de que minha saia está presa por um pedacinho de metal e todos os meus jeans estão curtos demais. Quer dizer, tem o fato de que, daqui a meia hora, eu vou ter que ir até o refeitório.

E encontrar Lilly.

Que sem dúvida vai levar a bandeja dela para outro lugar quando me vir.

E isto... bom, tanto faz. Eu sei que Tina vai continuar querendo sentar comigo. Esta é a única coisa, aliás, que me impede de virar para Lars e dizer: "Vamos embora", e sair pisando firme para bem longe deste depósito de malucos.

Aliás, foi bom o Dr. Loco ter mencionado Tina ontem, porque toda vez que começo a sentir muito que estou escorregando de volta para dentro do buraco de que estou tentando sair, penso nela, e é como se ela fosse uma raiz ou algo assim em que posso me agarrar para não deslizar mais para o fundo do abismo profundo de desespero.

Como será que Tina se sentiria se descobrisse que eu penso nela como se fosse uma raiz?

Claro que tenho coisas muito piores com que me preocupar além de quem vai ou não sentar comigo no almoço: o fato de que estou fazendo terapia e não quero que ninguém saiba; o fato de que daqui a uma semana eu supostamente vou ter que fazer um discurso para as duas mil executivas mais influentes de Nova York; o fato de que o amor da minha vida só quer ser meu amigo (e ficar com outras pessoas) e que eu não o tenho mais para ser minha rede de apoio cheio de amor, de modo que fui largada à deriva para nadar sozinha nos mares da adolescência; o fato de que a indústria da carne enfia tanto hormônio em seus produtos que, só de consumir algumas dúzias de sanduíches de presunto e de porções de frango *kung pao* na última semana, finalmente consegui ganhar peitos praticamente da noite para o dia; euodeiomiathermopolis.com; o fato de que ambas as calotas polares estão derretendo devido ao aquecimento global antropogênico e de que os ursos-polares estão todos morrendo afogados.

Mas estou tentando tratar das minhas preocupações uma de cada vez. Com passinhos de bebê, como os do Rocky quando ele estava aprendendo a andar. Primeiro preciso passar pelo almoço. Depois me preocupo com as calotas polares.

Faltam mais quatro horas para eu poder dar o fora daqui.

Sexta, 17 de setembro, S&T

Maravilha. Então agora tenho mais uma preocupação para adicionar à lista: parece que a escola inteira acha que J.P. e eu estamos juntos.

É isso que acontece quando a gente passa quase uma semana em casa com um ataque de nervos e não está presente para se defender.

Bom, também acho que é o que acontece quando a sua foto saindo de braços dados de um teatro com o cara está em todo lugar. Mas ele só estava me ajudando a descer a escada! Porque eu estava de salto! E os degraus eram acarpetados e não tinha corrimão!

Caramba!

E, tudo bem, com base na evidência fotográfica, dava para ver por que a população média dos Estados Unidos — e o resto do mundo, imagino — pensaria que J.P. e eu estamos juntos.

Mesmo assim! Era de esperar que os meus AMIGOS fossem mais espertos do que isso!

Mas parece que não. E o limite já foi traçado:

Agora Lilly senta à mesa do Kenny Showalter na hora do intervalo.

Acho que a apreciação mútua que os dois têm pelos amigos que lutam muay thai os uniu, ou qualquer coisa assim.

Perin e Ling Su sentam com eles, apesar de Ling Su ter me dito, quando estávamos no bufê de tacos, que preferia sentar comigo.

"Mas Lilly me colocou no cargo de secretária", explicou, parecendo verdadeiramente desolada em relação ao assunto. "O que é melhor do que tesoureira, acho" — isto definitivamente é verdade, levando em conta que Ling Su foi tesoureira no ano passado. "E Lilly nomeou Kenny para isso. Mas significa que tenho que sentar com ela e a Perin, que é a vice-presidente, pra gente poder conversar sobre as novas iniciativas da Lilly, como, por exemplo, a coisa de alugar o telhado da escola para a instalação de antenas de celular em troca de notebooks gratuitos para bolsistas, e como vamos garantir que mais alunos da EAE sejam aceitos nas faculdades da Ivy League que desejarem, e esse tipo de coisa."

"Tudo bem, Ling Su", disse a ela enquanto espalhava queijo cheddar por cima da minha tortilha de carne picante. "De verdade, eu entendo."

"Que bom. E, só para constar", concluiu, "acho que você e J.P. formam um casal demais. Ele é o maior gostoso."

"Nós não estamos juntos", respondi, totalmente confusa.

"Certo", Ling Su falou, toda sabichona, e deu uma piscadinha pra mim. Como se ela achasse que eu só estava dizendo aquilo como alguma tentativa desvirtuada de agradar Lilly! O que seria totalmente fútil, se fosse por isso que eu tivesse dito aquilo. Mas *não foi* por isso que eu disse aquilo, de jeito nenhum! Eu disse porque era verdade!

Mas Ling Su não é a única que acha que J.P. e eu estamos namorando. Quando fui devolver minha bandeja do almoço, uma das funcionárias do refeitório sorriu pra mim e disse: "Quem sabe você não consegue fazer com que ele experimente o nosso milho?"

No começo não entendi do que ela estava falando. Daí, quando entendi, comecei a ficar totalmente vermelha. J.P. é famoso por detestar milho! E ela achou que eu pudesse curá-lo disto! Ai, meu Deus!

Pelo menos J.P. parece não estar ligado no que está acontecendo. Ou, se estiver, não está deixando transparecer. Ele pareceu surpreso quando cheguei pra almoçar pela primeira vez em toda a semana, mas não fez muito caso (graças a Deus), como a Tina fez, com gritinhos e abraços e dizendo o quanto tinha sentido minha falta.

O que foi bem legal, mas meio constrangedor, porque chamou mais atenção para o fato de que eu fiquei fora tanto tempo, e estou totalmente cansada de ficar falando "bronquite" quando as pessoas me perguntam onde eu estive a semana toda. Porque não posso exatamente dizer: "Na cama, com o meu pijama da Hello Kitty, me recusando a levantar depois que meu namorado me deu um fora." A única coisa que J.P. fez fora do comum foi sorrir pra mim, quando não havia nenhum motivo pra sorrir — aliás, Boris estava discursando sobre o ódio que ele tem por emos, especificamente My Chemical Romance, como ele sempre faz. Eu estava dando uma mordida na minha tortilha (é impressionante como, apesar de eu estar totalmente deprimida, continuo comendo que nem um cavalo. Mas tanto faz, eu estava morta de fome. Só tinha comido uma barrinha de cereal o dia todo, que peguei na Ho's Deli depois da consulta no médico, a caminho da escola. Daí eu reparei no sorriso do J.P. — que, como Ling Su disse, realmente é bem gostoso — e falei: "O quê?", com a boca cheia de carne picada, queijo cheddar, molho de salsa, creme azedo, pimenta mexicana e alface picadinha.

"Nada", J.P. respondeu, sem parar de sorrir. "Só estou feliz porque você voltou. Não fique fora tanto tempo de novo, ok?"

E isso foi legal da parte dele. Principalmente levando em conta o fato de que não tem como ele NÃO saber que as pessoas andam dizendo que estamos namorando.

O que explicaria pelo menos em parte por que Lilly está tão imóvel no lado dela da sala de S&T. Ela se recusa a olhar pra mim, não fala comigo, sequer reconhece a minha existência. Pra ela, parece que eu sou Hester Prynne de *A letra escarlate*.

Só que a Hester Prynne do livro, não a do filme, que é interpretada por Demi Moore e é até quase bacana e explode as coisas. Ah, espera... isso foi em *G.I. Jane*.

Eu gostaria de simplesmente chegar pra Lilly e dizer algo do tipo: "Olha só. Sinto MUITO. Sinto muito por ter sido tão babaca com seu irmão, e sinto muito se fiz alguma coisa que magoou você. Mas você não acha que já me castigou bastante? Agora eu mal consigo RESPIRAR, porque respirar NÃO SERVE PARA NADA se eu sei que, no fim do dia, não vou poder cheirar o pescoço do seu irmão. A única coisa em que consigo pensar é que nunca, nunca mais vou ouvir o som da risada sarcástica dele quando assistíamos a South Park juntos. Será que você não vê que eu precisei reunir cada grama de coragem e de força que eu possuo só pra vir até aqui hoje? Que eu estou fazendo TERAPIA? Que passo cada segundo do dia querendo estar MORTA? Então será que você podia parar de ser tão fria comigo e me dar um desconto? Porque eu realmente valorizo a sua amizade, e sinto falta dela. E, aliás, você acha mesmo que ficar com um lutador de muay thai qualquer é a maneira mais madura de reagir a sua mágoa amorosa? Por acaso você é a Lana Weinberger ou algo assim?"

Só que não dá. Porque acho que eu não ia suportar encarar aquele olhar morto que ela lança sempre que olha pra mim agora.

Porque eu sei que é exatamente isto que ela vai fazer.

Sexta, 17 de setembro, Educação Física

Estou aqui em pé, tremendo.

Em pé e não sentada, porque estou em um dos campos de beisebol do Great Lawn no Central Park. Acho que estou jogando de ala esquerda, ou qualquer coisa assim, mas é difícil saber com tantos gritos. *Pega a bola! Pega a bola!*

Até parece. Pega a bola *você*, sua fracassada. Não vê que estou ocupada escrevendo no meu diário?

Eu devia totalmente ter feito o Dr. Fung me dar um atestado para eu escapar da aula de educação física. ONDE EU ESTAVA COM A CABEÇA?

Porque não é só a coisa do *Pega a bola*. Eu tive que TIRAR A ROUPA na frente de todo mundo. E isto significa que eu tive que levantar o suéter, e todo mundo viu O ALFINETE DE FRALDA segurando minha saia pra não abrir.

Eu falei: "Haha, perdi um botão."

Mas essa explicação não funcionou pra dizer por que, quando eu coloquei meu short de ginástica, ele ficou TODO JUSTO e totalmente entrando na parte da frente. Graças a Deus que a minha camiseta de ginástica sempre foi um pouco grande. Agora está servindo certinho.

E como se tudo isso já não fosse bem ruim, de algum modo LANA WEINBERGER por acaso estava no vestiário quando eu estava me trocando.

Não sei o que ela estava fazendo lá, já que ela não tem aula de EF neste período. Acho que não gostou da maneira como os cachos do cabelo dela ficaram, ou qualquer coisa assim, porque estava secando de novo. Eva Braun, mais conhecida como Trisha Hayes, estava parada bem ao lado dela, lixando as unhas.

E, é claro, apesar de eu ter abaixado a cabeça por instinto assim que vi as duas, na esperança de que não fossem reparar em mim, já era tarde demais. Lana deve ter visto meu reflexo no espelho em que ela estava se olhando ou algo assim, porque, antes que eu me desse conta, ela desligou o secador e estava dizendo: "Ah, você está aí. Por onde andou a semana toda?"

COMO SE ELA ESTIVESSE ME PROCURANDO!

Está vendo, é EXATAMENTE por isso que eu não queria voltar pra escola. Não posso lidar com coisas desse tipo ALÉM de tudo o mais que está acontecendo. É sério, a minha cabeça vai explodir.

"Hm", respondi. "Bronquite."

"Ah", Lana disse. "Bom, sobre aquela carta que você recebeu da minha mãe…"

Fechei os olhos. Eu realmente FECHEI OS OLHOS porque eu sabia o que viria a seguir — ou pelo menos achei que sabia — e não achei que fosse emocionalmente capaz de dar conta daquilo.

"Sei", respondi. E, por dentro, eu estava pensando: *Fala logo. Seja lá qual for a coisa maldosa, amarga e humilhante que você vai dizer, simplesmente diga logo pra eu poder sair daqui. Por favor. Não sei quanto mais vou conseguir aguentar.*

"Obrigada por aceitar" foi a coisa completamente surpreendente que Lana disse, em vez do que eu achava que ela diria. "Porque era a Angelina Jolie que ia fazer o discurso, mas ela deu pra trás pra fazer o papel de Madre Teresa em um filme novo aí. Minha mãe não parava de me azucrinar de tão histérica que estava pra achar alguma substituta. Então eu sugeri você. Você fez aquele discurso no ano passado, sabe, quando nós duas estávamos disputando a presidência do conselho estudantil. E até que foi legal. Então achei que você seria uma substituta decente pra Angelina. Então. Obrigada."

Não tenho bem certeza — vamos ter que checar com sismólogos do mundo todo —, mas realmente acho que, naquele momento, o inferno realmente congelou.

Porque Lana Weinberger disse uma coisa legal pra mim.

Mas é claro que essa não é a parte que me fez desejar que o Dr. Fung me desse um atestado pra não fazer EF hoje.

Foi o que aconteceu depois.

Eu fiquei tão chocada de ver Lana Weinberger agir como um ser humano que nem consegui responder na hora. Só fiquei lá parada, olhando pra ela. E isso infelizmente deu a Trisha Hayes a oportunidade de reparar no alfinete de fralda segurando a minha saia.

E ela é esperta demais pra acreditar na minha desculpa de ter perdido um botão.

"Cara", Trisha disse. "Tipo você realmente precisa de uma saia nova." Daí o olhar dela subiu para o meu peito. "E de um sutiã maior."

Senti meu rosto ficando vermelho feito um tomate. Ainda bem que tenho terapia depois da aula hoje. Porque nós vamos ter mesmo MUITA coisa sobre o que falar.

"Eu sei", respondi. "Eu, hm, preciso fazer umas comprinhas."

E foi aí que a próxima coisa completamente surpreendente aconteceu. Lana virou de novo para o reflexo dela, passou os dedos pelo cabelo agora completamente liso e disse: "Nós vamos à liquidação de lingeries da Bendel's amanhã. Quer ir com a gente?"

"Cara, o que...?" *diabos você está fazendo?*, era obviamente o que a Trisha ia perguntar.

Mas eu vi Lana lançar um olhar de aviso pra ela no espelho, e exatamente como o Almirante Piett fez quando se deu conta de que tinha deixado a *Millennium Falcon* escapar na frente do Darth Vader, Trisha fechou a boca, apesar de parecer assustada.

Eu só fiquei lá parada, sem ter certeza se aquilo tudo estava mesmo acontecendo ou se era um sintoma da minha depressão. Talvez eu estivesse com alguma forma de depressão em que a gente tem alucinações sobre convites para liquidação de lingeries na Bendel's com líderes de torcida que sempre odiaram você. Nunca se sabe.

Como eu não respondi na hora, Lana se virou para me encarar. Pela primeira vez ela não parecia esnobe. Simplesmente parecia... normal.

"Olha, eu sei que você e eu nem sempre nos demos bem, Mia. Aquela coisa com o Josh... bom, tanto faz. Às vezes ele era mesmo o maior babaca. Além do mais, algumas das suas amigas são tão... quer dizer, aquela tal de Lilly..."

"Não diga mais nada", disse e ergui a mão. E não estava falando só por falar não. Porque era muito sério. Eu realmente não queria que Lana falasse mais nada da Lilly. Que, é verdade, anda me tratando igual lixo ultimamente.

Mas talvez eu mereça ser tratada igual lixo.

"Mas, bom", Lana prosseguiu, "vi que você não estava sentada com ela no almoço hoje."

"Estamos dando um tempo", falei, séria.

"Bom, tanto faz", ela continuou. "Você realmente está salvando a pele da minha mãe. E se você vai entrar para a Domina Rei algum dia, como eu — se eu tiver sorte —, então acho que devíamos deixar o passado pra trás. Quer dizer, espero que hoje a gente seja mais madura do que era, e que a gente possa se comportar como adultas em relação a isso. Você não acha?"

Fiquei tão chocada que só assenti.

Em vez de ressaltar que o caso não é exatamente de Lana e eu não nos darmos bem, mas, sim, o fato de ela ser totalmente maldosa com algumas das minhas amigas.

Em vez de falar "Para sua informação, eu não entraria para a Domina Rei nem que você me pagasse".

Em vez de fazer qualquer uma dessas coisas, eu só fiquei lá parada, assentindo.

Porque não consegui pensar em mais nada pra fazer. É, eu fiquei mesmo completamente desconcertada com o que estava acontecendo.

Ou como estou louca e deprimida com tudo.

"Legal", Lana disse. "Então, amanhã de manhã, às dez horas, na Bendel's. Depois a gente almoça em algum lugar. Vamos, Trish. A gente tem que ir pra aula."

E assim, sem mais nem menos, as duas saíram...

... quase exatamente no mesmo instante em que a Sra. Potts entrou, apitando, e nos mandou fazer fila para ir para o parque.

Eu fiz o que me mandaram sem pestanejar.

É, eu estava mesmo completamente desconcertada com o que tinha acabado de acontecer. Uma parte de mim dizia: *É um truque. Tem que ser. Eu vou chegar à Bendel's e, em vez da Lana, vai estar o comediante Carrot Top, com um monte de paparazzi que vão me fotografar junto com o Carrot Top, e a manchete de todos os jornais de domingo vai ser "Conheça o novo futuro consorte real de Genovia... Carrot Top!"*

Mas minha parte racional (acho que, apesar de estar afundada na depressão, ainda tenho um lado racional) dizia: *É ÓBVIO que Lana estava sendo sincera. Aquela coisa que ela disse sobre Josh — quer dizer, basicamente, o que aconteceu entre você, Josh e Lana não é diferente do que está acontecendo agora entre você, J.P. e Lilly. Apesar de você e J.P. serem só amigos, Lilly ainda ACHA que você o roubou, do mesmo jeito que Lana achou sobre Josh. A única diferença, na verdade, é que você era mesmo a fim do Josh. É claro que Lana ficou furiosa. É claro que LILLY está furiosa. Meu Deus, Mia. Você é mesmo um saco.*

Então talvez não seja um truque, no final das contas. Talvez Lana realmente só queira sair comigo.

A questão é... será que eu realmente quero sair com ela?

Ai, droga. Lá vem a Sra. Potts. Ela não parece muito feliz com o fato de eu ter trazido o meu diário aqui pra lateral esquerda do campo.

Mas por acaso a culpa é minha se ninguém joga a bola pra mim?

Sexta, 17 de setembro, Química

Ai, meu Deus.

Até onde eu sei, a loucura completa tomou conta desta aula desde que eu estive aqui pela última vez. Nós estamos fazendo experiências independentes em grupo, e cada um escolhe a sua. A que Kenny e J.P. escolheram na minha ausência parece ser uma coisa chamada síntese de uma coisa parecida com nitrocelulose, que, eles me disseram, é na verdade "uma mistura de diversos ésteres nitrosos de amido com a fórmula [C6H7(OH)x(ONO2)y]n em que x+y=3 e n é qualquer número inteiro de 1 pra cima".

Não faço a menor ideia do que qualquer uma dessas coisas quer dizer. Só coloquei os óculos de proteção e o avental e estou aqui sentada, entregando coisas pra eles quando me pedem.

Isso quando eu realmente consigo identificar o que eles querem, óbvio.

Acho que ainda estou chocada com a coisa toda da Lana. Preciso descobrir como vou fazer pra escapar da liquidação de lingeries na Bendel's com Lana Weinberger amanhã.

É verdade, eu realmente preciso de sutiãs novos. Mas como eu posso sair com a *Lana*? Quer dizer, apesar de ela ter pedido desculpa. Ela continua sendo... Lana. O que nós podemos ter em comum? Ela gosta de ir pra balada. Eu gosto de ficar deitada na cama com o meu pijama de flanela da Hello Kitty, assistindo a *Why I Wore Lipstick to My Mastectomy*.

E isso me lembra de uma coisa. Não posso ir fazer compras na Bendel's amanhã. Amanhã não tem aula e isto significa que eu posso passar o dia inteiro na cama. ISSO MESMO!!! Eu amo a minha cama. É um lugar seguro. Ninguém pode me pegar lá.

Só que o Sr. G levou a minha TV embora.

Ah, bom. Eu posso ler *Jane Eyre* de novo. Quer dizer, tem aquela parte em que Jane e Mr. Rochester se separam por causa da coisa toda com a Bertha, e daí ela ouve a voz sem corpo dele flutuando acima do pântano... Talvez eu escute a voz sem corpo do Michael flutuando acima do rio Hudson, e vou saber que lá no fundo ele ainda me ama e me quer de volta, e daí eu posso pegar um avião para o Japão e...

> Mia! O que você vai fazer amanhã à noite? Se eu arrumar ingressos pra alguma coisa, você vai comigo? Qualquer coisa que você quiser ver, é só falar. — J.P.

Ai, meu Deus. O que eu posso dizer? Só quero ficar na cama. Pra sempre.

É muito legal da sua parte, J.P., mas ainda não me recuperei muito bem da bronquite. Acho que vou ficar quietinha. Mas obrigada por pensar em mim!

> Tudo bem! Se você quiser, posso ir à sua casa. A gente pode assistir a alguns filmes...

Ah, uau. J.P. realmente está lidando mal com o término dele com Lilly. Apesar de ter sido ele, é claro, quem deu início a tudo. Ainda assim, ele não consegue nem pensar na ideia de passar a noite de sábado sozinho.

Eu adoraria, mas a verdade é que a minha TV está quebrada.

O que não é a verdade, de jeito nenhum. Mas é o máximo de verdade que J.P. vai receber.

> Mia, isso é por causa da coisa no jornal? De todo mundo achar que a gente está namorando? Tem paparazzi na porta da sua casa ou algo assim? Você não quer ser pega comigo, um mero plebeu, de novo?

Ai, meu Deus.

NÃO! Claro que não! Só estou mesmo exausta. A semana foi longa.

> Certo. Eu aguento uma indireta. Tem outra pessoa, não tem? É o Kenny, não é? Vocês dois estão noivos? Quando é o casamento? Onde está a lista de presentes de vocês? Na Sharper Image, certo? Vocês querem uma cadeira de massagem robotizada iJoy 550, não querem?

Não pude evitar cair na gargalhada com isso. O que, é claro, fez o Sr. Hipskin olhar pra nossa mesa e dizer: "Algum problema, pessoal?"

"Não", Kenny respondeu, e depois ficou olhando com raiva pra gente. "Será que vocês dois podem parar de trocar bilhetinhos e *ajudar*?", ele sibilou, irritado.

"Com certeza", J.P. disse. "O que você quer que a gente faça?"

"Bom, pra começar, pode me passar o amido?", pediu Kenny.

E isso me lembrou de uma coisa:

"Então, Kenny", falei, enquanto ele salpicava alguma coisa branca em uma tigela com mais coisa branca. "Que história foi essa que eu ouvi de a Lilly ter ficado com um amigo seu lutador de muay thai na festa dela de sábado à noite?"

Kenny quase derrubou toda a coisa branca. Daí me lançou um olhar muito irritado.

"Mia", ele disse. "Com todo o respeito. Estou no meio de um procedimento perigoso que envolve o uso de ácidos altamente corrosivos. Será que a gente pode falar sobre a Lilly em algum outro momento?"

Meu Deus! Que bebezão.

Sexta, 17 de setembro, na limusine, a caminho do consultório do Dr. Loco

Fala sério, não sei o que é pior: aula de princesa ou terapia. Quer dizer, as duas coisas são igualmente horríveis, cada uma a seu modo.

Mas pelo menos eu vejo um MOTIVO nas aulas de princesa. Estou sendo preparada para governar um país. Com a terapia é como se… eu nem SEI qual é o objetivo. Porque, se era pra fazer eu me sentir melhor, NÃO está funcionando.

E tem DEVER DE CASA. Quer dizer, como se eu já não tivesse o SUFICIENTE pra fazer com uma semana de escola pra retomar. Preciso fazer dever de casa na minha PSIQUE também?

Não sei por que estamos pagando o Dr. Loco se ele quer que EU faça todo o trabalho.

Tipo a sessão de hoje começou com ele me perguntando como tinha sido a escola. Desta vez estávamos sozinhos no consultório dele — meu pai não estava lá, porque era uma sessão de verdade, não uma consulta. Tudo estava exatamente igual à última vez... a decoração maluca de caubói, os óculos de aro prateado, o cabelo branco e tal.

A única diferença, realmente, é que eu estava com o meu uniforme da escola pequeno demais, em vez do meu pijama da Hello Kitty. Que eu contei pra ele que minha mãe jogou no incinerador. Na mesma noite que meu padrasto levou embora minha TV.

Ao que o Dr. Loco respondeu: "Que bom. Então, o que aconteceu na escola hoje?"

Então eu disse a ele — MAIS UMA VEZ — que eu nem entendo por que tenho que IR à escola, já que eu COM CERTEZA tenho emprego garantido depois da formatura, e eu odeio aquilo, então por que não posso simplesmente ficar em casa?

Então o Dr. Loco me perguntou por que eu odeio tanto a escola, e daí — só pra ilustrar o que eu estava dizendo — contei a ele sobre a Lana.

Mas ele não entendeu absolutamente nada e ficou, tipo: "Mas isso não é bom? Uma menina com quem você nunca se deu bem lhe abriu uma possibilidade de amizade. Ela está disposta a deixar para trás as diferenças que tiveram no passado. Não é isso que você gostaria que sua amiga Lilly fizesse?"

"É sim", respondi, surpresa por ele não ser capaz de entender uma coisa tão óbvia. "Mas eu GOSTO da Lilly. Lana nunca foi nada além de má comigo."

"E a Lilly tem sido gentil ultimamente?"

"Bom, não ULTIMAMENTE. Mas ela acha que eu roubei o namorado dela..." Minha voz foi sumindo quando me lembrei de que também já havia roubado o namorado da Lana. "Certo", respondi. "Entendo o que você quer dizer. Mas... será que eu realmente devo ir fazer compras com a Lana Weinberger amanhã?"

"VOCÊ acha que deve ir fazer compras com a Lana amanhã?", o Dr. Loco perguntou.

Fala sério. É pra isso que estamos pagando a ele só Deus sabe quanto?

"Não sei!", exclamei. "Estou perguntando pra você!"

"Mas você se conhece melhor do que eu."

"Como é que você pode dizer uma coisa dessa?", praticamente berrei. "*Todo mundo* me conhece melhor do que eu! Você não assistiu aos filmes que fizeram sobre mim? Porque se não assistiu, foi a única pessoa do mundo!"

"Pode ser que eu os tenha encomendado na Netflix", o Dr. Loco admitiu. "E ainda não tenham chegado. Eu só conheci você ontem, lembra? E eu sou mais fã de filmes do Velho Oeste."

Revirei os olhos para os retratos de mustangues. "Caramba, nem tinha notado."

"Então", o Dr. Loco insistiu. "O que mais?"

Fiquei olhando pra ele sem entender nada. "Como assim o que mais? Tirando o fato de que, repito, meu PADRASTO LEVOU EMBORA MINHA TV!!!"

"Sabe qual é a única coisa que todos os alunos já admitidos em West Point têm em comum?"

Acorda. Que coisa aleatória. "Não sei. Mas aposto que você vai me contar."

"Nenhum deles tinha televisão no quarto."

"MAS EU NÃO QUERO ESTUDAR EM WEST POINT!", berrei.

Dr. Loco, no entanto, não reage bem a berros. Ele só disse assim: "O que mais você odeia na sua escola?"

Por onde começar? "Bom, que tal o fato de que todo mundo acha que eu estou namorando um cara que não estou?", perguntei. "Só porque saiu escrito no *New York Post*? E o fato de que o cara de quem eu gosto — que eu amo, aliás — está me mandando e-mails para perguntar se estou bem, como se nada houvesse acontecido entre a gente, como se ele não tivesse arrancado meu coração fora do peito e o chutado pela sala, como se fôssemos *amigos* ou algo assim?"

Dr. Loco pareceu confuso. "Mas você não concordou com Michael que vocês dois *deveriam* ser amigos?"

"Concordei", respondi, frustrada. "Mas não falei sério!"

"Entendo. Bom, como foi que você respondeu ao e-mail dele?"

"Não respondi", de repente me senti um pouco envergonhada. "Eu apaguei."

"Por que você fez isso?", perguntou.

"Não sei". É só que eu... não confiei em mim mesma pra não implorar que ele me aceitasse de volta. E não quero ser assim."

"Essa é uma razão válida para excluir o e-mail dele", Dr. Loco afirmou. E por alguma razão — apesar de ele ser um TERAPEUTA CAUBÓI — fiquei contente com isso. "Então, por que você não quer ir fazer compras com sua amiga?"

Parei de me sentir tão contente. Será que ele não consegue PRESTAR ATENÇÃO NO DETALHE MAIS SIMPLES DE TODOS?

"Eu já disse: ela não é minha amiga. Ela é minha inimiga. Se você tivesse assistido aos filmes…"

"Vou assistir neste fim de semana."

"Tudo bem. Mas… o negócio é que… a mãe dela me pediu pra fazer um discurso em um evento. E Grandmère diz que é uma grande honra. E ela está superanimada com a ideia. E acontece que a mãe dela pediu porque Lana me recomendou. E isso foi… legal da parte dela."

"Então foi por isso que você não recusou o convite dela na mesma hora?", Dr. Loco quis saber;

"Bom, por isso e por que… preciso de roupas novas. E Lana entende bastante de roupas. E se eu devo fazer uma coisa assustadora todo dia… Bom, a ideia de fazer compras com Lana DEFINITIVAMENTE me dá medo."

"Então acho que você já tem a sua resposta", Dr. Loco concluiu.

"Mas eu gostaria muito mais de passar o dia inteiro na cama", respondi rapidinho. "Lendo", completei. "OU ASSISTINDO À TV."

"Lá na fazenda", começou, com sua fala arrastada do Velho Oeste, "a gente tem uma égua chamada Dusty."

Acho que meu queixo caiu de verdade. Dusty? Depois de tudo isso ele ia me contar uma história de uma égua chamada *Dusty*? Que tipo de técnica psicológica esquisita era aquela?

"Sempre que está quente no verão e Dusty passa por um certo laguinho lindo na minha propriedade, ela entra na água e vai até o meio dele. Não importa se está selada ou se há um cavaleiro montado nela. Dusty não se importa. Ela tem que entrar na água. Quer saber por quê?"

Fiquei tão chocada com o fato de um psicólogo profissional me contar uma história sobre um CAVALO em seu local de trabalho que só assenti, como uma idiota.

"Porque ela está com calor", Dr. Loco respondeu. "E quer se refrescar. Prefere passar o dia inteiro naquele laguinho a ter que carregar alguém de um lado para o outro no lombo. Mas a gente nem sempre pode fazer o que quer. Porque não é necessariamente saudável ou prático. Além do mais, as selas estragam quando molham."

Fiquei olhando pra ele.

E este cara supostamente era o melhor psicólogo adolescente e infantil do país?

"Quero retomar uma coisa que você disse ontem", Dr. Loco prosseguiu, sem esperar que eu respondesse à história de Dusty, graças a Deus. "Você disse, com suas palavras", e ele realmente REPETIU as minhas palavras. Na verdade, leu nas anotações dele. "*Talvez seja um pouco mais complicado do que o fim de um namoro adolescente normal, porque eu sou princesa e o Michael é um gênio, e ele acha que precisa ir para o Japão construir um braço cirúrgico robotizado para provar pra minha família que é digno de mim, quando a verdade é que eu não sou digna dele, e suponho que porque, lá no fundo eu saiba disto, sabotei totalmente o nosso relacionamento.*"

Dr. Loco ergueu os olhos das anotações. "O que você quis dizer com isso?"

"Eu quis dizer..." Aquilo tudo estava indo longe demais pra mim. Eu mal tinha me recuperado de ficar chocada com a história da Dusty, e ainda não tinha conseguido descobrir o que tinha a ver com eu ir fazer compras com Lana Weinberger amanhã. "... que eu acho que imaginei que ele iria mesmo me largar por uma menina mais inteligente e mais bem-sucedida. Então eu fui mais rápida que ele e terminei primeiro. Apesar de depois ter me arrependido. A coisa toda com Judith Gershner... Quer dizer, a razão por que me aborreceu tanto foi porque eu sei que lá no fundo ela é realmente a pessoa com quem ele deveria estar. Com alguém capaz de clonar moscas de frutas. Não alguém como... como e-eu, que sou s-só uma p-princesa."

E, antes que eu me desse conta, já estava chorando de novo. Cara! Qual é o problema do consultório deste homem que me faz chorar igual a um bebê?

Dr. Loco me entregou os lencinhos. E ele também foi bem gentil.

"Ele já disse ou fez alguma coisa para você pensar assim?", indagou.

"N-não", solucei.

"Então por que você acha que se sente dessa forma?"

"P-porque é verdade! Quer dizer, ser princesa não é nenhuma grande conquista! Eu simplesmente NASCI assim! Não CONQUISTEI isto como o

Michael vai conquistar fama e fortuna com o braço robótico cirúrgico dele. Quer dizer, todo mundo pode NASCER!"

"Acho", Dr. Loco disse, um pouco seco, "que você está sendo muito severa consigo mesma. Você só tem dezesseis anos. Poucas pessoas de dezesseis anos de fato…"

"JUDITH GERSHNER JÁ TINHA CLONADO A PRIMEIRA MOSCA DE FRUTA DELA QUANDO TINHA DEZESSEIS ANOS!", berrei.

Então fiquei com vergonha de mim mesma. Quer dizer, por gritar. Mas não consegui me segurar.

"E olhe só pra Lilly", continuei. "Ela tem dezesseis anos e tem seu próprio programa de TV. Certo, é no acesso público, mas tanto faz, alguns produtores demonstraram interesse nele. E ela tem milhares de telespectadores fiéis. E fez aquele programa todo sozinha. Ninguém nem sequer ajudou. Bom, tirando eu, Shameeka, Ling Su e Tina. Mas nós só ajudamos com o trabalho de câmera mesmo. Então dizer que só tenho dezesseis anos não quer dizer nada. Tem muita gente de dezesseis anos que já conquistou muito mais coisa do que eu. Eu não consigo nem publicar um texto na revista *Sixteen*."

"Vamos supor que eu acredite no que está dizendo", Dr. Loco prosseguiu. "Se você realmente se sente assim, que não é digna do Michael, não seria melhor você tomar uma atitude sobre o assunto?"

De verdade. Ele disse isso. Ele não disse: *Caramba, Mia, como você pode dizer que não é digna do Michael? Claro que é! Você é uma pessoa fabulosa, tão generosa e cheia de vida…*

O que é basicamente o que todo mundo me diz sempre que toco no assunto.

Não, ele ficou tipo: *É. Você tem razão. Você é mesmo meio que um saco. Então o que vai fazer a respeito?*

Fiquei tão chocada que parei de chorar e só fiquei lá sentada, olhando pra ele com a boca aberta.

"Você não devia… não devia me dizer que sou ótima do jeito que eu sou?", perguntei.

Ele deu de ombros. "De que adiantaria? Você não iria acreditar mesmo."

"Bom, você pelo menos não devia dizer que eu deveria querer melhorar o valor que tenho por *mim mesma*? Em vez de fazer isso por algum *garoto*?"

"Achei que isto já estava bem óbvio", o Dr. Loco respondeu.

"Bom", eu ainda estava meio que tentando superar o meu choque. "Quer dizer, é verdade. Eu realmente preciso fazer alguma coisa para provar que sou algo mais do que apenas uma princesa. Mas… o quê? O que eu posso fazer?"

Dr. Loco deu de ombros. "Como é que eu posso saber? Ainda preciso assistir aos filmes sobre você para conhecê-la tão bem quanto você diz que eu vou conhecer assistindo. Mas vou dizer uma coisa que sei com certeza: você não vai descobrir deitada na cama o dia inteiro, sem ir à escola… ou continuando a implicar com as pessoas simplesmente porque elas disseram alguma coisa desagradável sobre você no passado."

Desagradáveis? Espere só até ele dar uma olhada em euodeiomiathermopolis.com. Não que eu tenha dado o endereço do site pra ele. Nem que Lana seja responsável por isto.

Mas mesmo assim. Ele não sabe o que é desagradável.

Então. Minhas tarefas?

1. Ir fazer compras com a Lana.
2. Descobrir por que fui colocada neste planeta (além de para ser princesa).
3. Voltar para uma consulta com o Dr. Loco na próxima sexta, depois da escola.

Acho que consigo dar conta da última. Mas as duas primeiras? Acho que realmente podem me matar.

Sexta, 17 de setembro, 19h, em casa

CAIXA DE ENTRADA: 0

Não que eu realmente achasse que fosse receber notícias OU do Michael, OU da Lilly. Principalmente depois de eu ter deletado o e-mail dele sem nem responder, e tendo em vista o jeito como Lilly me ignorou em S & T.

Mesmo assim. Eu meio que tinha esperança… Quer dizer, ela nunca tinha ficado tanto tempo assim sem falar comigo. Nunca.

Simplesmente não posso acreditar que tudo basicamente acabou entre nós. E por causa de um CARA.

Mas Tina acabou de me mandar mensagem. Pelo menos eu ainda tenho a Tina.

Iluvromance: Mia! Como você ESTÁ? Mal consegui falar com você na escola hoje. Está se sentindo melhor?

FtLouie: Estou, obrigada!

Tanto faz. Eu minto o tempo todo mesmo.

Iluvromance: Fico tão feliz! Você parecia tão triste na escola...

FtLouie: Bom. É. Acho que isso já era de esperar, levando em conta que perdi o amor da minha vida e tal.

Iluvromance: Eu sei. E sinto muito, muito mesmo. Ei, já sei o que pode te animar! Um pouco de terapia de compras! Quer dizer, você cresceu mais de dois centímetros e aumentou um tamanho inteiro! Precisa de roupas novas! Quer ir fazer compras amanhã? A minha mãe leva a gente. Você sabe como ela adora fazer compras!!!

E isso é totalmente o que eu recebo por ter concordado em ir fazer compras com Lana. Porque a mãe da Tina é praticamente um GÊNIO das compras, por ser ex-modelo e tal. E ela conhece todos os estilistas.

FtLouie: Ah, eu adoraria. Mas preciso fazer uma coisa com a minha avó.

As mentiras só se acumulam. Mas tanto faz. Não posso contar pra TINA que vou fazer uma coisa com LANA WEINBERGER. Ela nunca entenderia. Mesmo que eu explicasse sobre a história de fazer uma coisa assustadora por dia. E o negócio da Domina Rei.

Iluvromance: Ah. Tudo bem. Bom, o que você vai fazer amanhã à noite então? Quer vir aqui em casa? Meus pais vão sair e eu vou ter que ficar de babá, mas a gente pode assistir a alguns filmes ou algo assim.

Por alguma razão — certo, tudo bem, acho que é porque eu estou deprimida — o convite quase me fez chorar. Quer dizer, Tina é mesmo um amor.

Além do mais, aquilo parecia ser algo com o qual eu seria capaz de lidar emocionalmente. Em vez de sair com o cara por quem a imprensa recentemente me acusou de estar apaixonada. Isso quando a verdade é que só amei um cara na vida, e no momento ele está no Japão, enviando e-mails aleatórios para me dizer como é difícil encontrar sanduíche de ovo lá.

É. Bem legal.

FtLouie: Acho que não tem nada que eu gostaria mais de fazer.

Tirando ficar deitada na minha própria cama e assistindo à TV.
Mas a minha TV foi levada embora. Então eu nem tenho como fazer isso.

Iluvromance: Oba! Pensei que a gente poderia reexaminar a obra da Drew Barrymore. Os trabalhos menos recentes dela, como *Para sempre Cinderela* e *Afinado no amor*.

FtLouie: Isso parece PERFEITO. Eu levo a pipoca.

Realmente não me sinto culpada de não ter contado pra Tina sobre o e-mail do Michael... nem sobre o fato de que estou fazendo terapia. Porque simplesmente ainda não estou pronta para falar dessas coisas com ninguém.

Talvez um dia eu esteja.

Mas antes de tudo? Vou tirar um cochilo bem longo.

Porque estou exausta.

Sábado, 18 de setembro, 10h, loja de departamentos de luxo Henri Bendel's

O que estou fazendo aqui? Uma loja como esta não é lugar pra mim. Uma loja como esta é pra gente CHIQUE.

E, tudo bem, eu sou princesa. O que, reconheço, é bem chique.

Mas, no momento, estou usando um jeans da minha MÃE, porque nenhum dos meus serve.

Gente que usa o jeans da MÃE não pertence a lojas assim, onde tudo é dourado, brilhante e cheio de modelos segurando frascos de perfume que chegam pra você e dizem: "Trish McEvoy?"

E quando você fala: "Não, meu nome é Mia...", elas borrifam uma coisa em você que tem cheiro de Bom Ar, aquele produto pra tirar cheiros ruins, só que mais cítrico. Não estou brincando. Isto aqui não é a Gap. É mais o tipo de loja que Grandmère frequenta. Só que mais cheia. Porque, quando Grandmère faz compras, ela liga antes e manda abrir a loja pra ela depois do expediente, para que não precise trocar cotoveladas com plebeus.

Minha mãe quase teve um infarto quando eu disse a ela aonde ia hoje de manhã — e por que precisava pegar emprestado o jeans dela.

"Você vai fazer compras com QUEM????"

"Não quero falar sobre isso", respondi. "É uma coisa que eu preciso fazer. Pra terapia."

"O seu terapeuta mandou você fazer compras com Lana Weinberger?" Minha mãe trocou olhares com o Sr. G, que estava servindo mais cereal na tigela do Rocky, e que tinha ficado tão distraído com a nossa conversa que sem querer fez o cereal transbordar da tigela e cair todo pelas laterais do cadeirão do Rocky. E isto deixou o Rocky feliz da vida. "Isto supostamente é para ALIVIAR a sua depressão?"

"É uma longa história", disse a ela. "Eu tenho que fazer todo dia uma coisa que me dá medo."

"Bom", minha mãe entregou a calça dela pra mim. "Fazer compras com Lana Weinberger ia me deixar com medo."

Ela tem razão. O que eu estou fazendo aqui? Aliás, por que fui dar ouvidos ao Dr. L? O que ELE sabe sobre a longa e tórrida história entre Lana e eu? Nada! Ele nunca nem sequer assistiu aos filmes sobre mim! Não sabe todas as coisas odiosas que ela já fez comigo e com meus amigos! Não tem como saber que essa coisa toda de sair pra fazer compras provavelmente é um truque! Que o comediante Carrot Top é o único que vai aparecer aqui! Que me fazer vir até aqui e ficar parada no meio de borrifadoras de perfume esperando o Carrot Top é a ideia que Lana faz de uma última piada grandiosa...

Ah. Lá vem ela.

Depois escrevo mais.

Sábado, 18 de setembro, 15h, no banheiro do Nobu 57

Por motivos que estão completamente além do meu raciocínio, Lana Weinberger e seu clone, Trisha Hayes, na verdade estão sendo legais comigo.

Bom, as razões não estão *completamente* além do meu raciocínio. Lana já me disse por que está sendo tão legal: "Finalmente superei a coisa do Josh. A culpa não foi sua."

Quando mencionei — com a maior educação possível — que ela já me odiava muito antes de o namorado dela dar um fora nela pra ficar comigo (e que depois voltou pra ela quando eu dei um fora nele), ela disse, enquanto examinávamos sutiãs tamanho G (Estou usando sutiã tamanho G!!!! Não uso mais tamanho P!!!! Lana fez questão que uma especialista em lingerie tirasse as minhas medidas, e a especialista confirmou o que eu desconfiava, que os meus peitos cresceram pra caramba.). "Bom, não era tanto *você* que eu detestava, mas aquela sua amiga babaca."

Ao que Trisha completou: "É, como é que você consegue gostar daquela tal de Lilly? Ela é tão metida…"

Fiquei com vontade de dar gargalhada com isso. Porque, acorda, as Gêmeas Mortíferas do Mal falando que LILLY é metida?

Mas daí eu comecei a pensar sobre o assunto, e vi que É mesmo verdade. Lilly SABE ficar julgando os outros e ser mandona.

Mas é por isso que eu gosto dela! Quer dizer, pelo menos ela TEM opinião sobre as coisas. Sobre coisas importantes pelo menos. A maior parte das outras pessoas da nossa turma não se importa com nada além de quem vai vencer o *American Idol* e em qual faculdade da Ivy League elas vão entrar.

Ou, no caso da Lana, qual tom de gloss fica melhor nela. Mas eu não disse nada pra defender Lilly porque, na verdade, apesar de eu sentir falta dela e tal — mesmo não sendo tanto a ponto de doer de verdade, como às vezes acontece com o Michael —, preciso descobrir um jeito de sair deste buraco em que me enfiei sem a ajuda dos Moscovitz. Porque, como os acontecimentos recentes comprovam, nem Lilly nem Michael vão estar por perto para me ajudar quando eu precisar. Preciso aprender a caminhar com as minhas próprias pernas, sem Lilly nem Michael para usar como muletas emocionais.

Então não disse nada quando Lana e Trisha ficaram falando (levemente) mal da Lilly. A verdade é que consegui ver o lado delas. Até parece que algum dia Lilly tentou se colocar no lugar da Lana com seus Manolos tamanho 36 para ver como é ser ela.

Mas eu já fiz isso.

E a visão dos sapatos 36 da Lana? Não é tudo isso. Não me entenda mal, ela é linda e todos os homens da loja que não eram gays (mais ou menos uns dois) ficaram seguindo os movimentos dela com o olhar, como se fosse uma coisa impossível de evitar.

E ela é SUPER MEGA EXCELENTE em fazer compras — quer dizer, eu nunca na vida teria experimentado um jeans True Religion. Só porque a Paris Hilton usa, e apesar de eu não conhecer a Paris pessoalmente, ela não parece contribuir muito com organizações beneficentes ambientais, não que eu saiba.

Mas Lana insistiu, dizendo que ia ficar bom em mim e me fez experimentar uma calça, e eu experimentei e…

Fiquei MARAVILHOSA!!!

E nem me faça começar a falar sobre a diferença que faz ter um sutiã do tamanho e do modelo certos. Com o meu sutiã meia-taça com armação da Agent Provocateur, agora eu realmente tenho peitos. Tipo peitos que equilibram o resto do meu corpo, de modo que não pareço uma pera nem um cotonete. Eu realmente pareço ter curvas.

E, tudo bem, não são as *curvas* da Scarlett Johansson.

Mas tipo as curvas da Jessica Biel.

A cada top babydoll Marc Jacobs que Lana jogou no meu braço e me mandou experimentar, fui sentindo cada vez menos que esta coisa toda era um truque e cada vez mais que Lana realmente estava tentando compensar as injustiças que cometeu no passado e realmente queria que eu ficasse bonita. Cada vez que ela ou Trisha me obrigavam a experimentar alguma peça — tipo uma minissaia de pele de tigre falsa ou um cinto dourado de correntes Rachel Leigh — e elas falavam "Ah, sim, ficou legal", ou "Não, não tem nada a ver com você, tira já", eu sentia que... bom, que elas se importavam comigo.

E confesso que me senti bem com isso. Não achei que fosse falsidade, nem que, tipo, eu fosse a Katie Holmes e elas fossem os amigos cientologistas do Tom Cruise me bombardeando com amor, porque elas falavam umas coisas pra me deixar com os pés no chão, tipo: "Ai, Mia, você NUNCA pode usar vermelho, ok? Promete que não vai usar. Porque você fica horrível com esta cor."

Foi só... coisa de garota. O tipo de coisa que Lilly teria desprezado totalmente. Ela teria falado assim: "Ai, meu Deus, de quantos sutiãs você precisa? Ninguém nunca vai ver, então qual é o motivo? Principalmente com tanta gente morrendo de fome em Darfur" e "Por que você está comprando um jeans com um BURACO? O negócio é que você tem que FAZER seus próprios buracos nos jeans, de tanto usar, não comprar uma calça em que OUTRA PESSOA já fez os buracos". E: "Ai, meu Deus, você vai comprar ESSES TOPS? ESSES TOPS foram feitos com o trabalho de criancinhas que só recebem cinco centavos por hora, só pra você saber."

O que nem é verdade, porque a Bendel's não vende produtos feitos com trabalho infantil. Pelo menos nenhuma das moças que trabalham na seção de tops vende. Eu perguntei.

E, fala sério, até parece que Lana, Trisha e eu em algum momento ficamos sem assunto. Elas falaram assim: "Então você está ficando com aquele tal de J.P. ou o quê?" E eu respondi, tipo: "Não, nós somos só amigos." E elas disseram, tipo: "Bom, ele é bem fofo. Tirando aquela coisa do milho."

E daí expliquei como Michael e eu tínhamos acabado de terminar e como eu me sinto completamente vazia por dentro, como se alguém tivesse escavado a parte de dentro do meu peito com uma colher de sorvete e jogado o conteúdo na via expressa West Side, como fazem com prostitutas mortas.

E elas nem acharam aquilo esquisito. Lana falou: "É, foi assim que me senti quando Josh me largou pra ficar com você." E eu respondi, tipo: "Ai, meu Deus, sinto muito." E Lana falou: "Tanto faz. Eu superei. E você também vai superar."

Só que ela está errada. Nunca vou esquecer Michael. Nem em um milhão de trilhões de anos.

Mas estou tentando, se é que dá pra chamar de tentativa de esquecê-lo a ação de colocar todas as cartas, as fotos e os presentes dele em uma sacola de compras daquelas que tem escrito "Eu ♥ NY" e enfiar embaixo da cama o mais fundo possível ontem à noite. Eu não consegui jogar tudo fora. Simplesmente não consegui.

Mas, bom, o negócio é que foi... surpreendentemente normal conversar com Lana e Trisha. Foi bem parecido com o jeito que Tina e eu conversamos. Só que com calcinha fio-dental (que, aliás, até que é confortável quando você escolhe o tamanho certo).

E, tudo bem, Lana e Trisha nunca leram *Jane Eyre* (e me olharam de um jeito esquisito quando comentei que esse era o meu livro preferido de todos os tempos), nem assistiram a *Buffy* ("Por acaso é aquele seriado que tem a garota de *A maldição*?").

Mas não são más pessoas. Acho que são mais... mal compreendidas. Tipo a obsessão que elas têm por delineador pode ser vista como superficial, mas na verdade é só que elas simplesmente não têm muita curiosidade em relação ao mundo ao seu redor. A menos que o assunto seja sapatos.

E eu meio que fico com pena delas — da Lana, pelo menos —, porque quando chegou a hora de passar no caixa pra pagar o que a gente estava comprando e a conta da Lana deu US$ 1.847,56, a Trisha suspirou e disse: "Cara, a sua mãe vai MATAR você", já que Lana tinha o limite de gastos de mil dólares, mas Lana só deu de ombros e disse: "Tanto faz, se ela falar alguma coisa, vou mencionar o Bubbles." E eu fiquei tipo: "Bubbles?" E Lana fez uma cara toda triste e falou: "Bubbles era o meu pônei." E eu perguntei, tipo: *"Era?"*

E daí a Lana explicou que, aos treze anos, ela ficou muito pesada e com as pernas muito compridas para o pequenino Bubbles carregá-la, então os pais dela venderam seu adorado pônei sem lhe dizer, achando que a separação repentina e completa, sem possibilidade de despedidas, seria menos traumática do ponto de vista emocional.

"Eles estavam errados". Lana entregou o cartão de crédito para a vendedora. "Acho que nunca superei. Ainda tenho saudade daquele cavalinho de traseiro gordo."

O que. Sabe como é. É péssimo. Pelo menos Grandmère nunca fez ISSO comigo.

Mas, bom, acho que preciso voltar pra nossa mesa. Nós estamos nos dando ao luxo de almoçar em um restaurante frequentado por mulheres que saem para fazer compras… O especial do chef do Nobu custa "só" cem dólares por pessoa.

Mas Trisha disse que vale a pena. E, além do mais, é quase só proteína, já que é peixe cru.

Claro que Lana e Trisha só precisam pagar pra elas mesmas. Eu tenho que pagar para o Lars também. E ele está comendo um filé, porque disse que peixe cru acaba com a força masculina dele.

Sábado, 18 de setembro, 18h, na limusine, a caminho da casa da Tina

Quando entrei em casa depois das compras, minha mãe já estava furiosa. Isso porque eu tinha pedido ao serviço ao cliente da Bendel's que entregasse as minhas compras (e também o da Saks, onde paramos depois pra comprar algumas botas e sapatos), pra que eu não precisasse ficar carregando as sacolas o dia inteiro, e elas formavam uma pilha tão grande no meu quarto que Fat Louie não conseguia dar a volta nela para chegar à caixa de areia dele no meu banheiro.

"QUANTO VOCÊ GASTOU?", minha mãe perguntou. Os olhos dela estavam arregalados.

É verdade, havia MESMO muitas sacolas. Rocky estava se divertindo, fazendo os caminhões dele baterem na camada de baixo, tentando fazer todas caírem. Felizmente é difícil estragar Lycra.

"Relaxa", falei. "Eu usei aquele American Express Black que papai me deu."

"AQUELE CARTÃO DE CRÉDITO É SÓ PARA EMERGÊNCIAS!", minha mãe berrou.

"Acorda! Você não acha que os meus novos PEITOS TAMANHO G contam como emergência?"

Daí os lábios dela ficaram totalmente apertados quando disse: "Acho que Lana Weinberger não é uma boa influência pra você. Vou ligar para o seu pai", e saiu pisando firme.

Pais. Fala sério. Primeiro ficam pegando no meu pé porque não quero sair da cama nem nada. Daí faço o que eles querem, saio da cama e me socializo, e eles também ficam bravos com ISSO.

Não dá pra vencer.

Enquanto minha mãe estava me dedurando para o meu pai (e tanto faz, tudo bem, gastei mesmo um monte de dinheiro, muito mais do que a Lana. Mas, tirando vestidos de baile e um macacão de vez em quando, faz, tipo, uns três anos que não compro roupa, então eles que lutem), eu comecei a enfiar minhas roupas velhas que não servem mais em sacos de lixo para doar pra uma instituição de caridade, e fui pendurando minhas roupas novas e totalmente estilosas, além de preparar uma bolsa pra passar a noite na casa da Tina.

E fiquei meio surpresa de perceber que estava ansiosa pra ir lá. Lana e Trisha haviam me convidado pra uma festa qualquer a que iam em um apartamento do Upper West Side, de um aluno do último ano, cujos pais tinham ido passar o fim de semana em um spa para trabalhar o *chi* deles. Mas eu disse a elas que já tinha outro compromisso.

"Vai inaugurar um iate novo ou algo assim?", Lana perguntou, toda sarcástica.

Só que agora eu tinha aprendido a não levar cada coisinha que ela dizia tão a sério. Na maior parte do tempo, quando ela faz seus comentários ácidos, só está tentando ser engraçada. Mesmo que o comentário só pareça engraçado pra ela e mais ninguém. Aliás, nesse sentido, Lana é muito parecida com Lilly.

"Não, só combinei uma coisa com Tina Hakim Baba", respondi, e deixei pra lá. E nenhuma das duas pareceu ofendida por eu ter dispensado "a festa do semestre" pra ficar com uma pessoa que não fazia parte da turminha dos populares.

Eu estava colocando a escova de dentes na bolsa quando minha mãe entrou no quarto e estendeu o telefone pra mim.

"Seu pai quer falar com você", ela disse, com um ar todo presunçoso, daí deu meia-volta e foi embora.

Fala sério. Eu amo minha mãe e tal, mas ela não pode ter tudo o que quer. Ela não pode me criar para ser uma rebelde com consciência social e daí ficar preocupada quando o peso da minha depressão relativa ao mundo me oprime a ponto de eu não conseguir mais sair da cama, me mandar fazer terapia e depois fazer um escândalo quando eu sigo os conselhos do terapeuta. Ela simplesmente não pode agir assim.

E, tudo bem, o Dr. L na verdade não me DISSE para gastar tanto dinheiro com lingerie. Mas tanto faz.

"Não vou devolver nada", digo ao papai.

"Não estou pedindo para devolver.

"Você sabe quanto gastei?", perguntei, desconfiada.

"Sei. A empresa de cartão de crédito já me ligou. Acharam que o cartão havia sido roubado e que alguma adolescente estava enlouquecida fazendo compras, porque você nunca tinha gasto tanto assim."

"Ah, então sobre o que você queria falar comigo?"

"Nada. Só preciso fingir que estou dando uma bronca em você. Você sabe como a sua mãe é. Ela é do Meio-Oeste. Não é culpa dela. Se custa mais de vinte dólares, já começa a se coçar. Ela sempre foi assim."

"Ah", falei. Daí, completei: "Mas, pai. Não é justo!"

"O que não é justo?", ele perguntou.

"Nada", baixei a voz. "Só estou fingindo que você está me dando bronca."

"Ah", ele pareceu impressionado. "Bom trabalho. Ai, não."

"Ai não o quê?"

"Sua avó acabou de entrar." Papai parecia tenso. "Ela quer falar com você."

"Sobre quanto gastei?", fiquei surpresa. Para Grandmère, a quantia que paguei hoje na Bendel's só se iguala a uma pequena fração do que ela gasta toda semana só em tratamentos de cabelo e beleza.

"Hm, não exatamente."

E, antes que eu me desse conta, Grandmère já estava baforando ao telefone.

"Amelia", disparou. "Que história é essa que o seu pai me disse sobre o cancelamento das suas aulas de princesa no futuro próximo porque você está passando por alguma espécie de crise pessoal que precisa resolver?"

"Mãe", ouvi a voz do papai ao fundo. "Não foi isso que eu disse!"

Eu sabia exatamente o que estava acontecendo. Meu pai estava tentando me livrar das aulas de princesa com Grandmère sem contar a ela POR QUE eu precisava faltar às aulas de princesa — em outras palavras, sem dizer que estou fazendo terapia. Com um psicólogo caubói.

"Quieto, Phillipe", Grandmère explodiu. "Você não acha que já fez o suficiente?" Pra mim, ela disse: "Amelia, isto não é do seu feitio. Está se acabando por causa Daquele Rapaz? Será que eu não lhe ensinei NADA? As mulheres precisam dos homens assim como um peixe precisa de uma bicicleta! Entre outras coisas. Tome jeito!"

"Grandmère", suspirei, cansada. "Não é... Não é SÓ por causa do Michael, ok? As coisas estão meio estressantes pra mim neste momento. Você sabe que perdi várias aulas esta semana, tenho um monte de matéria pra recuperar, então, se não for fazer mal, eu realmente queria adiar as aulas de princesa até..."

"MAS E A DOMINA REI?", Grandmère berrou, descontrolada.

"O que tem?", perguntei.

"Precisamos começar a trabalhar no seu discurso!"

"Grandmère, sobre isso é que eu não sei se..."

"Você vai fazer esse discurso, Amelia", Grandmère rosnou. "E ponto final. Eu já disse a elas que você faria. E eu já me GABEI disso para a condessa! Então, amanhã à tarde, você vai se encontrar comigo na Embaixada de Genovia e, juntas, vamos examinar os arquivos reais em busca de algum tipo de material que, espero, possa inspirar o seu discurso. Está entendido?"

"Mas Grandmère..."

"Amanhã. Na embaixada. 14h."

Click!

Bom. Acho que ela deu seu recado.

E acho que o meu sonho de passar o dia inteiro na cama no domingo foi despedaçado.

Minha mãe acabou de enfiar a cabeça aqui dentro. Parece que ela superou seu acesso de fúria por causa dos meus gastos. Estava mordendo o lábio inferior e dizendo: "Mia, desculpa. Mas eu precisava fazer isso. Você percebe que gastou uma quantia quase igual ao produto interno bruto de uma pequena nação em desenvolvimento... só que você gastou em jeans de cintura baixa?"

"Sei", respondi, tentando parecer arrependida. E não foi difícil, porque estava arrependida.

Arrependida por nunca ter comprado jeans assim antes. Porque fico GOSTOSA com esta calça.

Além do mais, o que minha mãe não sabe — e meu pai também não, ainda — é que, enquanto Lana, Trisha e eu estávamos comendo, eu liguei pra Anistia Internacional e doei exatamente a mesma quantia que eu tinha gasto na Bendel's, usando o Amex Black de emergência.

Então eu nem me sinto culpada. Não tanto assim.

"Eu sei que as coisas no momento estão ruins com Michael, e entre você e Lilly", ela prosseguiu. "E fico feliz que você esteja tentando fazer novas amizades. Só não sei muito bem se Lana Weinberger é a amiga CERTA pra você..."

"Ela não é tão má assim, mãe", falei, pensando na história do pônei. E também na outra coisa que Lana me contou no almoço. Que a mãe dela disse que, se ela não entrar em uma faculdade da Ivy League, ela não vai pagar pra ela estudar em LUGAR NENHUM. Isso é que é dureza.

"E é tão injusto", Lana havia dito. "Porque até parece que eu sou inteligente igual a você, Mia."

Quase engasguei com meu wasabi depois dessa. *Eu? Inteligente?*

"É", Trisha completou. "E, ALÉM DO MAIS, você é princesa, e isto significa que vai entrar em qualquer lugar em que se inscrever, porque todo mundo quer ter integrantes da realeza em suas instituições."

Ai, essa doeu. E também é verdade.

"Bom, Mia", minha mãe disse, parecendo desconfiada — acho que em relação ao meu comentário de que Lana não é assim tão má. "Fico feliz por você estar com a mente aberta e se mostrar um pouco mais disposta do que já foi no passado a experimentar coisas novas" — nem sei o que ela pode querer dizer com isto, a menos que esteja falando de carne e seus derivados —, "mas lembre-se da regra das escoteiras."

"Você está falando do fato de que, com um bom sutiã, o seu mamilo tem que ficar bem no meio da distância entre o ombro e o cotovelo?"

"Hm", mamãe disse, com uma cara de muito sofrimento. "Não. Eu estava falando de fazer novos amigos, mas conservar os antigos. O primeiro de prata, o segundo, de ouro."

"Ah, está certo. Não se preocupe. Agora vou passar a noite na casa da Tina. A gente se vê."

Daí caí fora. E bem rapidinho também, porque estava morrendo de medo que ela reparasse nos meus brincos compridos, que custaram o mesmo preço que o carrinho do Rocky.

Sábado, 18 de setembro, 21h, no banheiro da Tina Hakim Baba

Estou realmente feliz de ter vindo passar a noite na casa da Tina. Apesar de ainda estar sofrendo de uma depressão mórbida, a casa da Tina é o meu terceiro lugar preferido no mundo (sendo que o primeiro é nos braços do Michael, é claro, e o segundo é a minha cama).

Então estar na casa da Tina não é nem um pouco torturante, como estar, digamos, na Bendel's durante uma liquidação de lingeries.

Apesar de eu ainda não ter contado nada a Tina a respeito do meu atual estado emocional — tipo que eu me sinto como se estivesse no fundo de um buraco e não consigo encontrar a saída etc. —, ela deu mais do que apoio à transformação do meu visual: elogiou meus brincos, disse que a minha bunda ficou ótima com o meu jeans novo e até perguntou se eu tinha PERDIDO peso, não *ganho*!

Isso, é claro, é o resultado de um sutiã do tamanho certo e com um suporte fantástico — além de ser um pouco acolchoado, para camuflagem extra para a rigidez dos mamilos.

A primeira coisa que fizemos (depois de pedir pizzas de calabresa com queijo extra) foi trocar a hora de todos os relógios para os irmãos dela acharem que estava na hora de dormir. Então colocamos todos na cama, ignorando as reclamações de que não estavam cansados. Eles ficaram lá choramingando, mas dormiram logo.

Daí pegamos os DVDs e começamos os trabalhos. Tina elaborou a seguinte tabela para que possamos acompanhar o repertório das obras de Drew Barrymore, que, como Tina afirma, é importante porque um dia Drew vai ser uma estrela do nível de Meryl Streep ou Dame Judi Dench, e nós vamos querer ser capazes de discursar sobre a obra dela com propriedade:

DREW BARRYMORE

OS TRABALHOS MAIS IMPORTANTES

George, o curioso

Tina: Nunca assisti.

Mia: Tanto faz, é para bebezinhos!

0 de 5 Drews de ouro

Amor em jogo

Tina: Excelente, um clássico da Drew. Ela está ótima ao lado do par romântico, Jimmy Fallon.

Mia: Coisa demais sobre beisebol.

Tina: Bom, esse é meio que o objetivo do filme.

3 de 5 Drews de ouro

Como se fosse a primeira vez

Tina: Nunca consegue alcançar o tom cômico de *Afinado no amor*, o último filme em que a Drew fez par com Adam Sandler.

Mia: Mesmo assim é engraçado.

3 de 5 Drews de ouro

Duplex

Tina: Fico muito triste por Drew ter participado desse filme.

Mia: Eu sei. Também me dói muito, lá no fundo. Mesmo assim ela é a Drew, então...

1 de 5 Drews de ouro

As Panteras: Detonando

Tina: Maravilhoso, a Drew detona mesmo!

Mia: Não sei por que ela dava tanto as mãos pra Lucy Liu e Cameron Diaz durante a divulgação desse filme.

Tina: Certo. Quem é que anda de mãos dadas com as amigas?

Mia: Só Spencer e Ashley na série *South of nowhere*, é claro. Mas elas estão namorando.

Tina: E isso é totalmente diferente.

Mia: É, mas mesmo assim...

5 de 5 Drews de ouro

Confissões de uma mente perigosa

Tina: Meus pais não me deixaram ver esse filme. Era proibido pra menores.

Mia: Eu não QUIS ver esse filme. Tinha gente velha nele, mas ela é a Drew, então...

1 de 5 Drews de ouro

Os garotos da minha vida

Tina: Você viu esse filme?

Mia: Não. Nunca ouvi falar.

Tina: Deve ser bom.

Mia: Se a Drew está nele, claro que é.

1 de 5 Drews de ouro

Nunca fui beijada

Tina: TÃO MARAVILHOSO!!! A DREW ESTÁ TÃO FOFA NELE!!!

Mia: NÉ? Ela é repórter e aluna do ensino médio!!! Ela tinha que fazer uma aluna de ensino médio em TODOS OS FILMES DE QUE PARTICIPA.

5 de 5 Drews de ouro

Nosso louco amor

Tina: Não me lembro de nada desse filme, só que ela estava com o cabelo cacheado.

Mia: Ela não estava grávida na época?

Tina: Então o cacheado com certeza não era permanente. Senão poderia prejudicar o bebê.

Mia: O cacheado era fofo, então vamos dar uma nota alta.

4 de 5 Drews de ouro

Donnie Darko

Tina: Espera... Drew estava nesse filme?

Mia: Eu realmente não me lembro dela. Só lembro do Jake.

Tina: Eu sei. Ele estava o maior gostoso nesse filme.

Mia: Vamos dar uma nota alta pelo Jake.

Tina: Total. E meus pais não me deixam ver nem *Brokeback* nem *Soldado anônimo*.

5 de 5 Drews de ouro

Para sempre Cinderela

Tina: O melhor filme de todos os tempos.

Mia: Concordo. Quando ela carrega o príncipe...

Tina: Fala sério!!! EU AMO ESSA PARTE!!!!

Mia: Simplesmente...

Tina: ... respire! ÊÊÊÊÊ!

5.000.000 de 5 Drews de ouro

Afinado no amor

Tina: Drew fica muito fofa com uniforme de garçonete.

Mia: Também acho! E quando ela canta aquela música ruim...

Tina: ... ela continua legal com aquele uniforme.

5 de 5 Drews de ouro

Quatro mulheres e um destino

Tina: Esse filme é tão ruim que até que é bom.

Mia: Concordo. Mas acho que quando Drew é capturada e a amarram na cama e ela fica de bruços...

Tina: É chamado de estilo turco.

Mia: Quem diz que livros de romance não são educativos está mentindo.

4 de 5 Drews de ouro

A ninfeta assassina

Tina: O filme em que Drew faz o papel de uma adolescente assassina de Long Island!

Mia: Brilhantemente, devo dizer.

5 de 5 Drews de ouro

Diferenças irreconciliáveis

Tina: Uma Drew muito novinha em um papel muito fofo!

Mia: Adoro. E adoro ela.

4 de 5 Drews de ouro

Chamas da vingança

Tina: Sei que você adora esse filme, então não vou dizer nada.

Mia: Fica quieta! Como é que você pode não gostar? Ela está tão bem!

Tina: Ela está extraordinária para a idade. É só que... a história é tão boba!

Mia: As pessoas podem com certeza colocar fogo nas coisas com a mente se forem emotivas o suficiente. Olha só o que você vive falando do J.P.

Tina: É verdade.

4 de 5 Drews de ouro

E.T. — O Extraterrestre

Tina: Ela está tão fofa nesse filme!

Mia: E é tão boa atriz. Parece que inventou os próprios diálogos, de tanta naturalidade que demonstra.

Tina: Vamos encarar: Drew é um gênio. Queria que ganhasse um programa de entrevistas só pra ela.

Mia: Eu queria que ela concorresse à Presidência.

Tina: Presidente Barrymore! QUE MÁXIMO!!!!

5 de 5 Drews de ouro

Agora estamos fazendo uma pausa entre *Afinado no amor* e *Para sempre Cinderela* enquanto Tina faz pipocas. Durante as partes chatas sem a Drew em *Afinado no amor,* Tina perguntou se eu havia tido notícias do Michael, então contei a ela sobre o e-mail dele, e ela ficou totalmente indignada em meu nome. Quer dizer, de Michael tentar fingir que nós somos apenas amigos e ficar me contando sobre a dificuldade que ele tem de encontrar sanduíches de ovo, em vez de me dizer como sente a minha falta ou como queria que a gente voltasse.

Mas então contei pra Tina que eu havia concordado em ser só amiga dele. E também que a coisa toda foi minha culpa, em primeiro lugar, por ter exagerado no caso dele com Judith Gershner, em vez de levar na boa, como Drew teria feito.

E Tina foi obrigada a reconhecer que era verdade. Ela também concordou que foi bom eu não ter respondido.

"Porque você não vai querer dar a ele a impressão de que está em casa sem nada melhor pra fazer do que responder a e-mails dos seus ex-namorados", ela disse.

Mesmo que isso seja realmente verdade.

Mas não é exatamente. Estou me sentindo meio culpada por não contar a Tina como eu passei o dia — sabe como é, com Lana e Trisha. Não sei por quê. Quer dizer, Grandmère já falou um milhão de vezes que é totalmente falta de educação falar pra alguém sobre um passeio ao qual a pessoa não foi convidada. Então não há motivo pra que eu DEVA contar a Tina sobre Lana e Trisha.

Mesmo assim. Era LANA.

Eu...

O que foi isso? Acho que acabei de ouvir o porteiro da Tina interfonar pra avisar que tem alguém lá embaixo...

Domingo, 19 de setembro, 2h, no banheiro da Tina Hakim Baba

Ai. Meu. Deus.
Então Tina estava acabando de despejar manteiga derretida por cima da pipoca de micro-ondas light para deixá-la com gosto de alguma coisa quando o porteiro avisou que Boris e "um amigo" estavam lá embaixo.

Tina teve um ataque, é claro, porque não pode receber garotos em casa quando seus pais estão fora.

Mas Boris pegou o interfone e disse que ele só queria deixar uma coisa com ela, um presente que tinha trazido pra gente. Então é óbvio que Tina não resistiu e deixou que ele subisse. Porque, como ela colocou: "Presente!!!!!"

Mas, se quer saber a minha opinião, o presente foi só uma desculpa para Boris poder subir e ficar beijando a Tina. Porque "o presente" era só dois potinhos de sorvete Häagen-Dazs. (Pra ser sincera, eram os nossos sabores preferidos, baunilha suíça com amêndoas e crocante de macadâmia. Mas mesmo assim...)

A verdadeira surpresa — pelo menos pra mim — foi que o "amigo" era J.P.

Eu nem sabia que J.P. e Boris andavam juntos. Quer dizer, fora do refeitório na hora do almoço.

J.P. estava tão... bom, tão *bem* quando entrou atrás do Boris no apartamento da Tina que foi chocante. Não sei o que ele fez, mas estava todo alto e... com cara de *homem*.

O negócio é que eu geralmente não reparo nesse tipo de coisa sobre os caras, a não ser Michael. Não sei qual é o meu problema. Talvez tenha sido só o choque de ver J.P. em um ambiente fora da escola, de jeans e não com o uniforme ou com roupa de ir ao teatro. Talvez seja só porque todo mundo fica o tempo todo me falando como J.P. é gato que estou começando a acreditar.

Ou talvez eu só esteja sofrendo de falta de caras gatos, já que faz tanto tempo que não vejo Michael, ou qualquer coisa assim. De todo jeito, foi esquisito.

J.P., além de estar gato, também parecia meio acanhado. Ele entrou arrastando os pés e me deu oi, enquanto Tina dava gritinhos por causa do sorvete e saía correndo pra buscar colheres.

Tina não é das pessoas mais difíceis de agradar quando se trata de presentes. E ela é capaz de praticamente desmaiar com qualquer coisa da Kay Jewelers, especificamente.

"Oi", respondi, e não sei por que (bom, eu sei por quê: era a coisa da beleza), mas foi esquisito. Acho que foi esquisito principalmente porque J.P. havia me perguntado o que eu ia fazer hoje à noite e eu meio que o dispensei e... bom, lá estávamos nós juntos.

Mas também por causa da coisa da beleza.

E as coisas foram ficando cada vez mais esquisitas. Porque, apesar de no começo estar tudo bem, e todos nós comermos sorvete assistindo a *Para sempre Cinderela* (Tina disse para os garotos que eles podiam ficar para UM filme, mas que daí teriam que ir embora, porque se os pais dela encontrassem os dois ali, iam matá-la. Bom, pelo menos o pai ia. E provavelmente também mataria Boris, e do jeito especialmente doloroso que ele tinha aprendido com Wahim, o guarda-costas da Tina, que tinha ganho a noite de folga, junto com Lars, já que foram informados de que nós não sairíamos naquela noite).

Mas daí Tina e Boris pararam de prestar atenção ao filme e começaram a prestar atenção um ao outro. MUITA atenção. Tipo basicamente eles estavam com a língua enfiada um na boca do outro. Bem na frente do J.P. e de mim! O que não deixou a gente nada sem graça (imagina).

Depois de um tempo, eu não aguentava mais o barulho dos beijos (apesar de eu ter aumentado o volume da TV várias vezes. Mas nem o sotaque pseudobritânico da Drew foi capaz de abafar aqueles dois).

Então eu finalmente peguei os potes de sorvete derretido e disse: "Alguém precisa guardar isto aqui no congelador antes que derreta tudo", e me levantei de um pulo pra sair da sala.

Infelizmente — ou talvez felizmente, não sei — J.P. disse: "Eu ajudo", e veio atrás de mim. Mas fala sério: não é muito difícil guardar dois potes de sorvete no congelador. Eu poderia ter feito isto sozinha.

Na cozinha bacana e limpa dos Hakim Baba, com os balcões de granito preto e os equipamentos de última geração, J.P. pegou um refrigerante da geladeira e depois puxou um banquinho do balcão da cozinha enquanto eu procurava um lugarzinho para o sorvete no freezer lotado. Tinha um MONTE de jantares congelados de dieta Healthy Choice ali (o pai da Tina supostamente devia consumir poucas calorias e pouco colesterol).

"Então", J.P. disse como quem não quer nada. Dava pra ouvir a televisão ligada na sala, mas não dava mais pra ouvir, graças a Deus, o barulho de beijos. "Você perdeu muita aula na semana passada."

"Hm", resmunguei enquanto brigava com o que parecia ser um bife congelado. "É. Acho que perdi."

"Como você está agora?", J.P. perguntou. "Quer dizer, acho que você vai ter que estudar muito pra se atualizar na matéria."

"É", falei. A verdade é que eu mal olhei pra tudo aquilo. Quando você está afundado em um buraco tão grande quanto eu, dever de casa não parece assim tão importante. Não tão importante quanto um jeans novo, pelo menos. "Amanhã eu dou um jeito, acho."

"É mesmo? Então o que foi que você fez hoje?"

Eu estava tão ocupada enfiando a carne mais para o fundo do freezer que nem pensei na resposta. "Saí pra fazer compras com a Lana", e soltei um gemido. Daí a carne FINALMENTE se mexeu e eu pude colocar o sorvete dentro do freezer.

Foi só quando bati a porta e me virei, tirando pedacinhos de gelo da mão, que vi a expressão do J.P. e percebi que eu tinha confessado.

"Com a Lana?", ele repetiu, incrédulo.

Dei uma olhada no corredor, na direção da sala de TV. Vazio, ainda bem. Boris e Tina ainda estavam, hm, ocupados.

"Hm", eu disse, sentindo o estômago revirar. *O que eu fiz?* "É. Sobre isso... não sei de onde saiu. Eu não ia contar pra ninguém."

"Dá pra ver por quê", J.P. disse. "Quer dizer, LANA? Por outro lado, foi ela que escolheu essa blusa?"

Baixei os olhos para o top babydoll de seda que eu estava usando. Reconheço que era bem bonitinho. E decotado.

E, surpreendentemente, com um dos meus sutiãs novos — e meu novo tamanho de peito —, eu realmente estava com uma covinha entre os seios. Nada assim com jeito de oferecida, mas com certeza estava *lá*. "Hm, foi." Senti meu rosto ficar vermelho. "Lana realmente é ótima em fazer compras…" E esta deve ser a coisa mais ridícula que eu já disse. Quero dizer, em toda a minha vida.

Mas J.P. só assentiu com a cabeça e falou: "Estou vendo. Acho que ela encontrou a coisa pra qual mais leva jeito. Mas como diabos ISSO foi acontecer?"

Hesitante, contei a ele sobre a Domina Rei, e como a mãe da Lana havia me convidado pra fazer um discurso no evento que ela está organizando, e como Lana me agradecera por ter aceitado, e como uma coisa levou à outra e…

"Eu entendi tudo isso", J.P. disse quando eu terminei de falar. "Quer dizer, dá pra imaginar a Lana convidando você pra fazer compras com ela. Há anos ela sonha em ser sua amiga. Mas por que você concordou?"

Realmente não sei como explicar o que aconteceu em seguida. Quer dizer, por que eu falei o que falei. Talvez tenha sido porque estávamos só nós dois na cozinha silenciosa dos Hakim Baba (bom, tirando o barulho da máquina de lavar louças, que estava lavando nossos pratos de pizza. Mas era uma daquelas lava-louças supersilenciosas, que só fazem *swish-swish* bem baixinho).

Talvez seja porque J.P. parecia tão deslocado ali sentado — um cara grande e ossudo naquela cozinha toda moderna, com as mangas do suéter de cashmere cinza-carvão arregaçadas até os cotovelos, jeans desbotado, botas Timberland e o cabelo meio espetado porque ele estava de gorro antes. (Está bem frio para o mês de setembro. Todos os meteorologistas culpam o aquecimento global.)

Ou talvez seja a coisa da beleza de novo — que ele, sabe como é, estava… bom, bem gato.

Ou talvez seja só porque eu NÃO o *conheço* — pelo menos não tão bem quanto conheço Tina e Boris e os outros amigos que ainda me restaram, agora que Lilly não fala mais comigo. Seja lá o que tenha sido, de repente, antes que eu pudesse me segurar, me ouvi dizer: "Bom, sabe como é, o negócio é que eu estou fazendo terapia, e meu terapeuta disse que tenho que fazer algo assustador todo dia. E achei que fazer compras com Lana Weinberger seria realmente assustador. Só que, no final, não foi."

Daí mordi o lábio. Porque, sabe como é. Isso é muita coisa pra descarregar em cima de alguém. Principalmente de um cara. Principalmente de um cara a quem a imprensa conectou você romanticamente, mesmo que não haja absoluta e categoricamente nenhuma verdade nos boatos.

J.P. não disse nada na hora. Só ficou lá tirando o rótulo da garrafa de refrigerante com a unha. Ele realmente parecia muito interessado no nível do líquido que restou na garrafa.

O que não é um bom sinal, sabe? Tipo ele nem conseguia olhar pra mim.

"É estranho", falei, sentindo um pânico total de repente. Como se eu estivesse me afundando mais do que nunca no buraco. "É estranho pra você eu ter acabado de confessar que estou fazendo terapia, não é? Agora você acha que eu sou a maior esquisita. Certo? Quer dizer, ainda mais esquisita do que antes." Mas em vez de dar uma desculpa pra ir embora, como eu esperava que ele fizesse, J.P. ergueu os olhos da garrafa, surpreso. E sorriu.

Pareceu que a sensação de perder o chão estava cedendo um pouco. E não só porque o sorriso fez com que ele ficasse mais fofo do que nunca.

"Está brincando?", ele perguntou. "Eu estava mesmo me perguntando se tem algum aluno da Albert Einstein que NÃO faz terapia. Além da Tina e do Boris, quer dizer."

Fiquei olhando pra ele sem entender nada. "Espera... você também?"

J.P. deu uma gargalhada. "Desde que eu tinha 12 anos. Bom, foi quando desenvolvi uma enorme afinidade por jogar garrafas do telhado do nosso prédio. Foi uma coisa idiota de se fazer... Alguém poderia ter morrido. No final, me pegaram — e eu bem que mereci — e os meus pais se asseguraram de que eu não perdesse nenhuma sessão desde então."

Não dava pra acreditar nisso. Mais alguém que eu conhecia estava passando pela mesma coisa que eu? Qual a chance?

Deslizei pra banqueta da cozinha ao lado da do J.P. e perguntei, ansiosa: "Você também tem que fazer uma coisa assustadora todo dia?"

"Hm, não. Na verdade, eu tenho que fazer MENOS coisas assustadoras todos os dias."

"Ah." Eu me senti levemente decepcionada. "Bom. Está adiantando?"

"Ultimamente", J.P. deu um gole no refrigerante. "Ultimamente tem adiantado muito. Quer um deste aqui?"

Sacudi a cabeça. "Quanto tempo demorou?", perguntei. Isso era demais. Não dava pra acreditar que eu realmente estava falando com alguém que havia passado — que estava passando — pela mesma coisa que eu. Ou alguma coisa parecida pelo menos. "Quer dizer, antes de você começar a se sentir melhor? Antes de começar a adiantar?"

J.P. olhou pra mim com um sorriso engraçado no rosto. Demorou um minuto até eu perceber que era dó. Ele estava com pena de mim.

"As coisas estão tão mal assim, é?", ele perguntou. Mas não foi com maldade. Era como se ele realmente estivesse com pena de mim.

Mas não é isso que eu quero. Não quero que ninguém fique com pena de mim. É uma idiotice eu me sentir tão mal com tudo se, de maneira geral, minha vida é fantástica. Quer dizer, olha só as coisas que Lana tem que aguentar — uma mãe que vendeu o pônei que ela adorava sem nem lhe dizer e uma ameaça de que, se não entrar em uma faculdade da Ivy League, pode dar adeus ao apoio financeiro dos pais. Eu sou uma PRINCESA, pelo amor de Deus. Posso fazer o que eu quiser. Posso comprar tudo que eu quiser. Bom, dentro de limites razoáveis. A única coisa — a única *coisa* que eu não tenho — é o homem que amo.

E a porcaria da culpa é toda minha por tê-lo perdido, em primeiro lugar.

"É que eu ando meio pra baixo", confessei, rápido. Não mencionei a parte sobre não querer sair da cama a semana toda.

"Michael?", J.P. perguntou, ainda com compaixão.

Assenti com a cabeça. Acho que eu não teria conseguido falar, nem se quisesse. Um caroço enorme tinha se formado na minha garganta, como sempre acontece quando ouço o nome dele, ou mesmo quando *penso* no assunto.

Mas acontece que eu não precisava falar. J.P. largou a garrafa de refrigerante e colocou a mão em cima da minha.

Mas eu meio que preferia que ele não tivesse feito isso, porque me deu mais vontade de chorar do que nunca. Porque não tive como evitar a comparação da mão dele — que é grande e de homem, mas não tão grande, nem tão de homem — com a de outra pessoa.

"Ei", ele disse com gentileza, apertando um pouco os meus dedos. "Vai melhorar. Eu juro."

"É mesmo?", perguntei. Agora já era tarde demais. As lágrimas estavam vindo. Tentei engoli-las o máximo que pude. "Não é só... só o Michael, sabe", ouvi a mim mesma garantindo a ele. Porque não queria que ninguém achasse que eu estava deprimida só por causa de um cara. Nem que essa realmente fosse a verdade. "Quer dizer, tem a coisa toda com a Lilly. Não consigo acreditar que ela realmente acha que você e eu algum dia..."

"Ei", J.P. pareceu um pouco assustado, acho que por causa da velocidade com que as minhas lágrimas estavam caindo. "Ei."

E, antes que eu me desse conta, ele já tinha me envolvido em um enorme abraço de urso. E eu estava chorando em cima do suéter dele. Que tinha cheiro de roupa lavada a seco.

E isso na verdade fez com que eu chorasse mais, quando me lembrei de que eu nunca mais sentiria o cheiro da coisa de que eu mais sinto falta e que mais amo no mundo: o pescoço do Michael.

Que definitivamente não tem cheiro de roupa lavada a seco.

"Shhh." J.P. deu tapinhas nas minhas costas enquanto eu chorava. "Vai dar tudo certo. Vai mesmo."

"Não vejo como", solucei. "Lilly me odeia! Ela nem olha pra mim!"

"Bom, talvez com isso você devesse se dar conta de uma coisa."

"Eu devia me dar conta de quê?", solucei encostada no peito dele. "Que ela me odeia? Disto eu já sei."

"Não. Que talvez ela não seja uma amiga assim tão maravilhosa quanto você sempre achou que ela era."

Isso realmente me fez parar de chorar, me endireitar na cadeira e ficar olhando pra ele sem entender nada, com os olhos cheios de lágrimas.

"O-o que você quer dizer?"

"Bom, é só que, se ela realmente fosse tão boa amiga quanto você parece pensar, ela não acreditaria que existe alguma coisa entre você e eu. Porque iria saber que você não é capaz de uma coisa dessa. Ela com certeza não estaria brava por algo que você nem fez — apesar de talvez existirem algumas poucas provas do contrário. Quer dizer, por acaso ela se deu ao trabalho de perguntar se aquela coisa no *Post* sobre nós era verdade?"

Enxuguei o canto dos olhos com um guardanapo que J.P. tirou de um porta-guardanapos próximo e me entregou.

"Não", falei.

"Nunca tive muitos amigos. Isto eu admito. Mas mesmo assim não acho que amigos devam se tratar assim, simplesmente acreditando em alguma coisa que leram ou ouviram sem nem confirmar se é ou não verdade. Certo? Quer dizer, que tipo de amigo faz isso?"

"Eu sei", soltei um último soluçinho que fez meu corpo tremer. "Você tem razão."

"Olha, eu sei que você é amiga dela desde sempre, Mia. Mas tem muita coisa sobre Lilly que eu acho que você não sabe. Coisas que ela me contou enquanto nós estávamos juntos que... bom, quer dizer, por exemplo, que ela sempre teve bastante inveja de você."

Fiquei olhando pra ele, totalmente estupefata.

"Do que é que você está FALANDO? Por que diabos Lilly teria inveja de MIM?"

"Pela mesma razão que eu imagino que muitas garotas — inclusive Lana Weinberger — tenham inveja de você. Você é bonita, é inteligente, é popular, é princesa, todo mundo gosta de você..."

"O QUÊ?" Agora eu estava rindo. De descrença. Mas mesmo assim. Era melhor do que chorar. "Eu pareço um cotonete! E estou com nota abaixo da média na maior parte das matérias! E a MAIOR PARTE das pessoas na escola acha que eu não passo de uma esquisita de 1,75 metro — quer dizer, 1,78 metro — sem peitos..."

"Talvez algumas pessoas pensassem assim antes." J.P. sorriu pra mim. "E talvez antes você parecesse isso mesmo pra algumas pessoas. Mas, Mia, você precisa dar uma boa olhada no espelho. Você não é mais aquela pessoa. E talvez esse seja o problema da Lilly. Você mudou... e ela não."

"Isso... isso é ridículo. Eu continuo sendo a mesma velha Mia de sempre..."

"Que come carne e sai pra fazer compras com Lana Weinberger", J.P. observou. "Encare os fatos, Mia. Você não é mais a pessoa que era. Isso não significa que você não está MELHOR ou que não existem pessoas que vão gostar de você independentemente do que você come ou com quem você anda. Mas nem todo mundo vai conseguir se adaptar como, digamos, eu e a Tina nos adaptamos."

Fiquei olhando fixamente pra ele mais um pouco. Será que isso pode ser verdade? Será que a verdadeira razão pra que Lilly não queira mais saber de mim é porque, longe de ter ficado enojada comigo, ela realmente tem inveja de mim?

"Mas isso é tão absurdo!", finalmente soltei. "Lilly é muito mais inteligente e muito mais realizada do que eu. Ela é um gênio, pelo amor de Deus! O que eu posso ter que ela não tem? Tirando uma tiara?"

"Essa é uma grande parte da coisa." J.P. deu de ombros. "O fato de você ser princesa é muito especial. Não consigo entender por que você nunca achou isso. A maior parte das pessoas mataria para fazer parte da realeza, e você passa o tempo todo desejando não ser. Não que ser integrante da realeza seja a única coisa especial a seu respeito... de jeito nenhum."

"Se você passasse cinco minutos no meu lugar", resmunguei, "iria perceber que ser eu realmente não tem nada de especial. Pode acreditar. Não tem nem um osso especial no meu corpo."

"Mia." J.P. tirou minha mão do balcão. "Tem uma coisa que eu quero falar pra você há um tempo..."

Mas foi bem nesse momento que o porteiro tocou o interfone pra avisar a Tina que os pais dela estavam subindo (ainda bem que Tina sempre dá biscoitos com gotas de chocolate pra ele, então ele sempre a ajuda). Tina entrou correndo na cozinha, com o olhar desesperado, berrando que Boris e J.P. tinham que sair pela porta de serviço NAQUELE EXATO MOMENTO... e eles saíram rapidinho.

Então não consegui descobrir o que J.P. ia me dizer.

Depois que eles foram embora, nós cumprimentamos os pais da Tina e fomos para o quarto dela pra fugir deles, e Tina pediu desculpa por ter passado tanto tempo agarrada com Boris.

"É só que", ela disse, "ele é tão fofo que às vezes não consigo me segurar."

"Tudo bem. Eu entendo."

"Mesmo assim", Tina insistiu. "Foi horrível da nossa parte esfregar nossa felicidade na sua cara, sendo que você ainda está tentando superar o Michael. Aliás, sobre o que você e o J.P. ficaram conversando?"

"Ah", eu disse, pouco à vontade. "Nada na verdade."

Tina pareceu surpresa. "Porque Boris disse que, quando ele comentou que você ia dormir na minha casa, J.P. não parou de falar que eles dois tinham que vir aqui. Apesar de Boris ter explicado a ele sobre as regras do meu pai. Mas J.P. ficou repetindo que tinha uma coisa muito importante pra falar com você, e praticamente forçou Boris a trazê-lo aqui. Tem certeza de que ele não disse nada?"

"Bom, nós conversamos sobre várias coisas." Detesto mentir pra Tina! Mas não posso falar pra ela que conversamos sobre fazer terapia. Simplesmente ainda não estou pronta pra admitir isto pra ela. Sei que é idiotice, sei que ela não ficaria me julgando. Mas... simplesmente não dá. "Sabe como é. Quase só sobre Lilly."

"Que interessante. Sabe, Boris acha que J.P. está apaixonado por você, e eu concordo. Talvez seja isto que ele quisesse dizer."

Eu dei boas risadas com essa. Realmente foi a melhor risada que eu dei desde que Michael e eu terminamos. Pra falar a verdade, foi a ÚNICA risada que eu dei desde então.

Só que Tina não estava brincando.

"Encare os fatos", ela disse. "J.P. deu um fora na Lilly no minuto em que ficou sabendo que você e Michael tinham terminado. Ele deu um fora nela porque está apaixonado e percebeu que finalmente tinha uma chance de ficar com você, agora que está solteira."

"Tina!" Enxuguei as lágrimas. "Se liga. Fala sério."

"Eu *estou* falando sério, Mia. Isto totalmente aconteceu em *O filho secreto do xeique*... e aposto que é por isso que Lilly está tão brava com você."

"Porque eu entreguei o segredo de que ela tinha dado à luz o filho secreto do xeique?" Não pude deixar de rir. É difícil ficar deprimida quando se está perto da Tina. Nem quando você está presa no fundo de uma cisterna.

Tina pareceu decepcionada comigo. "Não. Porque ela desconfia que a verdadeira razão por que J.P. deu um fora nela é você. Porque ele ama *você*. E isso é totalmente injusto da parte dela, porque a culpa não é sua. Você não pode fazer nada se os caras se apaixonam por você, da mesma maneira que aconteceu com a princesa de *O filho secreto do xeique*. Mas mesmo assim você tem que admitir: foi exatamente isso que aconteceu. Isso explica TUDO."

Eu ri mais, tipo, uns dez minutos. Fala sério, Tina vive em um mundo fofo de fantasia. Ela realmente deveria escrever seus próprios livros de romance pra ganhar a vida. Ou virar comediante.

Pena que ela quer ser cirurgiã torácica em vez disso.

Domingo, 19 de setembro, 17h, em casa

Estar com Grandmère dificilmente é divertido.

Estar com Grandmère depois de basicamente zero de sono na sala do arquivo real da Embaixada de Genovia é o OPOSTO total de diversão. Seja lá qual for a coisa menos divertida que você seja capaz de imaginar.

O meu dia com Grandmère hoje foi assim.

Não me entenda mal. Tenho total interesse na vida dos meus ancestrais.

É só que... depois de um tempo, tanta guerra e fome? Tudo meio que começa a parecer a mesma coisa.

Mesmo assim, Grandmère insiste na ideia de que o arquivo real é o melhor lugar para eu encontrar inspiração para o meu discurso na Domina Rei.

"Agora, lembre-se, Amelia", ela ficava dizendo. "Você deseja INSPIRÁ-LAS, mas, ao mesmo tempo, é importante que as deixe BOQUIABERTAS. Enquanto as INFORMA, é óbvio, de modo que elas sintam que você não alimentou apenas a mente e o coração delas, mas também sua ALMA."

Certo, Grandmère, como quiser.

E também, acorda, não é pressão demais?

Grandmère, é claro, gravitou na direção dos escritos dos Renaldo mais conhecidos e pediu que lhe trouxessem as obras completas de Grandpère.

Mas eu estava mais interessada em obras menos conhecidas. Sabe como é, que eu talvez pudesse usar sem dar o crédito, pra parecer que eu tinha inventado tudo.

Porque eu estou *deprimida*. Isso não é exatamente muito favorável à criatividade. Apesar do que alguns compositores podem dizer.

O Fulano encarregado do arquivo — que, na verdade, se parecia muito com o que eu esperava do Dr. Loco... sabe como é, mais velho, careca e com cavanhaque — soltou muitos suspiros enquanto Grandmère o fazia subir pelas prateleiras. "Não guardamos", ele tentou explicar, "TODOS os escritos reais na embaixada. A MAIOR PARTE deles está no palácio. Só trouxeram algumas toneladas pra cá quando a Embaixada de Genovia comemorou seu quinquagésimo aniversário, há uma década, e ainda não tiveram oportunidade de mandar de volta de novo, já que ninguém demonstrou interesse neles desde..."

Grandmère não estava interessada em escutar nada disso. Nem estava interessada em saber por que não devia ter trazido o poodle toy dela, Rommel, pra sala de arquivo, já que caspa de animal pode ser nociva para manuscritos antigos. Ela deixou Rommel exatamente onde ele estava, no colo dela, e disse: "Não fique aí com cara de quebra-nozes, Monsieur Christophe." (O que realmente foi engraçado, porque ele se parecia MESMO com um quebra-nozes!) "Traga-nos chá. E não economize nos minissanduíches desta vez."

"Minisanduíches!", Monsieur Christophe exclamou, parecendo, se é que isto era possível, ainda mais pálido do que antes (o que é difícil para um sujeito que obviamente passa praticamente zero de seu tempo na rua). "Mas, Vossa Alteza, os *manuscritos*... se alguma comida ou bebida cair nos *manuscritos*, pode..."

"Deus do céu, não somos crianças, Monsieur Christophe!", Grandmère exclamou. "Não vamos fazer guerra de comida! Agora vá buscar para nós as obras completas do meu marido, antes que eu precise subir lá para pegar sozinha!"

E lá se foi Monsieur Christophe, parecendo extremamente infeliz e dando uma desculpa a Grandmère para voltar seu olhar hipercrítico pra mim.

"Meu Deus, Amelia", ela disse, depois de um minuto. "O que são essas... COISAS nas suas orelhas?"

Droga. Esqueci de tirar meus novos brincos compridos.

"Ah, isto aqui. É. Bom. Eu comprei outro dia..."

"Você está parecendo uma cigana", Grandmère declarou. "Remova-os agora mesmo. Que diabos está acontecendo com os seus peitos?"

Eu tinha tentado ficar com um ar conservador com um vestido Marc Jacobs de gola Peter Pan que, Lana me garantiu, era o máximo do chique urbano sofisticado. Principalmente quando combinado com meias-calças marrons estampadas e sapatos-boneca de plataforma.

Infelizmente era o que estava embaixo do top de lã marrom que fez Grandmère se armar.

"Comprei um sutiã novo", resmunguei.

"Isso eu estou vendo. Estou confusa é com o que você enfiou para enchê-lo."

"Não tem enchimento nenhum, Grandmère", eu disse, de novo entredentes. "É tudo meu. Eu cresci."

"Só acredito vendo."

E, antes que eu me desse conta, ela esticou o braço e me deu um beliscão! No peito!

"AI!", berrei, pulando pra longe dela. "Qual é o seu PROBLEMA?"

Mas Grandmère já estava com aquela cara presunçosa dela.

"Você cresceu MESMO. Deve ter sido todo aquele azeite de oliva de excelente qualidade de Genovia que nós fizemos você consumir no verão..."

"É mais provável que sejam os hormônios nocivos que o Departamento de Agricultura dos Estados Unidos enfia no gado", massageei o peito, que latejava. "Desde que comecei a comer carne, cresci de altura e mais três centímetros... bom, em todos os lugares. Então não precisa me beliscar. Garanto que é tudo de verdade. E também *uau*. Isso doeu. Você ia gostar se alguém fizesse isso em você?"

"Vamos nos assegurar de que a Chanel receba suas novas medidas", Grandmère parecia contente. "Isto é maravilhoso, Amelia. Finalmente vamos poder colocar você em um modelo tomara que caia — e você realmente vai poder sustentá-lo, para variar!"

Fala sério. Às vezes eu odeio Grandmère.

Monsieur Christophe finalmente voltou com o chá e os sanduíches... e com os escritos de Grandpère, que ele acomodou em várias caixas de papelão. E tudo parecia ser a respeito de questões de drenagem, que era o maior problema em Genovia durante o reinado dele.

"Não quero fazer um discurso sobre DRENAGEM", informei a Grandmère. A verdade era que eu nem queria fazer, pra começo de conversa. Mas como eu sabia que esse tipo de atitude não me levaria a lugar nenhum — NEM com Grandmère, NEM com o Dr. Loco, que têm muito em comum, pensando bem —, eu me contentei em reclamar do tema. "Grandmère, todos esses papéis falam basicamente do sistema de esgotos de Genovia. Não posso falar para a Domina Rei sobre ESGOTOS. Você não tem nada", eu me voltei para Monsieur Christophe, que pairava ali por perto, engolindo em seco cada vez que uma de nós erguia um de seus papéis preciosos, "mais PESSOAL?".

"Não seja ridícula, Amelia", Grandmère disse. "Você não pode ler os escritos pessoais do seu avô para a Domina Rei."

A verdade era, claro, que eu não estava pensando em Grandpère. Apesar de ele ter algumas cartas excelentes que escrevera durante a guerra, eu estava atrás de algo menos...

Masculino? Chato? RECENTE?

"E ela?", perguntei, apontando para um retrato pendurado no nicho acima do bebedouro. Era uma pintura bem legal, de uma menina com o rosto levemente arredondado com roupas no estilo da Renascença, com uma moldura folheada a ouro toda detalhada.

"*Ela?*" Grandmère quase deu uma gargalhada. "Nem ligue para ela."

"Quem é ela?", perguntei. Principalmente pra irritar Grandmère, que obviamente queria continuar lendo sobre drenagem. Mas também porque era um retrato muito bonito. E a menina parecia triste. Como se não lhe fosse desconhecida a sensação de escorregar para o fundo de uma cisterna.

"Aquela", Monsieur Christophe informou, em tom cauteloso, "é Vossa Alteza Real Amelie Virginie Renaldo, a quinquagésima sétima princesa de Genovia, que reinou no ano de 1669."

Fiquei estupefata. Então olhei para Grandmère.

"Por que nós nunca a estudamos?", perguntei. Porque, pode acreditar, Grandmère me fez estudar a linhagem dos meus ancestrais. E não tem em nenhum lugar alguma Amelie Virginie. Amelie é um nome de muito sucesso em Genovia, porque é o nome da santa padroeira do país, uma jovem camponesa que salvou o principado de um invasor bandido ao fazer com que caísse no sono com uma canção melancólica e depois cortando a cabeça dele fora.

"Porque ela só governou durante doze dias", Grandmère respondeu, impaciente, "antes de morrer de peste bubônica."

"Ela MORREU?", não consegui me segurar. Pulei da cadeira em que estava sentada e corri até o bebedouro para olhar para o pequeno retrato. "Ela parece ter a MINHA idade!"

"E tinha mesmo", Grandmère disse com a voz cansada. "Amelia, pode fazer o favor de se sentar? Não temos tempo para isto. O baile beneficente é daqui a menos de uma semana, precisamos arrumar um discurso para você *agora*…"

"Ai, meu Deus, que coisa mais triste." Acho que um dos sintomas de estar deprimida é que você basicamente passa o tempo todo chorando. Porque meus olhos estavam totalmente se enchendo de lágrimas. A princesa Amelie Virginie era tão bonitinha, tipo a Madonna, na época antes de ela adotar a macrobiótica, se interessar por cabala e começar a levantar peso, quando ainda tinha bochechas fofinhas e tal. Ela se parecia um pouco com Lilly, de certo modo. Se Lilly tivesse cabelo castanho. E se usasse coroa e gargantilha de veludo azul. "Quantos anos ela tinha mais ou menos, uns dezesseis?"

"De fato." Monsieur Christophe tinha se aproximado de mim. "Era uma época terrível para se estar vivo. A peste bubônica dizimou, além de moradores do interior, a Corte real também. Ela perdeu os pais e todos os irmãos para a doença. Foi assim que herdou o trono. Ela só governou durante, como Vossa Alteza disse, doze dias, antes de perecer ela mesma perante a peste bubônica. Mas nesse período ela tomou algumas decisões — controversas na época — que terminaram por salvar muitos súditos de Genovia, se não toda a população do litoral, entre as quais fechar o porto do país a todo tráfego de barcos, tanto os que chegavam quanto os que partiam, e fechar os portões do palácio a todos os visitantes, até mesmo aos médicos que a poderiam ter salvado. Ela não queria que a doença se disseminasse mais entre seu povo."

"Ai, meu Deus." Pousei a mão no peito, tentando não soluçar. "Que coisa mais triste! Onde estão os escritos dela?"

Monsieur Christophe ergueu os olhos, estupefato, pra mim (porque, com os meus sapatos-boneca de plataforma, eu estava, tipo, com 1,85 metro de altura, e ele era só um cara baixinho — como Grandmère disse, um quebra-nozes). "Creio não ter compreendido bem, Vossa Alteza."

"Os escritos dela", repeti. "Da princesa Amelie Virginie. Eu gostaria de vê-los."

"Pelo amor de Deus, Amelia", Grandmère explodiu, com cara de quem realmente estava precisando de um Sidecar e um cigarro, e não de chá com minisanduíches (sem maionese), que eram as únicas coisas que o médico dela lhe deu permissão para consumir. "Ela não tem escrito nenhum! Ela estava lutando contra a peste bubônica! Não tinha tempo para escrever nada! Estava ocupada demais mandando queimar o corpo das criadas no pátio do palácio."

"Na verdade", Monsieur Christophe disse, pensativo, "ela tinha um diário…"

"NÃO PEGUE O DIÁRIO", Grandmère disse, levantando-se de um salto. Ao fazê-lo, desalojou Rommel, que caiu com tudo no chão e ficou lá escorregando, tentando retomar o equilíbrio, antes de se retirar, cabisbaixo, para um canto da sala. "NÃO TEMOS TEMPO PARA ISSO!"

"Pegue o diário", pedi a Monsieur Christophe. "Quero ler."

"Na verdade", o arquivista explicou, "temos uma tradução dele. Como foi escrito em francês do século XVII e era, é claro, tão curto — só doze dias —, nós mandamos fazer a tradução, mas só depois descobrimos que não tinham sido doze dias especialmente, hm, importantes para a história de Genovia. Só de dar uma olhada nas primeiras páginas, dá para ver que a princesa escreve bastante sobre a saudade que sente da gata dela…"

Foi aí que soube que TINHA que ler.

"Quero ver a tradução", afirmei, bem quando Grandmère berrou: "Amelia, SENTE-SE!"

Monsieur Christophe hesitou, obviamente sem saber o que fazer. Por um lado, eu estou mais próxima do trono do que Grandmère. Por outro lado, ela faz mais barulho e é bem mais assustadora.

"Quer saber?", sussurrei para Monsieur Christophe. "Ligo pra você mais tarde."

Só que eu não fiz isso. Assim que saí dali e estava na segurança da minha limusine, liguei para o meu pai e disse a ele o que queria.

Se ele achou estranho, não fez nenhum comentário sobre o assunto. Mas acho que, pra ele, o fato de eu me interessar por qualquer coisa que não seja a minha cama já parece um avanço.

Mas, bom, quando cheguei em casa havia um pacote à minha espera. Meu pai tinha pedido para Monsieur Christophe mandar por mensageiro não apenas a tradução do diário da princesa Amelie Virginie, mas também o retrato dela, que encostei na parede, na ponta da minha cama, onde a TV costumava ficar. Ela cobre perfeitamente a saída do cabo, que é bem feia, e posso olhar pra ela de qualquer ângulo quando estou na cama.

Que é onde estou neste momento.

Porque podem levar embora a minha televisão.

E podem jogar fora o meu pijama da Hello Kitty.

E podem me obrigar a ir à escola e à terapia.

Mas não podem fazer com que eu não fique na minha própria cama!

(Mas devo dizer que os meus problemas esmaecem em comparação aos da coitada da princesa Amelie Virginie. Quer dizer, pelo menos eu não tenho PESTE BUBÔNICA.)

Domingo, 19 de setembro, 23h, em casa

Acabei de perceber que faz exatamente uma semana que eu recebi aquele telefonema do Michael pra me dizer que está tudo terminado entre nós. Quer dizer, tirando o fato de que somos amigos.

Eu realmente não sei o que dizer a respeito disso. Uma parte de mim ainda quer se enfiar na cama e só ficar chorando pra sempre, apesar de ser possível pensar que, a esta altura, eu já tivesse chorado tudo que há para chorar (mas sempre que penso em como nunca mais vou sentir os braços dele ao meu redor, as lágrimas enchem os meus olhos rapidinho).

Mas daí eu penso sobre quanta gente tem mais dificuldades do que eu. A princesa Amelie Virginie, por exemplo. Quer dizer, primeiro os pais dela pegaram a peste bubônica e morreram. E isto não foi assim TÃO ruim, porque ela não era mesmo muito próxima deles, já que eles a mandaram para um convento, para ser educada, quando tinha quatro anos, e ficava tão longe que, depois disso, ela mal via os membros da família dela.

Mas daí todos os irmãos dela morreram por causa da Peste — e isto nem a incomodou muito, porque ela também mal os conhecia.

Mas isso significava que ela era a próxima da fila para o trono.

Então as freiras mandaram Amelie fazer as malas e voltar para o palácio, para ser coroada princesa de Genovia. E Amelie realmente não ficou muito feliz com isto, já que precisou deixar a gata dela, Agnès-Claire, pra trás.

Porque os gatos não são permitidos no Palácio Real de Genovia (é impressionante como quanto mais os tempos mudam, mais continuam iguais).

E, quando ela chegou ao palácio, o irmão do pai dela, seu tio Francesco, de quem ninguém na família realmente gostava por causa da vez que ele chutou o cachorro deles, Padapouf (cachorros PODEM entrar no palácio), já estava lá mandando em todo mundo.

E, se eu me lembro corretamente das minhas aulas de história de Genovia (e pode acreditar, depois de tanta tortura da Grandmère eu me lembro), ninguém gostava do tio Francesco, nem mesmo a família dele — ele se tornou príncipe Francesco I depois da morte de Amelie (na verdade, ele é príncipe Francesco ÚNICO, porque foi uma pessoa tão horrível que ninguém em Genovia nunca voltou a colocar o nome de Francesco em um filho depois que ele morreu). Ele foi o pior governante que Genovia já viu, devido à tentativa que fez de cobrar impostos tão altos da população depois da peste bubônica pra recompensar a perda de tributos que muita gente morreu de fome.

Também tinha reputação de ser um libertino (como provaram seus quase trinta filhos ilegítimos, que tentaram alegar direito ao trono depois de sua morte). Aliás, durante o reinado de Francesco, Genovia por muito pouco não foi absorvida pela França, já que o príncipe devia tanto dinheiro por causa de jogo (ele até perdeu as joias da coroa em um jogo de cartas com Guilherme III da Inglaterra a certa altura, e elas só foram recuperadas um século mais tarde, quando uma princesa esperta, Margarèthe, seduziu Jorge III, que, segundo boatos, não era muito bom da cabeça, e as resgatou).

Mas, bem, graças ao fato de Francesco basicamente pensar que já era príncipe, apesar de não ser — ainda —, a coitada da Amelie não tinha nada pra fazer. Então, como qualquer adolescente entediada que não tem ninguém com quem conversar — todas as camareiras haviam morrido de peste bubônica —, ela foi para a biblioteca do palácio e começou a ler os livros que havia lá. Um pouco como a Bela de *A Bela e a Fera*, na verdade. Só que a Fera era o tio dela, então não tinha chance de rolar um romance.

E, em vez de xícaras e candelabros dançarinos, só havia chanceleres cobertos de pústulas e coisas assim.

Foi até este ponto do diário dela que cheguei. É tão chato que provavelmente não vou seguir em frente.

Mas quero descobrir o que acontece com a gata.

Eu...

Eu acabei de receber um e-mail. Dá só uma olhada:

> **Cheergrl:** Oi, Mia! Sou eu, Lana. Espero que você tenha se divertido ontem à noite com o seu compromisso. Você perdeu uma festa MARAVILHOSA. Se quiser ver, tem fotos dela no site festasdanoitepassada.com. Ai, meu Deus, a caminho de casa, acho que vi sua amiga Lilly agarrando um ninja ou algo assim no Around the Clock. Mas o que ela estaria fazendo com um NINJA? Acho que ontem eu realmente exagerei na balada. Então, o que está achando daqueles Louboutins que você

comprou na Saks? Pena que você não pode ir de salto agulha pra escola. Bom, a gente se fala!

~*Lana*~

Então o romance da Lilly com um dos amigos lutadores de muay thai do Kenny continua! Se é que dá pra chamar o que rola entre eles de "romance".

Quando é que Lilly vai perceber que nunca vai encontrar a satisfação emocional que procura em um relacionamento que se baseia puramente na atração física? Quer dizer, que tipo de lutador de muay thai é capaz de acompanhar Lilly no campo intelectual? Ela vai jogá-lo na sarjeta assim que ele abrir a boca.

É triste, de verdade. Era de imaginar que a filha de dois psicanalistas fosse capaz de reconhecer sua própria patologia pelo que ela é.

Mas acho que, já que Lilly não faz terapia formal, como eu, ela acha que não tem nenhum problema.

Rá!

E isso me lembra: amanhã tem aula.

E eu não fiz nenhum dos meus deveres atrasados.

Será que dá pra eu pegar um atestado com o Dr. Loco? *Por favor, liberem a Mia do dever de casa dela. Ela está deprimida. Atenciosamente, Dr. Arthur T. Loco.*

É. Isso colaria bem demais. Principalmente com a Srta. Martinez...

AI, MEU DEUS. Outro e-mail do Michael acabou de aparecer na minha caixa de entrada.

Certo, preciso parar de tremer cada vez que isso acontece. Quer dizer, agora somos amigos. Ele vai escrever pra mim. Preciso parar de me desesperar quando ele escreve. Preciso ser normal. Não posso ficar com falta de ar só porque ele tentou falar comigo on-line.

Tenho certeza de que ele não está escrevendo porque percebeu que cometeu um erro terrível ao dizer que só queria ser meu amigo. E que quer voltar. Tenho certeza de que não é nada disto. Tenho certeza de que ele só está se perguntando por que eu não respondi ao último e-mail dele.

Ou talvez eu esteja em algum grupo de mensagens dele, e que esta seja apenas uma atualização sobre sua busca por sanduíche de ovo no Japão, ou qualquer coisa assim.

Bom, acho que é melhor abrir a mensagem ou nunca vou saber.

Talvez seja melhor eu esperar meus batimentos cardíacos desacelerarem um pouco...

SkinnerBx: Oi, Mia.

Ouvi dizer que você estava com bronquite. Que saco. Espero que esteja se sentindo melhor agora.

As coisas aqui continuam boas. Já estamos nos empenhando muito no primeiro estágio do braço robotizado — ou Charlie, como apelidamos a máquina. Estou até começando a me acostumar com a comida, apesar de filhotes de lula realmente não serem o que eu considero como petisco.

Sei que a minha irmã está dificultando as coisas pra você. Você sabe como Lilly é, Mia. Mas um dia ela supera. Você só precisa dar espaço a ela.

Sei que você está se sentindo pra baixo e provavelmente está atolada de dever de casa e de coisas de princesa, mas, se tiver um tempinho, seria ótimo ter notícias suas.

Michael

Ai, Deus...

Depois de eu passar mais ou menos meia hora chorando em cima deste e-mail, excluí sem responder.

Porque, quer dizer, fala sério! Não posso ser amiga dele.

Simplesmente não posso.

Eu preferia ter peste bubônica.

Segunda, 20 de setembro, Francês

Mia, o que é isso que você está lendo?

Não é nada, Tina. É só um diário de uma das minhas ancestrais.

Tem uma história de romance ardente nele????

Hm... não exatamente. Na verdade, é meio chato. Neste momento ela está redigindo alguma espécie de ordem executiva com base em algo que ela leu na biblioteca do palácio. Não que isso vá fazer bem pra alguém. Ela, e todo o resto do palácio, morrem de peste bubônica no fim das contas.

   Isso não me parece o seu tipo de leitura de jeito nenhum!

É, eu sei. Não sei o que deu em mim ultimamente.

   Bom, tem muita coisa acontecendo. Naturalmente, você está crescendo e mudando com o tempo. Falando em crescer... Esse aí é o seu uniforme novo?

Ah, é, é sim. Graças a Deus chegou. Achei que ia sufocar naquele velho. Mas acho que não era nem de longe tão ruim quanto os corseletes que obrigavam minha ancestral a usar. Ei, você sabia que Lilly saiu neste fim de semana com o lutador de muay thai misterioso dela?

   Não! Quem te contou?

Hm, esqueci. Mas, bom, T, é sério. Você precisa pegar as informações desse cara! Lilly pode se magoar de verdade!

   Não sei, eu também não sou exatamente a pessoa preferida da Lilly ultimamente. É como se ela me odiasse por continuar andando com você. Acho que você vai ter mais sorte com Kenny na sua aula de química.

Certo. Pode deixar. Ai, meu Deus, você sabia que no século XVII as pessoas usavam os piolhos que tiravam da cabeça em um medalhão como sinal de carinho?

   Que nojo! Ainda bem que hoje a gente tem a Swarovski.

Fala sério.

Segunda, 20 de setembro, S&T

Sabe, eu realmente não achei que as coisas podiam ficar piores do que o meu namorado me dar um fora e minha melhor amiga resolver que eu sou uma vagabunda traidora e se recusar a falar comigo. Ah, e alguém fazer um website pra dizer como eu sou burra e como sou digna do ódio alheio.

Daí Lana Weinberger resolveu que é a minha melhor amiga.

Olha, não estou dizendo que novos amigos são dispensáveis. E só Deus sabe como estou precisando disso.

Mas não tenho bem certeza se estou pronta para ter TANTOS AMIGOS quanto pareço ter agora.

Principalmente levando em conta que a única coisa que quero fazer é voltar pra cama e ficar lá.

De preferência pra sempre.

Mas não. Obviamente isso é pedir demais, demais mesmo.

Porque hoje no almoço, quando fui sentar perto da Tina, do Boris e do J.P., fiquei surpresa de ver que Lana e Trisha tinham colocado a bandeja do lado da minha também.

"Ai, meu Deus", Lana disse, quando viu o que eu estava comendo. "Você vai comer o enroladinho de salsicha? Você faz ideia de quantos carboidratos tem nisso? Não é à toa que você aumentou um tamanho. Ei, esses são os brincos que você comprou no sábado? Ficaram ótimos."

Ah, sim. Fui descoberta: descoberta como sendo Amiga da Lana.

Bom, tanto faz. Quer dizer, ela não é TÃO má assim. Claro, já tivemos nossas diferenças no passado, mas ela realmente tem algumas boas dicas pra parar de roer as unhas (passar o esmalte de tratamento Sally Hansen Hard As Nails toda noite, sem falta, e depois um creme de cutículas de azeite de oliva).

Tina ficou olhando pra Lana com a boca aberta, estupefata, o que fez Trisha dizer: "Tira uma foto, fofa. Assim dura mais", e então comentou que gostava do jeito que Tina passa o delineador e perguntou se ela usava assim por causa da religião dela ou sei lá o quê.

Isso fez Tina engasgar com a salada de atum dela.

"Então, algum de vocês pegou o Schuyler em pré-cálculo?", Lana perguntou. "Porque eu não faço a menor ideia do que está acontecendo naquela aula."

Ao que Boris respondeu, com cara de quem está com dor: "Hm... eu peguei."

E daí ele passou o resto do almoço ajudando Lana com o dever de casa dela, enquanto Tina passou o resto do almoço ensinando Trisha a fazer o tal delineado, e J.P. passou o resto do almoço dando um sorriso afetado para o chili dele (sem milho).

Eu só queria ler minha tradução do diário da Amelie. Mas não consegui porque estava preocupada a respeito da impressão que isso transmitiria. Quer dizer, de eu parecer antissocial.

E já recebi acusações suficientes pra que "antissocial" seja adicionado à lista.

Reparei que Lilly me lançou um olhar bem maldoso por cima do ombro quando foi levar a bandeja para o balcão.

Mas isso pode ter sido porque eu estava deixando Lana colocar pequenas presilhas no meu cabelo e Lilly implica com gente que fica se arrumando no refeitório.

Segunda, 20 de setembro, Química

J.P. quer saber como, simplesmente por sair pra fazer compras com Lana, passei a fazer parte da turminha dos populares.

Eu disse a ele que nós não saímos simplesmente pra fazer compras: fomos comprar *sutiãs*.

Ao que J.P. respondeu: "Por favor, me conte tudo. E eu quero saber de *tudo*."

Mas eu estava ocupada demais lendo sobre a Princesa Amelie. O tio Francesco entrou de supetão na biblioteca do palácio e ordenou que todos os livros de lá fossem queimados, só pra ser maldoso, tenho certeza, porque ele por acaso sabia que Amelie realmente gostava de ler, não porque ele acreditava de verdade que os livros contribuíam para a disseminação da doença.

Como se isso já não fosse horrível o suficiente, ele também jogou no fogo os pergaminhos com a ordem executiva que ela havia redigido e assinado com tanto cuidado — e ainda arrumara as testemunhas, o que não era brincadeira, já que era difícil encontrar duas pessoas vivas no palácio pra testemunhar a assinatura de um documento. Apesar de Amelie ter explicado a ele que aquilo que ela havia escrito era para o bem do povo de Genovia! E ela acreditava que ele não se importava nem um pouco com os súditos. Principalmente porque todos estavam morrendo como moscas, e ele continuava permitindo que navios estrangeiros atracassem no porto, e parecia que isto só fazia levar mais doença pra dentro do país... Sem mencionar o fato de que levava a doença de volta para as cidades de onde os navios tinham vindo, quando retornavam.

Amelie acusou o tio de só se preocupar com o fato de o azeite de oliva ser ou não entregue. Para o tio Francesco, tudo *sempre* tinha a ver com azeite de oliva. E a coroa, obviamente.

Mas não! Ele achou que queimar livros (e ordens executivas) era a resposta para todos os problemas deles!

Eu realmente queria continuar lendo, porque as coisas finalmente estavam ficando boas para a coitada da Amelie (ou más, como pode ser o caso).

Mas Kenny me deu uma bronca, dizendo que, se eu não ia ajudar com a experiência, poderia simplesmente aceitar o zero que eu merecia.

Então estou mexendo o líquido no frasco. E isso explica por que a minha letra está tão feia.

Segunda, 20 de setembro, em casa

Apesar de eu ainda estar nas profundezas do desespero e tal, realmente estava meio animada depois da escola porque:

1. Nada de aula de princesa
2. Apesar de eu não ter TV, tenho uma coisa totalmente excelente pra ler

Tenho total intenção de tirar o meu uniforme da escola, colocar um moletom, me enrolar na cama e ficar lendo sobre minha ancestral.

Mas minha animação (reconhecidamente leve) teve vida curta devido ao fato de eu ter entrado em casa e encontrado o Sr. G à mesa de jantar com todo o material das aulas que eu havia perdido na semana passada.

"Sente", pediu, apontando para uma cadeira.

Então eu sentei.

E agora estamos dando conta de todas as aulas atrasadas. Uma aula por vez.

Isto é tão injusto…

Segunda, 20 de setembro, 23h, em casa

Ai, meu Deus, estou tão cansada. E ainda não chegamos nem na metade de todas as matérias que preciso recuperar.

Qual é o SENTIDO de jogar tanto dever pra cima de nós? Será que essa gente não sabe que está destruindo o nosso espírito, que já é frágil? Será que é realmente isto que os detentores do poder desejam? Uma geração de almas feridas e diláceradas?

Não é pra menos que tantos adolescentes se voltam para as drogas. Eu também faria isso se não estivesse tão cansada. E se soubesse onde arrumar.

Então acontece que tio Francesco não gostou nada de Amelie dizer que ele não se importava com as pessoas de Genovia. Ele disse que se ela realmente se preocupasse com elas, abdicaria do trono e o deixaria governar. Porque ela era só uma menina que não tinha a menor ideia do que estava fazendo.

!!!!!!!!!!!!

Mas acho que Amelie tinha mais ideia do que fazer do que deixava transparecer, porque redigiu MAIS UMA ordem executiva — esta era para fechar todas as estradas e portos de Genovia. Ninguém podia entrar ou sair do país. Ela fez isto porque achou que ajudaria um pouquinho mais a reduzir a disseminação da Peste do que queimar todos os livros do país.

Rá! Engole essa, Francesco, seu fracassado!

Além do mais, ela também fez com que os melhores exterminadores de ratos da cidade fossem levados até o palácio. Porque ela não pôde deixar de notar que não houve surtos da doença em lugares que havia gatos — como lá no convento, onde ela havia deixado Agnès-Claire.

Para uma menina que viveu no século XVII, quando ainda não sabiam o que eram germes, a Princesa Amelie era bem esperta.

Ah, e ela mandou expulsar o tio do castelo.

Cara. E eu achei que a MINHA família é que tinha problema.

Terça, 21 de setembro, Introdução à Escrita Criativa

Parece que os meus parentes não são os únicos que estão conspirando contra mim. No minuto em que entrei na escola hoje, a diretora Gupta estava à minha espera. Ela fez um sinal com o indicador para que eu a seguisse até a sala dela. Lars e eu trocamos olhares de pânico, tipo: "*Ô-ou!*" Desta vez, não deu pra saber o que a gente tinha feito.

Ou o que *eu* tinha feito, pelo menos. Eu tinha certeza de que a diretora Gupta havia descoberto sobre a vez que acionei o alarme de incêndio quando não tinha incêndio nenhum. É verdade que faz um ano, mas talvez eles tenham demorado todo este tempo para examinar os vídeos de segurança das câmeras dos corredores ou algo assim...

Só que não tem nada a ver com isso. O que aconteceu é que ela confiscou o meu diário.

Neste momento, estou escrevendo no meu caderno de química.

A diretora Gupta disse: "Mia, compreendo que você esteja passando por um momento difícil. Mas as suas notas estão caindo. Você está no ensino médio. Logo as faculdades vão começar a examinar o seu histórico escolar."

Tive vontade de fazer uma observação sobre um fato que ela e todo mundo sabem perfeitamente bem: eu vou ser aceita em qualquer faculdade em que me inscrever. Porque sou princesa. Gostaria que isto não fosse verdade. Mas é. Quer dizer, até Trisha sabe disto.

"Fui informada pela Sra. Potts", a diretora Gupta prosseguiu, "que você estava escrevendo no seu diário até durante a aula de educação física outro dia. Isto não pode continuar assim. Você não pode ficar achando que pode fazer o que quiser só porque é um pouco famosa, Mia."

Isso sim que é injustiça! Eu nunca tentei me aproveitar do fato de ser famosa, mesmo que seja só um pouco!

"Considere absolutamente proibido escrever no seu diário durante as aulas a partir deste momento", a diretora Gupta disse. "Vou ficar com o seu diário — não se preocupe, eu NÃO vou ler — até o fim das aulas hoje. E faça a gentileza de NÃO o trazer para a escola amanhã novamente. Está entendido?"

O que eu posso dizer? Bom... ela não está errada.

Ela instruiu todos os meus professores a tirar de mim qualquer papel em que me vejam escrevendo, a menos que tenha a ver com a aula. Só estou conseguindo escrever isto aqui porque a Srta. Martinez acha que é a lição de escrita criativa que ela acabou de nos passar para descrever um momento que nos deixou profundamente abalados.

Sabe qual foi o momento que me deixou profundamente abalada?

Foi quando a diretora Gupta trancou o meu diário no cofre da escola. Foi a mesma sensação de ser esfolada com uma caneta Bic descartável.

Terça, 21 de setembro, Inglês

Mia, cadê seu diário????

Não quero falar sobre isso.

Ah. Tudo bem. Desculpa!

Não, eu é que peço desculpa. Foi falta de educação. É só que... a diretora Gupta tirou de mim. Porque as minhas notas estão caindo.

> Ah, Mia! Que coisa horrível!

Não, não é. A culpa é toda minha. Eu também não devia estar passando bilhetinho. Todos esses professores supostamente têm que tirar de mim qualquer coisa em que eu esteja escrevendo que não tenha a ver com a aula. Então tome cuidado.

> Então vamos tomar cuidado. Mas, bom, eu queria dizer... que ontem no almoço foi meio esquisito... Eu não sabia que você e Lana tinham ficado tão amigas! Quando foi que isso aconteceu? Quer dizer, se você não se importa de eu perguntar.

Não, tudo bem. Eu devia ter contado pra você. É que eu acho tudo isso muito esquisito. Eu sei que ela foi muito má com você no passado, e eu não... bom, eu não queria que você me odiasse.

> Mia! Eu nunca poderia odiar você! Você sabe disto!

Obrigada, Tina. Mas você é a única.

> Do que você está falando? Ninguém nunca poderia odiar você!

Hm... Um monte de gente me odeia, na verdade. E a Lilly me odeia DE VERDADE.

> Ah. Bom. A LILLY. Você sabe por que ela odeia você.

Certo. A sua teoria sobre o J.P. que está errada. Mas, bom, eu supostamente vou fazer um discurso em um baile beneficente que a mãe da Lana está organizando, e uma coisa levou à outra, e... ela realmente não é tão má assim, sabe. Quer dizer, ela é MÁ. Mas não tão MÁ quanto a gente pensava antes. Acho. Deu pra entender?

> Acho que sim. Pelo menos, quando ela diz coisas sarcásticas, parece que simplesmente não sabe como agir de outra maneira. Tipo é como se ela só soubesse magoar os outros.

Eu sei. É mais ou menos igual a Lindsay Lohan.

> Exatamente! Mesmo assim. Acho que Lilly não está muito feliz com isso.

Como assim? Ela falou alguma coisa de mim?

> Bom, ela também não fala mais COMIGO, já que sou sua amiga, então não, ela não me disse nada. Mas eu vi quando ela olhou feio pra você do outro lado do refeitório.

Ah, é. Eu também vi. Eu...

Não vou mais passar bilhetinho na aula.
Não vou mais passar bilhetinho na aula.
Não vou mais passar bilhetinho na aula.
Não vou mais passar bilhetinho na aula.
Não vou mais passar bilhetinho na aula.
Não vou mais passar bilhetinho na aula.
Não vou mais passar bilhetinho na aula.
Não vou mais passar bilhetinho na aula.
Não vou mais passar bilhetinho na aula.
Não vou mais passar bilhetinho na aula.
Não vou mais passar bilhetinho na aula.
Não vou mais passar bilhetinho na aula.
Não vou mais passar bilhetinho na aula.
Não vou mais passar bilhetinho na aula.
Não vou mais passar bilhetinho na aula.
Não vou mais passar bilhetinho na aula.

Terça, 21 de setembro, Almoço

Eu pedi desculpas SEM PARAR a Tina por ter causado problemas pra ela na aula de inglês. Graças a DEUS o nosso bilhetinho não foi lido em voz alta. Essa é a única coisa boa.

Tina disse pra eu não me preocupar, que não é nada.

Mas NÃO É VERDADE que não é nada. Não dá pra acreditar que estou arrastando as minhas amigas para o buraco comigo. Simplesmente está ERRADO, e preciso PARAR com isso.

Mas, bom, ninguém pode me impedir de escrever no ALMOÇO. Mesmo que eu escreva no meu caderno de química. Apesar de ser bem difícil escrever quando Lana fica me dando cotoveladas o tempo todo e dizendo: "Espera, então a Gupta disse que você precisa estudar mais se quiser entrar na faculdade? Ai, meu Deus, isso pode ser retificado com muita facilidade. É só você entrar para o Esquadrão do Bem. Fala sério, a gente não precisa FAZER nada além de organizar uma venda de bolo, tipo, a cada cinco semanas. Aaah, ou, já sei! Você pode entrar para o Hola — o clube de espanhol? A gente fica lá assistindo a filmes em espanhol. Tipo aquele em que uns caras gatos lutam até a morte com uns outros gostosões. Bom, na verdade a gente não assistiu a esse na aula, porque era sexy demais. Trisha e eu assistimos em casa pra ganhar nota extra. Ah, ou o comitê do baile! Estamos trabalhando no Baile da Diversidade Cultural neste momento! Este ano vamos detonar! Estamos tentando arrumar uma banda ao vivo, em vez de DJ, pra variar um pouco. E você também pode ser tutora de um aluno mais novo. Eu estou com uma do primeiro ano superfofa, e ensinei a ela como passar sombra sem borrar."

Eu só fiquei, tipo: "Hm. Sabe, já tenho muita coisa pra fazer com minhas funções de princesa. E, com o dever de casa."

"Certo", Lana respondeu. "Ei, o que você acha de esmalte com glitter? Sabe, para as minhas unhas? Será que é demais?"

Quando foi que isto aqui virou a minha vida?

Ah, certo, já lembrei. No dia que o meu ex-namorado me deu um fora e perdi toda a vontade de viver.

Terça, 21 de setembro, S&T

Certo, ninguém pode me proibir de escrever aqui porque

1. Ninguém sabe o que eu deveria estar fazendo nesta aula idiota, de qualquer jeito, tendo em vista o fato de que eu não sou superdotada nem talentosa
2. A Sra. Hill nem está aqui. Deve ter algum leilão no eBay que ela está tentando vencer ou qualquer coisa assim, porque ela está na sala dos professores

Mas, bom, a coisa mais esquisita do mundo acabou de acontecer. Depois do almoço, fui ao banheiro e, quando estava lavando as mãos, Lilly saiu de uma das cabines e começou a lavar as mãos DELA.

Ela estava me ignorando completamente, como se eu nem existisse. Só olhando para si mesma no espelho.

Não sei o que deu em mim. De repente, simplesmente não suportei mais aquilo. Fechei a torneira da minha pia, peguei umas toalhas de papel e QUASE falei, enquanto enxugava as mãos: "Quer saber, Lilly? Pode me ignorar o quanto quiser, mas isto não muda o fato de que você está errada. Eu NÃO fui a causa do seu rompimento com J.P. e NÃO estou ficando com ele. Nós somos SÓ amigos. Não dá pra acreditar que depois de todos estes anos de amizade você pode PENSAR isso de mim. E, além do mais, você sabe que eu amo o seu irmão. Quer dizer, apesar do fato de agora nós também sermos só amigos."

Mas eu não disse nada.

Não proferi nenhuma palavra.

Afinal, por que eu deveria dizer alguma coisa? Por que eu deveria dar o primeiro passo se não fiz nada de errado? É ela quem está me dando as costas, sendo que eu estou passando por uma enorme dor pessoal. Quer dizer, será que já passou pela cabeça dela que eu realmente estou precisando de uma amiga neste momento? Será que já passou pela cabeça dela que este não é o melhor momento pra me dar um gelo?

Mas parece que sempre que eu passo por um período de crise pessoal — quando descobri que era princesa; quando o irmão dela me deu um fora —, Lilly sempre me dá as costas. Devia saber que eu estava pensando em dizer alguma coisa pra ela, porque me lançou o olhar mais feio do mundo. Então enxaguou as mãos, fechou a torneira, pegou algumas toalhas de papel, jogou-as no lixo — da mesma maneira que parece ter feito com a nossa amizade — e saiu sem dizer nenhuma palavra.

Quase saí correndo atrás dela. De verdade. Quase corri atrás dela e disse que, seja lá o que eu tivesse feito, sentia muito, e que sei que sou uma esquisita, mas que estou tentando obter ajuda. Quase falei: "Olha, estou fazendo terapia. Está feliz agora? Você me fez ir pra terapia!"

Mas, em primeiro lugar, sei que isso não é verdade. Não estou na terapia por causa da Lilly, nem do Michael, nem de ninguém, de verdade, a não ser o Buraco Gigante.

E, em segundo lugar... bom, eu ainda carrego *um pouco* de orgulho dentro de mim. Quer dizer, eu é que não ia dar a ela tanta satisfação assim.

Além do mais, e se ela contasse para Michael ou algo do tipo? Daí ele ia achar que eu estava tão destruída com a nossa separação que estou sentindo impulsos suicidas.

E eu *não* estou.

Só estou triste. Como o Dr. L disse.

Só estou triste.

Então, bom. Deixei que ela fosse embora. E não falei nada.

E agora estou aqui em S&T, observando enquanto ela conversa com Perin no telefone sobre a iniciativa da antena de celular delas.

E quer saber de uma coisa? Nem tenho mais certeza se ainda quero ser amiga dela. Quer dizer, pra ser sincera, na verdade Lana Weinberger é uma amiga MELHOR do que Lilly jamais foi. Pelo menos com Lana a gente sempre sabe onde está pisando. É verdade que Lana totalmente acha que o mundo gira ao redor dela, e as coisas que ela diz são tão profundas quanto uma piscina infantil.

Mas pelo menos Lana não fica tentando fingir ser quem não é. Ao contrário de outras pessoas cujo nome não posso citar.

Meu Deus, vou ter TANTA COISA pra falar com o Dr. L na sexta.

Terça, 21 de setembro, 16h, Chanel

A diretora Gupta ficou toda: "Mia. Vamos conversar", de um jeito todo sério, quando fui pegar meu diário de volta com ela.

Então eu tive que me sentar e ouvi-la falar sobre como eu sou uma menina inteligente, com tanta coisa a oferecer e é uma pena eu ter saído do conselho estudantil e não participar de mais atividades extracurriculares neste ano. As faculdades, ela disse, olham pra outras coisas além de notas e de recomendações dos professores, sabe. Querem ver que as pessoas que desejam estudar em suas instituições também têm interesses fora da academia.

Lana estava totalmente certa sobre o Hola.

"Estou no jornal da escola", comentei, pra dar uma desculpa.

"Mia", a diretora Gupta disse. "Você não foi a nenhuma reunião do jornal neste semestre."

Estava torcendo pra que ela não tivesse reparado nisso.

"Bom, até agora o semestre tem sido meio difícil."

"Eu sei." Atrás dos óculos, os olhos da diretora Gupta pareciam gentis. Pelo menos desta vez. "É evidente que você passou por muita coisa ultimamente. Mas não pode simplesmente se fechar por causa de um garoto, Mia."

Fiquei olhando pra diretora Gupta, horrorizada. Quer dizer, mesmo que possa ser verdade, não acredito que ela disse isso.

"*N-não* estou", gaguejei. "Isto não tem nada a ver com Michael. Quer dizer, tudo bem, estou mesmo triste por termos terminado. Mas é só que... tem muito mais coisa do que isso."

"O que realmente me incomoda é que você parece ter desistido dos seus amigos também. Reparei que você não senta mais com Lilly Moscovitz na hora do almoço."

"*Ela* é que não senta mais comigo", devolvi, indignada. "Não sou eu que..."

"E reparei que, em vez de ficar com ela, você anda passando bastante tempo com Lana Weinberger." A boca da diretora Gupta ficou toda pequena, como a da minha mãe fica quando ela está brava. "Ao mesmo tempo em que eu fico feliz de você e Lana não viverem mais em pé de guerra, não posso deixar de me perguntar se ela é alguém com quem você realmente tem tanta coisa assim em comum...."

Agora que eu tenho peito, ela é, sim. Ela sabe TUDO sobre cobertura de mamilos.

E também sobre como exibi-los, quando é apropriado fazê-lo.

"Eu realmente aprecio o fato de a senhora se preocupar comigo, diretora Gupta", respondi. "Mas é preciso se lembrar de uma coisa."

Ela olhou pra mim cheia de expectativa. "Do quê?"

"Eu sou princesa. Vou entrar em todas as faculdades em que me inscrever, porque as faculdades gostam de alardear que têm em seu quadro de alunos uma garota que um dia vai governar um país. Então realmente não faz diferença se eu entrar para o clube de espanhol, para o Esquadrão do Bem ou pra sei lá o quê. Mas", sacudi o meu diário para ela, "obrigada pela preocupação."

Assim que saí da sala da diretora G, meu telefone tocou. Olhei no visor e vi que Grandmère estava me ligando.

Maravilha. Porque que não tinha como o meu dia melhorar.

"Amelia", ela cantarolou quando atendi. "Por que você está demorando? Estou ESPERANDO."

"Grandmère? Do que você está falando? Nesta semana não vamos ter aulas de princesa, lembra?"

"Eu sei disso. Estou na frente da escola com a limusine. Hoje vamos à Chanel para tentar achar alguma coisa para você usar no baile beneficente da sexta. Está lembrada?"

Não, eu não lembrava. Mas que escolha eu tinha? Nenhuma.

Então aqui estou eu, na Chanel.

As funcionárias estão muito animadas com as minhas novas medidas. Principalmente porque não precisam mais apertar a parte de cima de todos os vestidos que Grandmère escolhe pra mim.

O tailleur que ela escolheu para o baile beneficente é bem legal, pra falar a verdade. *E* ela finalmente vai me deixar usar preto.

"O seu primeiro tailleur Chanel", ela fica murmurando com um suspiro. "Onde o tempo foi parar? Parece que foi ontem que você era uma garotinha de 14 anos com os joelhos arranhados, que chegou para mim sem nem saber como usar uma faca de peixe! E agora olhe só para você! PEITOS!"

Tanto faz. Nunca tive arranhões nos joelhos.

Então Grandmère me entregou o discurso que tinha mandado escrever pra mim. Para o baile beneficente. Acho que tinha desistido da ideia de me deixar escrever o meu próprio discurso. Ela se adiantara e contratara um ex-redator de discursos presidenciais para criar um solilóquio de vinte minutos sobre o sistema de drenagem de Genovia. O redator de discursos que ela arrumou aparentemente é muito famoso, e escreveu um discurso a respeito de mil pontos de luz.

Acho que ele costumava escrever para *Star Trek: A nova geração* ou algo assim.

Devo decorar o meu discurso, Grandmère diz, para parecer mais "espontâneo".

Por sorte, posso ficar lendo enquanto ajustam meu tailleur novo.

Só que não estou lendo meu discurso. Porque Grandmère saiu para experimentar o vestido dela para o baile beneficente. Porque foi convidada para participar como minha "acompanhante". Sei que ela tem a esperança de que nós DUAS recebamos convites para entrar para a Domina Rei.

E talvez isso até nem seja tão ruim assim. Daí eu posso dizer à diretora Gupta que tenho uma atividade extracurricular para colocar nas minhas fichas de inscrição pra faculdade. Assim ela vai ficar feliz.

Mas, bom, o tio da Princesa Amelie não ficou longe do palácio muito tempo depois de ela o expulsar. Isso porque não tinha sobrado nenhum guarda, já que todos tinham pegado a Peste também. Ele voltou e ficou dizendo para Amelie quanto dinheiro ela estava perdendo por não permitir que os navios que exportavam o azeite de Genovia saíssem dos portos. E também por não exigir que o povo continuasse pagando tributos pra ela, apesar de ninguém ter dinheiro, porque todo mundo pegara a Peste e não podia trabalhar.

Mas tio Francesco não se importava. Ele ficava dizendo que ela não sabia o que estava fazendo porque era *só uma menina*, e que ela ia levar a família real dos Renaldo à falência, e que entraria pra história como a pior governante de Genovia de todos os tempos.

Como é irônico que, no fim, ELE foi quem ganhou esta distinção.

De qualquer forma, bom, Amelie disse ao tio que parasse de incomodar. Ela sabia que estava salvando vidas. Devido às iniciativas dela, havia menos casos da doença registrados.

Mas já era tarde demais pra ela. Porque tinha descoberto a primeira pústula.

Ela resolveu não contar para o tio. Porque a Amelie sabia que, quando morresse, Francesco conseguiria o que desejava: o trono, que era a única coisa que importava pra ele. Nem ligava se não sobrasse ninguém para governar. Ele só queria o dinheiro de Amelie. E a coroa dela.

E isso era algo de que ela ainda não estava pronta para abrir mão. Porque tinha mais uma coisa que precisava fazer.

Pena que Grandmère voltou e NÃO PARA DE FALAR, E POR ISSO NÃO POSSO DESCOBRIR O QUE ERA!

Quarta, 22 de setembro, 1h, em casa

Ai, meu Deus! Que coisa mais triste! A princesa Amelie morreu, total!! Quer dizer, eu sabia que estava doente.

E, obviamente, eu sabia que ela ia morrer.

Mas foi simplesmente tão... traumático! Ela estava completamente sozinha! Não tinha ninguém nem sequer para lhe entregar um lencinho de papel no fim, porque todo mundo estava morto (tirando o tio dela, mas ele ficou longe, porque não quis pegar a doença que ela tinha).

Além do mais, naquele tempo não existiam lencinhos de papel.

Isso é tão... errado.

Não a coisa de não existirem lencinhos. A coisa de estar sozinha.

Agora não consigo parar de chorar. E isto é ótimo, sabe, já que preciso acordar para ir à escola amanhã. Por alguma razão. E, de qualquer forma, até parece que eu não tenho andado deprimida o suficiente nos últimos dias. É que isto aqui, sabe, é só mais uma escavada no fundo daquele buraco.

Nem sei por que me dou ao trabalho de seguir em frente. Quer dizer, vamos encarar os fatos:

Nós nascemos.

Vivemos durante um tempinho.

E daí nós morremos, nosso tio assume o trono, queima todas as nossas coisas e faz tudo que pode para deslegitimar os doze dias que passamos no governo por ser, basicamente, o pior príncipe de todos os tempos.

Pelo menos Amelie conseguiu salvar o diário dela, que — como escreveu nas últimas páginas — tinha a intenção de mandar para o convento onde havia sido tão feliz, comparativamente, por medida de segurança, junto com o pequeno retrato dela. Ela disse que as freiras "saberiam o que fazer".

Tem mais uma coisa que ela também salvou de ser queimada — além da Agnès-Claire, que, imagino, morreu feliz e cheia de ratos na abadia onde o diário da dona dela acabou aparecendo, apenas para ser devolvido ao palácio pelas freiras prestativas, de acordo com os desejos da Amelie, ao Parlamento, que...

... ignorou totalmente.

Só posso partir do princípio de que o diário foi ignorado porque todo mundo achou que uma menina de 16 anos não tinha nada a dizer.

Além do mais, o tio dela não estava exatamente facilitando a vida dos membros do Parlamento, já que estava decidido a gastar até o último centavo do tesouro de Genovia. Então eles não tinham assim muito tempo de ir pra casa ler o diário de uma princesa morta qualquer.

Mas, bom, a outra coisa que Amelie conseguiu salvar foi uma última cópia da coisa que ela havia escrito e assinado diante daquelas testemunhas — seja lá o que fosse. Ela diz que escondeu o pergaminho em "algum lugar próximo do meu coração, onde alguma princesa futura vai encontrar e fazer o que é certo".

Só que, é claro, quando a gente está morrendo de Peste, realmente não é uma boa ideia esconder uma coisa perto do coração.

Porque o seu cadáver simplesmente vai ser queimado e reduzido a cinzas pelo seu tio em uma pira funerária.

Quarta, 22 de setembro, S&T

Lana acabou de lançar uma pequena arma de destruição em massa à mesa do almoço. Simplesmente a largou e depois deu de ombros, como se não fosse nada. Mas estou aprendendo que esse é o jeito dela. "Então, há quanto tempo está rolando?", perguntou, abanando os dedos pra mesa de almoço onde Lilly estava sentada com Kenny Showalter e o restante do pessoal.

Dei uma olhada pra onde ela apontava. "Ah. Bom, Lilly não está falando comigo por diversas razões. A primeira, e provavelmente a mais importante, é que ela me culpa por J.P. ter terminado com ela…"

"Ei!", J.P. reclamou. "Eu não terminei com ela! Eu disse a ela que seria melhor se fôssemos apenas amigos."

"Sei. Tem muita gente dizendo isso por aí. Em segundo lugar", informei a Lana, "Lilly está aborrecida por que me recusei a concorrer à vaga de presidente do conselho estudantil. Apesar de eu nunca ter desejado ser presidente, pra começo de conversa; era ela que queria isso. Em terceiro, ela..."

"Não estou falando de quanto tempo vocês estão brigadas." Lana revirou os olhos. "Quero saber há quanto tempo ela e Poste estão mandando ver." Às vezes é um tanto difícil entender o que Lana está dizendo, porque ela usa um tipo de gíria que ninguém mais na nossa mesa de almoço conhece (além da Trisha Hayes e da Shameeka, que também voltou pra turma).

"Poste?", repeti.

"Mandando ver?", Tina completou.

Lana revirou os olhos mais uma vez e disse: "Há quanto tempo Lilly Moscovitz está indo pra cama com o Sr. Cientista de Foguetes?" Eu larguei meu taquito de carne com queijo.

"O QUÊ?", berrei. "A Lilly e o *Kenny*?"

Mas Lana só bateu seus cílios supercompridos e volumosos, cobertos de rímel, e falou: "Dã, eu disse pra você que vi os dois se engolindo no Around the Clock no fim de semana passado."

"Você disse que viu Lilly e um NINJA se agarrando", falei. "Não KENNY. Kenny Showalter não é ninja."

"Não", Lana mastigava seu rolinho de atum com abacate — que mandava entregarem especialmente pra ela todo dia no almoço, já que o refeitório não oferece sushi. "Era aquele cara ali com toda a certeza."

"Sem dúvida", Trisha concordou. "Eu reconheceria aquele pomo-de-adão saltado em qualquer lugar. Estava sacudindo pra tudo que é lado."

Tina e eu nos entreolhamos, chocadas. Daí Tina lançou um olhar acusatório para o namorado dela.

"Boris", ela disse, "o cara que Lilly estava agarrando na cozinha da casa dela era o KENNY?"

Boris pareceu pouco à vontade. "Estava difícil de ver. Ele estava de costas pra mim. Todos aqueles lutadores de muay thai pareciam iguais sem camisa."

"Ai, meu Deus!", Tina exclamou. "Era o Kenny! Boris! Você deixou Mia toda preocupada por nada, achando que Lilly estava ficando com um lutador de muay thai desconhecido qualquer porque estava desesperada por J.P. ter dado um fora nela, quando na verdade era o Kenny o tempo todo!"

"Eu não dei um fora nela", J.P. insistiu.

Mas Boris só ficou com cara de tédio. "Quem se importa? Quando é que as coisas vão voltar ao *normal* por aqui?"

Quando disse a palavra *normal*, ele olhou pra Lana e Trisha.

Ninguém reparou, óbvio. Só J.P., que sorriu pra mim. Ele tem *mesmo* um sorriso legal.

Não que isso tenha nada a ver com qualquer uma destas coisas.

Mas, bom, no começo eu fiquei tipo: "Mas Lilly poderia quebrar o pescoço do Kenny com as coxas com a maior facilidade, igual a Daryl Hannah em *Blade Runner — O caçador de androides*."

Mas daí eu me lembrei de como Kenny anda ficando forte com tanta luta de muay thai.

Então estou feliz por ela. Estou mesmo, de verdade. Quer dizer, se ela está feliz, eu estou feliz.

Mas mesmo assim. KENNY SHOWALTER????????

Quarta, 22 de setembro, Química

Não me importo com a proibição de escrever durante a aula. Eu TENHO QUE colocar isto aqui no papel.

Não consegui mais me segurar. Eu TIVE QUE perguntar ao Kenny o que estava acontecendo entre ele e Lilly.

Então eu simplesmente falei assim: "Kenny. É verdade que você e Lilly estão ficando? Porque, se estiverem, eu quero saber, porque vocês formam um casal legal de verdade."

(Mentira. Mas desde quando eu falo a verdade?)

De todo modo, Kenny pareceu não apreciar, de jeito nenhum, os meus comentários gentis. Ele falou: "Mia! Pode me dar licença? Estou na fase da neutralização ácida!"

Daí eu fiquei tipo: "Tudo bem, desculpa por ter falado qualquer coisa", e voltei pra minha banqueta para escrever.

E daí, há um segundo, J.P. se sentou do meu lado e ficou tipo: "Então, estou liberado agora?"

E eu fiquei tipo: "Liberado de quê?"

E ele ficou tipo: "De ter despedaçado o coração da Lilly. Agora que ela aprendeu a amar de novo, como Tina diria."

Então eu ri. "J.P., tanto faz. Nunca culpei você pelo lance com a Lilly. Você não pode fazer nada se não sentia por ela a mesma coisa que ela sentia por você."

Mas ele bem que podia ter ajudado se não a tivesse enrolado durante tanto tempo. Mas eu não falei esta parte em voz alta.

"Fico feliz por saber que você pensa assim, Mia", J.P. disse. "Porque tem uma coisa que já faz um tempão que eu quero te falar, e cada vez que começo parece que acontece alguma coisa pra me interromper, então eu vou simplesmente falar agora, apesar de este talvez não ser o momento ide...

Quarta, 22 de setembro, saída de evacuação da EAE na rua East 75

Ai, meu Deus.
Ai, meu Deus.
J.P. está apaixonado por mim.
E nós explodimos a escola.

Quarta, 22 de setembro, pronto-socorro do Hospital Lenox Hill

Pra dizer a verdade, eu não sabia o que escrever primeiro naquela hora. Quer dizer, eu não sei o que me perturba mais: que J.P. se apaixonou por mim ou que a gente quase morreu por causa da experiência do Kenny, em que ele estava tentando recriar — sem que o resto de nós soubesse — uma substância que no passado era usada como recheio de granadas de mão durante a Segunda Guerra Mundial, com ponto de deflagração altíssimo, o que na língua das pessoas normais quer dizer que é muito instável e que COSTUMA EXPLODIR.

E nós não deveríamos fazer aquilo! O Sr. Hipskin não percebeu que a gente estava fazendo aquilo porque Kenny disse a ele que estávamos fazendo nitrocelulose, que é uma substância parecida com a dos rolos de filme.

Não nitroamido, que é um EXPLOSIVO!

A enfermeira do pronto-socorro insiste que as sobrancelhas do Kenny vão voltar a crescer algum dia.

Eu tive bem mais sorte. Estou aqui na sala de emergência contra a minha vontade. Na verdade, não há nada de errado comigo. Eles simplesmente me mandaram pra cá para evitar um processo, tenho certeza. Quer dizer, eu só fiquei com falta de ar. Isso porque, logo antes de a deflagração ocorrer, quando Kenny gritou "Todo mundo abaixa!", J.P. me arrancou da minha banqueta e jogou o corpo em cima do meu, de modo que todos os dejetos em chamas caíram em cima dele, não de mim.

E isso, devo ressaltar, aconteceu logo depois de ele dizer: "Porque tem uma coisa que já faz um tempão que eu quero te falar, e cada vez que começo parece que acontece alguma coisa pra me interromper, então eu vou simplesmente falar agora, apesar de este talvez não ser o momento ideal. E eu sei que agora você vai dar um chilique, porque você é assim. Então, largue a caneta e respire fundo."

Foi quando os olhos azuis dele se prenderam aos meus olhos acinzentados e ele disse, todo atencioso e sem desviar o olhar: "Mia, eu estou apaixonado por você. Sei que até agora fomos só amigos — bons amigos —, mas quero mais do que isto. E acho que você também quer."

Foi bem aí que Kenny gritou pra gente se abaixar. E que J.P. se jogou em cima de mim.

Por sorte do J.P., Lars LOGO apareceu com o extintor de incêndio — acredito que pra compensar o fato de não ter sido ele a se jogar em cima de mim, que é, afinal de contas, o trabalho dele, e não do J.P. — e apagou o fogo que surgiu nas costas do suéter do J.P. Ele nem se queimou, porque os nossos uniformes escolares contêm muitas fibras artificiais, e a maior parte delas é do tipo que não pega fogo.

Então, na verdade, nenhuma chama tocou na pele do J.P. Só no suéter com gola em V dele.

Mas todos nós tivemos que fugir da enorme nuvem de vapor de dióxido de nitrogênio. E não só quem estava no laboratório de química. A escola inteira.

Ainda bem que não estava congelando lá fora (mas algum tipo de frente fria tinha vindo do Canadá e deixado a cidade gelada ainda no outono), e nenhum de nós estava de casaco nem nada. Óbvio.

Uma das enfermeiras acabou de vir aqui e disse que a coisa toda passou no canal público local, o *New York One* — um helicóptero filmava uma cena ao vivo de todo mundo do lado de fora da Escola Albert Einstein tremendo, com os caminhões de bombeiros e as ambulâncias com as luzes piscando e tal.

Mas só três pessoas na verdade foram levadas para o hospital: J.P., Kenny e eu.

A diretora Gupta me pegou segundos antes de fecharem as portas da ambulância. Ela ficou toda assim: "Mia, quero lhe dar as minhas garantias mais sinceras de que tenho a intenção de chegar até o cerne desta questão. O Sr. Showalter *não* ficará impune..."

Comentei que ficar sem sobrancelhas já é castigo suficiente, na minha opinião, mas a diretora Gupta já tinha passado pra ambulância do J.P. para repetir a mesma coisa.

O que foi inteligente da parte dela, porque ouvi dizer que o pai dele ADORA um processo.

É engraçado ninguém ter dito nada a respeito do fato de J.P. e eu sermos parceiros de laboratório do Kenny, e nós com toda a certeza não fizemos nada para impedir que ele explodisse a escola. Só que nós dois somos tão ruins em química que nem sabíamos o que ele estava tentando fazer.

Claro que Kenny jura que destruir o laboratório de química nunca foi a intenção dele. Ele afirma que só queria descobrir como a síntese do nitroamido poderia ser feita em ambiente laboratorial. Além do mais, ele também não sabe como a coisa fugiu tanto do controle. Disse que estava perfeitamente estável apenas alguns segundos antes... e daí, CABUM!

Sinceramente, estou até contente pela experiência do Kenny ter explodido. Porque assim eu não precisei encontrar uma maneira de responder ao anúncio totalmente chocante do J.P., de que ele está apaixonado por mim.

O que, sinceramente, acho meio difícil de acreditar. Levando em conta o fato de que há apenas duas semanas ele e a Lilly estavam totalmente juntos.

E, tudo bem, até parece que eles não tinham problemas. Quer dizer, Lilly estava bem aborrecida com o fato de J.P. nunca dizer "eu também" quando ela falava que o amava.

Mas ele *explicou* isso. Explicou que nunca tinha se sentido daquele jeito em relação a ela, e que foi por isso que terminou o namoro, porque percebeu que não era justo com ela. Ele fez a coisa certa... mesmo que Lilly o odeie por isso agora.

E a mim também, por ser amiga dele.

Mas isso não significa — apesar da teoria insana da Tina sobre J.P. ter sido sempre apaixonado por mim, e não pela Lilly desde o começo — que ele *esteve* apaixonado por mim o tempo todo. Na verdade, J.P. explicou — enquanto o Lars apagava o fogo nas costas dele — que os sentimentos dele por mim foram se formando gradualmente, e que ele só resolveu mencioná-los porque não aguentava mais me ver tão triste por causa do Michael.

"J.P." Eu engoli em seco. Era difícil falar quando se está completamente sem ar. Além do mais, tinha a fumaça tóxica. "Vamos conversar sobre isso depois, ok?"

"Mas eu realmente preciso te falar sobre isso agora", J.P. insistiu.

"PRINCESA, CORRA!", Lars gritava. Porque, àquela altura, a nuvem de fumaça tóxica já estava baixando por cima de nós.

Por sorte, como J.P. e eu fomos levados em ambulâncias separadas, eu tive tempo para processar a informação — mais ou menos — e descobrir o que vou fazer a respeito.

E tenho bastante certeza de que não vou fazer nada.

E, sim, eu sei que o Dr. Loco não aprovaria. Ele quer que eu faça as coisas que mais me assustam.

Que, neste caso, seria ficar com J.P.

Mas eu não posso fazer isso! Não estou pronta! Michael e eu ficamos juntos um tempão e nós acabamos de terminar — e ainda estou perdidamente apaixonada por ele! Não posso mergulhar em outro relacionamento amoroso assim tão rápido!

Além do mais, não sinto isso pelo J.P. Quando eu o cheiro, meus níveis de oxitocina não se elevam. Quando eu o cheirei na outra noite, quando ele me abraçou, eu não senti... nada. Só senti o cheiro do fluido de lavagem a seco.

E esse não é, de jeito nenhum, o cheiro que sinto quando Michael me abraça, que é... bom, tudo bem, é só de sabonete e essas coisas.

Mas não é QUALQUER cheiro de sabonete. É o cheiro especial com que a pele do Michael fica — e só a pele do Michael — quando ele usa sabonete Dove sem perfume. Isso mais o sabão em pó que ele usa nas camisas dele, combinado com aquele cheiro específico do Michael simplesmente forma...

... bom, o melhor cheiro do mundo.

Eu sei que não faz sentido. Mas eu simplesmente não tenho certeza se estou pronta para passar de Dove sem perfume/sabão em pó/Michael para... fluido de lavagem a seco.

E ELE? E J.P.? Quer dizer, quanto desse "amor" é apenas uma reação à descoberta de que Lilly já deu a volta por cima e está com outra pessoa? O momento que ele escolheu pra se declarar é um tanto suspeito. Quer dizer, na hora do almoço descobrimos que Lilly e Kenny estão juntos, e, de repente, J.P. me ama? Fala sério!

E, tudo bem, ele falou que já faz um tempo que está tentando me contar, mas tenho certeza de que não pode ser verdade. Porque até muito pouco tempo atrás eu estava comprometida!

E J.P. sabe que eu ainda não superei o Michael. Ele precisa saber que é bem provável que eu NUNCA o supere. Pelo menos não por um bom tempo. Ele não seria bobo de se apaixonar por mim sabendo que eu nunca vou poder retribuir o sentimento dele da mesma maneira...

Antes do último ano da escola mais ou menos, no mínimo.

E, tudo bem, o J.P. no momento está com ar de Dr. McDreamy (aquele gato do seriado *Grey's Anatomy*), já que o hospital deu pra ele uma daquelas roupas de médico que parecem um pijama, porque o suéter dele derreteu e a camisa está toda chamuscada. Então ele está bem gato.

E ele realmente salvou a minha vida e tal...

Ai, ai, ai! Não estou em condições de lidar com isso agora! Só quero ir pra casa, deitar na minha cama e tentar descobrir como eu me sinto em relação a tudo isso!

Não a parte de quase ter ido pelos ares. Essa parte é fácil. Quer dizer, a esta altura, quase ter ido pelos ares não é NADA em comparação com as humilhações pelas quais eu passo praticamente todos os dias.

Mas a parte do J.P. me amar? Isso é esquisito demais! Como ele pode pensar que eu algum dia me sentiria assim em relação a ele? Porque eu não me sinto!

Pelo menos acho que não. Quer dizer, eu gosto muito dele. Ele é um dos meus melhores amigos, principalmente agora que Lilly me dispensou.

Mas ele não é o Michael.

Ele não é o Michael.

Ele não é o Michael.

Ah, lá vem o médico...

Quarta, 22 de setembro, em casa

Estou em casa...

Nem me importo por não ter mais TV. Simplesmente é tão bom estar na minha própria cama, onde nenhum nitroamido pode explodir e nenhum garoto pode se declarar a mim...

Sabe, seria algo a se pensar, depois de tudo o que aconteceu hoje, que eu teria permissão pra me mudar para Genovia e receber a minha educação em casa. Pela minha própria *segurança física e emocional*.

Mas não. O Sr. G acabou de me informar que a Albert Einstein vai estar limpa e em funcionamento total amanhã — inclusive o laboratório de química, que já foi todo desinfetado, e já substituíram as vidraças das janelas que quebraram com a explosão (vidraceiros de emergência idiotas), e que eu vou ter que estar lá, igualzinho a todo mundo.

Bom, menos Kenny, que está suspenso por ter criado, de maneira consciente, um explosivo secundário no laboratório. Quando reclamei que, se Kenny ia ser suspenso, iam ter que suspender a mim e ao J.P. também, já que somos os parceiros de laboratório dele, o Sr. G só olhou pra mim e disse: "Mia, esta semana estou tentando fazer você retomar toda a matéria que perdeu, lembra? Pode acreditar, sei que você e o J.P. não faziam a menor ideia do que estavam fazendo naquela aula."

E isso, sabe como é, foi dureza. Mas é verdade, acho. Então, parece que Kenny vai ter seus quinze minutos de fama agora, em vez de isto acontecer quando ele começar a trabalhar na empresa de braço cirúrgico robotizado do Michael, como uma vez ele me perguntou se eu achava que ele podia trabalhar. O que aconteceu hoje na escola está EM TODOS os noticiários e na internet INTEIRA. Os repórteres estão chamando Kenny de "Beaker", por causa daquele cientista esquisito dos Muppets (e isto é a maior maldade, porque Kenny realmente ganhou bastante definição nos braços ultimamente e a boca dele não vive aberta — não tanto quanto antes, pelo menos), e ficam mostrando uma imagem dele saindo de ambulância, com o cabelo todo despenteado em uns tufos estranhos.

Isso, combinado com o avental de laboratório chamuscado e o negócio de ele não ter mais sobrancelhas, deixou-o com uma aparência similar à de uma certa princesa viúva — não de um Muppet — que eu conheço.

A coisa já foi exibida tantas vezes a esta altura que tenho CERTEZA de que Michael deve estar sabendo. Todos os artigos descrevem J.P. como um grande herói por ter se jogado em cima de mim pra me proteger do fogo.

E todos os artigos dizem que ele é "o novo namorado da Princesa Mia".

É. Maneiríssimo.

Eu estava quase com medo de dar uma olhada nos meus e-mails. Mas não precisava ter me preocupado. Michael não me escreveu.

Mas Tina entrou no chat assim que me viu on-line.

Iluvromance: Ai, meu Deus, Mia!!!! Você viu o noticiário????

FtLouie: Se vi? Eu achei que eu ERA o noticiário.

Iluvromance: Não dá pra acreditar! Coitado do Kenny! Ele foi suspenso!

FtLouie: Bom, mas ele REALMENTE explodiu o laboratório de química.

Iluvromance: Eu sei! Mas não foi de propósito, você sabe disto. Espero que não entre no histórico escolar dele. Pode afetar totalmente as chances dele de ir pra faculdade!

FtLouie: Tenho certeza de que vai ficar tudo bem com o Kenny, Tina. Quer dizer, não se esqueça de que ele conseguiu MESMO fazer uma bomba com amido. Eu não ficaria surpresa se ele saísse direto do ensino médio pra Agência de Segurança Nacional.

Iluvromance: O que é Agência de Segurança Nacional?

FtLouie: É... deixa pra lá. Olha, você sabe o que aconteceu logo ANTES de o nitroamido explodir?

Iluvromance: Você está falando da parte em que J.P. cobriu o seu corpo com o dele para proteger você do paredão de fogo implacável??? Estou sim!!! É tão romântico!!!!

Ftlouie: Hm, não tinha nenhum paredão de fogo implacável. Mas estou falando de antes DISSO. Tina, ELE DISSE QUE ME AMA.

Iluvromance: ÊÊ

FtLouie: Eu sei. Achei que você diria isso.

Iluvromance: EU TE DISSE!!!!!! EU DISSE QUE ELE AMAVA VOCÊ!!!! EU SABIA!!!! AI, MEU DEUS, VOCÊS DOIS FORMAM O CASAL MAIS FOFO DO MUNDO!!!!!! PORQUE VOCÊS DOIS SÃO TÃO ALTOS E TÃO LOIROS E TÊM OS OLHOS TÃO AZUIS!!!!

FtLouie: Os meus olhos são acinzentados.

Iluvromance: TANTO FAZ!!!! Certo, pode contar tudo. Como ele falou? O que você respondeu? Como você se sentiu? Vocês já se beijaram? Aonde vocês vão no primeiro encontro? Ou... espera. Ter ido ver *A Bela e a Fera* foi o primeiro encontro de vocês? Ele disse QUANDO descobriu que amava você? Foi antes de ele dar um fora na Lilly, não foi? Eu SABIA que tinha sido por isso que ele terminou com ela. E agora faz todo o sentido ela estar tão brava com você.

Ai, meu Deus!

FtLouie: É CLARO que ele não sabia que gostava de mim quando estava com a Lilly! Você acha que eu sequer consideraria a ideia de sair com J.P. se soubesse que ele sempre gostou de mim e que estava só usando Lilly pra... sei lá o quê? Quer dizer, que tipo de amiga eu seria se fizesse isso???

Iluvromance: Ah. Então você está dizendo que... ele NÃO se apaixonou no momento em que você falou com ele pela primeira vez no refeitório, no ano passado? E que a coisa toda com Lilly NÃO foi só porque você estava comprometida, e ficar com ela era conveniente para J.P. poder ficar perto de você?

FtLouie: NÃO! Ai, meu Deus, Tina, tem certeza de que você não inalou um pouco daquela fumaça que foi liberada hoje à tarde?

Iluvromance: Tenho bastante certeza de que não inalei nada. Wahim fez um ótimo trabalho em me tirar de lá. Bom, é pra ISSO que ele é pago. Então, se J.P. NÃO se apaixonou no momento em que você falou com ele pela primeira vez no refeitório, no ano passado, ele disse que está apaixonado por você HÁ QUANTO TEMPO?

FtLouie: Ele disse que a coisa foi acontecendo devagar ultimamente, e que ele ficou tentando me dizer, mas toda vez a gente era interrompido. Mas que, apesar de saber que eu iria ficar apavorada, ele queria que eu soubesse. E daí o laboratório de química explodiu.

Iluvromance: AI, MEU DEUS!!!!

FtLouie: Eu sei. Pra falar a verdade, foi meio assustador. No começo, achei que a sala da caldeira finalmente tinha explodido. Você sabe como vivem dizendo que isso pode acontecer a qualquer momento...

Iluvromance: NÃO ESTOU FALANDO DISSO!!! QUERO DIZER... Mia, eu SEMPRE disse que J.P. só precisava da mulher certa pra libertar o coração dele — que até agora ele mantinha sob uma couraça fria e dura, para a própria proteção — e que ele vai se transformar em um vulcão de paixão irretreavél!!!

FtLouie: Sei. E daí?

Iluvromance: E DAÍ QUE ELE ENCONTROU ESSA MULHER!!! E FOI POR ISSO QUE O LABORATÓRIO DE QUÍMICA EXPLODIU!!!!

É sério. Às vezes eu fico me perguntando como foi que Tina pôde ser colocada em tantas aulas avançadas. Sem ser maldosa nem nada.

Mas mesmo assim...

FtLouie: Tina, o laboratório de química explodiu porque Kenny estava sintetizando nitroamido e obviamente fez alguma coisa errada...

Iluvromance: Ele fez alguma coisa errada, sim. O que ele fez de errado foi misturar um composto químico tão volátil assim tão perto do J.P. enquanto ele admitia seus verdadeiros sentimentos por você, a mulher que finalmente libertou o coração dele!!!!!!!

Ai, caramba. Eu queria ter a minha TV de volta. Eu realmente ficaria feliz com uma reprise bem tranquila de *Judging Amy* ou de *Joan of Arcadia* neste momento, para acalmar os meus nervos.

FtLouie: Tina. Fala sério. A paixão do J.P. por mim não causou a explosão do laboratório de química hoje.

Iluvromance: Ah, tudo bem, certo. Que seja assim mesmo — totalmente sem nenhum romance! Mas você precisa reconhecer que é

FtLouie: MESMO a maior coincidência. Bom, mas então o que foi que você respondeu?

FtLouie: Quando o J.P. pulou em cima de mim? Eu disse: "Sai daí, você está me esmagando e não consigo respirar."

Iluvromance: Não! Estou falando de quando ele se declarou!

FtLouie: Ah. Pra falar a verdade, eu não disse nada. Não tive oportunidade. O laboratório de química explodiu.

Iluvromance: Certo. Mas e depois?

FtLouie: Bom, depois fomos pra ambulância. E, depois, para o pronto-socorro. E daí os pais do J.P. chegaram para buscá-lo. E foi só isso.

Iluvromance: FOI SÓ ISSO??? Mas o que você disse sobre o fato de ele amar você? Disse que também o ama?

FtLouie: Claro que não, Tina! Eu amo Michael!

Iluvromance: Bom, é claro que você ama. Mas, Mia, sem querer ofender... você e Michael terminaram. Você não pode continuar amando Michael pra sempre. Bom, quer dizer, é claro que você PODE, igual ao Ross ficou amando a Rachel pra sempre em *Friends*, mas... e o baile de formatura?

FtLouie: O que TEM o baile de formatura?

Iluvromance: Bom, Mia, você precisa de ALGUÉM para ir à formatura! Não pode deixar de ir! Você pode ir com outra menina, acho, tipo a Perin e a Ling Su estão dizendo que vão fazer, mas não lembra da nossa promessa? De que nós iríamos perder a virgindade na noite do baile de formatura?

Não dava pra acreditar que ela tinha tocado nesse assunto. BEM NAQUELA HORA.

FtLouie: É, mas, Tina, isso foi antes de o amor da minha vida ter ido embora.

Iluvromance: Ah! Eu sei! E fico muito triste que as coisas não deram certo entre você e Michael. Mas, Mia, você vai aprender a amar de novo. E J.P. fica bem gato de smoking. Não ouça o que os haters dizem.

Do que é que ela está FALANDO? Esta não é a Tina que eu conheço, a pessoa que me apoia da maneira mais firme e inabalável possível! A Tina que eu conheço nunca me diria para aprender a amar de novo. A Tina que eu conheço me diria para ser forte, que Michael logo recobraria a consciência e voltaria galopando em cima de um cavalo branco como leite, possivelmente de armadura, trazendo uma semijoia de zircônio cem por cento puro da Swarovski...

Ou não. Porque isso é uma coisa que Michael nunca faria, nunquinha. E até Tina — com seus olhos brilhantes, cheios de romantismo — sabe disto. Eu provavelmente já devia saber disto também a esta altura.

FtLouie: Michael nunca mais vai voltar, não é mesmo, Tina?

Iluvromance: Ah, Mia! É claro que ele pode voltar! A questão é que... se ele voltar, você ainda vai querer ficar com ele? Ou será que você vai ter seguido em frente... provavelmente com alguém melhor?

Meus olhos se encheram de lágrimas.

FtLouie: Não existe ninguém melhor, Tina. Você sabe disto.

Iluvromance: Pode ser que exista! Você não sabe!

FtLouie: E, de todo modo, de que adianta ter esta conversa? Ele nunca vai me querer de volta mesmo. Não depois de eu ter sido tão idiota.

Iluvromance: Ele pode querer! Nunca se sabe! Eu DISSE pra você não dar ouvido aos haters!

FtLouie: Haters? Que haters? Por que você fica repetindo isso?

Iluvromance: Ah... Mia, eu não estou nem aí. Pediram pra eu não falar, mas você tem o direito de saber.

FtLouie: De saber O QUÊ? DO QUE É QUE VOCÊ ESTÁ FALANDO?

Iluvromance: De euodeiomiathermopolis.com.

FtLouie: Ah. Disso.

Iluvromance: VOCÊ JÁ ENTROU NO SITE???? VOCÊ SABE QUE ELE EXISTE????

FtLouie: Claro.

Iluvromance: ENTÃO POR QUE VOCÊ NÃO FAZ SEU PAI MANDAR TIRAR DO AR?????

FtLouie: Tina, meu pai pode ser príncipe, mas ele não tem controle sobre a internet.

Iluvromance: Mas ele pode reclamar com a diretora Gupta!

FtLouie: A diretora Gupta? Por que ELA? O que ELA tem a ver com isso?

Iluvromance: Bom, é que o site obviamente é feito por alguém que estuda na EAE...

FtLouie: Como assim obviamente?

Apesar de estar meio difícil de enxergar com todas as lágrimas e tal, cliquei em euodeiomiathermopolis.com. Havia acontecido tanta coisa na minha vida que eu não tinha tido oportunidade de entrar lá havia um tempo.

Percebi imediatamente que não dar atenção ao site tinha sido um erro. Porque tinha havido atualizações desde a minha última visita. MUITAS atualizações.

O dono do site tinha ficado de olho em cada movimento meu. No dia em que eu fui beber água no bebedor do segundo andar da EAE e o jato foi direto no meu rosto, em vez de entrar na minha boca? Registrada com alegria. A vez que tropecei no meu sapato novo e derrubei meus livros na frente do laboratório de química? Anotada. Quando eu derramei molho na parte da frente do meu uniforme no refeitório? Aliás, tinha até uma foto... uma bem ruim, obviamente tirada com uma câmera de celular.

Mas estava lá.

O fundador do site não parou por aí. Ele dava vários conselhos a respeito de como eu poderia melhorar a minha aparência para não parecer tão repulsiva. Por exemplo, de acordo com euodeiomiathermopolis.com, eu precisava deixar o cabelo crescer (bom, isto é óbvio) e parar de usar meus sapatos-boneca de plataforma para ir à escola, porque estou "mais alta do que todo mundo, como se fosse algum tipo de supermodelo. O que ela obviamente PENSA que é. Pena que ninguém disse pra ela que se parece mais com uma superpateta".

Legal.

Foi aí que as lágrimas começaram a escorrer. De repente, meu corpo foi tomado por soluços incontroláveis.

FtLouie: Tina. Desculpa. Preciso ir.

Iluvromance: Mia? Está tudo bem com você? Não está levando toda aquela idiotice a SÉRIO, está?

FtLouie: Não, claro que não! Só preciso ir. Te chamo mais tarde.

Iluvromance: Mia! Sinto muito, mas achei que você precisava saber! O seu pai realmente devia ligar pra escola.

FtLouie: Fico feliz por você ter me contado. De verdade. Boa noite, Tina.

Iluvromance: Boa noite...

Quarta, 22 de setembro, meia-noite, em casa

Eu simplesmente fiquei chorando durante, tipo, meia hora — no banheiro, com a porta fechada e a torneira aberta, pra todo mundo achar que eu só estava tomando banho e não me incomodar perguntando qual era o problema.

Acho que eu chorei mais agora há pouco do que já tinha chorado minha vida inteira. O pelo do Fat Louie está ENCHARCADO com todas as lágrimas que caíram em cima dele enquanto estava aninhado no meu colo.

Bom, tudo bem. Na verdade ele não estava aninhado no meu colo. Eu o agarrei bem forte para ficar ali, e ele estava tentando escapar, miando feito doido, pedindo ajuda.

Mas que se dane! Se uma garota não pode ter seu gato para reconfortá-la no momento em que mais precisa, de que adianta então TER um gato???

É só que... isso é um saco, sabe? Eu não QUERO ser esse tipo de garota. Uma garota que fica chorando. Daqui a pouco vou começar a usar jeans skinny, lápis de olhos borrado, esmalte preto e ler livros de vampiros.

Meu Deus. É só que... quando vou começar a me sentir MELHOR? Quando vou sair deste buraco de que o Dr. Loco PROMETEU que ia me ajudar a sair?

E isso é tão ridículo, porque sei como tenho SORTE. Quer dizer, não tenho nenhum problema DE VERDADE. Bom, tirando a coisa toda de ser princesa. E a coisa do euodeiomiathermopolis.com.

Mas e daí? Tem muita gente que vê coisas horríveis escritas sobre elas na internet. Olhe só para a Rachael Ray, aquela mulher que ensina receitas na Food Network. Tem uma comunidade on-line que se dedica a dizer como as pessoas a odeiam, e ela é totalmente adorável. Não dá pra levar tudo para o lado pessoal. Com toda certeza não se pode dar muita importância a isso. Assim, os haters só conseguem o que querem: a atenção pela qual tão obviamente anseiam.

E se eu dedurar essas pessoas — tipo se eu contar para o meu pai e ele for falar com a diretora Gupta a respeito, e ela descobrir quem é o responsável e expulsar a pessoa da escola, ou algo assim (porque a Escola Albert Einstein tem uma política contra a difamação na internet que visa a proteger os alunos de afrontas como essa) —, de que vai adiantar?

Essas pessoas só vão me odiar ainda mais — e, vamos ser sinceros, eu faço uma boa ideia de quem essas "pessoas" são.

Certo.

E daí que o meu namorado me deu um fora e eu continuo apaixonada por ele, tanto que continua doendo? Grande coisa. Milhões de garotas já levaram um fora do namorado ao longo dos anos. Eu não sou especial. Minha própria melhor amiga levou um fora igual há apenas duas semanas.

E agora o cara que deu um fora nela diz que me ama.

Vai entender...

Mas também não é por isso que estou chorando. Acho. Não sei...

E coitado do J.P.! Não acredito que eu simplesmente o deixei na mão daquele jeito. Não dei nenhum tipo de resposta pra ele. Eu só meio que... ignorei a existência dele.

Mas preciso dizer *alguma coisa*, senão vai ficar muito esquisito.

Claro que vai ser esquisito de qualquer jeito.

Mas ele assumiu um risco ao se expor daquela maneira. O mínimo que posso fazer é retribuir com a cortesia de dar a ele uma resposta.

É só que... eu não sei o que responder.

Não sei! Quer dizer, eu sei que não correspondo ao amor do J.P.... obviamente.

Mas isso não significa, como Tina disse, que eu não poderia aprender a retribuir. Se me permitisse fazer isso.

Aliás, se eu me permitir, acho que poderia aprender a amar muito o J.P.

Mas sabe como é. De um jeito diferente do que eu amei Michael.

Mas talvez eu não devesse tomar decisões assim depois da meia-noite de um dia em que eu quase morri com uma explosão, duas semanas depois de levar um fora, uma semana depois de ter começado terapia de caubói, duas noites antes de eu ter que fazer um discurso sobre drenagem perante duas mil empresárias sofisticadas de Nova York e uma hora depois de eu descobrir que euodeiomiathermopolis.com é escrito por alguém que estuda na minha escola e talvez, possivelmente, pela minha ex-melhor amiga. (Mas *não pode* ser ela, certo? Isso seria maldade demais, até mesmo pra Lilly.)

Talvez eu precise de um tempo pra pensar melhor. Talvez eu deva só ir pra cama e...

Certo. Isto aqui nunca vai dar certo. Não vou conseguir dormir, a menos que eu...

FtLouie: Oi J.P.,

Então... hoje foi bem esquisito, né?

E amanhã provavelmente vai ser ainda mais, com tantos jornais dizendo que Kenny é um louco psicopata, e que você e eu estamos juntos e tal. Não que eu me importe... se vão

> inventar uma relação romântica falsa pra mim, fico feliz por ser com você. Hahaha.
>   É só que... não sei se já estou pronta pra uma relação romântica que NÃO é falsa com alguém. Você entende? Apesar de já fazer quase umas duas semanas, ainda parece que foi ontem que Michael e eu terminamos. E não tenho certeza se já estou pronta pra montar na sela e começar a sair com alguém de novo...

Ai, meu Deus. O Dr. Loco nem está aqui e estou usando metáforas de cavalos. Isto é simplesmente totalmente errado.
    Certo, excluir, excluir, excluir.

> Apesar de já fazer quase umas duas semanas, ainda parece que foi ontem que Michael e eu terminamos. Acho que preciso de mais tempo pra tentar entender quem eu sou sem ele antes de me ligar a outra pessoa...

Me ligar!!! NÃO NÃO NÃO NÃO!!!! EXCLUIR!!!

> Acho que preciso de mais tempo pra tentar entender quem eu sou sem ele antes de começar a sair com outra pessoa.

Certo. Ficou melhor assim.

> Eu realmente considero você um dos meus melhores amigos, J.P. E se eu FOSSE sair com alguém assim tão rápido, seria com você.

Ai, meu Deus. Será que isso é verdade? Quer dizer, eu gosto dele *sim*... Ele não é Michael. Mas quem é? Tirando Michael, é claro.
    Mas e Lilly? É verdade que ela está furiosa comigo neste momento (mas ela *não pode* ser responsável por euodeiomiathermopolis.com. Onde ela poderia encontrar tempo, entre o conselho estudantil, o *Lilly manda a real*, Kenny e tal?) e eu nem sei bem por quê.

Mas e se por algum milagre ela resolver me perdoar pelo que quer que eu tenha feito a ela? E então descobrir que estou ficando com o ex dela?

Por outro lado... ela está ficando com o meu ex.

E, tudo bem, eu passei a maior parte do tempo que namorava o Kenny tentando descobrir um jeito de terminar com ele. Mas mesmo assim. Ela não pode ficar brava comigo por fazer exatamente a mesma coisa que está fazendo... pode?

Ai, meu Deus. Não sei.

Não sei de mais nada.

O que me leva a:

> Mas eu preciso ordenar as minhas ideias antes que possa deixar qualquer outra pessoa entrar na minha vida. Faz sentido? Por favor, não me odeie.
>
> Com carinho,
> Mia

Certo. Vou clicar em ENVIAR antes que eu possa mudar de ideia...

Quinta, 23 de setembro, 7h, em casa

CAIXA DE ENTRADA: 2!

A primeira era do Michael. Meu coração disparou quando vi a mensagem.

Mas devo estar melhorando um pouco, porque minhas mãos não suaram desta vez.

Será que a terapia está funcionando? Ou será que estou apenas totalmente desidratada de tanto chorar ontem à noite?

Não pude deixar de me perguntar, como sempre, se ele talvez mudou de ideia e resolveu que a gente tem mesmo que voltar...

Se ele fez isso, será que eu aceitaria? Será que eu realmente me rebaixaria tanto a ponto de aceitá-lo de volta, depois de tudo pelo que passei nas últimas semanas?

É. Eu me rebaixaria sim.

Mas fiquei arrasada (de novo) quando vi que era só um link pra reportagem do *New York Post* sobre a explosão na EAE ontem, com uma mensagem que dizia:

> Então, acho que Kenny finalmente encontrou um jeito de conseguir a atenção que ele sempre pensou merecer...

Daí tinha uma carinha piscando e a assinatura do Michael.

Então acho que ele não está aborrecido com tudo o que falaram de mim e do J.P. no fim das contas.

Não que ele ficaria aborrecido. Já que somos só amigos e tal.

Suspiro.

O segundo e-mail era do J.P., uma resposta ao meu. Preciso confessar que meu coração não acelerou NEM UM POUCO quando vi a mensagem:

> **JPRA4:** Oi, Mia,
> Leve o tempo que precisar pra colocar a cabeça no lugar (mas preciso confessar que a sua cabeça sempre pareceu perfeita pra mim). Eu espero.
>
> Com carinho,
> J.P.

Então. Isso é legal.

Acho.

Quinta, 23 de setembro, Sala de Estudos

Sei que não devo escrever no meu diário na escola, mas isto aqui é só a sala de estudo, e não uma aula de verdade, de qualquer jeito, então ninguém pode reclamar.

E isto aqui não é o meu diário, que está em casa, e sim o meu caderno de pré-cálculo.

E, além do mais, eu PRECISO escrever, porque acabei de ver a coisa mais sem sentido do mundo. E tenho certeza de que o Dr. Loco ia querer que eu escrevesse isto, em nome da minha própria SANIDADE MENTAL, só para conseguir processar a informação:

Quando a limusine estacionou na frente da escola para me deixar — em uma área especial, isolada por uma fita, porque ainda há muitos repórteres e vans de televisão na frente da escola, tentando entrevistar alunos e professores a respeito do "inventor de bombas maluco" —, eu desci e fiquei procurando Lars, que aliás estava bem do meu lado, mas eu totalmente nem reparei de tão tonta que estou pela falta de sono.

Mas, bem, foi por isso que por acaso eu vi, por baixo dos andaimes que estão usando para substituir a argamassa de um dos prédios de tijolinhos do outro lado da rua, um cara alto de jaqueta de couro preta, jeans desbotado e óculos escuros com uma bandana vermelha amarrada na cabeça, olhando fixamente pra escola.

E, no começo, eu fiquei, tipo: *O que o Ryan de* The O.C. *— Um estranho no paraíso, está fazendo do outro lado da rua, na frente da nossa escola? Achei que essa série tinha sido cancelada...*

E daí uma coisa totalmente bizarra aconteceu: uma menina com uniforme da EAE foi até o cara e puxou a manga dele...

...e ele se virou e a abraçou, e os dois começaram a se beijar apaixonadamente.

E daí eu percebi que a menina era Lilly Moscovitz e que o gostosinho de jaqueta de couro era KENNY SHOWALTER!!!!

ISSO MESMO!!! O delinquente juvenil suspenso que causou todo esse trauma, pra começo de conversa!!! Ali na frente da escola para dar um beijo na namorada antes de a aula começar!!!!

E tudo isso, é claro, suscita a questão:

Quando foi que Kenny Showalter ficou gostoso????

E também...

POR QUE LILLY NÃO FALA COMIGO????

Porque eu estou MORRENDO de curiosidade de perguntar pra ela como essa coisa toda com Kenny começou, antes de mais nada. E também como está indo o conselho estudantil. E se Kenny mostrou pra ela a coleção de *action figures* de *Final Fantasy* que ele começou a colecionar quando a gente estava junto. E se ela é responsável pelo euodeiomiathermopolis.com, e se for, o que foi que eu fiz pra ela me odiar tanto assim.

E também quero saber se Michael pergunta alguma coisa sobre mim.

Mas não posso. Porque ela não me diria nada, de todo jeito.

Quinta, 23 de setembro, Inglês

Mia! Como você ESTÁ?

Estou bem, Tina! Quer dizer, estou meio dolorida por ter sido jogada no chão ontem. Mas é só a minha bunda que dói se eu sentar em uma certa posição.

Que bom! Mas o que eu queria saber é... como você está EMOCIONALMENTE? Você sabe... por causa do euodeiomiathermopolis.com. E também do J.P. e o que ele disse pra você.

Ah! Isso! Certo. Não tem nada de mais. Nós, as celebridades, precisamos nos acostumar aos haters. E no que diz respeito ao J.P., acho que está tudo bem. Ele disse que está disposto a esperar, sabe, até eu estar pronta. Pra começar a sair com outra pessoa. Então está tudo bem.

Ele é tão fofo! E é tão romântico o jeito como ele SALVOU você, a mulher que acendeu o vulcão de paixão que ele carrega por dentro. E você viu como ele estava gostoso naquela foto do *New York Post* de hoje de manhã, na traseira da ambulância, olhando para você na traseira da outra ambulância? Agora a cidade inteira quer que você fique com ele!

Eu sei. Sem pressão.

> Você sabe que estou brincando!

Eu sei, Tina. Mas esta é a questão: é verdade mesmo. O problema é que... eu não sei se quero.

> Bom, seja lá o que você decida, sempre vou gostar de você. E você sabe disto, certo?

Obrigada, T. Eu queria que todo mundo fosse tão legal quanto você.

Quinta, 23 de setembro, S&T

O almoço hoje foi uma tortura só. Todo mundo foi parabenizar J.P. por ter me salvado.

Não que eu ache que ele não mereça os elogios e os agradecimentos de todos.

É só que... aquela coisa que Tina disse, sabe? Realmente é verdade. Parece que todo mundo está torcendo para que J.P. e eu fiquemos juntos — isto sem contar as pessoas que já pensam que nós ESTAMOS juntos.

E eu me sinto totalmente mal de ficar ressentida com isso, porque J.P. realmente é ótimo, e nós totalmente DEVERÍAMOS estar juntos.

É só que... como é que todo mundo não ficou assim tão animado com o fato de *Michael e eu estarmos juntos*? Quer dizer, claro, Michael nunca me salvou de nitroamido explosivo.

Mas ele salvou a minha sanidade mental MUITÍSSIMAS vezes.

E até parece que ele está lá no Japão aprendendo a desenhar MANGÁ ou algo assim. Ele está lá pra fazer uma coisa que vai salvar *vidas*.

Caramba.

Quinta, 23 de setembro, Educação Física

Ai, meu Deus. Eu SABIA que isso iria acontecer. Eu sabia que pagaria um preço alto por ter ficado amiguinha da Lana Weinberger.

Ela me obrigou a matar aula com ela.

E, tudo bem, a aula que estou perdendo é educação física, que não é exatamente fundamental pra minha carreira acadêmica.

Mas mesmo assim! Eu não sou do tipo que mata aula!

Bom, quer dizer, eu já matei, mas normalmente é só pra ficar na escada do terceiro andar, conversando com alguém — geralmente EU MESMA — que está passando por algum trauma emocional, não para ir à Starbucks.

Mas Lana e Trisha estavam à minha espera no vestiário das meninas quando eu cheguei lá hoje. Elas me pegaram e me arrastaram — bem na frente do Lars, que estava apoiado na parede, ao lado do bebedouro, jogando Fantasy Football no celular — pra fora da escola e rua abaixo. (Lars finalmente nos alcançou lá pela rua 77.) Lana disse que estava precisando muito, muito mesmo de um mocha latte com leite desnatado e que ela não ia conseguir sobreviver à aula de espanhol (que ela está cursando neste tempo) de jeito nenhum, porque fica bem embaixo do laboratório de química, e todo aquele lado da escola ainda está fedendo a fumaça.

"Além do mais", Lana disse, "com todos os repórteres de plantão lá fora, tentando conseguir uma entrevista com a diretora Gupta sobre o Beaker, até parece que nós vamos *obtenga cualquier trabajo a hecho*, de qualquer jeito."

E isso não é exagero. A nossa escola continua no centro de um ataque da mídia, apesar de os repórteres não estarem invadindo o terreno da escola graças à ajuda do Departamento de Polícia de Nova York, que aparentemente a diretoria da escola chamou para conter a multidão.

No entanto, nós conseguimos passar por eles sem ser reconhecidas, porque colocamos o blazer por cima da cabeça e saímos correndo. E isto foi educativo do ponto de vista que serviu para ilustrar como se deve usar um xador.

"Então", Lana comentou, quando estávamos todas sentadas. "Todo mundo está dizendo que aquele tal de J.P. salvou sua vida. Vocês dois estão, tipo, juntos?"

"Não." Senti que estava começando a corar.

"Cara, por que não?" Trisha, que pediu um mocha latte sem chantili e com leite desnatado, estava assoprando pra ele esfriar. "Ele salvou a sua vida. Isso é sexy."

"É." Minhas bochechas pareciam estar tão quentes quanto o meu chocolate. "É só que... sabe como é. Acabei de sair de um relacionamento sério, e não sei se estou pronta pra entrar em outro por enquanto."

"Sei do que você está falando", Lana concordou, "Foi assim que fiquei me sentindo quando terminei com Josh. Nós somos jovens, sabe? Precisamos rodar um pouco. Quem precisa se amarrar em algum cara aos 16 ANOS?"

"Eu bem que gostaria de estar amarrada com o Skeet Ulrich", Trisha se voluntariou.

"É só que...", ignorei a observação sobre o Skeet Ulrich. Mas sabe como é, a mesma coisa vale pra mim. "Eu realmente amo o Michael. E a ideia de ficar com outro cara... Não sei. Não me diz nada."

"Sei exatamente do que você está falando. Lana lambeu a espuma desnatada do pauzinho de misturar a bebida. "Depois que Josh e eu terminamos, fiquei, tipo, quem vai poder substituir o Josh, sabe? Porque ele é, tipo, tão alto e tão gostoso e tão inteligente e tão bom pra ficar esperando na cadeira do namorado enquanto eu faço compras."

"Demais. Trisha assentiu com a cabeça pra mostrar que concordava. "Ele era mesmo muito bom nisso. Muitos caras não são. Você ia ficar surpresa de ver."

"Então eu estava mesmo relutando muito, sabe, em ficar com alguém", Lana continuou, "porque eu simplesmente não queria me magoar de novo. Mas daí, pensei: preciso começar do zero. Sabe? Tipo dar uma repaginada. Então fui a uma festa. E foi lá que conheci o Blaine."

"O Blaize", Trisha corrigiu.

"O nome dele era esse?" Lana parecia distante. "Ah, é. Bom, tanto faz. Ele foi, tipo, o cara que me serviu de consolo. E depois disso fiquei totalmente curada."

"Você precisa de um cara pra servir de consolo", Trisha apontou pra mim com o pauzinho de mexer.

"Acho que devia ser aquele tal de J.P.", Lana concordou. "Quer dizer, ele se jogou no FOGO por sua causa."

"Se jogar no fogo é tão sexy", Trisha repetiu. Aparentemente sem ironia nenhuma.

Eu assenti, de todo modo. "Eu sei. O negócio é que... na teoria, J.P. é o cara perfeito pra mim. Nós dois adoramos teatro e cinema, nossa história de vida é parecida, a minha avó o adora totalmente e nós dois queremos ser escritores..."

"E vocês dois estão sempre rabiscando naqueles cadernos", Lana apontou para o meu caderno de redação Mead com uma unha toda bem-feita. "Como você está fazendo agora. O que não é nem um pouco esquisito, aliás."

"É." Eu ignorei a gargalhada sarcástica da Trisha. "E sei que ele é bonito, que foi legal o jeito que ele me salvou e tal. Mas é só que... o cheiro dele não é o certo."

Eu sabia que as duas iam ficar olhando pra mim sem entender nada. E foi o que as duas fizeram. Elas não faziam a menor ideia do que eu estava falando.

Ninguém faz. Ninguém entende.

A não ser, talvez, o meu pai.

"É só dar um perfume diferente pra ele", Trisha sugeriu.

"É", Lana concordou. "Josh, antes, usava um negócio totalmente nojento que praticamente me deixava com enxaqueca, então no aniversário dele eu dei de presente um Drakkar Noir e ele começou a usar. Problema resolvido."

Eu tive que fingir estar agradecida pela dica e que realmente tinha me ajudado. Apesar de não ter ajudado em nada. Parece que este é o problema de ser amiga dos populares: não dá pra falar a verdade sobre tudo sempre, porque há muitas coisas que essas pessoas simplesmente não entendem.

Quinta, 23 de setembro, Química

Mia, você estava tão quieta no almoço hoje... Está tudo bem?

Está sim, J.P.! Tudo ótimo! Só estou... um pouco atordoada.

Não por causa de mim, espero.

Não! Não tem nada a ver com você!

Também não dá pra falar a verdade pra caras fofos.

> Você está mentindo!

Não! Não estou! Por que você está dizendo uma coisa dessa?

> As suas narinas estão inflando.

DROGA! Será que NADA na minha vida pode ser segredo?

Ah. Lilly falou disso pra você?

> Falou sim. Olha, a última coisa que eu quero é que as coisas fiquem esquisitas entre nós.

Não tem nada de esquisito! Bom, quer dizer... não exatamente.

> Eu já disse que posso esperar.

Eu sei! E é muito fofo da sua parte! Muito fofo mesmo!

> Eu sou fofo demais, não sou? Sou um cara legal demais? As meninas nunca se apaixonam pelos caras legais.

Não! Você não é legal. Você é assustador, está lembrado? Pelo menos de acordo com o seu terapeuta...

> Ei, tem razão. E por acaso o seu médico não disse pra você fazer uma coisa assustadora todo dia?

Hm. Disse...

Então você devia sair comigo na sexta à noite.

Não posso! Tenho um compromisso.

Mia, achei que nós íamos ser sinceros um com o outro.

Está vendo as minhas narinas inflarem? É sério, tenho que fazer um discurso no Baile Beneficente da Domina Rei.

Certo. Eu vou ser o seu acompanhante.

Não dá. É só para mulheres.

Sei.

É sério. Pode acreditar, eu gostaria de não precisar ir lá.

Certo. Então no sábado.

Não posso! Realmente preciso estudar. Você faz ideia de como a minha média 9 está ameaçada neste momento?

Certo. Mas cedo ou tarde eu vou sair com você. E você vai esquecer o Michael completamente. Eu prometo.

J.P., você realmente não imagina como eu torço pra que isso seja verdade.

Quinta, 23 de setembro, 20h, na limusine, a caminho do Hotel Four Seasons

Tudo bem, realmente está difícil escrever de tanto que as minhas mãos tremem.

Mas preciso deixar tudo registrado. Porque aconteceu uma coisa.

Uma coisa grande.

Maior do que uma explosão de nitroamido. Maior do que Lilly me detestar e talvez, possivelmente, ser a fundadora do site euodeiomiathermopolis.com. Maior do que eu ter descoberto que J.P. me ama. Maior do que o fato de Michael NÃO me amar (mais). Maior do que eu ter que começar a fazer terapia. Maior do que minha mãe se casar com meu professor de álgebra e ter um filho com ele, ou de eu ter descoberto que sou princesa, ou de Michael ter me amado, pra início de conversa.

Maior do que qualquer coisa que já aconteceu na minha vida.

Tudo bem. Vou contar o que aconteceu.

A noite começou completamente normal. Quer dizer, fiz o meu dever de casa com o Sr. G (nunca vou passar nem em química, nem em pré-cálculo sem ter aula particular todos os dias, isto já ficou evidente), jantei e finalmente cheguei à conclusão de que, sabe como é, Lana tem razão: preciso recomeçar do zero. Preciso de uma repaginação. Falando sério. Está na hora de deixar as coisas velhas pra trás — velhos namorados, velhas melhores amigas, roupas velhas que não servem mais e decoração velha — e adotar coisas novas.

Então eu estava mudando os móveis do meu quarto de lugar (tanto faz. Eu tinha acabado o dever de casa e NÃO TENHO MAIS TV. O que MAIS eu podia fazer? Procurar coisas maldosas sobre mim na internet? Agora tem uma seção de comentários em euodeiomiathermopolis.com em que alguém do estado da Dakota do Sul acabou de postar: "Eu também odeio a Mia Thermopolis! Ela é totalmente superficial e metida! Uma vez eu mandei um e-mail pra ela aos cuidados do Palácio de Genovia e ela nunca respondeu!") quando derrubei sem querer o retrato da princesa Amelie.

E a parte de trás caiu. Sabe, a parte de madeira que ficava por cima da parte de trás da moldura?

E eu praticamente fiz um escândalo, porque, sabe como é, aquele retrato provavelmente é inestimável ou algo assim, como tudo o mais no palácio.

Então eu me apressei para pegar o quadro.

E um papel caiu de lá.

Não foi um papel, na verdade. Foi algum tipo de pergaminho. Do tipo que se usava para escrever no século XVII.

E estava todo coberto com uns garranchos em francês do século XVII que eram bem difíceis de ler. Demorei uma eternidade para decifrar o que estava escrito. Quer dizer, dava pra ver que a parte de baixo estava assinada pela princesa Amelie — a minha princesa Amelie. E bem do lado da assinatura dela estava o selo real de Genovia. E do lado dele havia assinaturas de duas testemunhas, cujos nomes eu não conhecia.

Demorei um minuto para concluir que deviam ser as assinaturas das duas testemunhas que ela encontrou para assinar sua ordem executiva.

Foi aí que percebi o que era aquilo que eu tinha nas mãos. Aquela coisa que Amelie tinha assinado — a coisa que tinha deixado o tio dela tão furioso a ponto de queimar todas as cópias... menos uma, que ela tinha escondido perto de seu coração.

No começo eu tinha achado que ela havia falado LITERALMENTE perto do coração dela, e que fosse lá o que fosse, devia ter queimado completamente junto com o corpo dela na pira funerária real depois de sua morte.

Mas daí eu percebi que ela não tinha sido literal coisa nenhuma. Ela quis dizer que era perto do coração do RETRATO dela... que, de fato, era o lugar de onde o pergaminho tinha caído — do lugar entre o retrato e o forro da moldura. Onde ela tinha escondido para impedir que o tio encontrasse... e onde o Parlamento de Genovia deveria ter procurado, depois que o diário e o retrato de Amelie foram devolvidos da abadia para onde ela os tinha mandado por medida de segurança.

Só que, é claro, ninguém (além do tradutor, aparentemente) nunca fez isso. Estou falando de ler o diário, quer dizer. Nem encontrou o pergaminho.

Até eu.

Então, é claro, fiquei me perguntando o que essa coisa poderia dizer. Sabe como é, já que tinha deixado o tio dela tão bravo que ele tentou queimar todas as cópias, e pra ela ter tanto trabalho para esconder a última.

E apesar de no começo ter sido meio difícil entender exatamente o que o documento estava dizendo, quando terminei de traduzir todas as palavras que eu não conhecia com a ajuda de um dicionário on-line de francês medieval (obrigada, nerds) tive uma boa noção de por que o tio Francesco tinha ficado tão bravo.

E também por que Amelie tinha escondido o documento. E deixado pistas no diário dela para que pudesse ser encontrado.

Porque esse era possivelmente o documento mais inflamável que eu já li. Ainda mais explosivo do que a experiência de síntese de nitroamido do Kenny.

Durante um segundo, só consegui ficar olhando para o pergaminho, completamente estupefata.

E daí eu percebi uma coisa, uma coisa *fantástica*:

A princesa Amelie Virginie Renaldo, lá de 1669, tinha simples e totalmente salvado a *minha pele*!!!!!

Não só a minha pele, mas a minha sanidade mental...

... a minha vida

... o meu futuro

... o meu *tudo*.

De verdade. Parece que estou exagerando, e eu sei que faço muito isto, mas neste caso... não estou. Estou total e completamente cem por cento com o coração acelerado, as palmas das mãos suadas e a boca seca. Falando sério. Tão sério que, por um minuto, achei que ia ter um ataque cardíaco ali mesmo.

E por isso, assim que percebi que eu ia ficar bem, liguei para o meu pai e disse a ele que estava a caminho pra falar com ele. E com Grandmère.

Porque tenho uma coisa para dizer aos dois.

Sexta, 24 de setembro, 1h, em casa

Não dá pra acreditar. Não dá pra acreditar que eles...
Isto não está acontecendo. Simplesmente NÃO ESTÁ ACONTECENDO. NÃO PODE estar acontecendo. Afinal, como os meus próprios parentes de sangue podem ser tão... tão... tão *horríveis*?

Acho que eu consigo entender a reação da GRANDMÈRE. Mas o meu pai? Meu PRÓPRIO *pai*?

E também parece até que ele não refletiu sobre o que estava falando. Ele pegou o pergaminho de minha mão e leu. Conferiu o selo, a assinatura e todo o resto. Ficou estudando o documento durante muito tempo, enquanto Grandmère ficava lá resmungando: "Ridículo! Uma princesa de Genovia que dá às pessoas o direito de ELEGER um chefe de Estado, e ainda declara que o papel do soberano de Genovia é apenas cerimonial? Nenhum ancestral nosso seria assim tão estúpido."

"Não foi estupidez de Amelie, Grandmère", expliquei a ela. "O que ela fez na verdade foi muito inteligente. Ela estava tentando AJUDAR o povo de Genovia ao poupar a população de ser governada por alguém que ela sabia, por experiência própria, ser um tirano, e que só iria piorar uma situação ruim, com a Peste e tal. Foi mesmo muita falta de sorte ninguém ter encontrado o documento até agora."

"Realmente", meu pai disse, ainda examinando o pergaminho. "Isso poderia ter poupado o povo de Genovia de muitas dificuldades. O fato é que a princesa Amelie tomou a melhor decisão que poderia ser tomada na época, de acordo com as circunstâncias."

"Exato", falei. "Então precisamos apresentar isto ao Parlamento imediatamente. Vão querer começar a nomear candidatos a primeiro-ministro e decidir quando vão fazer as eleições o mais rápido possível. E, pai, eu queria dizer, isto vai parecer um choque tremendo pra você, mas eu conheço o povo de Genovia — e acho que conheço mesmo a esta altura — e só tem uma pessoa que todo mundo vai querer como primeiro-ministro, e essa pessoa é você."

"Isso é muita gentileza da sua parte, Mia", meu pai agradeceu.

"Bom, é verdade", afirmei. "E não tem nada na Declaração de Direitos, como Amelie a nomeou, que impeça qualquer integrante da família real de concorrer ao cargo de primeiro-ministro se quiser. Então acho que você deveria tentar. Eu sei que não é exatamente a mesma coisa, mas tenho alguma experiência com eleições, graças à disputa pela presidência do conselho estudantil no ano passado. Então, se precisar de qualquer coisa, fico feliz de ajudar com o que eu puder."

"O que é isto?", Grandmère praticamente cuspiu. "Todo mundo aqui perdeu totalmente o juízo? Primeiro-ministro? Nenhum filho meu vai ser primeiro-ministro! Ele é um príncipe, como é necessário lembrá-la, Amelia!"

"Grandmère." Eu sei que realmente é difícil para as pessoas de idade se acostumarem com novidades — tipo a internet —, mas eu sabia que Grandmère se atualizaria eventualmente. Agora ela é uma verdadeira profissional do mouse. "Eu sei que o papai é príncipe. E sempre vai ser. Da mesma maneira como você sempre vai ser a princesa viúva, e eu sempre vou ser princesa. É só que, de acordo com a declaração de Amelie, Genovia não é mais governada por um príncipe ou uma princesa. O país tem um Parlamento eleito, liderado por um primeiro-ministro eleito..."

"Isso é ridículo!", Grandmère exclamou. "Eu não passei todo este tempo ensinando você a ser princesa só para descobrir que, no final das contas, você NÃO é princesa coisa nenhuma!"

"Grandmère." Fala sério. Parece que ela nunca estudou a respeito dos sistemas de governo na escola. "Eu continuo sendo princesa. Só que agora sou princesa de cerimônia. Tipo a princesa Aiko do Japão... ou a princesa Beatrice da Inglaterra. Tanto a Inglaterra quanto o Japão são monarquias constitucionais... como Mônaco."

"Mônaco!" Grandmère parecia horrorizada. "Meu Deus do céu, Phillipe! Não podemos ser iguais a Mônaco. O que ela está dizendo?"

"Nada, mãe", papai respondeu. Nunca tinha reparado antes, mas a mandíbula dele estava quadrada. Isso é sempre um sinal — como quando a boca da minha mãe fica pequena — de que as coisas não vão acontecer do jeito que eu quero. "Não é nada com que se preocupar."

"Bom, na verdade é sim", interrompi. "Quer dizer, um pouco. Vai ser uma mudança bem grande. Mas a mudança só vai ser pra melhor, acho. Nossa admissão na União Europeia estava bem incerta antes pela coisa toda da monarquia absolutista, certo? Quer dizer, lembra do caso das lesmas? Mas agora, como democracia…"

"Democracia de novo!", Grandmère exclamou. "Phillipe! O que tudo isso significa? Do que ela está FALANDO? Você é ou não é o príncipe de Genovia?"

"Claro que sou, mãe", assegurou, com um tom de voz reconfortante. "Não se altere. Nada vai mudar. Deixe-me pedir um Sidecar para você…"

Eu entendi perfeitamente o meu pai tentando acalmar Grandmère e tal. Mas mentir pra ela na cara dura me pareceu um tanto severo demais.

"Bom", comecei, "na verdade, *muita coisa* vai mudar…"

"Não", papai me interrompeu, abrupto. "Não, Mia, na verdade não vai mudar. Fico contente por você ter chamado a minha atenção para esse documento, mas ele não significa o que você parece achar que significa. Ele não tem nenhuma validade."

Foi aí que o meu queixo caiu. "O QUÊ? Claro que tem validade! Amelie seguiu completamente todas as regras determinadas pela Carta Régia de Genovia: ela usou o selo, conseguiu a assinatura de duas testemunhas independentes e tudo! Se é que eu aprendi alguma coisa desde que as minhas aulas de princesa começaram, aprendi que é válido sim."

"Mas ela não obteve aprovação parlamentar", papai insistiu.

"PORQUE TODO MUNDO DO PARLAMENTO ESTAVA MORTO!" Não dava pra acreditar naquilo. "Ou então estava em casa, cuidando dos parentes moribundos. E, pai, você sabe tão bem quanto eu que durante uma crise nacional — como, por exemplo, um surto de PESTE, a morte iminente de um governante e a ciência de que o trono vai para uma pessoa que é sabidamente um déspota — um príncipe ou uma princesa coroada de Genovia pode colocar em vigor qualquer coisa que desejar através de uma lei com base no direito divino."

É sério. Será que ele acha mesmo que eu não aprendi NADA além de como usar garfo de peixe nestes três anos de aulas de princesa?

"Certo", papai falou. "Mas essa crise nacional específica aconteceu há quatrocentos anos, Mia."

"Isso não faz com que a lei seja menos válida", insisti.

"Não", meu pai concedeu. "Mas significa que não há razão para que o Parlamento receba essa informação no momento. OU em qualquer outro momento, aliás."

"*O quê?*"

Eu me senti como a princesa Leia Organa quando finalmente revelou a localização oculta da base rebelde (apesar de estar mentindo) a Grand Moff Tarkin em *Guerra nas estrelas: Uma nova esperança*, e ele foi lá e ordenou a destruição do planeta natal dela, Alderaan, de todo jeito.

"É *claro* que nós precisamos passar essa informação para o Parlamento!", berrei. "Pai, Genovia vive uma mentira há quase quatrocentos anos!"

"Esta conversa está encerrada." Meu pai pegou a Declaração de Direitos da Amelie e se preparava para guardar na pasta dele. "Fico contente com a sua tentativa, Mia — foi muito inteligente da sua parte ter descoberto tudo isso. Mas isso aqui não é, nem de longe, um documento legal legítimo que precisamos apresentar ao povo de Genovia — ou ao Parlamento. Não passa de uma mera tentativa de uma adolescente assustada de proteger os interesses de um povo que já morreu há muito tempo, e não é nada com que precisemos nos preocupar..."

"O problema é esse." Num gesto rápido, peguei o pergaminho antes que ele pudesse selá-lo pra sempre nas profundezas da pasta Gucci dele. Eu estava começando a chorar. Não deu pra evitar. Aquilo tudo era simplesmente injusto. "É isso, não é? É só porque foi escrito por uma menina. Pior ainda, por uma ADOLESCENTE. Então, portanto, não tem legitimidade, e pode ser simplesmente ignorado..."

Meu pai me lançou um olhar azedo. "Mia, você sabe que não é isso que eu disse."

"É sim! Se tivesse sido escrito por um dos nossos ancestrais HOMENS — o próprio príncipe Francesco — você com certeza iria apresentar ao Parlamento quando houver a sessão do mês que vem. COM CERTEZA. Mas como foi escrito por uma adolescente, que só foi princesa durante doze dias, antes de morrer sozinha com uma doença horrível, o seu plano é desprezar o documento completamente. Por acaso a liberdade do seu povo realmente significa assim tão pouco pra você?"

"Mia", meu pai disse, em tom cansado. "Genovia é repetidamente considerada um dos melhores lugares para se viver no *planeta*, e a população do país está entre as mais satisfeitas do mundo. A temperatura média é de 22 graus centígrados, faz sol quase trezentos dias por ano e ninguém lá paga impostos, lembra? O povo de Genovia certamente nunca expressou a menor reserva em relação à sua liberdade, ou ausência dela, desde que subi ao trono."

"Como o povo pode sentir falta de uma coisa que nunca teve, pai?", perguntei a ele. "Mas essa nem é a questão. A questão é que uma das suas ancestrais deixou pra trás um legado — algo que ela pretendia usar para proteger o povo com que ela se preocupava. O tio dela dispensou a lei, da mesma maneira que tentou dispensá-la. Se não honrarmos seu último pedido, seremos tão tiranos quanto ele."

Meu pai revirou os olhos. "Mia, está tarde. Vou voltar para a minha suíte. Conversaremos mais sobre esse assunto amanhã." E, então, tenho certeza de que o ouvi resmungar: "Se você ainda estiver pensando nisso até lá."

E isso realmente é o X da questão, não é? Ele acha que eu só estou dando um chilique de adolescente… do mesmo tipo que o levou a me mandar fazer terapia, e que levou a princesa Amelie a assinar aquela lei, pra começo de conversa.

A lei que ele está ignorando — basicamente — porque foi escrita por uma garota.

Legal. Bem legal mesmo.

E Grandmère também não ajudou em absolutamente nada. Quer dizer, seria de pensar que outra mulher demonstraria um pouco de solidariedade pela minha luta — que também é a da Amelie.

Mas Grandmère é igualzinha àquelas outras mulheres que andam por aí exigindo os mesmos direitos dos homens, mas que não querem se autodenominar feministas. Porque isso não é "feminino".

Depois que meu pai foi embora, ela só ficou olhando pra mim e falou assim: "Bom, Amelia, ainda não sei muito bem que história foi essa, mas eu disse para você não dar atenção àquele diário velho e empoeirado. Então está pronta para o seu discurso de amanhã? O seu tailleur foi entregue aqui, então suponho que o melhor a fazer é vir direto para cá depois da escola e se trocar."

"Não posso vir direto da escola", disse a ela. "Tenho terapia amanhã."

Ela ficou olhando pra mim sem entender nada por algum tempo — eu nunca soube ao certo se o meu pai havia contado a ela sobre o Dr. Loco. Mas agora eu sei que ele não falou nada — e ela disse: "Bom, então depois disso."

!!!!!

Fala sério! Minha avó descobre que eu estou fazendo terapia e a única coisa que diz é que eu devo ir ao hotel DEPOIS da sessão, para trocar de roupa para o discurso que eu SÓ vou fazer porque ELA quer ser uma Domina Rei.

Eu seria capaz de matar os dois neste momento. Meu pai e Grandmère.

Voltei pra casa tão revoltada que não conseguia nem falar. Fui direto para o quarto e fechei a porta.

Não que minha mãe ou o Sr. G tenham chegado a reparar. Eles finalmente conseguiram todas as temporadas existentes de *The Wire* na Netflix e estão grudados à TV.

A TV do QUARTO deles.

Porque ninguém levou embora a TV DELES.

Pensei em entrar lá e contar a eles — bom, à minha mãe, pelo menos — o que estava acontecendo. Só que eu sabia que a informação faria com que a cabeça dela explodisse. O fato de o ex-namorado dela e a mãe dele privarem uma mulher de seus direitos humanos básicos (porque é isto que o meu pai e Grandmère estão fazendo com Amelie) faria minha mãe entrar totalmente em pé de guerra. Ela ia convocar pelo telefone todas as integrantes do grupo Riot Girls, ao qual pertence, e elas todas logo estariam fazendo piquete na frente da Embaixada de Genovia. Daí, se isso não desse certo, ela daria um golpe de caratê no pescoço do meu pai (ela anda se exercitando para perder os quilos que sobraram da gravidez e voltou para sua faixa marrom).

Só que...

Só que não é isso que eu quero.

Para começo de conversa, violência nunca é resposta pra nada.

E depois não quero que a minha MÃE dê um jeito nisto. Preciso de conselhos sobre como eu posso consertar isso. EU.

Não dá pra acreditar no que está acontecendo. Será que isso pode mesmo — de verdade — ser a minha vida?

E se for... como é que isso *aconteceu*?

Sexta, 24 de setembro, Inglês

> Mia! Está tudo bem com você? Está com cara de quem não dormiu nada essa noite!

É porque eu não dormi mesmo.

> Por quê???? Ai, meu Deus, aconteceu alguma coisa com J.P.? Ou com MICHAEL???

Não, Tina. Acredite se quiser, mas isso não tem nada a ver com homem nenhum. Bom, exceto meu pai.

> Ele fez de novo aquele discurso sobre como você não vai conseguir entrar numa faculdade da Ivy League se não estudar mais, e que daí vai acabar se casando com um artista de circo, igual à sua prima, a princesa Stephanie? Porque o que quero dizer é o seguinte: a MAIORIA das pessoas não consegue entrar em faculdades da Ivy League, e muito pouca gente acaba casada com contorcionistas, então não acho que essa seja uma preocupação muito válida.

Não. É pior do que isso.

> Ai, meu Deus, ele descobriu que você ia dar o seu Dom Precioso para o Michael??? Só que Michael não quis????

Não. É uma coisa muito, muito mais importante...

> Mais importante do que o seu Dom Precioso? O que é então???????

Bom...

Não vou mais passar bilhetinho na aula.
Não vou mais passar bilhetinho na aula.
Não vou mais passar bilhetinho na aula.
Não vou mais passar bilhetinho na aula.
Não vou mais passar bilhetinho na aula.
Não vou mais passar bilhetinho na aula.
Não vou mais passar bilhetinho na aula.
Não vou mais passar bilhetinho na aula.
Não vou mais passar bilhetinho na aula.
Não vou mais passar bilhetinho na aula.
Não vou mais passar bilhetinho na aula.
Não vou mais passar bilhetinho na aula.
Não vou mais passar bilhetinho na aula.
Não vou mais passar bilhetinho na aula.
Não vou mais passar bilhetinho na aula.
Não vou mais passar bilhetinho na aula.
Não vou mais passar bilhetinho na aula.

Sexta, 24 de setembro, horário de almoço, escada do terceiro andar

Nem sei o que dizer. Aposto que as palavras desta página estão todas borradas por causa das minhas lágrimas.

Só que estou chorando tanto que não sei dizer, já que mal consigo enxergar a página mesmo.

É só que... simplesmente não entendo como ela pode ter DITO aquilo.

Sobre o fato de ela ter FEITO aquilo, nem vou comentar.

Nem sei onde eu estava com a cabeça.

É só que isto é muito PIOR do que o meu namorado de longa data ter me dado um fora. Pior do que o fato de o ex da minha melhor amiga dizer que está apaixonado por mim. Pior do que o fato de a minha ex-inimiga agora almoçar comigo. Pior do que o fato de eu mal estar conseguindo dar conta da matéria de pré-cálculo.

Quer dizer, meu pai está tentando trapacear o povo de Genovia e privar as pessoas da única chance de pertencerem a uma sociedade democrática.

E realmente só existe uma pessoa em quem eu posso pensar pra me dizer o que devo fazer em relação a tudo isso (em vez de, sabe como é, contar pra minha mãe e ela dar conta de tudo sozinha).

E ela não está falando comigo.

Mas eu achei que nós conseguiríamos superar essa mesquinharia. Realmente achei que conseguiríamos.

Fala sério. Eu simplesmente achei que precisava conversar com Lilly. Porque Lilly saberia o que devo fazer.

E eu pensei: qual seria a pior coisa que poderia acontecer se eu simplesmente CONTASSE pra ela? E se eu só chegasse pra ela e contasse o que está acontecendo? Ela ia TER QUE responder, certo? Porque, como é uma injustiça tão grande, ela não poderia fazer nada além de me ajudar. É da LILLY que estamos falando. Lilly não consegue ficar indiferente enquanto uma injustiça é perpetrada. Ela é fisicamente incapaz de fazer isso. Ela TERIA que falar alguma coisa.

O mais provável seria que ela dissesse: "Você SÓ PODE estar de brincadeira. Mia, você tem que…"

E daí ela me diria o que fazer. Certo?

E daí eu conseguiria parar de me sentir como se estivesse escorregando cada vez mais para o fundo da cisterna do vovô.

Quer dizer, talvez não voltássemos a ser amigas. Mas Lilly nunca permitiria que um país fosse privado de ter um governo popular. Certo? Afinal, ela é totalmente contrária à monarquia.

Esse foi o meu raciocínio, pelo menos. Foi por isso que fui falar com ela agorinha mesmo no refeitório.

Juro que foi só isso que eu fiz. Eu apenas fui até onde ela estava. Só isto. Eu simplesmente fui até o lugar em que ela estava sentada — SOZINHA, aliás, porque Kenny está suspenso, Perin havia saído pra uma consulta no ortodontista e a Ling Su ficara na sala de arte para terminar uma colagem dela mesma, que batizou de *Retrato da Artista com Miojo e Azeitonas* — e falei: "Lilly? Posso conversar com você um segundo?"

E, tudo bem, talvez tenha sido má ideia abordá-la em público. Eu provavelmente deveria ter esperado por ela no banheiro, já que ela sempre vai lavar as mãos depois de comer. Assim eu poderia ter falado com ela em particular, e se ela reagisse mal, ninguém — além de mim e talvez alguns alunos do primeiro ano — teria visto nem ouvido nada.

Mas como a IDIOTA que sou, eu fui lá falar com ela na frente de todo mundo e me acomodei no assento na frente do dela e disse: "Lilly, eu sei que você não está falando comigo, mas eu realmente preciso da sua ajuda. Uma coisa horrível aconteceu: eu descobri que há quase quatrocentos anos uma das minhas ancestrais assinou uma lei que transformava Genovia em uma monarquia constitucional, mas ninguém encontrou a lei até outro dia, e quando eu a mostrei para o meu pai, ele basicamente a desprezou porque havia sido escrita por uma adolescente que só governou durante doze dias, antes de sucumbir à peste bubônica, e, além do mais, ele não quer ter um papel meramente cerimonial no governo de Genovia, apesar de eu dizer a ele que deveria se candidatar a primeiro-ministro. Você sabe que todo mundo votaria nele. E eu simplesmente acho que uma enorme injustiça está sendo cometida, mas não sei o que posso fazer a respeito, e você é tão inteligente, achei que poderia me ajudar…"

Lilly ergueu os olhos da salada que estava comendo e falou assim, bem fria: "Por que você está falando comigo?"

E reconheço que isso meio que me enfureceu. Eu provavelmente deveria ter me levantado e ido embora na hora.

Mas como eu sou a maior idiota, continuei falando. Porque… sei lá. Nós passamos por tantas coisas juntas, e eu só achei que ela não tivesse escutado direito ou algo assim.

"Eu já disse", respondi. "Preciso da sua ajuda. Lilly, esta coisa de ficar dando as costas pra mim é a maior besteira."

Ela só ficou olhando pra mim mais um pouco. Então eu falei: "Bom, tudo bem, se você acha que precisa continuar me odiando, isso é com você. Mas e o povo de Genovia? Aquelas pessoas nunca fizeram nada contra você — apesar de eu também não ter feito, mas esta não é a questão. Você não acha que o povo de Genovia merece ser livre para escolher seus próprios líderes? Lilly, o país precisa de você... eu preciso de você pra me ajudar a descobrir como..."

"Ai. Meu. Deus."

Lilly se levantou quando disse a palavra "ai". Ela ergueu o punho na palavra "meu". E deu um soco na mesa com a palavra "Deus".

Com tanta força que todas as cabeças no refeitório se voltaram para nós para ver o que estava acontecendo.

"Não dá pra acreditar nisso!", Lilly gritou. Ela literalmente gritou comigo, apesar de eu estar sentada bem na frente dela, a meio metro de distância. "Você é totalmente inacreditável. Primeiro, parte o coração do meu irmão. Depois, rouba o meu namorado. E ainda acha que pode vir me pedir conselhos sobre a sua família totalmente destrambelhada?"

Quando ela chegou à palavra "destrambelhada", estava aos berros.

Eu só fiquei olhando pra ela, completamente chocada. E também não estava conseguindo enxergar muito bem, graças às lágrimas.

Mas isso provavelmente foi bom. Porque assim eu não pude ver todos os rostos assustados que se voltavam na nossa direção.

Mas reparei o silêncio total que tomou conta do refeitório. Dava até pra ouvir um garfo raspando no prato. Todo mundo estava realmente a fim de registrar cada segundo da surra verbal que eu estava levando da minha ex--melhor amiga.

"Lilly", sussurrei. "Você sabe que eu não parti o coração do Michael. Ele é que fez isso comigo. E eu não roubei o seu namorado..."

"Ah, guarde isso para o *New York Post!*", Lilly gritou. "Nada NUNCA é culpa sua, não é mesmo, Mia? Mas por que você reconheceria algum dia estar errada, já que essa coisa de se fazer de vítima dá tão certo pra você, não é? Quer dizer, olha só pra você. Agora LANA WEINBERGER é a sua melhor amiga. Isso não é uma coisa ESPECIAL? Você não percebe que ela só está USANDO você, sua idiota? Todo mundo só está usando você, Mia. Eu era a sua única amiga de verdade, e olha só como você me tratou!"

Depois disso, a única coisa que eu enxergava da Lilly era um enorme borrão, porque as lágrimas estavam caindo muito rápido. Mas dava pra sentir o tom de desprezo na voz dela. E também o silêncio total e completo ao nosso redor.

"E sabe o que mais?", Lilly prosseguiu, toda ácida — e ainda em um tom alto o bastante para acordar os mortos. "Você tem razão. Você não deixou Michael de coração partido. Ele estava tão cheio das suas lamentações constantes e da sua total incapacidade de resolver seus próprios problemas que não aguentava mais esperar pra ficar longe de você. Eu também queria ter tanta sorte quanto ele tem! Eu daria qualquer coisa para estar a milhares de quilômetros de você. Mas, enquanto isso não acontece, pelo menos eu tenho o site novo que fiz para me consolar. Talvez você tenha visto. Se não, aqui está o endereço: é EUODEIOMIATHERMOPOLISPONTOCOM!"

E, com isso, ela deu um rodopio e saiu do refeitório. Pelo menos eu acho que saiu. Era meio difícil de saber, já que eu, na verdade, não conseguia enxergar o que estava acontecendo, porque àquela altura eu já estava chorando tanto que parecia que as cachoeiras de Niagara Falls estavam se derramando no meu rosto.

E foi por isso que não reparei que Tina, Boris, J.P., Shameeka, Lana e Trisha tinham corrido pra onde eu estava sentada, até que eles começaram a dar tapinhas nas minhas costas, dizendo coisas como: "Não liga pra ela, Mia, ela não tinha intenção de falar essas coisas" e "Ela só está com inveja. Sempre foi assim" e "Ninguém está usando você, Mia. Porque, pra ser sincera, você não tem nada que eu queira". (Esta última frase saiu da Lana. Que tinha a intenção de ser gentil, eu sei disto.)

Eu sabia que eles só estavam tentando ser simpáticos. Eu sabia que só tinham a intenção de fazer com que eu me sentisse melhor.

Mas já era tarde demais. A maneira como Lilly me aniquilou totalmente — de um jeito assim tão público — foi a gota que fez o copo inteiro transbordar. E o fato de Lilly — logo a Lilly! — ser a responsável por aquele site idiota?

Acho que eu sempre soube disso.

Mas ouvir dela, daquele jeito... Ela falou com tanto orgulho, parecia *querer* que eu soubesse...

Eu tive que sair dali. Eu sabia que, assim, eu só estava sendo o que Lilly me acusou de ser: uma vítima chorona.

Mas eu realmente precisava ficar sozinha.

E é isso que eu estou fazendo aqui na escada do terceiro andar, que leva à porta trancada do telhado, e aonde ninguém nunca vai...

Ninguém além da Lilly e de mim, quer dizer. A gente costumava vir aqui quando estava aborrecida com alguma coisa.

Lars está parado no pé da escada para impedir que alguém suba. Parece que ele está preocupado de verdade comigo. Ele disse assim: "Princesa, será que devo ligar pra sua mãe?"

Eu fiquei, tipo: "Não, obrigada, Lars."

E daí ele falou: "Bom, então quem sabe o seu pai?"

Eu fiquei, tipo: "NÃO!"

Lars pareceu meio surpreso com a minha veemência. Mas eu estava com medo de que, na sequência, ele perguntasse se devia ligar para o Dr. Loco.

Mas, felizmente, ele só assentiu com a cabeça e disse: "Tudo bem então. Se tem mesmo certeza..."

Nunca tive tanta certeza de algo. Eu disse a ele que só precisava ficar um tempo sozinha. Eu disse que logo desceria...

Mas já se passaram quinze minutos e não parece que as lágrimas vão parar de rolar logo. É só que... Como ela pôde dizer aquelas coisas? Depois de tudo que nós passamos juntas? Como ela pôde ESCREVER aquelas coisas no site dela? Como pode pensar que eu algum dia faria o que ela me acusa de ter feito? Como é que ela pode ser assim tão... tão *cruel*?

Ah, não. Estou ouvindo passos. Lars deixou alguém subir! POR QUE, LARS, POR QUÊ???? Eu disse que...

Sexta, 24 de setembro, S&T

Ai, Deus. Aquilo foi tão...

Aleatório.

De verdade. Esta é a única palavra em que eu consigo pensar para descrever.

E isso só vem pra mostrar que não é surpresa nenhuma o fato de a Srta. Martinez se sentir desesperada com a ideia de que algum dia eu possa me tornar uma escritora ou jornalista de sucesso.

Mas falando sério! De que outra maneira posso colocar isto? Foi simplesmente... ALEATÓRIO.

E onde Lars estava com a CABEÇA? Eu disse a ele para não deixar NINGUÉM subir. Tirando a diretora Gupta ou algum professor, OBVIAMENTE.

Então como BORIS conseguiu passar?

Mas é claro que eu ouvi passos na escada e, antes que me desse conta, BORIS estava lá, todo sem fôlego, como se tivesse corrido.

No começo, fiquei preocupada que ele fosse me dizer que TAMBÉM me ama (bom, sei lá, as coisas que começam a acontecer quando o número do seu sutiã aumenta são impressionantes).

Mas ele só falou assim: "Ah, você está aqui. Procurei você em todo lugar. Eu não devia contar, mas não é verdade."

"*O que* não é verdade, Boris?", perguntei pra ele, completamente confusa.

"O que Lilly acabou de dizer", ele respondeu. "Sobre Michael estar de saco cheio de você. Não posso contar como eu sei disso. Mas eu sei."

Sorri pra ele. Apesar de eu ainda estar completamente desesperada, não pude evitar. Realmente, Tina tem muita sorte. Ela tem o namorado mais fantástico do mundo inteiro.

Felizmente ela sabe disso.

"Obrigada, Boris." Tentei enxugar as lágrimas com a manga pra não parecer tão arrasada quanto eu tinha certeza de que parecia. "Realmente é muito fofo da sua parte dizer isso."

"Não estou sendo fofo", Boris insistiu, muito sério, ainda arfando de tanta correria para me encontrar. "Estou dizendo a verdade. E você deveria responder aos e-mails dele."

Fiquei olhando pra ele, mais confusa do que nunca. "O-o quê? Responder aos e-mails de quem?"

"Do Michael", Boris respondeu. "Ele tem te mandado uns e-mails, não tem?"

"É", respondi, estupefata. "Mas como é que você..."

"Você precisa responder a ele", Boris disse. "Só porque vocês terminaram, isto não significa que não podem mais ser amigos. Não foi isso que vocês combinaram? Que iam continuar sendo amigos?"

"É", falei, espantada. "Mas, Boris, como você sabe que ele me mandou uns e-mails? Foi... foi a Tina que contou pra você?"

Boris hesitou, então assenti: "É. Foi isso. Tina me contou."

"Ah. Bom, não posso escrever pra ele, Boris. É que eu... simplesmente ainda não estou pronta pra ser amiga dele por enquanto. Ainda me dói muito não ser *mais* do que amiga."

"Bom, acho que dá pra entender. Mas você precisa escrever pra ele assim que se sentir pronta. Pra ele não achar que... você sabe. Que você o odeia. Ou que você esqueceu ele. Ou sei lá o quê."

Como se ISSO fosse acontecer algum dia.

Garanti ao Boris que eu escreveria para Michael assim que me sentisse emocionalmente capaz de fazê-lo sem desmoronar nem implorar pra ele, em letras enormes, me aceitar de volta.

Daí Boris fez a coisa mais legal do mundo. Ele se ofereceu pra me acompanhar de volta à sala de aula (quando eu me acalmei e me livrei das evidências da choradeira: rímel borrado, catarro no nariz etc.).

Então nós três — Boris, Lars e eu — chegamos juntos à S&T (atrasados).

Mas não faz mal, porque nem a Sra. Hill nem Lilly estão aqui.

Suponho que Lilly esteja matando aula pra encontrar Kenny em algum lugar. Eles são iguais a Courtney Love e Kurt Cobain. Tirando a heroína. Mas Lilly só precisa começar a fumar. E talvez também arrumar uma ou duas tatuagens, e assim vai ficar com a imagem perfeita de rebelde.

Boris me perguntou mais uma vez se eu estava bem de verdade. E quando eu respondi que achava que estava, ele entrou no almoxarifado e começou a ensaiar a música de Chopin que eu mais gosto que ele toque.

E deve ter sido de propósito. Ele é muito atencioso.

Tina realmente é uma garota de sorte.

Só espero que algum dia eu possa ter tanta sorte quanto ela.

Ou talvez eu *já tenha tido* a minha sorte no que diz respeito aos garotos e estraguei tudo completamente.

Meu Deus, espero que não seja o caso. Mas, se for, só posso dizer que foi bom enquanto durou.

Sexta, 24 de setembro, na sala de espera do Dr. Loco

Lana e Trisha insistiram em me levar para o que chamaram de "intervalo para manicure e pedicure". Disseram que eu merecia, depois do que Lilly fez comigo no refeitório.

Então, em vez de jogar beisebol no sexto tempo, fiz as unhas dos pés e o que tinha sobrado das unhas das mãos (não coloquei novas unhas postiças de acrílico desde que voltei das férias de verão em Genovia, e roí o que sobrou das minhas unhas naturais) e pintei de vermelho Na-Verdade-Não-Sou-Garçonete, uma cor que Grandmère afirma ser totalmente inapropriada para garotas.

E foi exatamente por isso que a escolhi.

Mas preciso reconhecer que não me senti muito melhor depois que terminamos nossa manicure e pedicure de quarenta e cinco minutos. Eu sei que Lana e Trisha estavam tentando.

Mas minha vida simplesmente está muito cheia de drama neste momento pra uma simples massagem de mãos e pés (além de aplicação de esmalte nas unhas) poder curar.

Ah. O Dr. L está pronto para me receber agora.

Acho que ninguém, nem mesmo o Dr. Loco, JAMAIS poderia estar pronto para me receber e o desastre que é a minha vida.

Sexta, 24 de setembro, na limusine, a caminho do Hotel Four Seasons

Então, abri o meu coraçãozinho para o Dr. Loco, o terapeuta caubói, e eis o que ele disse:

"Mas Genovia já tem um primeiro-ministro."

Eu só fiquei olhando pra ele. "Não tem não", falei.

"Tem sim", o Dr. Loco retrucou. "Eu assisti aos filmes sobre a sua vida, como você me disse para fazer. E eu lembro muito bem…"

"Os filmes da minha vida mostram ERRADO essa parte", expliquei. "Entre as muitas e muitas outras partes que estão erradas. Eles alegaram licença artística ou algo assim. Disseram que precisavam florear os fatos. Como se os fatos da minha vida DE VERDADE já não fossem dramáticos o suficiente."

E aí o Dr. Loco disse: "Ah. Entendi." Ele refletiu sobre a questão um minuto. Daí, falou: "Sabe, tudo isso me lembra um cavalo que eu tenho lá na fazenda…"

Eu quase me joguei da cadeira pra cima dele.

"NÃO VENHA ME FALAR DA DUSTY DE NOVO!", berrei. "JÁ CONHEÇO A HISTÓRIA DA DUSTY!"

"Não vou falar da Dusty", o Dr. Loco disse, com ar assustado. "Vou falar do Pancho."

"Aliás, quantos cavalos você tem?", perguntei.

"Ah, algumas dúzias. Mas isso não é importante. O importante é que Pancho é uma espécie de pau-mandado. Pancho se apaixona por qualquer pessoa que o tire do estábulo e o sele. Ele esfrega a cabeça na pessoa, igual a um gato, e anda atrás dela… mesmo que a pessoa não o trate muito bem. Pancho é um cavalo desesperado por afeto, quer que todo mundo goste dele…"

"Certo", interrompi. "Já entendi. Pancho tem problemas de autoestima. Eu também tenho. Mas o que isso tem a ver com o fato de que o meu pai está tentando esconder do povo de Genovia a Declaração de Direitos da princesa Amelie?"

"Nada. Tem a ver com o fato de você não estar fazendo nada para tentar impedi-lo."

Fiquei olhando fixamente pra ele mais um pouco. "Como eu posso fazer *isso*?"

"Bom, isso é você que precisa descobrir."

Certo. *Isso* me deixou furiosa.

"Você disse, no primeiro dia em que eu me sentei aqui", berrei, "que a única maneira de eu sair do fundo do buraco escuro da depressão em que caí seria pedindo ajuda. Bom, estou pedindo ajuda. E agora você vem me dizer que eu preciso descobrir sozinha?? Aliás, quanto você recebe por hora pra isto aqui?"

Dr. Loco ficou me observando com muita calma por trás do bloco de anotações dele.

"Ouça o que você acabou de me dizer. O garoto que você ama disse que quer ser apenas seu amigo, e você não fez nada. A sua melhor amiga a humilhou na frente da escola inteira, e você não fez nada. O seu pai diz que não vai honrar os desejos da sua ancestral morta, e você não faz nada. Na primeira vez que nos encontramos, eu disse a você que ninguém pode ajudá-la, a menos que você mesma se ajude. Nada nunca vai mudar se você não fizer todo dia uma coisa que…"

"… que me dá medo", respondi. "EU SEI. Mas como? O que eu devo fazer em relação a tudo isso?"

"Não tem a ver com o que você *deve* fazer, Mia", o Dr. Loco respondeu, parecendo um pouco decepcionado. "O que você quer fazer?"

Continuei sem entender. Fiquei tipo: "Eu quero… eu quero… eu quero fazer a coisa certa!"

"É o que eu estou dizendo a você", ele continuou. "Se você quiser fazer a coisa certa, não seja como o Pancho. Faça o que a princesa Amelie faria!"

DO QUE ELE ESTAVA FALANDO???

Mas antes que eu tivesse a oportunidade de entender, ele disse: "Ah, olha só para isso. Nosso tempo acabou. Mas esta foi uma sessão muito interessante. Na semana que vem eu gostaria de falar com você junto com o seu pai de novo. Tenho a sensação de que vocês precisam discutir algumas questões. E traga também aquela sua avó", o Dr. Loco pediu. "Vi uma foto dela no Google. Parece ser uma mulher intrigante."

"Espera um pouco", interrompi. "O que você está dizendo? Como eu posso fazer o que a princesa Amelie fez? A princesa Amelie falhou. A lei dela nunca entrou em vigor. Ninguém nunca soube que EXISTIA. Ninguém além de mim."

"Isso é tudo, por enquanto. Tchau", Dr. Loco disse.

E me expulsou de lá.

Eu simplesmente não entendo. Meu pai está pagando esse cara pra me ajudar com os meus problemas, mas a única coisa que ele faz é passar os problemas adiante, dizendo que eu preciso resolver meus próprios problemas.

Mas não é pra isso que ele recebe???

E como, em nome de Deus, eu devo fazer alguma coisa a respeito da situação da princesa Amelie? Apresentei o meu ponto de vista para o meu pai e ele totalmente me dispensou. O que mais eu posso fazer?

A pior parte de tudo é que o Dr. Loco recebeu os resultados do meu exame de sangue do consultório do Dr. Fung. E o que deu? Normal. Eu estou totalmente normal, em todos os aspectos. Melhor do que normal. Assim como o Rocky, eu me encaixo na porcaria do grupo dos mais saudáveis da minha faixa etária ou algo assim. Estava torcendo pra que pelo menos o fato de eu ter voltado a comer carne tivesse feito minha taxa de colesterol subir tanto que minha depressão horrorosa pudesse ser atribuída a ela.

Mas meu colesterol está ótimo. Está *tudo* ótimo. Estou tão saudável quanto a porcaria de um cavalo.

Ai, essa doeu. Por que eu tive que usar a palavra "cavalo"?

Ai, meu Deus, chegamos. Não dá pra ACREDITAR. Preciso fazer esta coisa idiota da Domina Rei hoje à noite.

Só posso dizer que, se eu conseguir fazer Grandmère entrar neste clube, ou seja lá o que for, é melhor ela parar de pegar no meu pé por causa do meu cabelo.

Pancho? É sério que ele me contou uma história sobre um cavalo chamado PANCHO?

Sexta, 24 de setembro, 21h, no banheiro do Hotel Waldorf-Astoria

Ela detestou o esmalte.

Está agindo como se a cor fosse acabar totalmente com as chances de ela ser convidada para entrar neste clube idiota. Está mais preocupada com o meu esmalte do que com o fato de que a nossa família, já há séculos, essencialmente vive uma mentira. Foi o primeiro assunto que abordei quando cheguei à suíte dela.

"Grandmère, você não pode concordar com o papai e achar que ignorar o desejo que a princesa Amelie Virginie expressou antes de morrer é a coisa certa a se fazer. Pode?"

Ela apenas revirou os olhos. "Não me venha com isso de novo! O seu pai PROMETEU que você já teria esquecido esse assunto a esta altura."

É. Eu reparei que até agora ele não tinha retornado nenhum único telefonema meu, o dia inteiro. Ele estava me dando um gelo, igual a Lilly.

Bom, é a mesma coisa que Lilly fez até ter estourado hoje à tarde, quer dizer.

"Mas, sinceramente, Amelia", Grandmère continuou. "Você não pode ficar achando que nós vamos alterar completamente a nossa vida só por causa dos caprichos de alguma princesa morta há quatrocentos anos, não é mesmo?"

"Amelie não elaborou sua Declaração de Direitos por capricho, Grandmère. E a nossa vida não se alteraria em nada", insisti. "Nós continuaríamos exatamente como antes. Só que não GOVERNARÍAMOS de fato. Nós deixaríamos o POVO governar… ou pelo menos ESCOLHER quem eles QUEREM para governar. Que pode muito bem ser o meu pai, você sabe…"

"Mas supondo que NÃO SEJA?", Grandmère perguntou. "Onde nós MORARÍAMOS?"

"Grandmère", respondi. "Nós continuaríamos morando no palácio, como sempre…"

"Não, não continuaríamos. O palácio se tornaria a residência do primeiro-ministro — seja lá quem vá acabar ocupando o cargo. Você realmente acha que eu poderia suportar ver algum POLÍTICO morando no meu lindo palácio? Ele provavelmente mandaria acarpetar tudo. De BEGE."

Fala sério! Fiquei com vontade de torcer o pescoço dela. "Grandmère. O primeiro-ministro iria morar… bom, sei lá. Mas em algum outro lugar. Nós continuaríamos sendo a família real e continuaríamos morando no palácio e cumprindo as obrigações que normalmente cumprimos — MENOS GOVERNAR."

A única coisa que ela teve para dizer foi: "Bom, seu pai não quer nem ouvir falar NISSO. Então é melhor você esquecer o assunto. Mas vamos falar a respeito de assuntos sérios, Amelia. Unhas VERMELHAS? Está tentando me fazer ter um ataque cardíaco?"

Certo, tudo bem: reconheço que esta noite parece ser muito importante pra Grandmère. Tinha que ver como ela ficou toda empertigada quando a condessa chegou pra mim durante o coquetel e disse assim: "Princesa Amelia? Nossa! Como você cresceu desde a última vez que a vi!"

"É", Grandmère respondeu, ácida, olhando para a enorme barriga de Bella Trevanni, ou, devo dizer, a enorme barriga da princesa René. "Sua neta também."

"Está para nascer por esses dias", a condessa disse, toda alegre.

"Vocês estão sabendo?", Bella nos perguntou. "É uma menina!" Nós duas demos parabéns a ela, que realmente parece feliz — parece até reluzente, como sempre dizem que as mulheres grávidas ficam.

E é totalmente bem-feito para o meu primo René ele ter uma menina, porque ele sempre foi o maior garanhão. Quando a filha dele começar a namorar, ele finalmente vai saber como todos os pais das garotas com quem ele saía se sentiam.

Mas a condessa não é a única pessoa que Grandmère deseja impressionar. O *crème de la crème* da sociedade de Nova York está aqui — bom, pelo menos as mulheres. Nenhum homem tem permissão de entrar nos eventos da Domina Rei, à exceção do baile anual, que não é o caso. Acabei de ver Gloria Vanderbilt passando gloss perto de um vaso com uma palmeira.

E tenho bastante certeza de que Madeleine Albright está ajustando a meia-calça na cabine ao lado da minha.

E, olha, eu entendo. Realmente entendo por que Grandmère está tão ansiosa para ser uma destas mulheres. Elas são todas superpoderosas, e encantadoras também. A mãe da Lana, a Sra. Weinberger, foi supersimpática comigo quando chegamos — ela não pareceu ser, de jeito nenhum, uma senhora que venderia o pônei da filha sem permitir que ela se despedisse dele —, apertou a minha mão e me disse que eu era um exemplo excelente para meninas de todos os lugares. Ela disse que gostaria que a filha tivesse a cabeça tão no lugar quanto eu.

Isso fez com que Lana, que estava parada ao lado da mãe, abafasse a risada com a estola de tule.

Mas percebi que Lana não tinha ficado ofendida quando, um segundo depois, ela me puxou pelo braço e disse: "Dá só uma olhada. Tem uma fonte de chocolate ali no bufê. Só que é de baixa caloria, porque é feito com adoçante

Splenda." Daí ela completou, quando me arrastou pra longe dos ouvidos da mãe dela e de Grandmère: "E também tem os garçons mais gostosos que já se viu."

Sei lá. Vou ter que fazer o meu discurso a qualquer momento. Grandmère me fez repassá-lo com ela na limusine. Fiquei dizendo a ela que é chato demais para impressionar alguém, imagine então se vai inspirar quem quer que seja. Mas ela fica insistindo que é sobre drenagem que as mulheres da Domina Rei querem ouvir.

É. Porque eu tenho certeza de que Beverly Bellerieve — do programa de TV do horário nobre *TwentyFour/Seven* — quer conhecer a fundo as questões relativas ao esgoto de Genovia. Eu acabei de vê-la no lobby, que abriu um sorrisão pra mim e disse: "Nossa, olá para você! Mas como está crescida!" Acho que ela estava se lembrando da vez em que nós fizemos aquela entrevista quando eu estava no primeiro ano e…

Ai, meu Deus.

AI, MEU DEUS.

Não. NÃO foi isso que ele quis dizer quando me disse… Ele não pode ter tido a intenção de…

Não. É só que…

Mas espera um minuto. Ele disse pra não ser como Pancho. Ele *disse* pra fazer o que a princesa Amelie faria.

A intenção dela era que Genovia se tornasse uma democracia.

Só que ninguém sabia disso.

Mas não é verdade. ALGUÉM sabe.

Eu sei.

E agora mesmo, neste exato momento, eu ocupo a posição única de ser capaz de fazer com que um grupo imenso de empresárias também saiba.

Incluindo Beverly Bellerieve, que tem a maior boca do jornalismo televisivo.

Não. Simplesmente não pode ser. Seria errado. Seria… seria…

Meu pai me MATARIA.

Mas isso com *toda a certeza* não seria eu dando uma de Pancho.

Mas como eu poderia fazer isso? Como poderia fazer isso com meu pai? Com Grandmère?

Bom, quem se importa com Grandmère? Como eu poderia fazer isso com meu pai?

Ah, não. Estou ouvindo Grandmère, ela está vindo me buscar. Está na hora...

Não! Não estou pronta! Não sei o que fazer! Alguém precisa me dizer o que fazer!

Ai, Deus.

Acho que alguém já disse.

Só que é uma pessoa que está morta há quatrocentos anos.

23h, sexta, 24 de setembro, Nova York

PRINCESA SOLTA UMA BOMBA DIFERENTE

Para divulgação imediata

A princesa Mia de Genovia — que esteve recentemente na imprensa, depois de uma explosão de nitroamido no laboratório de química da Escola Albert Einstein, onde estuda, ter feito com que ela e mais dois alunos (entre eles o suposto consorte real do momento, John Paul Reynolds-Abernathy IV) fossem parar no pronto-socorro do Hospital Lenox Hill com ferimentos leves — deflagrou sua própria bomba: ela revelou que um documento de quatrocentos anos recém-descoberto declara que o principado de Genovia é uma monarquia constitucional, não absoluta.

A diferença é bastante significativa. Em uma monarquia absoluta, o monarca que lidera o país — no caso de Genovia, o pai da princesa Mia, o príncipe Artur Christoff Phillipe Gerard Grimaldi Renaldo — possui o direito divino de governar o povo e o território. Em uma monarquia constitucional, o papel cerimonial do herdeiro real (tal como a rainha da Inglaterra) é reconhecido, mas as decisões governamentais efetivas são tomadas por um chefe de Estado eleito, geralmente em conjunção com um corpo parlamentar.

A princesa Mia fez esta revelação surpreendente durante um baile beneficente em honra dos órfãos africanos, organizado pela Domina Rei, a organização feminina exclusiva que é conhecida por suas obras beneficentes e por suas célebres integrantes (entre as quais estão Oprah Winfrey e Hillary Rodham Clinton).

A princesa Mia, em um discurso perante a representação de Nova York, leu um trecho traduzido de maneira rudimentar do diário de uma princesa da qual ela é descendente real, que descreve a luta da jovem contra a Peste Bubônica e um tio autocrático, além da maneira como ela redigiu e assinou uma Declaração de Direitos que garante ao povo de Genovia a liberdade para escolher seu próximo líder.

Infelizmente o documento ficou perdido durante séculos, depois do caos que se seguiu ao trajeto mortal percorrido pela Peste Bubônica por todo o litoral do Mediterrâneo — perdido até agora, aliás.

A descrição que a princesa Mia fez de sua alegria por ser capaz de levar a democracia ao povo de Genovia aparentemente deixou muitas mulheres da plateia com os olhos marejados. E sua referência a uma citação famosa de Eleanor Roosevelt — que também foi integrante da Domina Rei — fez com que todas as presentes no salão se levantassem para aplaudir.

"Faça todo dia uma coisa que lhe dá medo", a princesa Mia aconselhou a seu público. "E nunca pense que você não pode fazer a diferença. Mesmo que você tenha apenas 16 anos, e que todo mundo só lhe diga que você é uma adolescente boba... Não deixe que essas pessoas a desanimem. Lembre-se de uma outra coisa que Eleanor Roosevelt disse: 'Ninguém pode fazer você se sentir inferior sem o seu consentimento.' Você é capaz de fazer coisas maravilhosas — nunca permita que ninguém tente lhe dizer que, só porque você foi princesa durante doze dias, não sabe o que está fazendo."

"Foi absolutamente inspirador", comentou Beverly Bellerieve, a estrela do programa jornalístico televisivo *TwentyFour/Seven*, que anunciou planos de dedicar um segmento inteiro de seu programa à transição do pequeno país de monarquia para a democracia. "E a maneira como a princesa viúva, Clarisse, a avó de Mia, reagiu — com um choro aberto e quase histérico — não deixou nenhum olho seco no recinto. Foi realmente uma noite memorável... e definitivamente o melhor discurso que já ouvi em um baile beneficente de que consigo me lembrar."

Depois do discurso, nem a princesa viúva nem a neta dela estavam disponíveis para comentários. Ambas foram levadas imediatamente para um destino desconhecido por uma limusine.

Tentamos entrar em contato com o Departamento de Imprensa do Palácio de Genovia e com o príncipe Phillipe, mas não recebemos resposta até o fechamento desta edição.

Sexta, 24 de setembro, 23h, na limusine, a caminho de casa, saindo do Waldorf-Astoria

Quer saber? Não estou nem aí.

Não estou mesmo. Eu fiz a coisa certa. Sei que fiz.

E o meu pai pode gritar o quanto quiser — além de ficar dizendo que acabei com a vida de todos nós.

E Grandmère pode se largar naquele divã e pedir todos os Sidecars que quiser.

Eu não me arrependo do que fiz.

E nunca vou me arrepender.

Você tinha que ter OUVIDO como o público se calou quando comecei a falar sobre Amelie Virginie! O silêncio na sala de banquete era maior do que no refeitório da escola hoje, quando Lilly acabou comigo na frente de todo mundo.

E tinha umas mil e duzentas pessoas a mais na sala hoje à noite do que à tarde!

E cada uma delas estava com o rosto erguido, olhando pra mim, totalmente envolvidas pela história da princesa Amelie. Acho que vi LÁGRIMAS nos olhos de Rosie O'Donnell — LÁGRIMAS! — quando cheguei à parte em que o tio Francesco queimou os livros da biblioteca do palácio.

E quando cheguei à parte em que a Amelie descobre sua primeira pústula, eu COM CERTEZA ouvi um soluço vindo da direção da Nancy Pelosi.

Mas então eu estava descrevendo como já era hora de o mundo reconhecer que garotas de 16 anos são capazes de fazer muito mais do que mostrar o umbigo com piercing na capa da *Rolling Stone*, ou desmaiar em frente a uma boate depois de exagerar na balada. Que, em vez disto, deveríamos ser reconhecidas por tomar uma posição e ajudar as pessoas que necessitam de nós.

Bom. Foi aí que todo mundo começou a me aplaudir de pé.

Eu estava me deliciando com o calor dos elogios de todo mundo — e da reiteração da mãe da Lana de que eu sou bem-vinda se quiser me inscrever na Domina Rei assim que fizer dezoito anos — quando Lars puxou a manga da minha roupa (acho que a Domina Rei permite que homens entrem no evento quando são guarda-costas) e disse que minha avó já tinha desmaiado na limusine.

E que o meu pai queria falar comigo naquele instante.

Mas tanto faz. Grandmère estava totalmente tomada pela emoção de finalmente ter sido convidada para entrar em um clube que a esnoba há cinquenta anos, ou sei lá o quê. Porque eu totalmente vi quando Sophia Loren se aproximou e fez o convite pra que ela entrasse. Grandmère praticamente desabou em sua ansiedade de dizer que pensaria a respeito do assunto.

E isso, em língua de princesa, significa: "Ligo pra você amanhã de manhã para dizer que sim, mas não posso dizer agora para não parecer ansiosa demais."

Meu pai passou uma *meia hora* gritando comigo, dizendo como eu tinha decepcionado a família e que pesadelo isso vai ser com o Parlamento, porque ficou parecendo que a nossa família passou todo esse tempo escondendo a lei e que agora ele vai ter que concorrer ao cargo de primeiro-ministro se quiser dar continuidade a todas as iniciativas que planejou e quem pode saber se ele vai ganhar caso algum outro fracassado se candidate, como o povo de Genovia nunca vai conseguir se adaptar a viver em uma democracia, como agora teremos fraude nas eleições e como eu ainda vou ter minhas funções reais do mesmo jeito, só que agora provavelmente terei que arrumar um emprego algum dia porque a minha mesada vai ser reduzida à metade. Ele espera que eu esteja feliz em saber que eu basicamente destruí sozinha uma dinastia inteira e que esteja ciente de que este ato vai ficar para a história como a desgraça da família Renaldo, até que eu finalmente disse, tipo: "Pai? Quer saber? Você precisa levar esses assuntos ao Dr. Loco. E é o que vai fazer, aliás, na sexta que vem, quando você e Grandmère me acompanharem à minha sessão."

ISSO fez com que ele parasse abruptamente. Ele pareceu assustado, como naquela vez em que uma aeromoça ficou dizendo que estava grávida dele, até ele perceber que não a conhecia.

"Eu?", ele exclamou. "Ir a uma das suas sessões? Com a minha MÃE?"

"É", respondi, sem recuar. "Porque eu realmente quero falar a respeito de como você respondeu *poucas vezes* no seu questionário de avaliação mental para a afirmação *sinto que o verdadeiro amor romântico me deixou para trás*, sendo que há umas duas semanas você me disse que sempre vai se arrepender de ter deixado a minha mãe escapar. Você mentiu totalmente para o Dr. Loco, e você sabe que, se mentir na terapia — mesmo se for para o MEU terapeuta — você só vai magoar a si mesmo, porque como pode esperar fazer algum progresso se não for sincero consigo mesmo?"

Meu pai só ficou olhando pra mim, acho que porque mudei de assunto de maneira tão abrupta.

Mas daí, parecendo todo irritado, ele disse assim: "Mia, contrariamente ao que você possa pensar nessa sua imaginação excessivamente romântica, eu não fico aqui pensando na sua mãe em todos os momentos de todos os dias. Sim, ocasionalmente eu me arrependo de que as coisas não tenham dado certo com ela. Mas a vida continua. E você vai descobrir que ainda existe vida depois do Michael. Então, sim, eu sinto *poucas vezes* que o verdadeiro amor romântico me deixou para trás. Mas o RESTO do tempo eu tenho esperança de que um novo amor possa muito bem estar à minha espera na próxima esquina — como eu torço para que também esteja à sua espera. Agora, será que podemos retornar ao assunto em questão? Você não tinha absolutamente direito nenhum de fazer o que fez hoje à noite, e estou muito, mas muito decepcionado mesmo com você…"

Mas não prestei atenção ao que mais ele disse, porque eu estava pensando sobre aquela frase: *tenho esperança de que um novo amor possa muito bem estar à minha espera na próxima esquina.*

Como é que alguém faz essa transição? A transição de sentir falta da pessoa que você ama tão desesperadamente que ficar sem ela parece causar uma dor vazia dentro do peito a se sentir esperançoso de que um novo amor pode muito bem estar à sua espera na próxima esquina?

Eu simplesmente não sei.

Mas espero que aconteça comigo algum dia...

Ah. Estamos na Thompson Street.

Ótimo. Até parece que a minha noite já não foi bem movimentada. Agora tem um sem-teto parado no hall do nosso prédio. Lars está saindo para tirá-lo dali.

Espero que ele não precise usar a pistola de choque.

Sábado, 25 de setembro, 1h, em casa

Não era um sem-teto.

Era J.P.

Ele estava à minha espera no hall porque fazia um frio fora de época e não quis ficar na rua (e não quis tocar o interfone, por medo de acordar a minha mãe).

Mas ele queria falar comigo porque havia assistido à notícia sobre o meu discurso no canal público *New York One*.

E ele queria ter certeza de que estava tudo bem comigo.

Então veio até a zona Sul pra fazer isso.

"Quer dizer", ele ficava repetindo, "foi meio uma coisa importante, como estão dizendo no noticiário. Em um minuto você é uma garota normal e, depois, é uma princesa. E, depois de alguns anos, você é uma princesa, e no minuto seguinte... não é mais."

"Eu continuo sendo princesa", garanti a ele.

"Continua?" Ele parecia não ter certeza.

Assenti. "Eu sempre vou ser princesa. É só que agora eu posso ser uma princesa com um emprego normal e um apartamento e tal. Se eu quiser."

Enquanto eu estava explicando tudo isso pra ele na entrada do prédio — depois de Lars quase dar um choque nele por também tê-lo confundido com um vagabundo —, a coisa mais estranha do mundo aconteceu:

Começou a nevar.

Eu *sei*, bem de levinho, e realmente está cedo demais para nevar em Manhattan, principalmente com o aquecimento global. Mas definitivamente estava frio o suficiente para isso. Não tão frio para o chão ficar branco nem nada. Mas não havia a menor dúvida de que aquela dúzia de flocos brancos minúsculos começou a cair do céu noturno cor-de-rosa (cor-de-rosa porque as nuvens estavam tão baixas que as luzes da cidade refletiam nelas) enquanto eu falava.

E uma coisa estranha aconteceu quando eu ergui os olhos para os flocos de neve, sentindo-os cair de levinho no meu rosto, enquanto ouvia J.P. explicar que estava feliz por eu ainda ser princesa afinal de contas.

De repente — assim, sem mais nem menos — eu não me senti mais tão deprimida quanto antes.

Realmente não tenho como explicar de outra maneira. A Srta. Martinez sem dúvida ficaria decepcionada com a minha falta de verbos descritivos.

Mas foi exatamente assim que aconteceu. De repente não estava me sentindo tão triste.

Não que eu estivesse curada nem nada.

Mas que eu tinha subido alguns metros naquele enorme buraco preto e conseguia enxergar o céu — com clareza — de novo. Estava simplesmente quase ao meu alcance, e não mais a metros de altura. Eu estava *quase* lá...

E daí, enquanto J.P. dizia "E espero que você não ache que estou te perseguindo, porque não estou, só achei que você estava precisando de um amigo, já que tenho certeza de que o seu pai não está muito contente com você neste momento...", percebi que eu me sentia... feliz.

Feliz. De verdade.

Não em completa felicidade nem nada. Não em êxtase. Não deleitada. Mas foi uma mudança tão boa de me sentir triste o tempo todo que eu — de uma maneira completamente espontânea, e sem pensar sobre o assunto — joguei os braços em volta do pescoço do J.P. e dei o maior beijão na boca dele.

Ele pareceu surpreso de verdade. Mas se recuperou no último instante e acabou me abraçando também e retribuindo o beijo.

E a coisa mais estranha de todas foi que... eu realmente senti uma coisa quando os lábios dele encostaram nos meus.

Tenho bastante certeza disso.

Não foi nada parecido com o que eu sentia quando Michael e eu nos beijávamos.

Mas foi alguma coisa.

Talvez tenham sido só os dois ou três flocos de neve no meu rosto.

Mas talvez — apenas talvez — tenha sido disso que o meu pai estava falando. Você sabe: esperança.

Não sei. Mas foi bom.

Finalmente o Lars limpou a garganta e eu soltei J.P.

Daí J.P. disse, parecendo acanhado: "Bom, talvez eu esteja perseguindo você *um pouquinho*. Posso perseguir mais amanhã?"

E eu dei risada. Então disse:

"Pode. Boa noite, J.P."

E daí eu entrei.

E vi que tinha duas mensagens na minha caixa de entrada.

A primeira era da Tina:

Iluvromance: Miiiaaaaa,

    Ai, meu Deus! Acabei de ver no noticiário. Você é igualzinha a Drew em *Para sempre Cinderela*. Quando ela chegou com as asas nas costas! Só que, em vez de só ficar linda em uma festa, você realmente FEZ alguma coisa. Como CARREGAR UM PRÍNCIPE NAS COSTAS. Só que ainda melhor. PARABÉNS!!!!!

                                    Bjs,
                                      Tina

Daí eu cliquei na segunda mensagem. Era do Michael.

Como sempre, meu coração acelerou quando vi o nome dele. Acho que isso é algo que nunca vai mudar.

Mas pelo menos a temperatura da palma das minhas mãos permaneceu a mesma.

No texto da mensagem tinha um link para a notícia sobre a bomba que eu joguei, com um recado embaixo que dizia:

> **SkinnerBx:** Oi Mia,
> Você por acaso acabou de dispensar o seu trono e levar a democracia para um país que nunca conheceu nada parecido com isso?
> Mandou bem, Thermopolis!
> Michael

Dei risada quando vi isso. Não pude evitar.

E, sabe, foi bom dar risada sobre algo que Michael disse (ou escreveu). Parecia que fazia muito tempo que isso não acontecia.

E daí me ocorreu que talvez Michael e eu possamos ser amigos — apenas amigos. Por enquanto, pelo menos.

Então, desta vez, em vez de EXCLUIR, eu cliquei em RESPONDER.

E daí, eu escrevi pra ele.

Princesa para sempre

Para a minha agente, Laura Langlie,
com amor e muitos agradecimentos por sua paciência e
gentileza infinitas, além de seu senso de humor acima de tudo!

Agradecimentos

Esta série não teria sido possível sem a ajuda de tantas pessoas, que seria difícil citar aqui, mas eu gostaria de tentar agradecer especialmente a algumas delas: Beth Ader, Jennifer Brown, Barb Cabot, Bill Contardi, Sarah Davies, Michele Jaffe, Laura Langlie, Abigail McAden, Amanda Maciel, Benjamin Egnatz, todo mundo na HarperCollins Children's Books que trabalhou com tanto afinco em nome da princesa Mia e seus amigos e, principalmente, os leitores que ficaram com ela até o fim. Um obrigada digno da realeza a todos vocês!

"É exatamente igual às das histórias", ela choramingou.
"As coitadas das princesas que foram colocadas no mundo."

A Princesinha
Frances Hodgson Burnett

teenSTYLE • • • • •

A **teen**STYLE bateu um papo exclusivo com a princesa Mia Thermopolis para falar sobre o que significa ser integrante da realeza, a formatura que está chegando e o que é obrigatório no guarda-roupa dela!

A **teen**STYLE conversou com a princesa Mia na primavera, enquanto ela desempenhava uma entre suas várias atividades de voluntariado, trabalhando na arrumação do Central Park com seus colegas do último ano da Escola Albert Einstein, uma vez que todos eles participarão da cerimônia de formatura no local dentro de algumas semanas!

    O que representaria menos a realeza do que pintar bancos de parque? E, no entanto, a princesa Mia conseguiu manter seu ar totalmente real com jeans escuro, justo e de cintura baixa da 7 For All Mankind, camiseta branca simples de gola redonda e sapatilhas Emilio Pucci.

Esta é uma princesa que sabe mesmo o que é ter **teen**STYLE!

teenSTYLE: Vamos direto ao ponto: muita gente está confusa sobre o que está acontecendo com o governo de Genovia neste momento. Nossas leitoras querem saber: você continua sendo princesa?

Princesa Mia: Continuo, com certeza. Genovia era uma monarquia absoluta até eu encontrar um documento, no ano passado, em que minha ancestral, a princesa Amelie, declarava que o país seria uma monarquia constitucional — exatamente como aconteceu com a Inglaterra há 400 anos. Esse documento foi validado pelo Parlamento de Genovia na primavera do ano passado, e agora estamos a duas semanas da eleição para primeiro-ministro.

teenSTYLE: Mas você ainda vai governar?

Princesa Mia: Infelizmente, sim. Quer dizer, vou. Vou herdar o trono quando meu pai morrer. O povo de Genovia vai eleger um primeiro--ministro, assim como acontece na Inglaterra, ao mesmo tempo em que ainda conta com um monarca regente... No caso de Genovia, como somos um principado, é sempre um príncipe ou uma princesa.

*teen*STYLE: Que ótimo! Então você sempre vai ter aquela tiara, as limusines, o palácio, os vestidos de baile divinos...

Princesa Mia: ... e os guarda-costas, os paparazzi, zero privacidade, gente como você me perseguindo, e minha avó me forçando a aceitar dar uma entrevista para você para o meu nome aparecer na revista e atrair mais turistas para Genovia? É, vou continuar tendo tudo isso. Como se, neste momento, a gente já não estivesse aparecendo em um número de revistas mais do que suficiente com meu pai concorrendo à eleição de primeiro-ministro, e o próprio primo, o príncipe René, concorrendo contra ele.

*teen*STYLE: E ele está liderando as pesquisas, de acordo com as notícias mais recentes. Mas vamos passar para os seus planos para depois do ensino médio. Sua formatura na prestigiosa Escola Albert Einstein, em Manhattan, será no dia 7 de maio. Quais são os acessórios que você está pensando em usar para amenizar o visual de beca e capelo?

Princesa Mia: Ele está na frente, apesar de eu, francamente, considerar a plataforma de campanha do príncipe René ridícula. Uma das coisas que ele disse foi: "Vocês ficariam surpresos em saber quanta gente no mundo nunca ouviu falar de Genovia. Muitas pessoas acreditam que seja um lugar inventado, algo tirado de um filme. Estou disposto a mudar essa situação." Mas as ideias dele para melhorar Genovia incluem gerar mais lucros com o turismo. Ele não para de dizer que Genovia deveria se transformar em um destino de férias, como Miami ou Las Vegas! *Vegas!* Ele quer instalar franquias de restaurantes, como Applebee's, Chili's e McDonald's para atrair turistas norte-americanos que fazem cruzeiros lá. Dá pra imaginar? Que outra coisa poderia ser mais desastrosa para a infraestrutura delicada de Genovia? Algumas das nossas pontes têm cinco séculos de idade! Isso sem mencionar os danos causados ao meio ambiente, que já foi muito prejudicado pelos dejetos lançados pelos navios de cruzeiro...

*teen*STYLE: Hm... dá para ver que essa é uma questão importante para você. Incentivamos nossos leitores a se interessar por atualidades, como, por exemplo, o seu aniversário de 18 anos, que vai ser no dia 1º de maio, como sabemos! Será que há algum fundo de verdade nos boatos de que a sua avó, a princesa viúva Clarisse, está em Nova York já faz algum tempo, planejando uma comemoração totalmente extravagante para você a bordo de um iate?

Princesa Mia: Não estou dizendo que não haja espaço para melhorias em Genovia, mas não da maneira como o príncipe René quer fazer. Acho que a reação do meu pai — de afirmar que os nossos cidadãos precisam agora, mais do que qualquer coisa, de melhorias no dia a dia — está absolutamente certa. O meu pai, e não o príncipe René, tem a experiência de que Genovia precisa agora. Quer dizer, ele foi príncipe de lá a vida toda, e está no governo há dez anos. Ele sabe, mais do que qualquer pessoa, do que o povo precisa e não precisa... E ninguém precisa de um Applebee's!

*teen*STYLE: Então... Você está pensando em estudar ciências políticas na faculdade?

Princesa Mia: O quê? Ah, não. Eu estava mesmo pensando em me formar em jornalismo. Com optativa de escrita criativa.

*teen*STYLE: É mesmo? Então você quer ser jornalista?

Princesa Mia: Na verdade, eu adoraria ser escritora. Sei que é muito difícil ser publicada, mas ouvi dizer que se você começa escrevendo romances, tem mais chance.

*teen*STYLE: Falando em romance, você deve estar se preparando para o evento que todas as meninas dos Estados Unidos estão esperando com ansiedade! Uma coisinha chamada BAILE DE FORMATURA?

Princesa Mia: Ah. Hm. É. Acho que sim.

*teen*STYLE: Vamos lá, pode nos dizer. Claro que você vai ao seu!

Todo mundo sabe que as coisas entre você e seu namorado de longa data, Michael Moscovitz, acabaram no ano passado, quando ele foi para o Japão. Ele ainda não voltou, certo?

Princesa Mia: Pelo que sei, ele continua no Japão. E nós somos apenas amigos.

*teen*STYLE: Certo! Você tem sido vista com frequência na companhia do seu colega John Paul Reynolds-Abernathy IV, que também é aluno do último ano da EAE. É ele que está pintando aquele banco ali, não é?

Princesa Mia: Hm... é.

***teen*STYLE:** Então... não faça suspense! Vai ser o J.P. que vai acompanhar você ao baile de formatura da Escola Albert Einstein? E o que você vai usar? Sabe que tecidos metalizados estão com tudo nesta temporada... Será que você vai brilhar de dourado?

Princesa Mia: Ai, não! Desculpe! Não foi intenção do meu guarda-costas chutar aquela lata de tinta para cair tudo em cima de você. Mas como ele é desajeitado! Por favor, mande para mim a conta da lavanderia.

Lars: Aos cuidados do Departamento de Imprensa Real de Genovia, na Quinta Avenida.

SUA ALTEZA REAL

Princesa Viúva
Clarisse Marie Grimaldi Renaldo

requisita o prazer da sua companhia em uma noite para comemorar o décimo oitavo aniversário de

Sua Alteza Real

Princesa Amelia Mignonette
Grimaldi Thermopolis Renaldo

na segunda-feira, dia primeiro de maio, às dezenove horas, no
Porto Marítimo de South Street, Píer Onze
a bordo do Iate Real de Genovia
Clarisse III

Universidade Yale

Cara princesa Amelia,

Venho por meio desta parabenizá-la por sua admissão na Universidade Yale! Dar esta boa notícia a um candidato é, com toda a certeza, a melhor parte do meu trabalho, e fico imensamente feliz de poder enviar-lhe esta carta. Você tem todos os motivos para se orgulhar da nossa oferta de admissão. Sei que Yale se transformaria em um lugar ainda mais rico e mais vital com a sua presença aqui...

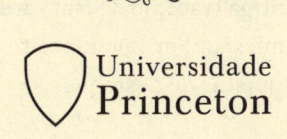

Universidade Princeton

Cara princesa Amelia,

Parabéns! Seus resultados acadêmicos e extracurriculares, além de suas fortes qualidades pessoais, foram considerados pelo setor de admissões como excepcionais, tanto que gostaríamos de contar com eles aqui em Princeton. Ficamos felizes de enviar-lhe esta boa notícia e, principalmente, de dar-lhe as boas-vindas a Princeton...

Universidade de Columbia
Faculdade de Columbia

Cara princesa Amelia:

Parabéns! O Comitê de Admissões se junta a mim na parte mais gratificante deste trabalho — que é informá-la de que você foi selecionada para a Universidade de Columbia, na cidade de Nova York. Temos certeza de que as qualidades que você trará ao nosso campus serão únicas e valiosas e que as suas capacidades serão desafiadas e desenvolvidas aqui...

H
UNIVERSIDADE HARVARD

Cara princesa Amelia,

Sinto-me lisonjeado de informá-la que o Comitê de Admissões e de Auxílio Financeiro votou para oferecer-lhe uma vaga em Harvard. De acordo com uma antiga tradição de Harvard, você está recebendo um certificado de admissão. Por favor, aceite meus cumprimentos pessoais por suas conquistas de destaque...

UNIVERSIDADE
BROWN

Cara princesa Amelia,

Parabéns! A Diretoria de Admissões da Brown avaliou mais de 19 mil candidatos, e é com muito prazer que informamos que o seu material de inscrição foi incluído entre os aceitos. O seu...

Daphne Delacroix
1005 Thompson Street, Apt. 4A
Nova York, NY 10003

Cara Srta. Delacroix,

Enviamos com esta o seu livro *Liberte o meu coração*. Obrigado por nos dar a oportunidade de lê-lo. No entanto, a obra não atende às nossas necessidades no presente momento. Boa sorte em outras editoras.

Atenciosamente,
Ned Christiansen

Assistente Editorial
Brampft Books
520 Madison Avenue
Nova York, NY 10023

⚘

Cara autora,

Obrigado pelo envio de seu livro. Apesar de ter sido lido com muito cuidado, não é o que estamos procurando no momento aqui na Cambridge House. Desejamos muita sorte em suas empreitadas futuras.

Atenciosamente,
Cambridge House Books

⚘

Cara Sra. Delacroix,

Muito obrigado pelo envio de *Liberte o meu coração*.

Nós, da Author Press, ficamos muito impressionados com o seu trabalho e o consideramos muito promissor! No entanto, é importante ter em mente que as editoras recebem um número bastante superior a 20 mil originais por ano e, para se destacar, o seu precisa ser PERFEITO. Por uma taxa nominal (US$ 5 por página), o seu original, *Liberte o meu coração*, pode estar nas prateleiras já no próximo Natal...

> *Os Alunos do Último Ano da Albert Einstein High School
> requisitam o prazer da sua companhia no*
>
> ### ❧ Baile de Formatura ❧
>
> *no sábado, dia 6h de maio, às dezenove horas,
> no salão de baile do Waldorf-Astoria*

Quinta, 27 de abril, S&T

Mia, vamos sair pra comprar o vestido do baile de formatura — e alguma coisa pra usar na sua festa de aniversário — depois da escola. Primeiro, vamos até a Bendel's e a Barneys, depois, se não tiver nada lá, vamos dar uma olhada na Jeffrey e na Stella McCartney. Topa?

Lana

Enviado pelo meu Blackberry®

L — Desculpa. Não posso. Mas divirtam-se! bj

Como assim não pode? O que mais você tem pra fazer? Não vai me dizer que é aula de princesa, porque eu sei que a sua avó cancelou as aulas enquanto ela organiza a sua festança, e também não adianta dizer que é terapia porque você só vai às sextas. Então o que é? Não seja tão metida, a gente precisa da sua limusine. Eu gastei todo o meu dinheiro de táxi do mês em um par de sapatos plataforma de couro abertinhos atrás da D&G.

Enviado pelo meu Blackberry®

Uau. Ter aberto o jogo sobre o Dr. Loco com os meus amigos foi libertador e tal, bem como ele disse que seria.

Principalmente porque a maior parte deles também já fez terapia.

Mas alguns deles — como Lana — às vezes tratam o assunto com descaso demais.

Vou ficar depois da aula pra ajudar o J.P. com o projeto final dele. Você sabe que ele vai apresentar a montagem final da peça para o comitê de avaliação do último ano na semana que vem. Eu prometi dar apoio. Ele está preocupado com a performance de alguns dos atores, acha que a irmã mais nova da Amber Cheeseman, Stacey, não está se esforçando muito. E ela é a protagonista, sabe?

Ai, meu Deus, aquela peça que ele escreveu?
Caramba, por acaso vocês dois nasceram grudados?
Você pode passar dez minutos longe dele, sabia? Então venha fazer compras com a gente. Depois vamos tomar um frozen yogurt na Pinkberry! Por minha conta!

Enviado pelo meu Blackberry®

Lana acha que a Pinkberry resolve tudo. Ou, se não for a Pinkberry, a revista *Allure*. Quando a Benazir Bhutto foi assassinada e eu não parava de chorar, ela me trouxe um exemplar da *Allure* e me mandou tomar um banho de banheira e ler a revista do começo ao fim. Ainda falou assim, bem séria: "Você vai se sentir melhor rapidinho!" E tenho certeza de que ela tinha a melhor das intenções. E o mais esquisito de tudo é que, depois que fiz o que ela disse, eu me senti *mesmo* um pouco melhor.

E também fiquei sabendo muito mais coisas sobre a lipoaspiração do tipo SmartLipo.

Mas mesmo assim...

Lana, é sobre a arte. J.P. é o roteirista e diretor. Preciso estar lá pra apoiá-lo. Eu sou a namorada dele, afinal. Vocês podem ir sem mim.

Caramba, o que deu em você? É o BAILE DE FORMATURA! Tudo bem, você que sabe. Eu perdoo você, mas só porque sei que você anda preocupada com esse negócio da eleição do seu pai. Ah, e com a faculdade em que você vai estudar no ano que vem. Meu Deus, não acredito que você não foi aceita em nenhum lugar. Quer dizer, até eu entrei na Penn. E o meu projeto final era sobre a história do lápis de olho. Ainda bem que meu pai tinha estudado lá, acho.

———————————————

Enviado pelo meu Blackberry®

Haha, pois é, é verdade! Eu tive a pior nota de matemática da história do vestibular. Quem ia me querer? Ainda bem que L'Université de Genovia é obrigada a me aceitar, já que foi fundada pela minha família, que também é a maior benfeitora da instituição e tal.

Você tem tanta sorte! Faculdade com praia! Posso ir passar as férias de primavera lá? Prometo levar um monte de gatinhos da Penn... Ops, preciso ir, o Fleener está em cima de mim. Qual é o PROBLEMA desses idiotas? Será que eles não percebem que nós só temos mais duas semanas aqui? Até parece que as nossas notas ainda fazem alguma DIFERENÇA!

———————————————

Enviado pelo meu Blackberry®

Ah, eu sei! Idiotas! É! Nem me fale!

Quinta, 27 de abril, Francês

Certo, faz quatro anos que comecei a estudar aqui e ainda parece que a única coisa que faço é mentir.

E também não estou falando só da Lana e dos meus pais. Agora eu minto pra *todo mundo*.

Era de imaginar que, depois de tanto tempo, eu já tivesse melhorado neste quesito.

Mas descobri, da maneira mais difícil — há pouco menos de dois anos, pra falar a verdade —, o que acontece quando a gente conta a verdade.

E apesar de ainda achar que fiz a coisa certa — quer dizer, eu instituí a democracia em um país que nunca conheceu isso antes e tal —, não vou repetir o erro. Eu magoei tanta gente — principalmente pessoas que são muito importantes pra mim — por ter contado a verdade que realmente fiquei achando que o melhor é mesmo... bom, mentir.

Não mentiras grandes. Só mentirinhas inofensivas, que não magoam ninguém. Eu não minto para obter vantagem.

Mas o que posso fazer? *Confessar* que fui aceita por todas as faculdades em que me inscrevi!

Ah, sim, isso seria muito bom mesmo. Se eu falasse, imagine como todas as pessoas que *não* entraram na faculdade que tinham como primeira opção iam se sentir? Principalmente as pessoas que mereciam, que seria aproximadamente oitenta por cento dos formandos da EAE.

Além do mais, você sabe o que todo mundo iria dizer.

Tudo bem que as pessoas *legais*, como a Tina, iam dizer que eu tenho sorte.

Mas até parece que sorte tem alguma coisa a ver com isso! A menos que você considere "sorte" o fato de a minha mãe ter esbarrado com o meu pai na festa de faculdade fora do campus onde eles se conheceram, de os dois terem se odiado instantaneamente e isto, obviamente, ter levado à tensão sexual inevitável, que conduziu a *l'amour* e, uma camisinha furada depois, a mim.

E — apesar da insistência da diretora Gupta — não estou convencida de que muito estudo tenha tido *realmente* a ver com o fato de ser aceita em todas as faculdades também.

Ok, eu realmente me saí bem nas partes de escrita e leitura crítica do vestibular. E as minhas redações de inscrição para as faculdades também ficaram boas. (Não vou mentir a respeito *disto*, pelo menos não no meu próprio diário. Eu ralei pra escrever aqueles textos.)

Mas reconheço que, quando você tem atividades extracurriculares como "Sozinha, levou a democracia para um país que nunca a conhecera antes" e "Escreveu um romance de 400 páginas como projeto final do último ano", realmente parece um pouquinho impressionante.

Mas posso ser sincera comigo mesma: por que todas as faculdades em que eu me inscrevi me aceitaram? Só porque sou uma princesa.

E não é que eu não me sinta agradecida. Sei que cada uma dessas faculdades *vai* me dar uma oportunidade educacional maravilhosa e única.

É só que... seria legal se pelo menos *um* desses lugares tivesse me aceitado por... bom, por *mim*, e não por causa da minha tiara. Eu gostaria de pelo menos poder ter me inscrito com o meu pseudônimo — Daphne Delacroix — para ter certeza.

Tanto faz. Tenho coisas mais importantes com que me preocupar neste momento.

Bom, não mais importantes do que onde vou passar os próximos quatro anos da minha vida — ou mais, se eu vacilar e não escolher logo o curso em que vou me formar, como a minha mãe fez.

Mas tem a coisa toda com o meu pai. E se ele não vencer a eleição? A eleição nem estaria acontecendo se eu não tivesse contado a verdade.

E Grandmère está tão aborrecida com o fato de René — logo ele! — estar disputando a eleição contra o papai, além de todos os boatos que andam circulando desde que tornei pública a declaração da princesa Amelie, como se a nossa família tivesse passado todos esses anos escondendo a declaração de Amelie de propósito para que os Renaldo pudessem permanecer no poder, que o papai teve que isolá-la em Manhattan e fazer com que ela organizasse essa festa de aniversário idiota pra mim só pra ela se distrair e parar de atormentá-lo com a pergunta que não para de repetir: "Mas isso significa que nós vamos ter que sair do palácio?"

Grandmère — assim como as leitoras da **teen**STYLE — parece ser incapaz de compreender que o palácio de Genovia — e a família real — está protegido sob a declaração de Amelie (e, além do mais, é uma grande fonte de lucro com o turismo, igualzinho como acontece com a família real britânica). Eu fico explicando para ela: "Grandmère, não importa o que aconteça na eleição, o papai *sempre* vai ser o príncipe de Genovia, você *sempre* vai ser SAR (Sua Alteza Real) princesa viúva, e eu *sempre* vou ser SAR princesa de Genovia. Vou continuar sendo obrigada a inaugurar alas novas do hospital, vou continuar usando esta tiara idiota e vou continuar comparecendo a enterros de Estado e a jantares diplomáticos... Só não vou legislar. Esse vai ser o trabalho do primeiro-ministro. O trabalho do meu pai, espero. Entendeu?"

Só que ela nunca entende.

Acho que é o mínimo que posso fazer pelo meu pai depois do que aprontei. Dar conta dela, quero dizer. Quando abri a boca a respeito dessa coisa toda de Genovia na verdade ser uma democracia, achei que ele iria concorrer ao cargo de primeiro-ministro sem oposição. Quer dizer, com a população apática que nós temos, quem mais estaria interessado em concorrer? Nunca sonhei que a condessa Trevanni iria pagar para o genro dela concorrer contra ele.

Mas eu deveria saber. Até parece que René algum dia teve um emprego de verdade. E agora que ele e Bella têm um filho, ele precisa fazer *alguma coisa*, acho, além de trocar fraldas descartáveis.

Mas *Applebee's*? Ele deve estar recebendo alguma comissão deles, no mínimo.

O que vai acontecer se Genovia for tomada por essas franquias de restaurantes e — meu peito realmente se aperta quando eu penso nisso — for transformada em outra Euro Disney?

O que eu posso fazer pra que isso não aconteça?

Meu pai diz que eu não devo me intrometer, que já aprontei mais do que devia. É, como se isso não fizesse eu me sentir ainda mais culpada.

Toda essa história é simplesmente muito cansativa.

Isso sem mencionar todas as outras coisas. Até parece que elas têm alguma importância, quando comparadas ao que está acontecendo com o meu pai e Genovia, mas... Bom, meio que têm sim. Quer dizer, meu pai e Genovia estão encarando tantas mudanças, e eu também.

A única diferença é que eles não estão *mentindo* a respeito delas como eu estou fazendo. Bom, tudo bem, papai está mentindo a respeito do motivo por que Grandmère está em Nova York (diz que é para organizar minha festa de aniversário, mas, na verdade, é porque ele não suporta que ela fique por perto).

Essa é *uma* mentira. Eu contei *várias* mentiras. Mentira em cima de mentira.

LISTA DE MENTIRAS ENORMES QUE MIA THERMOPOLIS ANDA CONTANDO PRA TODO MUNDO

Mentira Número Um:
Bom, a primeiríssima de todas é a mentira de que eu não entrei em todas aquelas faculdades. (Ninguém sabe a verdade além de mim e da diretora Gupta. E dos meus pais, óbvio.)

Mentira Número Dois:

Daí tem a mentira a respeito do meu projeto final. Quer dizer, *na verdade* não era sobre a história da extração de azeite de oliva em Genovia no período aproximado de 1254-1650, como eu disse pra todo mundo (a não ser a Srta. Martinez, obviamente, que foi minha orientadora, e que de fato leu tudo... ou pelo menos leu as primeiras 80 páginas, já que eu reparei que ela parou de corrigir a pontuação depois disso. O Dr. L também sabe a verdade, mas ele não pode contar).

Ninguém nem pediu pra ler; afinal, quem é que vai querer ler um tratado de 400 páginas sobre a história da extração de azeite de oliva em Genovia no período aproximado de 1254-1650?

Bom, só uma pessoa.

Mas não quero falar sobre isso agora.

Mentira Número Três:

A que eu acabei de contar pra Lana sobre não poder sair com ela pra comprar o vestido para o baile de formatura porque tenho que fazer companhia para o JP depois da aula, quando, na verdade... Bom. Esta não é a *única* razão por que eu não vou sair com ela pra comprar o vestido para o baile de formatura. Não quero discutir o assunto com ela porque já sei o que ela vai dizer e simplesmente não estou no clima de lidar com a Lana neste momento.

Só o Dr. Loco conhece a extensão exata das minhas mentiras. Ele disse que está preparado para liberar a agenda dele no dia em que tudo explodir na minha cara, e me avisou que isto vai acontecer, é inevitável.

Disse também que é melhor eu dar um jeito nisso logo, porque a nossa última consulta é na semana que vem.

E ainda falou que seria muito melhor se eu simplesmente confessasse logo — se eu contasse a verdade a respeito de ter sido aceita por todas as faculdades em que eu me inscrevi (por alguma razão, ele acha que *não* fui aceita necessariamente só por ser princesa), se eu dissesse pra todo mundo qual é *realmente* o tema do meu projeto final, inclusive para a única pessoa que está com vontade de ler, e até confessar a respeito do baile de formatura.

Se quer saber a minha opinião, um bom lugar pra eu começar a contar a verdade seria o consultório do Dr. L — dizendo ao Dr. L que eu acho que é *ele* que está precisando de terapia. É verdade que foi ele quem me salvou quando eu estava passando pelos períodos mais sombrios da minha vida (apesar de ele ter me feito sair daquele buraco sozinha).

Mas ele deve ter perdido o juízo pra achar que eu simplesmente vou começar a falar a verdade nua e crua assim, sem mais nem menos, pra todo mundo.

O negócio é que tem *tanta* gente que ia ficar magoada se eu de repente começasse a contar a verdade... O Dr. L estava presente quando aconteceu toda a confusão depois da revelação sobre a princesa Amelie. Papai e Grandmère passaram *horas* no consultório dele depois disso. Foi *horrível*. Não quero que isso aconteça de novo.

Não que os meus amigos possam ir parar no consultório do meu terapeuta. Mas Kenny Showalter — ai, desculpa, o *Kenneth*, como ele quer ser chamado agora — queria estudar em Columbia mais do que qualquer coisa, mas em vez disto ele só conseguiu sua segunda opção, que era o Massachusetts Institute of Technology. O MIT é uma faculdade fantástica, mas vai tentar dizer isto ao Kenny — quer dizer, Kenneth? Acho que o fato de que ele vai se separar de seu único amor verdadeiro, Lilly — que *vai* para Columbia, igual ao irmão dela —, é o que mais o incomoda a respeito do MIT, que fica em outro estado.

E aí tem a Tina, que não entrou na primeira opção *dela*, Harvard, mas entrou na NYU. Então ela até que está feliz, porque o Boris não entrou na primeira opção dele, Berklee, que fica em Boston. Em vez disto, ele entrou na Juilliard, que fica em Nova York. Isto significa que, pelo menos, Tina e Boris vão estudar em faculdades na mesma cidade. Apesar de não ser a primeira opção de faculdade deles.

Ah, e Trisha vai para a Duke. E Perin para Dartmouth. E Ling Su para a Parsons. E Shameeka vai para Princeton.

Ainda assim... Ninguém está indo exatamente pra faculdade que queria. (Lilly queria ir pra Harvard.) E ninguém que queria estudar junto conseguiu ser chamado para o mesmo lugar!

Inclusive eu e J.P. Bom, tirando o fato de que a gente entrou na mesma faculdade. Mas ele não sabe disto. Porque eu disse a ele que não entrei.

Não consegui dizer que entrei! Quando todo mundo estava consultando as admissões on-line, e os envelopes começaram a chegar, e ninguém estava conseguindo sua primeira opção de faculdade, e todo mundo começou a descobrir que ficaria a um ou dois estados de distância, e começou a chorar e se lamentar, eu simplesmente... não sei o que deu em mim. Eu me senti tão mal de ser aceita em todas as faculdades que simplesmente soltei: "Eu também não entrei em lugar nenhum!"

Isso era simplesmente mais fácil do que contar a verdade e magoar alguém. Apesar de a minha mentira ter feito o J.P. ficar pálido, engolir em seco e colocar o braço em volta dos meus ombros e dizer: "Tudo bem, Mia. A gente vai superar isso. De algum modo."

Então é isso aí. Eu sou patética.

Mas minha mentira também não foi assim tão inacreditável. Com a minha nota no vestibular em matemática? Eu *não devia* ter sido aceita em lugar nenhum.

E sinceramente? Como é que eu posso contar a verdade pra alguém *agora*? Não dá. Simplesmente não dá.

Dr. L diz que essa é a maneira mais covarde de lidar com as coisas. Ele diz que eu sou uma mulher corajosa, igual a Eleanor Roosevelt e a princesa Amelie, e que sou capaz de ultrapassar esses obstáculos com facilidade (como, por exemplo, o fato de ter mentido pra todo mundo).

Mas só faltam mais dez dias para a escola terminar! Qualquer pessoa é capaz de fingir qualquer coisa durante dez dias. Grandmère finge ter sobrancelhas desde que eu a conheço...

Mia! Você está escrevendo no seu diário! Faz séculos que eu não vejo você fazer isto!

Ah. Oi, Tina. É. Bom, é como eu falei. Estava ocupada com o projeto final.

E como! Você passou praticamente os últimos dois anos trabalhando nele! Eu não fazia ideia de que a história da extração de azeite de oliva em Genovia era assim tão fascinante.

É sim, pode acreditar! Como o principal produto de exportação de Genovia, o azeite de oliva e sua produção são um assunto extremamente interessante.

Nem eu consigo acreditar. Olha só o que eu estou dizendo! Será que dá pra ser mais patética??? *Como o principal produto de exportação de Genovia, o azeite de oliva e sua produção são um assunto extremamente interessante?*

Ah, se a Tina soubesse de verdade sobre o que é o meu livro... Ela *morreria* se soubesse que escrevi um romance histórico de 400 páginas... Tina *ama* romances!

Mas não posso contar pra ela. Quer dizer, se eu não conseguir publicar, obviamente não é bom.

Se pelo menos ela tivesse pedido pra ler... Mas quem vai querer ler a respeito de azeite de oliva e sua produção?

Certo, bom, *uma* pessoa.

Mas ele só estava sendo simpático. Sinceramente. Essa é a única razão.

E não posso realmente mandar uma cópia pra ele. Porque daí ele vai ver sobre o que é *de verdade*.

E eu vou morrer.

Mia. Está tudo bem com você?

Está sim. Por que a pergunta?

Não sei. Porque você anda agindo de um jeito meio... Bom, cada vez mais esquisito com a aproximação da formatura. E, como sou a sua melhor amiga, achei melhor perguntar. Eu sei que você não entrou em nenhuma das faculdades em que se inscreveu, mas com certeza o seu pai pode mexer alguns pauzinhos, né? Quer dizer, ele ainda é príncipe — isto sem falar que logo vai ser primeiro-ministro! Bom, esperamos que sim. Com certeza ele vai ganhar daquele babaca do príncipe René. Eu sei que ele pode conseguir que você seja aceita na NYU, e aí a gente pode dividir o quarto no alojamento!

Bom... vamos ver! Estou tentando não me preocupar muito com isso.

Você? Não se preocupar? Fico surpresa por você não ter passado os últimos seis meses com o nariz enfiado neste diário. Mas, bom, que história é essa que a Lana me contou de você não querer ir com a gente

comprar vestidos para o baile de formatura? Ela disse que você vai ao ensaio do J.P....

Uau, as notícias correm rápido neste lugar. Acho que eu não devia me surpreender. Até parece que algum de nós, formandos, vamos mesmo fazer alguma coisa nas duas últimas semanas de aula.

Pois é. Preciso dar apoio ao meu namorado.

Certo. Só que J.P. proibiu você de assistir a todos os ensaios da peça dele, porque ele quer que você tenha uma surpresa completa na noite de estreia, não é? Então... O que está acontecendo de verdade, Mia?

Ótimo. O Dr. L tinha razão. Está tudo explodindo na minha cara. Ou pelo menos está começando a explodir.
Bom, tudo bem. Se eu vou contar a verdade para as pessoas, pode ser muito bom começar com a Tina, que é uma pessoa doce, que não julga a gente e que está sempre do meu lado. Tina, minha melhor amiga e confidente total. Certo?

Pra falar a verdade, não tenho certeza se vou ao baile de formatura.

O QUÊ? Por quê? Mia, por acaso você vai tomar alguma posição feminista contra bailes? Foi a Lilly que botou isso na sua cabeça? Achei que vocês nem estavam se falando...

A gente está se falando! Você sabe que a gente está se falando. Nós... agimos com civilidade uma com a outra. Quer dizer, temos que agir, já que ela é a editora do *Átomo* este ano. E faz quase dois anos que ninguém atualiza o site www.euodeiomiathermopolis.com. Você sabe que eu ainda acho que ela está um pouco mal por causa daquilo tudo. Talvez.

Bom... é verdade. Quer dizer, ela nunca mais atualizou depois daquele dia que ela explodiu com você no refeitório. Acho que ela botou pra fora tudo o que a estava deixando tão furiosa com você.

Certo. Ou isso, ou ela está totalmente preocupada com o Átomo. E com o Kenny, obviamente. Quer dizer, Kenneth.

Né? Acho uma graça a Lilly ter conseguido ficar com um cara durante tanto tempo. Mas eu sinceramente preferia que eles não ficassem se agarrando na minha frente em biologia avançada. Não quero ver aquele tanto da língua de ninguém. Principalmente agora que ela colocou um piercing na dela. Mas nada disso explica por que você não vai ao baile de formatura!

Bom, a verdade é que... J.P. não chegou a me convidar para o baile. E por mim tudo bem, porque eu não quero ir.

É só por isso? Ah, Mia! É claro que o J.P. vai convidar você! Tenho certeza de que ele só anda tão ocupado com a peça dele — e pensando em que coisa FANTÁSTICA ele vai dar de presente pra você no seu aniversário — que ainda não teve tempo de pensar sobre a formatura. Quer que eu peça ao Boris pra dar um toque nele?

Ai! Ai, ai, ai, ai.
E também por que eu?

Ah, sim, Tina, com certeza. Com certeza quero que você mande o seu namorado lembrar ao meu namorado que ele precisa me convidar para o baile de formatura. Porque isso é realmente romântico, e foi exatamente assim que eu sonhei receber meu convite para o baile de formatura: através do namorado de outra pessoa.

Entendi. Ai, caramba, que confusão. E este devia ser o nosso momento especial... Sabe como é...

Espera...
Será que a Tina está mesmo falando de...
Está. Está *mesmo*.
Ela está falando sobre o assunto que nós costumávamos discutir quando estávamos no primeiro ano.

Sabe como é, aquela coisa de perder-a-virgindade-na-noite-do-baile-de-formatura. Será que a Tina não percebe que muito tempo se passou e muitas águas já rolaram desde que a gente fantasiava durante as aulas do primeiro ano sobre como ia ser perfeita nossa noite do baile de formatura?

Não é possível que ela ache que eu ainda penso a mesma coisa que pensava naquela época.

Eu não sou a mesma pessoa que era naquela época.

E com toda a certeza não estou *com* a mesma pessoa que estava naquela época. Quer dizer, agora eu estou com o J.P....

E J.P. e eu...

Agora já é tarde demais para o J.P. reservar um quarto pra depois do baile no Waldorf. Pelo que eu soube, não tem mais nenhum quarto disponível.

Ai, meu Deus! Ela está falando sério!

É oficial: agora eu vou ter um ataque.

Mas acho que ele consegue um quarto em outro lugar. Ouvi dizer que o W é superlegal. Só não acredito que ele ainda não convidou você! Qual é o problema dele? Sabe, ele não é assim. Está tudo bem entre vocês dois? Vocês não brigaram nem nada, né?

Sinceramente, não acredito que isto está acontecendo. Isto é esquisito *demais*.

Será que eu conto pra ela?

Não posso contar pra ela. Posso?

... Não.

Não, nós não brigamos. É só que tem muita coisa rolando com a aproximação das últimas provas e os nossos projetos finais e a formatura e a eleição e o meu aniversário e tal. Acho mesmo que ele simplesmente esqueceu. E você não leu a mensagem que eu mandei antes, Tina? EU NÃO QUERO IR AO BAILE DE FORMATURA.

Não seja boba. Claro que quer! Quem não vai querer ir ao próprio baile de formatura? E por que você não convidou o J.P.? Não estamos no século

XIX. As meninas podem convidar os meninos para ir ao baile de formatura, sabe? Sei que não é a mesma coisa, mas vocês dois estão juntos há, tipo, uma eternidade! Vocês são um pouco mais do que apenas amigos, apesar de não terem... bom, feito Aquilo... ainda. Quer dizer... vocês não fizeram... fizeram?

Ahhhh... ela ainda chama de *fazer Aquilo*! É tanta fofura que pode me matar.

Mesmo assim. Tina tocou em alguns pontos importantes. Por que eu *não o convidei*? Quando os anúncios do baile de formatura começaram a sair no *Átomo*, por que eu não recortei um e colei na porta do armário do J.P., com um bilhete escrito *"Nós vamos?"*.

Por que simplesmente não perguntei, na cara dura, se nós íamos ao baile de formatura, já que todo mundo só fala disto no almoço? É verdade que J.P. anda distraído com a peça dele e com o fato de Stacey Cheeseman estar fazendo uma atuação tão péssima (provavelmente ajudaria se ele não passasse o tempo todo reescrevendo tudo e dando diálogos novos pra ela memorizar).

Seria fácil obter um sim ou não dele.

E, é claro, com o J.P., a resposta sem dúvida seria sim.

Porque o J.P., diferentemente do meu último namorado, não tem nada contra o baile de formatura.

O negócio é que eu não preciso conversar com o Dr. L pra saber por que não falei com o J.P. sobre o baile de formatura. Não é exatamente um mistério. Pra Tina talvez seja, mas não é pra mim.

Mas não quero entrar neste assunto agora.

Sabe, o baile de formatura já não é assim tão importante pra mim, T. Na verdade, tô achando tudo meio chato. Eu realmente não me importaria nem um pouco de deixar pra lá. Então pra que perder tempo comprando um vestido que eu talvez nem vá usar? Vocês podem se divertir fazendo compras sem mim. Tenho outras coisas pra fazer, aliás.

Coisas. Quando é que vou parar de chamar o meu livro de "coisa"? Fala sério, se tem alguém no mundo com quem eu posso ser sincera sobre isso é a Tina. Tina não daria risada se eu contasse pra ela que escrevi um livro, especialmente um romance. Tina foi a pessoa que me apresentou aos romances, que me fez apreciá-los e perceber como eles são fabulosos de tão bacanas, e não só uma introdução ao mundo das publicações literárias (apesar de haver maior número deles publicado do que de qualquer outro gênero, de modo que, estatisticamente, as chances de conseguir um contrato são maiores se você escrever um romance e não, digamos, um livro de ficção científica), mas porque eles são a história perfeita. Têm uma protagonista forte, um personagem principal masculino encantador, um conflito que os separa e no fim, depois de muita unha roída, uma conclusão satisfatória: o final feliz.

Sério, por que alguém iria querer escrever outra coisa? Se Tina soubesse que eu escrevi um romance, ela sem dúvida ia pedir pra ler — principalmente se soubesse que é a respeito de algo que *não é* a história da produção de azeite em Genovia, assunto sobre o qual nenhuma pessoa racional gostaria de ler...

Bom, tirando uma pessoa.

E cada vez que eu penso nisso fico com vontade de chorar, de verdade, porque realmente é a coisa mais legal que alguém já me disse. Ou que já me mandou por e-mail, porque foi assim que o Michael me mandou... o pedido dele para ler meu projeto final, quero dizer. Nós só trocamos uns dois e-mails aleatórios por mês, de qualquer jeito, falando só de assuntos aleatórios e nada pessoais, como, por exemplo, a primeira mensagem que eu mandei pra ele logo depois que ele terminou comigo: "Oi, como estão as coisas? Aqui está tudo bem, está nevando, não é esquisito? Bom, preciso ir, tchau."

Fiquei chocada quando ele ficou, tipo: "Ah, o seu projeto final é sobre a história da extração de azeite de oliva em Genovia no período aproximado de 1254-1650? Legal, Thermopolis. Será que eu posso ler?"

Daria pra me derrubar com um dos pompons da Lana. Porque *ninguém* pediu pra ler meu projeto final. Ninguém. Nem a minha mãe. Achei que eu tinha escolhido um assunto tão seguro que *ninguém* ia querer ler.

Nunca.

E lá estava Michael Moscovitz, no Japão, do outro lado do mundo (onde ele está há dois anos, trabalhando incessantemente no braço robotizado dele, que, eu tenho certeza, ele nunca vai terminar de fazer. Desisti de perguntar, uma vez que não parece mais educado tocar no assunto, já que ele finge que nem viu a pergunta), pedindo pra ler.

Eu disse a ele que tinha 400 páginas.

Ele disse que tudo bem.

Eu disse a ele que a entrelinha era de espaço 1 com fonte 9.

Ele disse que aumentaria quando chegasse.

Eu disse a ele que era o maior tédio.

E ele disse que não acreditava que eu fosse capaz de escrever alguma coisa tediosa.

Foi aí que eu parei de mandar e-mails pra ele.

O que mais eu podia fazer? Não dava pra mandar pra ele! Tudo bem, posso mandar para editores que nunca vi na vida, mas não para o meu ex-namorado! Não para o Michael! Quer dizer... tem *sexo* na história!

É só que... Como ele pôde *dizer* aquilo? Que ele não acreditava que eu fosse capaz de escrever alguma coisa tediosa? Do que ele estava *falando*? Eu sou totalmente capaz de escrever alguma coisa tediosa! A história da extração de azeite de oliva em Genovia no período aproximado de 1254-1650. Isso é o maior tédio!

E, tudo bem, na verdade o meu livro não é sobre isso. Mas mesmo assim! Ele não sabe que não é.

Como ele pôde *dizer* uma coisa dessa? Como pôde?

Isso não é o tipo de coisa que os ex — nem que os simples amigos — dizem uns aos outros.

E, supostamente, agora nós somos apenas isso. Mas sei lá. Tanto faz.

E eu também não posso mostrar pra Tina, e ela é a minha *melhor amiga*. Mas eu nem sei do que tenho tanta vergonha, pra falar a verdade. Tem gente que coloca os livros que escreve direto na internet e fica implorando para os outros lerem.

Mas eu não posso fazer isso. Não sei por quê. Só que...

Bom, eu *sei* porquê: tenho medo que a Tina — isso sem falar no Michael, ou no J.P., ou qualquer pessoa, pra falar a verdade — possa não gostar.

Do mesmo jeito que todas as editoras para as quais eu enviei o livro não gostaram. Bom, tirando a AuthorPress.

Mas eles querem que eu pague a ELES para publicar! Editoras DE VERDADE supostamente pagam a VOCÊ!!

Claro, a Srta. Martinez disse que gostou.

Mas nem sei bem se ela leu o livro todo. O negócio é o seguinte: e se eu estiver errada e for uma péssima escritora? E se eu simplesmente desperdicei quase dois anos da minha vida? Eu sei que todo mundo *pensa* que eu desperdicei escrevendo sobre a produção de azeite de oliva de Genovia.

Mas e se eu desperdicei *mesmo*?

Ah, não. Tina continua me mandando mensagem pra falar sobre o baile de formatura.

Mia! Baile de formatura não é uma chatice! Qual é o seu problema? Você não está com aquela coisa de depressão de novo, tá?

"Coisa de depressão." Maravilha.

Certo, eu não posso lutar contra a Tina. Não posso. Ela é uma força potente demais pra mim.

Não! Não tem nenhuma coisa de depressão. Tina, não foi o que eu quis dizer. Não sei qual é o meu problema. Acho que é ultimoanite — a mesma coisa que impede todos nós de prestar atenção à aula. Eu só quis dizer... Deixa pra lá. Vou falar com o J.P. sobre o baile de formatura.

É sério???? Vai mesmo????? Não está só falando por falar????

Sim, vou perguntar a ele. É só que eu tô com muita coisa na cabeça.

E você vai fazer compras com a gente hoje depois da aula?

Ai, caramba. Estou com zero vontade de ir fazer compras com elas hoje depois da aula. Qualquer coisa, menos isso. Preferia ter *aula de princesa* a isso.

Uau. Não acredito no que acabei de escrever.

Vou. Claro. Por que não?

OBA! Nós vamos nos divertir muito! E não se preocupa: nós vamos fazer você esquecer TUDO que tá rolando com seu pai! Yay!

Je ne ferai pas le texte dans la classe.
Je ne ferai pas le texte dans la classe.
Je ne ferai pas le texte dans la classe.
Je ne ferai pas le texte dans la classe.
Je ne ferai pas le texte dans la classe.
Je ne ferai pas le texte dans la classe.
Je ne ferai pas le texte dans la classe.

Uau! A Madame Wheeton está querendo causar uma guerra este mês.

Juro que um dia destes vão confiscar todos os nossos celulares.

Só que, se quer saber a *minha* opinião, os professores também devem estar com *ultimoanite*, porque faz semanas que estão ameaçando, e ninguém chegou a executar de fato a retaliação.

Quinta, 27 de abril, Psicologia

Certo! Então eu contei a verdade a alguém a respeito de algo...

E não foi o fim do mundo (bom, tirando o fato de que Madame Wheeton ficou furiosa quando pegou a gente trocando mensagens enquanto ela tentava fazer a revisão para a prova final).

Eu contei a verdade pra Tina a respeito de o J.P. não ter me convidado para o baile de formatura e de eu realmente não estar com a mínima vontade de ir. E não foi o fim do mundo! Tina não desmaiou e morreu.

Tá, ela tentou me convencer de que eu estava errada.

Mas que outra coisa eu podia esperar? A Tina é tão romântica, é óbvio que ela acha que o baile é o auge de *l'amour* adolescente.

Eu sei que já houve um tempo em que eu também pensava assim. Basta olhar as páginas dos meus diários antigos. Eu antes era *obcecada* pelo baile de formatura. Eu preferiria MORRER a perder a data.

Acho que, de certa forma, eu gostaria de recuperar essa emoção.

Mas todo mundo precisa crescer um dia.

E a verdade é que eu realmente não sei qual é a graça de ir a um jantar (frango borrachudo e alface murcha com um molho nojento) e dançar (música ruim) no Waldorf (um lugar aonde eu já fui um milhão de vezes, aliás, sendo que a mais notável delas foi a última, quando eu fiz um discurso que acabou com a reputação da minha família, sem mencionar do meu país de origem, para todo o sempre).

Eu só gostaria que...

AHHHHH!!!! Meu Deus, eu *preciso* me acostumar com essa coisa vibrando no meu bolso...

Ameliaaaaaaa — preciso de uma lissssssta de convidados atualizada sua na segundaaaaaa. Estou bem preocupadaaaaaaaaa. Todo mundo que eu convidei confirmou presença, de acordo com o Vigo. Até o seu primo Hankkkkkkkkkkkk vai vir dos desfiles de Milão para ir à festa. E acabei de receber a notícia da sua mãeeeeeeee que os seus avós horrorosos de Indianaaaaaaaaaa vão pegar um avião e vir para cá também. Estou muito aborrecida com issssssssso. Claro que eles tinham que ser convidados, mas nunca achei que iam dizer simmmmmmmmmmmm. Isso tudo é muito desconcertante... Talvez eu precise que você desconvide alguns dos seus convidados. Você sabe que no iate só cabem trezentas pessoas com conforto. Ligue para mim imediatamente. —

Clarisse, sua avóóóóóóóóóóóóóóó

Enviado pelo meu Blackberry®

Meu Deus! Por que o papai foi dar um BlackBerry pra Grandmère? Será que ele está tentando acabar com a minha vida? E quem, exatamente, foi idiota o bastante para mostrar a ela como *usá-lo*? Eu seria capaz de matar o Vigo.

Efeito do espectador — fenômeno psicológico em que uma pessoa tem menos propensão de interferir em uma situação de emergência quando outras pessoas estão presentes e são capazes de ajudar do que quando ela está sozinha. Tome como exemplo o caso de Kitty Genovese, em que uma moça foi atacada e uma dúzia de vizinhos escutou, mas ninguém chamou a polícia, porque um ficou achando que alguma outra pessoa o faria.

* DEVER DE CASA

História Mundial: Tanto faz

Literatura Inglesa: Sei lá

Trigonometria: Meu Deus, como eu odeio esta matéria

S&T: Eu sei que o Boris vai tocar no Carnegie Hall como projeto final, mas POR QUE ELE NÃO PARA COM ESSE CHOPIN LOGO?????

Francês: J'ai mal à la tête

Psicologia II: Não acredito que me dou ao trabalho de fazer anotações nesta aula. Eu vivi esta matéria.

Quinta, 27 de abril, Jeffrey

Maravilha.

J.P. nos viu no corredor, indo para a limusine, e falou assim: "Meninas, onde vocês estão indo assim tão animadas?", e o Lars respondeu, antes que eu pudesse impedir: "Vão comprar vestidos para o baile de formatura."

E daí Lana, Tina, Shameeka e Trisha olharam para o J.P., cheias de expectativa, com as sobrancelhas erguidas, como quem diz: *Acorda! O baile de formatura! Lembra? Você não esqueceu alguma coisa? Será que não seria bom convidar a sua namorada pra ir com você?*

Acho que as notícias circulam rápido. A parte sobre J.P. não ter me convidado para o baile de formatura, quer dizer. Valeu, Tina! Não que ela tenha má intenção...

J.P. simplesmente nos lançou um sorriso complacente e falou assim: "Bom, divirtam-se, meninas, Lars." E daí ele continuou o caminho até o auditório, onde estava acontecendo o ensaio da peça.

Todas ficaram completamente chocadas — Lana e as outras meninas, quero dizer — por ele não ter feito um gesto de surpresa e dizer: "Dãã! O baile de formatura! É claro!", e depois ter caído de joelhos, pegado a minha mão com ternura e pedido o meu perdão por ter se comportado como um grosseirão, implorando para que eu fosse com ele.

Mas eu disse a elas pra não ficarem tão chocadas. Eu não levo para o lado pessoal. J.P. não consegue pensar em *nada* além da peça dele, *Um príncipe entre os homens*.

E compreendo totalmente porque; quando eu estava escrevendo o livro, me senti do mesmo jeito. Eu não conseguia pensar em mais *nada*. Aproveitava todas as oportunidades para me aninhar na cama com meu laptop e Fat Louie do lado (ele se revelou um gato de escritor *tão* excelente...) e *escrever*.

Quer dizer, foi por isso que não atualizei meu diário nem nada durante quase dois anos inteiros. Quando você se concentra em um projeto criativo, é difícil pensar em qualquer outra coisa.

Ou, pelo menos, foi difícil pra mim.

E, de certo modo, acho que foi exatamente por isso que o Dr. L me deu essa sugestão.

Que eu escrevesse um livro. Para que eu não pensasse tanto em... bom, em outras coisas.

Ou em outras pessoas.

E até parece que eu tinha alguma *outra* coisa pra fazer, já que a mamãe tirou a minha TV, e ficou bem difícil assistir aos meus programas na sala. É meio vergonhoso ficar plantada na frente da tela assistindo a *Jovem demais para ser tão gorda: A verdade chocante* quando as pessoas sabem que você está assistindo.

Mas, enfim, escrever meu livro foi uma terapia ótima, porque realmente deu certo. Eu não tive vontade de escrever no meu diário nem uma vez enquanto escrevia e pesquisava para o livro. Simplesmente dediquei tudo a *Liberte o meu coração*.

Agora que o livro está pronto (e que está sendo rejeitado por todos os lugares), eu de repente me vi com vontade de voltar a escrever no diário.

Será que isso é bom? Não sei. Às vezes, fico achando que, em vez disso, eu deveria escrever outro livro.

Então só estou dizendo que entendo a preocupação do J.P. com a peça dele.

O negócio é que, diferentemente de mim, J.P. realmente tem uma chance sólida de conseguir que alguém produza o *Príncipe*, pelo menos no circuito off-Broadway, porque o pai dele na verdade é um homem muito importante no mundo do teatro e tal.

E a Stacey Cheeseman fez todos aqueles comerciais da Gap Kids, e também participou daquele filme do Sean Penn. Ele até conseguiu Andrew Lowenstein, primo em terceiro grau do sobrinho do Brad Pitt, para atuar como protagonista masculino. O lance é que esta peça tem tudo para ser um ARRASO. As pessoas que viram dizem que talvez até tenha potencial para Hollywood.

Mas voltando à coisa toda do baile de formatura: até parece que eu não sei que J.P. me ama. Ele me diz isto, tipo, umas dez vezes por dia...

Ai, meu Deus, esqueci de como todo mundo se aborrece quando começo a escrever no meu diário em vez de prestar atenção no que está acontecendo. Lana agora quer que eu experimente um tomara que caia da Badgley Mischka.

Olha, agora eu entendo esse negócio da moda. Entendi mesmo. O seu visual externo é um reflexo de como você se sente a respeito de si mesma por dentro. Se você fica largada — se não lava o cabelo, passa o dia todo com as mesmas roupas largonas com que dormiu e que estão fora de moda, isto significa: "Eu não me importo comigo mesma. E você também não deve se importar comigo."

É preciso *se esforçar*, porque assim você diz aos outros: vale a pena tentar me conhecer. As suas roupas não precisam ser *caras*.

Você só precisa ficar bem com elas.

Agora eu me dou conta disso, e percebo que no passado eu talvez tenha sido um tanto relaxada nessa área (apesar de eu ainda usar meu macacão em casa, nos fins de semana, quando não tem ninguém por perto).

E como parei de comer descontroladamente, meu peso parou de variar e eu voltei para o sutiã M.

Então eu entendo a coisa da moda. Entendo mesmo.

Mas sinceramente... Por que Lana acha que eu fico bem de roxo? Só porque esta é a cor da realeza, não significa que fica bem em todos os membros da realeza! Não quero ser má, mas alguém deu uma boa olhada na rainha Elizabeth ultimamente? Ela está precisando muito de cores neutras.

Um trecho de *Liberte o meu coração*, de Daphne Delacroix

Shropshire, Inglaterra, 1291

Hugo ficou olhando para a linda aparição que nadava nua lá embaixo, com as ideias todas emaranhadas na cabeça. Entre elas se destacava a pergunta: Quem é ela?, apesar de ele já saber a resposta. Era Finnula Crais, a filha do moleiro. Houvera uma família com aquele nome que arrendava terras de seu pai, como Hugo se lembrava.

Aquela, então, devia ser uma de suas filhas. Mas o que este moleiro tinha na cabeça ao permitir que uma donzela indefesa vagasse pelo interior, desprotegida e vestida com trajes tão provocantes — ou completamente despida, como era o caso naquele momento?

Assim que chegasse a Stephensgate Manor, mandaria chamar o moleiro e providenciaria para que a moça andasse mais bem protegida no futuro. Será que o homem não conhecia os seres desprezíveis que vagavam pelas estradas naqueles tempos, os salteadores e os assassinos e os desvirginadores de jovens como aquela lá embaixo?

Estava tão concentrado em seus pensamentos que, por um instante, não percebeu que a donzela nadara para fora de seu campo visual. No lugar em que a água formava uma cascata, a lagoa lá embaixo lhe saía de vista, já que sua visão estava bloqueada pela pedra que se projetava e sobre a qual ele se encontrava. Ficou achando que a moça tinha se colocado embaixo da cachoeira, talvez para enxaguar o cabelo.

Hugo esperou, ansiando com prazer o momento em que a moça reapareceria. Ficou imaginando se a atitude mais nobre seria se afastar discretamente agora, sem chamar atenção, e então voltar a encontrá-la na estrada, como se fosse por acaso, e oferecer-se para acompanhá-la até sua casa em Stephensgate.

Bem quando havia se decidido, ouviu um som suave atrás de si e, então, alguma coisa muito afiada começou a pressionar sua garganta, e uma pessoa muito leve montou sobre suas costas.

Foi necessário muito esforço para que Hugo controlasse seu instinto de soldado de golpear primeiro e perguntar depois.

Mas ele nunca sentira um braço tão delgado envolver-lhe o pescoço, nem coxas tão leves lhe prenderem as costas. Além disto, sua cabeça nunca fora puxada contra uma almofada tão suave e tentadora.

— Permaneça totalmente imóvel — advertiu sua captora, e Hugo, deliciando-se com o calor de suas coxas, especificamente, ainda mais com o espaço entre seus seios, onde ela mantinha a cabeça dele ancorada com firmeza, ficou feliz em obedecê-la. — Estou com uma faca na sua garganta — a donzela informou a ele com uma voz masculina gutural. — Mas só vou usá-la se for necessário. Se fizer o que eu digo, não será ferido. Compreendeu?

Quinta, 27 de abril, 19h, em casa

Daphne Delacroix
1005 Thompson Street, Apt. 4A
Nova York, NY 10003

Cara autora,

Obrigado por nos dar a oportunidade de ler o seu original. No entanto, ele não atende às nossas necessidades no momento.

Nem uma assinatura! Obrigada por nada.

Mal entrei em casa e minha mãe queria saber por que uma pessoa chamada Daphne Delacroix recebe tanta correspondência de editoras endereçada ao nosso apartamento.

Fui descoberta!

Pensei em mentir pra ela também, mas não ia adiantar nada na verdade. Ela vai acabar descobrindo mesmo, principalmente se *Liberte o meu coração* for publicado algum dia, e eu construir minha própria ala no Hospital Real de Genovia, ou qualquer coisa assim.

Certo, bom, eu não faço ideia de quanto escritores publicados ganham, mas ouvi dizer que a autora de romances policiais forenses Patricia Cornwell comprou um helicóptero com o dinheiro que ganhou com os livros dela.

Não que eu precise de um helicóptero, porque tenho meu próprio jatinho (bom, o meu pai tem).

Então, eu só respondi, tipo: "Enviei meu livro com um nome falso pra ver se eu conseguiria publicar."

Minha mãe já desconfia que o que eu escrevi na verdade não era uma dissertação histórica muito longa. Não podia mentir pra *ela* a respeito disso. Ela me viu no quarto, escutando a trilha sonora do filme *Marie Antoinette* com os fones de ouvido e Fat Louie do lado, digitando sem parar... Bom, sempre que eu não estava na escola, nas aulas de princesa, na terapia ou saindo com Tina ou J.P.

Sei que é ruim mentir para a própria mãe. Mas se eu dissesse a ela sobre o que o meu livro era *na verdade*, ela iria querer ler.

E de jeito *nenhum* eu ia querer que Helen Thermopolis lesse o que eu realmente escrevi. Quer dizer, cenas de sexo e a mãe da gente? Não, obrigada.

"Bom", mamãe disse, apontando pra minha carta. "O que disseram?"

"Ah", respondi. "Não estão interessados."

"Hmmm", resmungou. "O mercado anda bem difícil. Principalmente para uma história sobre a produção de azeite de oliva em Genovia."

"É", respondi. "Nem me fale."

Meu Deus, e se aquele programa de fofocas de celebridades na TV, o TMZ, descobrisse a verdade a meu respeito? Quer dizer, a mentirosa que eu sou? Que tipo de exemplo eu sou? Eu faço a Vanessa Hudgens parecer a porcaria da Madre Teresa. Tirando aquela coisa toda de ficar nua. Porque eu não estou nem perto de mandar nudes para o meu namorado.

Ainda bem que estava meio difícil conversar com ela, porque o Sr. G estava tocando bateria, com Rocky tocando junto na bateria de brinquedo dele.

Quando me viu, Rocky largou as baquetas e correu pra me abraçar pelos joelhos, berrando: "Miiiiiiaaaaaaa!"

É legal chegar em casa e ter alguém que sempre fica feliz em ver você, mesmo que seja uma criancinha de uns 3 anos.

"É, oi, eu cheguei", falei. Não é brincadeira tentar andar com uma criancinha agarrada na sua perna. "O que tem para o jantar?"

"Hoje é a dia de pizza em dobro no Tre Giovanni", o Sr. Gianini disse, e largou as baquetas. "Como você não sabe?"

"Onde você estava?", Rocky perguntou.

"Tive que sair pra fazer compras com as meninas", respondi.

"Mas você não comprou nada", Rocky disse ao olhar para as minhas mãos vazias.

"Eu sei", fui explicando enquanto seguia para a gaveta da cozinha onde ficavam os talheres, com ele ainda agarrado à minha perna. Colocar a mesa é minha função. Posso ser princesa, mas tenho tarefas domésticas a cumprir. Essa é uma coisa que estabelecemos durante as sessões em família com o Dr. L. "É porque nós saímos pra comprar vestidos para o baile de formatura, e eu não vou ao baile de formatura, porque é a maior chatice."

"Desde quando o baile de formatura é chato?", o Sr. Gianini perguntou enquanto passava uma toalha pelo pescoço. Tocar bateria faz suar, como eu sei muito bem, devido à pessoinha molhada que está presa às minhas pernas.

"Desde que ela se transformou em uma garota ferina e sarcástica, que em breve vai para a faculdade", mamãe respondeu, apontando pra mim. "Falando nisso, vamos fazer reunião de família depois do jantar. Ah, alô."

Ela disse essa última parte para o telefone, então fez o nosso pedido de sempre para a Ter: duas pizzas médias, uma com carnes pra ela e o Sr. G, e a outra só de queijo para o Rocky e eu. Voltei a ser vegetariana. Bom, na verdade, sou mais uma *flexatariana*... Não peço carne, a não ser em momentos de estresse extremo, quando preciso de uma fonte rápida de proteínas — como, por exemplo, taco de carne (tão irresistíveis, apesar de eu tentar me abster). Mas quando alguém me serve carne — como aconteceu na semana passada, na reunião da Domina Rei — eu como para ser educada.

"Reunião de família pra falar de quê?", perguntei quando a mamãe desligou o telefone.

"De você", ela respondeu. "Seu pai marcou uma chamada de vídeo."

Ótimo. Realmente não tem nada que eu aprecie mais do que um belo telefonema do meu pai, de Genovia, à noite. Isso é sempre garantia de que todo mundo vai se divertir muitíssimo. Até parece.

"O que foi que eu fiz agora?", perguntei. Porque, fala sério, não fiz nada (a não ser mentir pra todo mundo que eu conheço sobre... bom, tudo). Mas, fora isso, sempre chego em casa no horário que a minha mãe manda, e nem é porque eu tenho um guarda-costas que basicamente garante que isto aconteça. Meu namorado é preocupado demais e não quer ficar mal com meu pai (nem com minha mãe ou meu padrasto), e quando nós estamos juntos ele começa a dar ataque se eu não estiver em casa meia hora antes do horário marcado, de modo que ele literalmente me joga nos braços do Lars toda vez.

Então seja lá qual for o motivo por que o meu pai está ligando, não fui eu. Pelo menos não desta vez.

Fui até o quarto fazer uma visita ao Fat Louie antes de as pizzas chegarem. Estou sempre preocupada com ele. Porque vamos dizer que eu escolha deixar todo mundo que conheço furioso comigo e ir para uma faculdade nos EUA em vez de L'Université de Genovia, que na verdade só é frequentada por filhos e filhas de cirurgiões plásticos e dentistas famosos que não conseguiram entrar em nenhum outro lugar. (Spencer Pratt, do reality show *The Hills*, provavelmente teria ido estudar lá se não tivesse dado um jeito de entrar no programa do ex-amigo da namorada dele. *Lana* provavelmente teria que estudar lá se eu não a tivesse forçado a fazer com que sua atividade principal do penúltimo ano fosse estudar e não conseguir fazer a foto dela sair no site festasdanoitepassada.com.)

Enfim. Acontece que nenhuma das faculdades em que eu entrei tem alojamento que permite aos alunos levarem gatos. E isso significa que, se eu for estudar lá e quiser levar o Fat Louie, vou ter que morar fora do campus. Assim, eu não vou conhecer ninguém e vou ser uma excluída ainda maior do que já seria normalmente.

Mas como eu vou deixar o Fat Louie pra trás? Ele tem medo do Rocky, o que é compreensível porque Rocky adora o Fat Louie e cada vez que o vê ele corre e tenta agarrá-lo e apertá-lo, e isto deixou o Fat Louie traumatizado, obviamente, porque ele não gosta de ser agarrado e apertado.

Então, agora, o Fat Louie simplesmente fica no meu quarto (onde o Rocky está proibido de entrar, porque ele estraga os meus bonecos de Buffy, a Caça-Vampiros) quando eu não estou por perto para protegê-lo.

E se eu sair de casa pra ir pra faculdade, isto significa que Fat Louie vai passar quatro anos escondido no meu quarto, sem ninguém pra dormir com ele e coçar atrás das orelhas dele como ele gosta.

Isto é simplesmente errado.

Ah, claro, mamãe *diz* que ele pode se mudar para o quarto dela (onde o Rocky também está proibido de entrar — sem supervisão, de todo modo — porque ele é obcecado pelas maquiagens dela e uma vez comeu um dos batons Lancôme Au Currant Velvet inteiro dela, então ela precisou colocar uma daquelas travas de segurança na porta dela também).

Mas eu não sei se o Fat Louie realmente vai gostar de dormir com o Sr. G. Ele ronca!

Ah, o telefone está tocando! É o J.P.

Quinta, 27 de abril, 19h30, em casa

J.P. queria saber como tinham sido as compras de vestidos para o baile de formatura. Eu menti pra ele, óbvio. Falei assim: "Ótimas!" A partir daí, nossa conversa entrou num modo Twilight Zone.

"Conseguiu comprar um pra você?", perguntou.

Não dava pra acreditar que ele estava perguntando aquilo. Fiquei chocada, de verdade.

Sabe como é, com a coisa toda de *ele não ter se dado ao trabalho de me convidar para o baile de formatura* e tal. Como eu sou boba de pensar que nós não iríamos.

Eu respondi: "Não..."

O choque ultrapassou todos os limites quando ele disse: "Bom, quando você comprar, precisa me dizer qual é a cor pra eu comprar um corsage combinando."

Como assim?

"Espera", falei. "Então... nós *vamos* ao baile de formatura?"

J.P. deu risada, de verdade. "Claro que sim", ele respondeu.

"Faz semanas que eu comprei os ingressos."

!!!!!!!!!

Então, como eu não ri junto com ele, J.P. parou de rir e falou: "Espera. Nós *vamos*, não vamos, Mia?"

Eu fiquei tão boba que nem sabia o que dizer. Quer dizer, eu...

Eu amo o J.P. De verdade!

É só que, por algum motivo, não amo a ideia de ir ao baile de formatura com ele.

Só que eu não sabia muito bem como explicar isso sem magoá-lo. Dizer que eu achava o baile de formatura a maior chatice, como eu havia dito pra Tina, aparentemente não ia funcionar.

Principalmente porque ele acabou de dizer que está com os ingressos há semanas. E estas coisas não são nada baratas.

Em vez disso, ouvi a mim mesma murmurar: "Não sei. Você... não chegou a me convidar."

E isso é *verdade*. Quer dizer, eu estava dizendo a *verdade*. O Dr. L teria ficado orgulhoso de mim.

Mas a única coisa que o J.P. disse em resposta a isso foi: "Mia! Nós estamos juntos há quase dois anos. Não achei que precisasse convidar."

Não achei que precisasse convidar?

Não dava pra acreditar que ele tinha dito isso. E, mesmo que fosse verdade, bom... a gente gosta de ser convidada! Certo?

Nem me acho muito mulherzinha — quer dizer, não uso (mais) unhas postiças e não faço regime nem nada, apesar de, pela minha altura, estar longe de ser a menina mais magra no meu ano. Eu sou MUITO menos mulherzinha do que a Lana. E eu sou *princesa*.

Mas mesmo assim. Se um cara quer levar uma menina ao baile de formatura, ele deveria *convidar*...

... mesmo que eles estejam namorando há quase dois anos.

Porque talvez ela não queira ir.

Fala sério, será que é coisa minha? Estou pedindo demais? Acho que não. Mas talvez esteja. Talvez esperar para ser convidada para ir ao baile de formatura, em vez de partir do princípio de que eu vou, seja demais.

Não sei. Já não sei mais nada, acho. J.P. deve ter percebido, pelo meu silêncio, que ele disse a coisa errada. Porque, finalmente, falou: "Espera... Você está dizendo que eu *realmente* tenho que convidar?"

"Hmm", murmurei, porque não sabia o que dizer! Fiquei pensando: *É óbvio que você tinha que ter convidado!* Mas por outro lado, pensei assim: *Quer saber, Mia? Não vá causar confusão. Você vai se formar daqui a dez dias.* DEZ DIAS. *Simplesmente deixa pra lá.*

Por outro lado, o Dr. L me disse para começar a dizer a verdade. Hoje eu já não menti pra Tina. Achei que também seria bom parar de mentir para o meu namorado. Então...

"Teria sido legal se você tivesse me convidado", ouvi a mim mesma dizer, para meu próprio pavor.

Foi aí que J.P. fez a coisa mais estranha do mundo:

Ele riu!

Mesmo. Como se achasse que era a coisa mais engraçada que tinha escutado na vida.

"É *assim* que as coisas funcionam?", ele perguntou.

O que ele quis dizer com *isto*?

Eu não fazia ideia do que ele estava falando. Pareceu meio perdido, o que não tem nada a ver com J.P.; quer dizer, é verdade que ele me faz assistir a um monte de filmes do Sean Penn, porque o Sean Penn é o mais novo ator/diretor preferido dele.

Eu não tenho nada contra o Sean Penn. Nem me importo com o fato de que ele acabou se divorciando da Madonna. Quer dizer, eu ainda gosto do Shia LaBeouf, apesar de ele ter resolvido ser o ator principal de *Transformers*, que acabou sendo um filme sobre robôs do espaço.

Que falam.

E isso, para mim, é tão ruim quanto querer se divorciar da Madonna, se quer saber a minha opinião.

Mesmo assim... Isso não significa que J.P. seja louco. Apesar de ele estar rindo daquele jeito.

"Eu sei que você comprou os ingressos", falei, dando continuidade à conversa como se eu não desconfiasse que ele estava sofrendo de desequilíbrio cognitivo. "Então eu dou para você o dinheiro da minha. A menos que você queira levar outra pessoa."

"Mia!", J.P. parou de rir, de repente. "Eu não quero ir com ninguém além de você! Quem mais eu podia querer levar?"

"Bom, eu não sei", respondi. "Só estou dizendo que é o seu baile de formatura do último ano também. Você devia convidar quem quisesse."

"Estou convidando *você*", o J.P. respondeu, em tom mal-humorado, coisa que ele costumava fazer quando estava com vontade de sair e eu estava com vontade de ficar em casa escrevendo. Só que eu não podia dizer a ele o que eu estava fazendo, porque é claro que ele não sabia que eu estava escrevendo um livro de verdade, e não só uma dissertação como meu projeto final.

"Está mesmo?", perguntei, um pouco surpresa. "Você está me convidando neste momento?"

"Bom, não exatamente neste minuto", J.P. disse bem rapidinho. "Percebo que deixei a desejar no departamento de convite romântico para o baile de formatura. Tenho planos de fazer da maneira correta. Então, pode esperar um convite em breve. Um convite de verdade, a que você não vai ter como resistir."

Preciso confessar que o meu coração meio que acelerou ao ouvir isto. E também não foi de um jeito feliz, de ai-como-ele-é-fofo. Foi mais no estilo ai-não-o-que-ele-vai-aprontar. Porque eu, sinceramente, não consegui pensar em nenhum jeito que J.P. pudesse me convidar para o baile de formatura que conseguisse fazer com que frango seco e música ruim no Waldorf parecessem legais.

"Hm", respondi. "Você não vai fazer nada constrangedor na frente da escola inteira, vai?"

"Não", o J.P. disse, em um tom que pareceu estupefato. "Do que você está falando?"

"Bom", respondi. Eu sabia que devia estar parecendo louca, mas eu tinha que dizer. Então falei rápido, para colocar pra fora. "Eu vi um filme no canal Lifetime uma vez em que um cara quis fazer um gesto de amor grandioso e foi vestido de armadura, montado em um cavalo branco, até o lugar onde a namorada dele trabalhava para pedir a mão dela em casamento. Sabe como é, porque ele queria ser o príncipe encantado dela. Você não vai entrar na Albert Einstein usando armadura, montado em um cavalo branco, e me convidar para ir ao baile de formatura, vai? Porque isto seria errado em uns dezenove níveis. Ah, e o cara não conseguiu achar um cavalo branco, então ele pintou um cavalo castanho de branco, o que foi uma crueldade para com o animal e, além do mais, a tinta saiu toda no jeans dele, então, quando ele se ajoelhou para fazer o pedido, ficou parecendo um idiota completo."

"Mia", J.P. disse, em um tom que parecia aborrecido. Mas, realmente, acho que eu não podia culpá-lo por isso. "Eu não vou chegar à Albert Einstein de armadura, montado em um cavalo pintado de branco para convidar você para ir ao baile de formatura. Acho que eu consigo pensar em alguma coisa um pouco mais romântica do que *isso*."

Mas, por algum motivo, esta afirmação não fez com que eu me sentisse nem um pouco melhor.

"Sabe, J.P.", eu disse. "O baile de formatura é a maior chatice. Quer dizer, a gente só vai ficar lá dançando no Waldorf. A gente pode fazer isso qualquer dia."

"Não com todos os nossos amigos", J.P. observou. "Logo antes de todos nós nos formarmos e irmos para faculdades diferentes e para possivelmente nunca mais nos ver."

"Mas nós já vamos fazer isso", eu o lembrei, "na minha festança de aniversário no Iate Real de Genovia, na segunda à noite."

"É verdade", J.P. respondeu. "Mas não vai ser a mesma coisa. Todos os seus parentes vão estar lá. E, além do mais, não vamos ter oportunidade de ficar sozinhos depois." Do que ele estava falando?

Ah... certo. Os paparazzi.

Uau. J.P. *realmente* quer ir ao baile de formatura. E parece que quer fazer todas as coisas que todo mundo faz depois do baile de formatura.

Acho que, na verdade, não posso culpá-lo. Este realmente *é* o último evento de que vamos participar como alunos da EAE, além da formatura, que a administração usou de muita esperteza para marcar para o dia seguinte, para evitar o que aconteceu no ano passado, quando alguns alunos do último ano ficaram tão bêbados em uma casa noturna do centro que precisaram ser internados no hospital St. Vincent's por intoxicação alcoólica, depois de picharem "As armas de destruição em massa estavam escondidas na minha vagina" por todo o Washington Square Park. Parece que a diretora Gupta acha que, se as pessoas souberem que têm a formatura no dia seguinte, elas não vão se permitir ficar assim *tão* bêbadas neste ano.

Então eu disse: "Tudo bem. Bom, vou esperar pelo convite com ansiedade."

Daí eu achei que seria melhor mudar de assunto, já que nós dois parecíamos estar nos irritando um pouco um com o outro. "Então. Como foi o ensaio da peça?"

Daí J.P. reclamou da incapacidade da Stacey Cheeseman em se lembrar dos diálogos durante cinco minutos, até que eu disse que precisava desligar porque as pizzas tinham chegado. Mas era mentira (A Mentira Enorme Número Quatro de Mia Thermopolis), já que as pizzas não tinham chegado.

A verdade é que eu estou com medo. Sei que ele não vai chegar à escola de armadura, em cima de um cavalo pintado de branco, para me convidar para o baile de formatura, porque ele disse que não faria isto.

Mas ele pode fazer outra coisa igualmente vergonhosa.

Eu amo o J.P. — sei que fico escrevendo isto várias vezes, mas é porque é verdade. Eu não amo o J.P. *do mesmo jeito* que amava o Michael, eu sei, mas amo. J.P. e eu temos tantas coisas em comum, como a coisa de escrever, e nós temos a mesma idade, e Grandmère o adora, assim como a maioria dos meus amigos (tirando Boris, por alguma razão qualquer).

Mas às vezes eu gostaria... Meu Deus, não acredito que estou escrevendo isto... Mas às vezes...

Bom. Eu fico preocupada de que a minha mãe esteja certa. Foi ela quem observou que, quando eu digo que quero fazer alguma coisa, J.P. *sempre* quer fazer também. E se eu digo que não quero fazer alguma coisa, ele *sempre* concorda que também não quer fazer.

As únicas vezes que ele não concordava comigo, para falar a verdade, era quando eu dizia que não queria sair com ele para ficar trabalhando no meu livro.

Mas isso foi só porque ele não podia ficar junto comigo. Foi tão romântico... de verdade. Todas as meninas disseram isto. Principalmente a Tina, quem diria. Quer dizer, que menina não ia querer um namorado que tem vontade de ficar com ela o tempo *todo*, e que sempre faz tudo que ela quer fazer?

Minha mãe foi a única pessoa que reparou nisso e perguntou se não me deixava louca. E quando eu perguntei o que ela queria dizer, ela respondeu: "Parece que você está namorando um camaleão. Será que ele *tem* personalidade própria ou só quer fazer todas as suas vontades?"

Foi aí que nós entramos na maior discussão. Tão grande que precisamos fazer uma sessão de terapia de emergência com o Dr. L.

Depois daquilo, ela prometeu guardar para si as opiniões que tivesse a respeito da minha vida amorosa, já que eu observei que nunca disse o que acho da dela. (Mas a verdade é que eu gosto do Sr. G. Sem ele, eu não teria o Rocky.)

Mas eu totalmente nunca mencionei *a outra coisa* a respeito do J.P. Não para o Dr. L, e com certeza não para a minha mãe.

Para começo de conversa, a minha mãe provavelmente ficaria feliz.

E depois... bom, nenhum relacionamento é perfeito, de todo modo. Olha só a Tina e o Boris. Ele *continua* enfiando o suéter dentro da calça, apesar de ela pedir repetidas vezes para que ele não faça isto. Mas eles são felizes juntos. E o Sr. G ronca, mas a minha mãe resolveu o problema com tampões de ouvido.

Eu consigo lidar com o fato de que o meu namorado gosta de tudo que eu gosto e que sempre quer tudo que eu quero o tempo todo.

É com a *outra coisa* a respeito dele que eu não sei bem se consigo lidar...
E agora as pizzas chegaram *de verdade*, então eu preciso ir.

Sexta, 28 de abril, meia-noite, em casa

Certo. Respire fundo. Acalme-se. Vai dar tudo certo. Vai ficar tudo bem. Tenho certeza disto! Tenho mais do que certeza. Estou cem por cento otimista de que tudo vai ficar...

Ai, meu Deus. Quem eu quero enganar? Estou um bagaço!

Então... a reunião de família no final foi para falar de um pouco mais do que apenas a eleição e de o meu pai me encher para saber em que faculdade vou estudar — em outras palavras, foi um desastre.

Começou com meu pai tentando estabelecer um prazo: o dia da eleição. Eu tenho até o DE (também conhecido como baile de formatura) para decidir onde vou passar os próximos quatro anos da minha vida.

Daí eu tenho que tomar uma decisão.

Seria de pensar que ele tem coisa mais importante com que se preocupar, com a disputa com René cada vez mais acirrada.

Grandmère entrou na chamada por conta própria, é claro, e fez questão de dar a opinião dela (ela quer que eu vá para a Sarah Lawrence. Porque é onde ela teria estudado, na época da cinta-liga, se tivesse feito faculdade, em vez de se casar com Grandpère). Todos nós tentamos ignorá-la, igual fazemos na terapia de família, mas é impossível quando o Rocky está por perto, porque ele ama Grandmère por algum motivo, até quando é só o som da voz dela (pergunta: POR QUÊ?), e ele correu para o telefone e ficou gritando: "Gam-mer, gam-mer, você vem aqui logo? Dá um beijão no Wocky?"

Dá para imaginar alguém que *deseje* aquela chata urubuzando em cima de você? Ela tecnicamente nem é parente dele (que menino de sorte).

Mas, bom, é. Este era o assunto da grande reunião — ou pelo menos foi assim que a coisa *começou*. Eu deveria decidir onde vou estudar daqui a oito dias.

Valeu, pessoal! Nada de pressão!

O meu pai *diz* que não se importa com o lugar que eu escolha para estudar, desde que eu esteja feliz. Mas ele deixou mais do que claro que, se eu não for para uma faculdade de primeira linha, ou para a Sarah Lawrence, ou para uma das Seven Sisters, é melhor que eu cometa haraquiri.

"Por que você não vai para Yale?", ele ficou repetindo. "Não é pra lá que o J.P. quer ir? Você pode ir com ele."

Claro que é para Yale que J.P. quer ir, porque eles têm um departamento de teatro fantástico.

Só que eu não posso ir para Yale. Fica longe demais de Manhattan.

E se alguma coisa acontecer com Rocky ou Fat Louie — um incêndio maluco ou algum prédio desabando? — e eu precisar voltar rápido pra casa?

Além do mais, J.P. acha que eu vou para L'Université de Genovia, e já se inscreveu e se conformou em ir para lá comigo.

Apesar de L'Université de Genovia não ter departamento de teatro e de eu ter explicado para ele que, se for estudar lá, vai jogar no lixo todas as aspirações profissionais que possa ter. Ele disse que não importava, desde que nós dois pudéssemos ficar juntos.

Acho que realmente *não* importa mesmo, já que o pai dele sempre vai fazer com que as peças dele sejam produzidas.

Mas, de todo modo, não foi por nada disso que eu estou tendo um ataque.

Foi por causa do que aconteceu *depois*.

Foi depois que Grandmère tinha me incomodado mais um pouco por causa da lista de convidados para a minha festa — e depois de perguntar ao Sr. G: "A sua sobrinha e o seu sobrinho têm *mesmo* que ir? Porque, sabe como é, se eles não forem, posso abrir lugar para o casal Beckham" — e, quando finalmente desligou, meu pai disse: "Acho que você devia mostrar a ela agora", e minha mãe respondeu: "Fala sério, Phillipe, acho que você está sendo um tantinho dramático demais, não precisa ficar no telefone, eu dou para ela mais tarde", e meu pai disse: "Eu também faço parte desta família, e quero estar presente para dar apoio a ela, mesmo que não possa estar aí em carne e osso", e a minha mãe disse: "Você está exagerando. Mas, se insiste...", e ela se levantou e foi até o quarto dela.

E eu falei assim, começando a ficar um pouco nervosa: "O que está acontecendo?"

E o Sr. G disse: "Ah, nada. Seu pai só mandou por e-mail uma coisa que ele viu no site internacional de negócios da CNN."

"E eu quero que você veja, Mia", meu pai disse no viva-voz, "antes que alguém comente com você na escola."

E o meu coração apertou, porque eu achei que fosse alguma artimanha nova do René para emporcalhar Genovia, tentando atrair mais turistas para visitar o país. Talvez ele fosse instalar um Hard Rock Cafe e convidasse o Clay Aiken para o show de inauguração.

Só que não era isso. Quando a minha mãe saiu do quarto dela com o e-mail do papai impresso, eu vi que não tinha nada a ver com o René. Era isto:

NOVA YORK (AP) — Os braços robotizados são o futuro da cirurgia, e um deles especificamente, batizado de CardioBraço, vai revolucionar a cirurgia cardíaca e já está fazendo de seu criador — Michael Moscovitz, 21 anos, de Manhattan — um homem muito rico.

A invenção dele está sendo considerada o primeiro robô cirúrgico compatível com a tecnologia de imagem de última geração. Moscovitz passou dois anos coordenando uma equipe de cientistas japoneses que construíram o CardioBraço para sua pequena empresa, a Pavlov Cirúrgica.

As ações da Pavlov Cirúrgica, a empresa de alta tecnologia de Moscovitz que detém o monopólio da venda de braços cirúrgicos robotizados nos Estados Unidos, subiram quase 500% ao longo do último ano. Os analistas acreditam que a alta está longe de terminar.

Isso porque a demanda pelo produto de Moscovitz está crescendo, e até agora sua empresa tem o mercado todo para si.

O braço cirúrgico, que é controlado a distância por cirurgiões, foi aprovado pela Food and Drug Administration — o departamento governamental dos EUA responsável pela regulamentação de produtos ligados a alimentos e medicamentos — para as cirurgias gerais no ano passado.

O sistema do CardioBraço é considerado mais preciso e menos invasivo do que as ferramentas cirúrgicas tradicionais, incluindo pequenas câmeras portáteis inseridas no corpo durante a cirurgia. A recuperação da cirurgia feita pelo sistema CardioBraço é consideravelmente mais rápida do que a da cirurgia tradicional.

"O que se pode fazer com o braço robotizado — com as capacidades de manipulação e visualização — simplesmente não é possível fazer de outra maneira", diz o Dr. Arthur Ward, chefe de cardiologia no Centro Médico da Universidade de Columbia.

Já existem cinquenta CardioBraços operando em hospitais norte-americanos; há uma lista de espera por centenas de unidades, mas com o preço entre 1 milhão e 1,5 milhão de dólares, o sistema não é exatamente barato. Moscovitz doou diversos sistemas Cardio-Braço para hospitais infantis espalhados por todo o país, e doará uma unidade nova para o Centro Médico da Universidade de Columbia neste fim de semana; por isso a instituição de ensino, onde ele estudou se sente muito grata.

"Esta é uma tecnologia altamente aperfeiçoada, altamente desejada e única", diz Ward. "Em termos de robótica, o CardioBraço é o líder indiscutível. Moscovitz fez algo extraordinário para o ramo da cirurgia médica."

!!!!!!!!!!

Uau. A ex-namorada é sempre a última a saber.

Mas tanto faz. Até parece que isso muda alguma coisa.

Quer dizer: e daí? Todo mundo sabe que Michael é um gênio, e deveria sempre ter sido assim. Ele merece todo o dinheiro e todos os elogios. Ele realmente trabalhou muito para isso. Eu sabia que ele salvaria a vida de crianças, e agora ele realmente está salvando.

É só que... acho que eu...

Bom, simplesmente não posso acreditar que ele não contou pra mim!

Por outro lado, o que exatamente ele iria dizer no último e-mail? "Ah, aliás, meu braço cirúrgico robotizado é um sucesso enorme, está salvando vidas por todo o país, e a minha empresa tem as ações que mais sobem em Wall Street"?

Ah, não, isso seria se exibir demais.

E, de todo modo, fui *eu* que tive um chilique e parei de mandar e-mails, para ele quando ele perguntou se podia ler meu projeto final. Pelo que sei, talvez ele *fosse* mencionar que o CardioBraço dele está sendo vendido por 1,5 milhão de dólares cada e é líder no mercado dos braços cirúrgicos robotizados.

Ou: "Vou para os Estados Unidos para doar um dos meus braços cirúrgicos robotizados para o Centro Médico da Universidade de Columbia no sábado, então quem sabe a gente se vê?"

Eu simplesmente nunca lhe dei chance, já que fui a maior mal-educada e não respondi na última vez que nos falamos.

E, pelo que sei, Michael já esteve nos Estados Unidos uma dúzia de vezes desde que terminamos, para visitar a família e sei lá mais o quê. Por que ele comentaria isso comigo? Até parece que a gente vai se encontrar para tomar um café ou algo assim... Nós terminamos.

E, acorda, eu já tenho namorado.

É só que... no artigo, dizia que Michael Moscovitz, 21 anos, de *Manhattan*. Não de Tsukuba, no Japão.

Então. Ele obviamente está morando aqui agora. Ele está *aqui*.

Ele pediu para ler meu projeto final e está *aqui*.

Ataque de pânico.

Quer dizer, antes, quando ele estava no Japão, e pediu para ver o meu projeto final, eu podia ter dito: "Ah, eu mandei pra você... não recebeu? Não? Mas que coisa estranha. Pode deixar que vou tentar mandar de novo."

Mas agora, se eu encontrar com ele, e se ele perguntar...

Ai, meu Deus. O que eu vou fazer?????

Espere... tanto faz. Até parece que ele perguntou se a gente podia se encontrar! Quer dizer, ele está aqui, não está? E por acaso ele ligou? Não.

Mandou e-mail? Não.

Claro... sou eu quem deve um e-mail a ele. Michael foi muito educado ao respeitar a etiqueta da comunicação virtual e ficou esperando a minha resposta. O que ele deve estar pensando, desde que eu cortei toda a comunicação quando ele pediu para ler o meu livro? Deve estar achando que sou a maior metida, como Lana diria. Ele fez o pedido mais legal do mundo — um pedido que nem o meu namorado fez, aliás —, e eu totalmente sumi do mapa sem dar notícia...

Meu Deus, lembra daquela coisa esquisita de quando eu gostava de ficar cheirando o pescoço dele o tempo todo? Era como se eu não fosse capaz de me sentir calma ou feliz ou sei lá o que a menos que eu cheirasse o pescoço dele. Aquilo era tão... esquisito, como Lana diria.

Claro que... se lembro corretamente, Michael sempre *tinha* um cheiro melhor do que o do J.P., que continua com cheiro de lavagem a seco. Tentei comprar um perfume e dar de presente pra ele de aniversário, como Lana sugeriu...

Não deu certo. Ele usa, mas agora ele só fica com cheiro de perfume. Por cima do fluido da lavagem a seco.

Simplesmente não acredito que Michael voltou para cá e eu nem sabia! Ainda bem que meu pai me disse! Eu podia ter esbarrado nele na Bigelow ou na Forbidden Planet e, sem saber que ele estava de volta, poderia ter feito alguma coisa inacreditavelmente estúpida quando o visse. Tipo fazer xixi na calça. Ou soltar: "Você está *lindo*!"

Isso se ele estiver mesmo lindo, e eu aposto que deve estar. Isto teria sido um *horror* (apesar de que fazer xixi na calça teria sido pior).

Não, na verdade aparecer em qualquer um desses lugares e esbarrar nele sem maquiagem nenhuma e com o cabelo todo desarrumado teria sido pior... mas preciso dizer que o meu cabelo está melhor do que nunca, agora que Paolo cortou em camadas e eu estou com um corte de verdade que dá para colocar atrás das orelhas e repartir de lado para ficar bem sexy e prender com uma faixa e tal. Até a *teenSTYLE* concordou com isso nas colunas de Certo e Errado de fim de ano. (Pela primeira vez na vida eu entrei na coluna do Certo, e não na do Errado. Estou devendo muito à Lana.)

Mas não foi por isso que o meu pai me contou sobre a volta do Michael, é óbvio (para eu ter certeza de andar sempre atraente agora, para o caso de eu esbarrar no meu ex).

Meu pai me contou para eu não ser pega desprevenida caso os paparazzi me perguntem alguma coisa.

Algo que, depois deste informativo à imprensa, é bem provável que aconteça.

E não havia necessidade de o escritório de imprensa de Genovia divulgar aquela citação minha — dizendo que eu estou muito feliz pelo Sr. Moscovitz e fico contente de ver que ele seguiu em frente, como eu. Eu posso fazer as minhas próprias citações, muito obrigada.

Tudo bem. Ele voltou a Manhattan, e eu fico totalmente contente com isso. Fico *mais* do que contente com isso. Fico feliz por ele. Provavelmente Michael já me esqueceu completamente, o que dizer então sobre ter pedido para ler meu livro. Quer dizer, meu projeto final. Agora que ele é um inventor de braço robotizado multimilionário, tenho certeza de que uma troca de e-mails bobos com a menina do ensino médio que ele namorou no passado é a última coisa que Michael tem na cabeça.

Sinceramente, eu não me importo se nunca mais encontrar com ele. Eu tenho namorado. Um namorado perfeitamente maravilhoso que neste exato momento está imaginando uma maneira totalmente romântica para me convidar para o baile de formatura, que não vai incluir pintar de branco um cavalo castanho. Provavelmente.

Agora eu vou pra cama, e pegarei no sono bem rapidinho, e NÃO vou ficar acordada a metade da noite, pensando no fato de Michael estar de volta a Manhattan e de ter pedido pra ler meu livro.

Não vou.

Espere só para ver.

Sexta, 28 de abril, Sala de Estudos

Nossa, estou me sentindo péssima, e estou horrível depois de passar a noite inteira em pânico com o fato de o Michael estar de volta!

E, para piorar tudo, faltei à reunião de equipe do *Átomo* hoje de manhã, antes do início das aulas. Eu sei que o Dr. L ficaria altamente chateado com isso, porque uma mulher corajosa como a Eleanor Roosevelt teria ido.

Mas eu não estava me sentindo muito Eleanor Roosevelt hoje de manhã. Eu simplesmente não sabia se Lilly iria designar alguém para cobrir a doação do Michael de um de seus CardioBraços para o Centro Médico da Universidade de Columbia ou não. Parece que ia. Quer dizer, ele se formou na EAE. E um ex-aluno da EAE que inventou uma coisa que está salvando a vida de crianças e daí doa o equipamento para uma das principais universidades da cidade realmente é notícia...

Eu não podia correr o risco de que Lilly passasse *para mim* a pauta de cobrir a notícia para a próxima edição. Lilly não está mais tomando iniciativas para ir contra mim — nós estamos totalmente saindo uma do caminho da outra.

Mas ela podia ter feito isto, mesmo assim, só para cometer uma ironia perversa.

E eu não *quero* ver Michael. Quer dizer, não como repórter de um jornalzinho de escola para cobrir a notícia de seu retorno brilhante. Isto provavelmente faria com que eu tivesse vontade de me matar.

Além do mais, e se ele perguntar sobre o meu projeto?????

Eu sei que é altamente improvável que ele se lembre disso. Mas pode acontecer.

Além do mais, o meu cabelo estava fazendo aquela curva arrepiada na parte de trás hoje de manhã. O meu antifrizz de ervas acabou totalmente.

Não, quero que meu cabelo esteja bonito na próxima vez que eu encontrar Michael, e quero ser uma autora publicada. Ah, por favor, meu Deus, faça com que essas duas coisas aconteçam!

E eu sei, tudo bem, já ajudei um pequeno país europeu a conquistar a democracia. E isto é um feito muito *importante*. É ridículo da minha parte também querer ser autora publicada antes dos 18 anos (o que me dá aproximadamente três dias, que é um objetivo totalmente irreal).

Mas eu me esforcei tanto para escrever aquele livro! Investi quase dois anos da minha vida naquele livro! Quer dizer, primeiro teve toda a pesquisa — eu tive que ler, tipo, quinhentos romances para saber como escrever um por conta própria.

Daí, tive que ler cinquenta bilhões de livros sobre a Inglaterra medieval, para poder conseguir ambientar a história e adaptar pelo menos uma parte dos diálogos da maneira correta.

Daí, tive que escrever o texto propriamente dito.

E eu *sei* que um romance histórico não vai mudar o mundo.

Mas seria ótimo se deixasse algumas pessoas tão felizes lendo a história quanto eu fiquei quando escrevi.

Ai, meu Deus, por que estou obcecada com isso se eu não estou nem aí? Já tenho um namorado maravilhoso que me diz o tempo todo que me ama e me leva para sair o tempo todo e que todo mundo no universo inteiro diz que é perfeito para mim.

E, tudo bem, ele esqueceu de me convidar para o baile de formatura. E tem também aquela *outra coisa*.

Mas eu nem quero ir ao baile de formatura mesmo, porque baile de formatura é para crianças, algo que eu não sou. Vou fazer 18 anos daqui a três dias, e daí vou passar a ser maior de idade perante a lei...

Tudo bem. Preciso me acalmar.

Talvez Hans possa ir buscar mais um *chai latte* para mim. Acho que o primeiro que eu tomei hoje de manhã não fez efeito. Só que meu pai disse que eu devo parar de mandar o motorista da limusine atender aos meus pedidos pessoais. Mas o que mais eu posso fazer? Lars se recusa totalmente a sair para buscar bebidas quentinhas e cremosas pra mim, apesar de eu já ter explicado para ele que é *altamente* improvável que alguém vá me sequestrar entre o momento que ele sair para ir à Starbucks e voltar.

Ninguém mencionou a reportagem sobre o CardioBraço por enquanto, e eu já encontrei Tina, Shameeka, Perin e, é claro, J.P.

Talvez a notícia ainda não tenha saído em nenhum lugar além do site internacional de negócios da CNN.

Por favor, meu Deus, permita que não apareça em mais lugar nenhum.

Sexta, 28 de abril, na escada do terceiro andar

Acabei de receber uma mensagem urgente da Tina pedindo que eu a encontre aqui.

Não faço ideia do que pode ter acontecido. Só pode ser algo sério, porque nós realmente andamos nos esforçando para não faltar a nenhuma aula ultimamente, apesar de todos nós termos sido aceitos na faculdade e basicamente não termos mais motivo para assistir às aulas, a não ser para discutir os sapatos que vamos comprar para usar no primeiro dia como universitárias.

Eu realmente espero que ela e Boris não tenham brigado. Eles são tão fofos juntos... É verdade que ele me irrita de vez em quando, mas dá para ver que ele simplesmente adora a T. E o convite que ele fez pra ela para o baile de formatura foi o mais fofo do mundo: ele entregou o ingresso do baile com um botão de rosa meio aberto com uma caixinha da Tiffany's pendurada.

Isso mesmo! Não era nem da Kay Jewelers, que sempre foi a preferida da Tina. Boris resolveu subir o nível. (Sorte dele. A dependência dela da Kay estava ficando meio deprimente.)

E dentro da caixinha tinha outra caixa, uma caixa de veludo para anel. (Tina disse que quase teve um ataque do coração quando viu.)

E dentro dela havia o anel de esmeralda mais lindo do mundo (era um anel de *compromisso*, não de noivado, o Boris se apressou em explicar a ela). E na parte de dentro do anel estavam gravadas as iniciais da Tina e do Boris entrelaçadas, e a data do baile de formatura.

Tina disse que chegou a ponto de vomitar um pulmão, se isto fosse fisicamente possível, de tão alucinada que ficou. Ela chegou à escola na segunda e mostrou o anel para todo mundo (Boris o dera para ela em um jantar no Per Se, que é, tipo, o restaurante mais caro de Nova York hoje. Mas ele tem dinheiro para isso porque está gravando um álbum, igualzinho ao ídolo dele, Joshua Bell. O ego dele não ficou inflado *demais* depois disso. Principalmente porque ele também foi convidado para fazer uma apresentação no Carnegie Hall na semana que vem, que vai ser o projeto final dele. Nós todos fomos convidados, e J.P. e eu vamos juntos. Só que vou levar o meu iPod. Já ouvi o repertório inteiro do Boris, tipo novecentos milhões de vezes, porque ele fica tocando no almoxarifado da sala de superdotados & talentosos. Sinceramente, não acredito que alguém é capaz de *pagar* para ouvir Boris tocar, mas sei lá.)

O pai da Tina não ficou muito contente com o anel. Mas ficou bem feliz com o carregamento de bifes congelados Omaha que o Boris mandou para ele. (Esta parte foi ideia *minha*. Boris está me devendo uma, com certeza.)

Então pode até ser que o Sr. Hakim Baba se acostume com a ideia de que Boris possa vir a fazer parte da família algum dia. (Coitado. Eu sinto muito por ele. Vai ter que ficar ouvindo aquela respiração pela boca toda vez que se sentar para comer com a filha e o namorado dela.)

Ah, lá vem ela — não está chorando, então talvez seja...

Sexta, 28 de abril, Trigonometria

É. Certo. Então não era sobre Boris. Era sobre Michael.

Eu devia saber.

Tina programou o celular dela para receber alertas de notícias sobre mim. Então, hoje de manhã, ela recebeu uma do *New York Post* falando sobre a doação do Michael para o Centro Médico da Universidade de Columbia (só que, como a notícia era do *Post*, e não do site internacional de negócios da CNN, o tema principal da reportagem era o fato de o Michael ter sido meu namorado).

A Tina é mesmo um amor. Ela queria que eu soubesse que ele estava de volta antes que alguém me contasse. Ela tinha medo de que recebesse a notícia de um paparazzo, igualzinho ao meu pai.

Confessei pra ela que eu já sabia.

Foi um erro.

"Você *sabia*?", Tina exclamou. "E não me contou? Mia. Como você pôde fazer uma coisa dessas?"

Está vendo? Eu não consigo fazer mais nada certo. Cada vez que digo a verdade, me encrenco!

"Eu também acabei de descobrir", garanti a ela. "Foi ontem à noite. E tudo bem, de verdade. Eu já superei o Michael. Estou com o J.P. agora. Realmente, para mim não faz a menor diferença se Michael voltou ou não."

Meu Deus, como eu sou *mentirosa*.

E nem sou uma boa mentirosa. Pelo menos não neste caso. Porque Tina não pareceu muito convencida.

"E ele não te disse nada?", ela perguntou. "Michael não disse nada em nenhum dos e-mails dele sobre estar voltando?"

Claro que eu não podia dizer a verdade sobre Michael ter pedido para ler meu projeto e eu ter entrado em um pânico tão grande que parei de mandar e-mail pra ele.

Porque daí a Tina ia querer saber por que eu entrei em pânico com o pedido. E então eu teria que explicar que o meu projeto na verdade é um romance que estou tentando publicar.

E simplesmente não estou pronta para escutar a quantidade de berros que esta resposta faria Tina soltar. Isto sem mencionar que ela exigiria ler o livro.

E quando ela chegar à cena de sexo — tudo bem, *cenas de sexo* —, acho que existe uma boa possibilidade de a cabeça da Tina explodir, de verdade.

"Não", foi o que respondi à pergunta da Tina.

"Que coisa esquisita", a Tina disse logo. "Quer dizer, vocês agora são amigos. Pelo menos é o que você fica repetindo pra mim. Que vocês são amigos, igualzinho como eram antes. Amigos dizem um ao outro quando vão se mudar para o mesmo país — para a mesma *cidade* — que o outro. O fato de ele não ter dito nada *tem* que significar alguma coisa."

"Não, não tem não", eu me apressei em dizer. "Deve ter acontecido muito rápido. Ele simplesmente não deve ter tido tempo de me contar..."

"Não teve tempo de mandar *uma* mensagem? 'Mia, estou voltando pra Manhattan.' Quanto tempo demora pra fazer isso? Não." Tina sacudiu a cabeça e o cabelo escuro comprido dela se agitou por cima dos ombros. "Alguma outra coisa está acontecendo." Ela apertou os olhos. "E eu acho que sei o que é."

Eu amo a Tina demais. Vou sentir saudade dela quando formos para a faculdade. (Não vai ter *jeito* de eu ir para a NYU com ela, apesar de ter sido aceita. A NYU simplesmente parece ser pressão demais para mim. Tina quer ser cirurgiã torácica, então existe uma grande possibilidade de que, com todos os cursos introdutórios à medicina que ela vai fazer, eu mal teria oportunidade de vê-la, de todo modo.)

Mas eu realmente não estava a fim de ouvir mais uma das teorias malucas dela. É verdade que ela às vezes acerta. Quer dizer, ela estava certa sobre o fato de o J.P. ser apaixonado por mim.

Mas seja lá o que ela fosse dizer a respeito do Michael... eu simplesmente não queria escutar. Tanto que cheguei a tapar a boca dela com a minha mão.

"Não", falei.

Tina ficou só olhando para mim com os olhos castanhos grandes dela, com uma expressão muito surpresa.

"O que foi?", ela disse de trás da minha mão.

"Não diga nada", falei. "Seja lá o que você ia dizer."

"Não é nada de ruim", Tina disse na palma da minha mão.

"Não faz diferença", respondi. "Eu não quero escutar. Você promete que não vai dizer?"

Tina assentiu. Eu tirei a mão.

"Quer um lenço de papel?", Tina perguntou, apontando pra minha mão com o queixo. Porque, é claro, meus dedos estavam cobertos de brilho labial.

Foi a minha vez de assentir com a cabeça. Tina tirou um lenço de papel da bolsa e me entregou. Eu limpei a mão, fazendo questão de não perceber que Tina estava com uma cara de quem estava literalmente morrendo para me falar o que ela queria dizer.

Bom, tudo bem, talvez não estivesse *literalmente* morrendo. Mas metaforicamente.

Finalmente, Tina disse: "Então. O que você vai fazer?"

"Como assim o que eu vou fazer?", perguntei. Não pude deixar de ter uma sensação de que alguma coisa fatídica estava para acontecer... era bem parecido com o que eu sentia em relação ao convite que o J.P. em breve me faria para o baile de formatura. Bom, acho que estava mais para temor. "Eu não vou *fazer* nada."

"Mas, Mia..." Parecia que Tina estava escolhendo as palavras com muito cuidado. "Eu sei que você e o J.P. estão totalmente felizes e contentes. Mas você não está nem um pouco *curiosa* para ver o Michael? Depois de tanto tempo?"

Por sorte, foi bem aí que o sinal tocou e nós tivemos que "saí foua", como Rocky gosta de dizer. (Não faço ideia de onde ele aprendeu esta expressão, muito menos como surgiu a expressão "sapato de saí foua", que é como ele chama os tênis dele. Ai, meu Deus, como é que eu vou passar quatro anos inteiros longe de casa, na faculdade, e perder todo o desenvolvimento e amadurecimento dele? Isto sem falar na fofura dele? Eu sei que vou voltar nas férias — quando eu não for para Genovia —, mas não vai ser a mesma coisa!) Assim, eu não tive que responder à pergunta da Tina.

Agora, eu meio que me arrependi de ter impedido Tina de me dizer qual era a teoria dela. Quer dizer, agora que a frequência dos meus batimentos cardíacos diminuiu. (Lá na escada, por alguma razão, estava superacelerada. Não faço ideia do porquê.)

Aposto que ia me fazer dar boas risadas, fosse lá o que fosse.

Ah, tudo bem. Depois eu pergunto para ela.

Ou não.

Na verdade, provavelmente não vou perguntar.

Sexta, 28 de abril, S&T

Certo. Todas elas ficaram completamente loucas.

Acho que algumas delas (mais especificamente a Lana, a Trisha, a Shameeka e a Tina) na verdade já não estavam muito longe disso.

Mas acho que elas levaram a palavra "ultimoanite" a novos extremos.

Então Tina e eu estávamos no corredor logo antes do almoço e encontramos Lana, Trisha e Shameeka, e Tina gritou, para se sobressair ao barulho de todo mundo que passava: "Vocês estão sabendo? Michael voltou! E o braço robotizado dele está fazendo o maior sucesso! E ele está milionário!"

Lana e Trisha, como era de esperar, soltaram berros estridentes que, eu juro, seriam capazes de quebrar o vidro de todos os alarmes de incêndio próximos. Shameeka foi mais discreta, apesar de ficar me olhando de um jeito que parecia louca.

Daí, quando nós entramos na fila expressa para pegar os nossos iogurtes e as nossas saladas (bom, isto no caso delas. Estão todas tentando perder dois quilos antes do baile de formatura. Eu ia pegar um hambúrguer de tofu), Tina começou a contar para elas que o Michael vai doar um CardioBraço para o Centro Médico da Universidade de Columbia, e Lana disse assim: "Ai, meu Deus, quando vai ser isso? Amanhã? A gente vai lá com certeza!" "Hm", falei com o coração na garganta. "Não, *nós* não vamos."

"Fala sério", Trisha disse, concordando comigo. (Fiquei com vontade de dar um beijo nela.) "Eu tenho hora para fazer bronzeamento. Estou pegando uma cor totalmente dourada para o baile de formatura no fim de semana que vem. Eu vou de branco, como vocês sabem."

"Tanto faz", Lana respondeu e pegou refrigerantes light pra gente. "Você pode fazer o seu bronzeamento depois."

"Mas a gente tem a festa da Mia na segunda", Trisha reclamou. "Vai ter um monte de celebridades lá. Eu não quero parecer pálida na frente de celebridades."

"Trisha realmente sabe quais são as prioridades dela", observei. "Não parecer pálida na frente de celebridades é mais importante do que perseguir os meus ex-namorados."

"Eu não quero perseguir o Michael", Shameeka disse. "Mas concordo com a Lana de que a gente devia ir pelo menos dar uma olhada no evento. Eu quero ver como Michael está. Você não está curiosa, Mia?"

"Não", respondi com firmeza. "E, além do mais, tenho certeza de que a gente não vai conseguir entrar. Provavelmente vai ser um evento fechado para convidados e imprensa."

"Ah, isto não é problema", Lana disse. "Você consegue fazer a gente entrar. Você é princesa. E, além do mais, mesmo que não consiga... você é da equipe do *Átomo*. Você consegue credenciais pra gente. É só pedir pra Lilly."

Eu ergui a minha bandeja de almoço e lancei um olhar sarcástico para ela. Demorou um segundo pra Lana se dar conta do que tinha dito. Daí, quando finalmente percebeu, ela falou assim: "Ah. É. Ele é irmão dela. E ela ficou furiosa por você ter dado um fora nele no ano passado, ou qualquer coisa assim. Certo?"

"Vamos deixar pra lá", falei. Juro que eu até tinha perdido a fome. Meu hambúrguer de tofu, ali na minha frente, repousando no prato, não me apetecia em nada. Pensei em trocar por uns tacos. Se já houve um dia em que eu precisei muito de um pouco de carne apimentada, esse dia parecia ser hoje.

"Sua irmã mais nova não está escrevendo para o *Átomo* neste ano?", a Shameeka perguntou pra Lana.

Lana deu uma olhada na direção da irmã, Gretchen, que estava sentada com as outras líderes de torcida a uma mesa perto da porta.

"Aaah!", Lana exclamou. "Boa ideia. Ela é tão puxa-saco, quer conseguir tantos créditos extracurriculares para entrar na faculdade que com certeza esteve na reunião do *Átomo* hoje de manhã. Vou lá ver se ela por acaso pegou a reportagem sobre o Michael."

Eu poderia furar as duas com o meu garfo-colher de plástico.

"Agora eu vou sentar", falei com os dentes cerrados, "com o meu namorado. Vocês podem vir sentar comigo, mas se vierem, não quero que fiquem falando sobre isso. *Na frente do meu namorado.* Entenderam? Muito bem."

Fiquei encarando J.P. enquanto eu atravessava o refeitório até a nossa mesa, determinada a não olhar na direção da Lana. J.P., que estava conversando com Boris, Perin e Ling Su, reparou que eu estava chegando, ergueu os olhos e sorriu. Eu retribuí o sorriso.

Mesmo assim, com o canto dos olhos, vi quando Lana bateu na parte de trás da cabeça da irmã, pegou a bolsa Miu Miu dela e ficou remexendo lá dentro.

Ótimo. Isso só podia significar uma coisa. Gretchen tinha credenciais de imprensa para o evento de amanhã.

"Como estão as coisas?", J.P. perguntou quando eu me sentei.

"Ótimas", menti.

A Mentira Enorme Número Cinco de Mia Thermopolis.

"Maravilha", J.P. respondeu. "Ah, tem uma coisa que eu queria perguntar pra você."

Eu fiquei paralisada com o meu hambúrguer de tofu a meio caminho da boca. Ai, meu Deus. Aqui. *Agora?* Ele ia me convidar para o baile de formatura no refeitório, na frente de todo mundo? Essa era a ideia de romantismo do J.P.?

Não. Não podia ser. Porque J.P. preparou um jantar para mim no apartamento dele em um dia que os pais dele estavam viajando, e ele fez tudo bem direitinho... velas, jazz tocando no som, um fettuccini à Alfredo delicioso, musse de chocolate de sobremesa. Esse menino sabe o que é romantismo.

E ele também não relaxou no Dia dos Namorados. Ganhei um pingente lindo de coração (da Tiffany, é claro) com as nossas iniciais entrelaçadas no primeiro e um colar com um pendente comprido de diamante (para mostrar tudo que havia acontecido desde o nosso primeiro beijo na frente do meu prédio) no segundo.

Tenho certeza de que ele não ia me convidar para ir ao baile de formatura enquanto eu mordia um hambúrguer de tofu no refeitório.

Mas, bom... ele tinha achado que nem precisava se dar ao trabalho de me convidar para o baile de formatura. Então...

Tina, que escutou o que J.P. disse quando estava colocando a bandeja dela ao lado da do Boris, engoliu em seco.

Bom, vamos falar sério. Não tinha como ela não engolir em seco.

Este é outro motivo por que eu jamais posso contar a ela sobre *Liberte o meu coração*. Ela nunca conseguiria guardar segredo. Principalmente sobre as partes mais picantes. Ela iria querer saber como eu fiz a pesquisa para escrever.

Daí ela se recuperou e disse: "Ah, você quer perguntar alguma coisa pra Mia, J.P.?"

"Hm", J.P. respondeu. "Quero sim..."

"Que legal." Tina tentou não demonstrar tanta satisfação como se ela estivesse prestes a dar à luz o vigésimo irmão da família Duggar. "Pessoal! O J.P. quer perguntar uma coisa pra Mia."

"Hm", J.P. disse, as bochechas corando, e um silêncio recaiu sobre a mesa do refeitório e todo mundo olhou para ele, cheio de expectativa. "Eu só queria saber se você vai dar presentes de agradecimento para a diretora Gupta e o restante dos professores por terem escrito cartas de recomendação para você ou não."

Ah. E também: Ufa.

"Vou dar para cada um deles um conjunto de copos de água de cristal de Genovia, soprados a mão", respondi. "Com o escudo real do país gravado."

"Ah", ele disse e engoliu em seco. "Acho que a minha mãe só vai dar um vale-compras da livraria Barnes and Noble para cada um."

"Tenho certeza de que eles vão gostar bem mais disso", eu disse, já que estava me sentindo muito mal. Grandmère sempre exagerava nos presentes que dava.

"Nós vamos dar maçãs de cristal Swarovski", a Ling Su e a Perin disseram ao mesmo tempo. Isto fez as duas parecerem ainda mais nerds do que são; e elas são totalmente nerds. Bom, não são mais. As duas desistiram completamente de sentar com a Patrulha da Mochila, como o J.P se refere ao grupo do Kenny — quer dizer, do Kenneth —, que senta do outro lado do refeitório, que pegou a mania de ir a todo lugar com as mochilas enormes deles cheias de livros, mesmo agora, já quase no fim do ano letivo e sabendo muito bem que tudo aquilo já os ajudou a entrar na faculdade que eles escolheram (bom, na segunda opção). Alguns deles têm tantos livros que chegam a usar malas de rodinhas para carregar tudo de um lado para o outro. Parecia que nunca tinham ouvido falar de usar o armário.

Lilly, que costumava sentar com eles — até o programa dela, *Lilly manda a real*, ter começado a dar certo, quando ela passou a ficar ocupada demais na hora do almoço para poder ir ao refeitório —, com seus diversos piercings e seu cabelo cada dia de uma cor, parecia uma flor exótica no meio deles. Acho que todos ficaram bem chateados com o fato de ela não sentar mais lá — mas não sei bem se algum deles além do Kenny realmente chegou a notar, já que estão sempre com a cabeça enterrada nos livros de química avançada.

"Bom, já está tudo resolvido", Lana anunciou e pousou a bandeja dela na mesa. "Às duas da tarde amanhã, esquisitona."

Ela estava falando comigo. Esquisitona é o apelido que Lana deu pra mim. Percebi que ela diz isto com carinho.

"O que tem amanhã às duas da tarde?", J.P. perguntou.

"Nada", respondi rapidinho, bem quando Shameeka também chegou com a bandeja dela, e disse, para me proteger: "A Mia marcou manicure e pedicure. Quem ficou com as Cocas Zero? Ah, obrigada, Mia."

"Que droga." Trisha também pegou uma das Cocas Zero que eu tinha comprado. "Eu já falei que é a maior chatice? Eu *preciso* me bronzear."

"Do que elas estão falando?", J.P. perguntou ao Boris.

"Nem pergunte", Boris aconselhou. "Só ignore, e talvez assim elas sumam."

E foi isso. Estava decidido — mais ou menos de um jeito não verbal primeiro, mas de um jeito bem mais verbal quando o almoço acabou e nós estávamos indo pra aula sem os meninos. Lana conseguiu as credenciais de imprensa (duas, uma de repórter e outra de fotógrafo) com a irmã dela, Gretchen, pra gente ir à cerimônia de doação de um dos CardioBraços do Michael para a Universidade de Columbia.

Parece que todas elas estão pensando que todo mundo vai poder ir amanhã (pra elas, duas credenciais de imprensa = permissão pra cinco de nós entrarmos na Terra da Fantasia da Lana).

Mas a VERDADEIRA fantasia é que elas realmente acham que eu vou, só que de jeito nenhum eu coloco os pés naquele lugar.

Quer dizer, nada mudou — eu continuo sem querer ver o Michael —, continuo sem *poder* ver o Michael... não se for para vê-lo usando as credenciais de imprensa que a irmã mais nova da Lana Weinberger conseguiu no jornal da escola. Quer dizer, isto é uma loucura. Parece uma história de livro — algo que simplesmente não vai acontecer.

Nunca.

Meu Deus, mas Boris está mesmo arranhando aquele troço!

E Lilly nem está aqui. Só que isto não é surpresa nenhuma, ela não vem a uma aula de S&T desde que o programa dela foi comprado por uma rede de televisão em Seul. Ela grava todo dia durante o horário do almoço e da quinta aula. Recebeu permissão para sair da escola e fazer isto, e até ganha crédito de aula e tal.

E isso é legal. Parece que ela faz muito sucesso na Coreia.

Bom, eu sempre soube que ela seria uma estrela.

Mas, por alguma razão, eu simplesmente acreditava que seria amiga dela quando isso acontecesse.

Bom, as coisas mudam, acho.

Sexta, 28 de abril, Francês

Tina não para de me mandar mensagem, apesar de eu não estar respondendo. (Não preciso repetir a performance do desastre de ontem.)

Ela quer saber o que eu vou usar amanhã, quando formos ver Michael doar um CardioBraço para o Centro Médico da Universidade de Columbia.

Fico imaginando como deve ser viver na Tinalândia.

Parece que tudo deve ser muito brilhante por lá.

Sexta, 28 de abril, Psicologia

Finalmente mandei mensagem pra Tina respondendo que eu não vou amanhã.

Não recebi mais nenhuma mensagem desde então, por isso estou levemente desconfiada sobre o que está acontecendo com ela e com o resto do pessoal.

Mas é um tanto desconcertante ver que meu telefone não toca a cada cinco segundos.

Amelia — Ainda não recebi a sua respostaaaaaaa. Preciso que você desconvide vinte e cincooooo pessoas para a sua festa. O capitão me informou que não vai poder navegarrrrrrrr com trezentos passageiros. A geeeeeeeeeente precisa reduzir para duzentas e setenta e duas no máximo. Estou pensando que o Nathan e a Claire e os sobrinhos do Frank podem ficar de fora, obviamente. E a sua mãe? Você não precisa dela lá, precisa? Ela vai entenderrrrrr. E o Frank tambémmmmmmm. Espero que você me ligue.

Clarisse, sua avóóóóóóó

Enviado pelo meu Blackberry®

Ai, meu *Deus*.

Complexo de Histocompatibilidade Principal — CHP: Família de genes encontrada na maior parte dos mamíferos. Acredita-se que tenha papel importante na seleção de parceiros por meio do reconhecimento olfativo (de cheiro). Em estudos, universitárias foram submetidas a cheirar camisetas de universitários sem lavar e sempre escolheram as usadas por rapazes com CHP totalmente diferente do delas. Acredita-se que isto se deve ao fato de que esses rapazes seriam os parceiros mais desejáveis do ponto de vista genético para elas (a combinação de genes opostos criaria filhos com sistema imune mais forte). Quanto mais *diferenças* genéticas existirem entre os parceiros, mais forte será o sistema imune de seus filhos; acredita-se que isto é um fato detectado por meio do sentido olfativo das fêmeas da espécie.

* DEVER DE CASA

História mundial: Estudar para a prova final

Literatura inglesa: Idem

Trigonometria: Idem

S & T: Eca, estou tão ENJOADA de Chopin!

Francês: Prova final

Psicologia II: Prova final

Sexta, 28 de abril, na sala de espera do Dr. Loco

Que maravilha. Hoje eu cheguei aqui pra minha penúltima sessão e quem estava sentada à minha espera? Ninguém menos que a princesa viúva de Genovia em pessoa.

Eu quase disse, tipo: "Mas que...", mas felizmente consegui me controlar no último segundo.

"Ah, Amelia, você chegou", ela disse, como se nós estivéssemos nos encontrando para tomar um chá no Carlyle ou algo assim. "Por que você não respondeu ao meu recado?"

Só fiquei olhando para ela, horrorizada. "Grandmère", eu disse.

"Esta aqui é minha *sessão de terapia*."

"Bom, eu sei disso, Amelia." Ela sorriu para a recepcionista, como se estivesse se desculpando por eu ser uma idiota. "Eu não sou burra, sabia? Mas que outra maneira eu tenho de fazer você se comunicar comigo, se não retorna as minhas ligações e se recusa a responder às minhas mensagens, que *achei* que fosse o método de comunicação em voga entre vocês, os jovens de hoje? Realmente não tive outra escolha além de caçá-la aqui."

"Grandmère." É sério, eu estava a ponto de espumar de tanta raiva. "Se está aqui para falar da minha festa, eu NÃO vou desconvidar a minha própria mãe e o meu padrasto para abrir lugar para os seus amigos da alta sociedade. Desconvide Nathan e Claire se quiser, não me importo. E devo ainda dizer que é totalmente inapropriado você aparecer na minha terapia para falar disto. Sei que já fizemos sessões de terapia juntas antes, mas elas foram marcadas com antecedência. Você não pode simplesmente aparecer na minha terapia e ficar achando que eu..."

"Ah, isto." Grandmère fez um pequeno gesto de abanar o ar, e o anel de safiras que o xá do Irã deu para ela reluziu com o movimento. "Faça-me o favor. Vigo deu um jeito nas dificuldades com a lista de convidados. E não se preocupe, a sua mãe está a salvo. Mas eu não diria a mesma coisa em relação aos pais dela. Espero que eles gostem da vista da festa do convés de navegação. Não, não, estou aqui para falar sobre *Aquele Rapaz*."

No começo, não entendi do que ela estava falando.

"J.P.?" Ela nunca chama J.P. de *Aquele Rapaz*. Grandmère adora o J.P. Quero dizer que ela o adora de verdade. Quando os dois se encontram, ficam conversando sobre espetáculos antigos da Broadway sobre os quais eu nem ouvi falar, até que eu praticamente tenho que arrastar J.P. para longe. Grandmère se convenceu mais do que um pouco de que ela poderia ter tido uma ótima carreira no palco se não tivesse optado por casar com o meu avô e ser princesa de um pequeno país, em vez de uma enorme estrela da Broadway do tipo daquela menina que é a atriz principal de *Legalmente loira*, o musical. Só que, é claro, na cabeça de Grandmère, ela é melhor do que a moça.

"Não o John Paul", Grandmère respondeu, com uma expressão chocada só de pensar naquilo. "O outro. E aquela... coisa que ele inventou."

Michael? Grandmère havia se convidado para a minha sessão de terapia para me falar do *Michael?*

Mais uma maravilha. Valeu, Vigo. Será que ele também tinha programado o BlackBerry dela para receber alertas do Google sobre mim?

"É sério isso?" Juro que, a esta altura, eu não fazia ideia do que ela tinha na cabeça. Eu realmente não tinha somado dois e dois. Continuei achando que ela estivesse preocupada com a festa. "Você quer convidar o Michael também, agora? Bom, sinto muito, Grandmère, mas a resposta é não. Só porque ele é um inventor famoso e milionário, isto não significa que eu quero que ele vá à minha festa. Se você convidar, juro que vou..."

"Não. Amelia." Grandmère estendeu o braço e pegou a minha mão. Não foi um dos agarrões dela de sempre, apressados e brutos, como quando ela tenta me forçar a fazer uma massagem no ciático dela. Foi como se ela estivesse pegando a minha mão para... bom, para fazer um *carinho*.

Fiquei tão surpresa que cheguei a me afundar no sofá de couro e olhei para ela com uma cara de *O quê? O que está acontecendo?*

"O braço", Grandmère disse. Como uma pessoa normal, e não como se estivesse me dizendo para não levantar o mindinho quando tomar chá ou algo assim. "O robô que ele inventou."

Fiquei só olhando para ela, estupefata: *"O quê?"*

"Nós precisamos de um", ela respondeu. "Para o hospital. *Você* vai ter que arranjar um para nós."

Era inacreditável. Eu já desconfiava que Grandmère talvez estivesse ficando caduca desde... Bom, desde que eu a conheço, pra falar a verdade. Mas agora ela só podia estar senil de vez.

"Grandmère." Senti o pulso dela com toda a discrição. "Você tem tomado o seu remédio para o coração?"

"Não é uma doação", Grandmère se apressou em explicar, em um tom mais típico dela. "Diga a ele que vamos pagar. Mas, Amelia, você sabe que se tivéssemos uma coisa como aquela no nosso hospital de Genovia, nós... bom, melhoraria a qualidade dos tratamentos que podemos oferecer aos nossos cidadãos em um grau incrível. Eles não precisariam mais ir a Paris ou à Suíça para fazer cirurgias cardíacas. Certamente você compreende o que um..."

Arranquei a minha mão da dela. De repente, vi que ela não estava nem um pouco louca. Nem sofrendo um derrame ou um ataque do coração. O pulso dela estava forte e regular.

"Ai, meu Deus!", exclamei. *"Grandmère!"*

"O que foi?" Grandmère parecia confusa com o meu ataque. "Qual é o problema? Estou pedindo para você pedir ao Michael uma das máquinas dele. Não é uma doação. Eu disse que nós vamos pagar..."

"Mas você quer que eu tire proveito da minha relação com ele", exclamei, "para que o meu pai tenha uma vantagem sobre René na eleição!".

As sobrancelhas desenhadas de Grandmère se uniram.

"Eu não disse nem uma palavra sobre a eleição!", ela declarou com a voz mais cheia de autoridade dela. "Mas eu pensei, Amelia, que se você fosse ao evento na Universidade de Columbia amanhã..."

"Grandmère!" Eu me levantei do sofá com um pulo. "Você é horrível! Acha que o povo de Genovia vai ficar mais inclinado a votar no meu pai por ele ter conseguido comprar um CardioBraço, diferentemente do René, que só conseguiu prometer um Applebee's para o país?"

Grandmère ficou olhando para mim com cara de paisagem.

"Bom", ela disse. "Acho sim. O que você prefere? Acesso fácil a cirurgias cardíacas ou uma cebola frita em forma de flor?"

"Isso aí só tem no Outback", informei a ela, ácida. "E o objetivo da democracia é o fato de que os votos não podem ser comprados!"

"Ah, Amelia", Grandmère disse com uma gargalhada. "Não seja ingênua. Todo mundo pode ser comprado. E, de todo modo, como você se sentiria se eu lhe contasse que, na minha última visita ao médico real, ele disse que o meu problema cardíaco se agravou, e que eu talvez precise fazer cirurgia de ponte de safena?"

Hesitei. Ela parecia totalmente sincera. "E pr-precisa?", gaguejei.

"Bom", Grandmère respondeu. "Não por enquanto. Mas ele me disse que preciso reduzir minha dose de Sidecars a três por semana!" Eu já devia saber.

"Grandmère", falei. "Saia daqui. Agora." Grandmère fez uma careta para mim.

"Sabe, Amelia", ela disse. "Seu pai vai morrer se perder esta eleição. Eu sei que ele vai continuar sendo o príncipe de Genovia e tal, mas ele não vai governar o país, e isto, mocinha, não será culpa de ninguém além de você."

Soltei um grunhido de frustração e disse: "SAIA DAQUI!" E ela obedeceu, resmungando de um jeito muito sombrio para o Lars e para a recepcionista, sendo que os dois estavam assistindo ao nosso diálogo todo com muito interesse.

Mas, sinceramente, não sei que graça tem.

Acho que, para Grandmère, usar um ex-namorado para pular até o topo da lista de espera (como se o Michael fosse chegar a considerar uma coisa dessa) para conseguir um equipamento médico de um milhão de dólares é uma coisa corriqueira.

Mas, apesar de nós duas compartilharmos genes, eu não tenho nada a ver com a minha avó.

NADA.

Sexta, 28 de abril, na limusine, do consultório do Dr. Loco pra casa

O Dr. L, como sempre, foi muito menos do que solidário em relação aos meus problemas. Parece que ele acha que fui eu quem causou tudo isso para mim mesma.

Por que não posso ter um terapeuta normal e legal, que me pergunte "e como é que você se sente em relação a isto?" e me dê algum ansiolítico, como acontece com todo mundo que estuda na minha escola?

Ah, não. Eu tenho que ter o único terapeuta em Manhattan que não acredita em psicofármacos. E que acha que todas as coisas desagradáveis que acontecem comigo (ultimamente, pelo menos) são minha culpa, por não ser honesta do ponto de vista emocional comigo mesma.

"Como é que o fato de o meu namorado não ter me convidado para o nosso baile de formatura do último ano é minha culpa, por não ser honesta com as minhas emoções?", perguntei a certa altura.

"Quando ele convidar, você vai aceitar o convite?", o Dr. Loco disse, rebatendo a minha pergunta com outra pergunta, no estilo clássico da psicoterapia.

"Bom", respondi, e me senti bem sem jeito. (Sim! Sou honesta o suficiente comigo mesma para reconhecer que me senti pouco à vontade com esta pergunta!) "Na verdade, eu não quero ir ao baile de formatura."

"Acho que você respondeu à sua própria pergunta", ele disse, com um brilho de satisfação por trás dos óculos.

O que isto *quer dizer*, aliás? Como é que isto me ajuda?

Estou dizendo: não ajuda.

E sabe o que mais? Eu vou simplesmente dizer logo:

Terapia não me ajuda mais.

Ah, não me entenda mal. Houve uma época em que ajudou, quando as histórias compridas e intermináveis do Dr. L sobre os vários cavalos que ele tem realmente me ajudaram a sair da depressão e a lidar com o que estava acontecendo com meu pai e com Genovia e com os boatos de que ele e a nossa família sabiam da declaração da princesa Amelie desde sempre — isto sem mencionar que ele me ajudou a passar pelo período do vestibular e do processo de inscrição nas faculdades, além de eu ter perdido Michael e Lilly e tal.

Talvez pelo fato de eu agora não estar mais deprimida, de a pressão ter diminuído (um pouco) e de ele ser psicólogo infantil e eu não ser mais criança na verdade — pelo menos não vou ser mais depois de segunda —, eu simplesmente esteja pronta para cortar o cordão umbilical agora. E é por isso que a nossa última sessão de terapia é na semana que vem.

Continuando.

Tentei perguntar a ele o que eu devia fazer a respeito da escolha da faculdade, sobre a coisa que Grandmère havia mencionado sobre convencer o Michael a vender um dos CardioBraços dele pra Genovia a tempo da eleição do meu pai e se eu simplesmente devia contar a verdade a respeito de *Liberte o meu coração* para todo mundo.

Em vez de oferecer conselhos construtivos, o Dr. L começou a me contar uma história comprida, sobre uma égua que ele teve e para a qual deu o nome de Sugar; era uma puro-sangue que ele havia comprado de um fornecedor, e todo mundo dizia que era uma égua ótima, e ele também sabia que era.

Na teoria.

Apesar de a Sugar ser uma égua maravilhosa *na teoria*, o Dr. Loco nunca conseguia se acomodar em cima da sela quando andava nela, e os passeios eram totalmente desconfortáveis, e no fim ele teve que vender a égua, porque não era justo com a Sugar, já que ele tinha começado a evitá-la, preferindo andar nos outros cavalos em vez de nela.

Fala sério. O que isso tem a ver comigo?

Além do mais, estou tão cheia de histórias de cavalo que dá vontade de gritar.

E ainda não sei em que faculdade vou estudar, nem o que vou fazer a respeito do J.P. (nem do Michael), nem como vou fazer para parar de mentir para todo mundo.

Quem sabe eu simplesmente deva dizer às pessoas que quero escrever romances? Quer dizer, eu sei que todo mundo ri de escritores de romances (até de fato a pessoa ler um). Mas e daí? Todo mundo também ri de princesas. A esta altura, já estou bem acostumada.

Mas... e se as pessoas lerem o meu livro e acharem que é sobre...

sei lá.

Eu?

Porque não é, de jeito nenhum. Eu nem sei como usar arco e flecha (apesar dos filmes errôneos feitos sobre a minha vida).

Quem é que dá o nome de Sugar para uma égua? É meio clichê chamar o bicho de "açúcar", certo?

Sexta, 28 de abril, 19h, em casa

Cara Srta. Delacroix,

Obrigado por enviar o seu manuscrito. Depois de muita consideração, decidimos que *Liberte o meu coração* não é adequado para nós neste momento.

Atenciosamente,
Pembroke Publishing

Rejeitada de novo!

Fala sério, será que todo mundo nas editoras anda fumando crack? Como é que ninguém quer publicar o meu livro? Quer dizer, eu sei que não é *Guerra e paz*, mas já vi coisa bem pior por aí. O meu livro é melhor do que aquilo! Quer dizer, pelo menos não tem robôs de sexo que dão tapas na bunda nem nada assim.

Quem sabe se eu colocar robôs de sexo que dão tapas na bunda talvez alguém queira publicar. Mas não posso colocar robôs de sexo que dão tapas na bunda nele agora. É tarde demais e, além disto, não estaria de acordo com a precisão histórica.

Enfim.

As coisas por aqui estão agitadas com os preparativos para as visitas que chegarão pra essa extravagância de aniversário. Vovó e vovô vão ficar no hotel Tribeca Grand desta vez, e todos os esforços estão sendo feitos para que a minha mãe e o Sr. G passem o menor tempo possível sozinhos com eles. Farão passeios à Ellis Island, Liberty Island, Little Italy, Harlem, o Metropolitan Museum of Art, o museu de cera Madame Tussaud e o Acredite se Quiser de Ripley, e ao M&M's World (os três últimos foram pedidos deles).

Claro que eles querem fazer essas visitas comigo e com Rocky (mais com Rocky), mas a minha mãe fica dizendo: "Ah, vai ter muito tempo para isso." Eles só vão ficar três dias. Como vai dar tempo de fazer tudo isso e ainda passear, além da festa, é um segredo que só a minha mãe conhece.

Opa, mensagem da Tina:

> **Iluvromance:** Então a gente vai se encontrar na esquina da Broadway com a 168th Street amanhã, às 13h30. A cerimônia de entrega, ou sei lá como se chama, começa às 14h, então a gente vai ter bastante tempo pra arrumar um lugar bom pra ver o Michael de perto.

O que eu vou ter que fazer para convencer essas meninas de que eu NÃO vou a esse negócio?

> **FtLouie:** Parece ótimo!

"Parece ótimo" não é mentira. Quer dizer, o que ela falou *parece* mesmo ótimo.

Vai ser triste quando elas estiverem esperando sozinhas na esquina da Broadway com a 168th. Mas ninguém disse que a vida era justa.

> **Iluvromance:** Espera... Mia, você vai, certo? Droga.

Uau. Como foi que ela adivinhou????

> **FtLouie:** Não. Eu já disse que não vou.
>
> **Iluvromance:** Mia, você TEM que ir! A coisa toda não vai valer nada se você não estiver lá! Quer dizer, você não está nem um pouquinho curiosa para ver como Michael está depois de tanto tempo? E se ele ainda está a fim de você ou não? Agora, tem que responder sério. Sabe como é, DAQUELE jeito.

Ai, meu Deus. Ela tinha *mesmo* que jogar a carta do "se ele está a fim de você".

> **FtLouie:** Tina, eu já tenho um namorado que me ama e que eu amo também. E, de todo modo, como é que eu vou saber se o Michael ainda está ligado em mim "DAQUELE jeito" só de vê-lo em um evento público?
>
> **Iluvromance:** Você vai perceber. Simplesmente vai perceber. Os seus olhos vão se encontrar e você vai saber. Então... Com que roupa você vai????

Felizmente, acabei de receber uma ligação do J.P. O ensaio de hoje acabou e ele quer ir ao Blue Ribbon, um restaurante japonês. Ele usou as conexões do pai dele para conseguir uma mesa para dois (uma coisa praticamente impossível em um lugar desses em plena sexta à noite). Ele quer saber se eu quero ir com ele comer uns sushis de salmão skin crocantes e hot filadélfia.

Minha outra opção de jantar é o resto da pizza de ontem à noite, ou macarrão com gergelim frio de duas noites atrás do Number One Noodle Son.

Ou posso ir para o apartamento de Grandmère que acabou de ser reformado no Plaza e comer uma salada com ela e Vigo para discutir as estratégias para a minha festa.

Hummm, o que eu escolho... o que eu escolho... Que *dificuldade*.

E, tudo bem, *pode ser* que J.P. aproveite a oportunidade para me convidar para o baile de formatura... Tipo quem sabe ele mande colocar um convite por escrito dentro de uma ostra ou embaixo de um pedaço de enguia ou algo assim?

Mas estou disposta a arriscar, se isto servir pra acabar com essa conversa.

> **FtLouie:** Desculpa, T. Vou sair com J.P. Depois te mando mensagem.

Sábado, 29 de abril, meia-noite, em casa

No final das contas, eu não precisava ter me preocupado a respeito do J.P. me convidar para o baile de formatura durante o jantar hoje à noite. Ele estava exausto demais por causa do ensaio — e também estava frustrado: passou quase o tempo todo reclamando da Stacey —, tanto que pareceu nem ter tempo para pensar sobre o assunto.

E daí, depois do jantar, outras preocupações surgiram. É muito estranho o jeito como os paparazzi sempre aparecem em todos os lugares a que eu vou com J.P. Isto *nunca* acontecia quando eu namorava o Michael.

Acho que esta é a diferença entre namorar um universitário qualquer (coisa que Michael era na época) e o filho de um rico produtor de teatro, como J.P.

Mas, bom, quando nós estávamos saindo do Blue Ribbon, estavam todos lá. No começo, fiquei achando que a Drew Barrymore devia estar lá dentro com o último garotão dela ou sei lá o quê, e fiquei olhando em volta para ver onde ela estava.

Mas acontece que todos eles estavam tentando conseguir fotos MINHAS.

No começo eu não me incomodei, só... sei lá. Eu estava com as minhas botas novas Christian Louboutin, então não estava preocupada com esse quesito. É como a Lana diz: "Se você está usando CL, nada de ruim pode acontecer com você (é superficial, mas é verdade).

Mas daí um deles gritou: "Ei, princesa, como você se sente sabendo que o seu pai vai perder a eleição... e ainda mais para o seu primo René, que nunca administrou nem uma lavanderia, quanto mais um país inteiro?"

Não foi a troco de nada que eu tive quase quatro anos de aulas de princesa (bom, não foram quatro anos direto). Até parece que eu não estava preparada para isso. Eu só disse: "Sem comentários."

Só que pode ter sido um erro, porque, é claro, quando você diz *qualquer coisa*, só os incentiva a fazer mais perguntas, apesar de J.P., Lars e eu estarmos tentando voltar a pé pra casa (que fica, literalmente, a uns dois quarteirões do restaurante, por isso a gente não tinha se dado ao trabalho de ir de limusine), os paparazzi se aglomeraram todos ao nosso redor, e a gente não conseguia andar em uma velocidade decente, principalmente porque as minhas botas CL têm, tipo, saltos de uns dez centímetros de altura e eu não treinei caminhar com elas o suficiente e estava meio que desequilibrada ali em cima (só um pouco), andando igual ao Garibaldo.

Então os repórteres conseguiram nos acompanhar totalmente, apesar de eu estar com Lars de um lado e J.P. do outro, como escolta.

"Mas o seu pai está perdendo nas pesquisas", o jornalista disse. "Vamos lá. Você deve estar magoada. Principalmente porque, se tivesse ficado de boca fechada, nada disso teria acontecido."

Caramba! Esses caras pegam pesado. Além do mais, a compreensão que eles têm de política é meio fraca.

"Eu fiz o que era melhor para o povo de Genovia", respondi, tentando manter um sorriso agradável estampado no rosto, como Grandmère havia me ensinado. "Agora, se nos dão licença, nós estamos tentando chegar em casa..."

"É isso aí, pessoal", J.P. disse enquanto Lars abria o casaco para garantir que todos eram capazes de enxergar a arma dele. Não que isso os assustasse, porque eles sabiam muito bem que ele não podia atirar neles (apesar de ter dado alguns empurrões com os ombros, fazendo com que vários deles caíssem no chão). "Será que vocês podem deixar a Mia em paz?"

"Você é o namorado, certo?", um deles perguntou. "É Abernathy-Reynolds ou Reynolds-Abernathy?"

"Reynolds-Abernathy", J.P. respondeu. "E parem de empurrar!"

"Parece que o povo de Genovia está mesmo querendo umas cebolas fritas em forma de flor", outro paparazzi observou. "Não é mesmo, princesa? Como você se sente em relação a isso?"

"Fui treinado em uma técnica que pode fazer a sua cartilagem nasal entrar no seu cérebro só com a base da minha mão", o Lars informou ao repórter. "Como VOCÊ se sente em relação a isso?"

Eu sei que já devia estar acostumada com esse tipo de coisa a esta altura. De verdade, tem gente que sofre com isso muito mais do que eu. Quer dizer, pelo menos a "imprensa" me deixa ir e voltar da escola em relativo anonimato.

Mesmo assim... Às vezes...

"É verdade que Sir Paul McCartney vai levar Denise Richards à sua festa na segunda à noite, princesa?", berrou um dos repórteres.

"É verdade que o príncipe William vai comparecer?", berrou outro.

"E o seu ex-namorado?", berrou um terceiro. "Agora que ele vol..."

Esse foi o momento exato em que Lars literalmente me jogou dentro de um táxi vazio que parou, depois que tinha feito sinal, e ordenou que ele desse algumas voltas pelo SoHo até ele ter certeza de que todos os repórteres tinham se dispersado (eles desistiram de fazer vigília na frente do apartamento depois que todos os residentes, incluindo a minha mãe e o Sr. G, jogaram balões de água neles.)

Só posso dizer que felizmente o J.P. anda tão ocupado com a peça dele que não faz ideia do que o último repórter estava dizendo. Ele se lembra de olhar os alertas do Google na internet sobre mim (ou sobre Michael Moscovitz) com a mesma frequência que se lembra de tomar café da manhã. Ele está enlouquecido assim neste momento.

Mas, bom, quando voltamos pra casa não havia sinal de repórteres à espreita (isto é porque eles já ficaram muito encharcados com a mira certeira da minha mãe).

Foi aí que J.P. pediu para subir.

Claro que sei o que ele queria. Eu também sabia que a minha mãe e o Sr. G estariam dormindo, porque eles sempre desabam cedo na sexta, depois de uma semana de trabalho duro.

Sinceramente, a última coisa que eu estava a fim de fazer depois do incidente com os paparazzi era ficar me agarrando com o meu namorado no quarto.

Mas como ele observou (em um sussurro, para o Lars não escutar), fazia séculos que a gente não ficava junto, com a agenda de ensaios dele e as minhas obrigações de princesa.

Então eu me despedi do Lars no hall e deixei J.P. subir. Quer dizer, ele FOI o maior fofo ao me defender dos paparazzi daquele jeito.

E ainda deixou eu ficar com um pedaço a mais de salmão skin crocante, apesar de eu saber que ele queria comer.

Eu me sinto péssima com as mentiras que contei para ele. De verdade, eu me sinto mesmo.

Um trecho de *Liberte o meu coração*, de Daphne Delacroix

— Eu disse que era para não te mexeres — disse a captora diminuta montada nas costas de Hugo.

Hugo, admirando o arco do pé delgado, a única parte do corpo dela que ele de fato enxergava, percebeu que estava na hora de pedir desculpas. Claro que a moça tinha o direito de estar aborrecida: fora até a fonte para se banhar, com toda inocência; não esperava ser observada. E embora estivesse se deleitando com a sensação do corpo núbil dela contra o dele, não apreciava em nada a sua fúria. Seria melhor se ele acalmasse a moçoila espirituosa e se assegurasse de que ela estaria de volta à estrada a caminho de Stephensgate, onde ela com certeza não atacaria mais nenhum homem pelas costas, assim envolvendo-se em confusão.

— Suplico-te perdão, do fundo do meu coração, demoiselle — ele começou, com um tom que esperava ser de arrependimento, apesar de estar com dificuldade de falar sem rir. — Deparei-me com a senhorita em teu momento mais privado, e por isso devo pedir-te perdão...

— Achei que eras um homem simplório, mas não totalmente estúpido — foi a resposta surpreendente da moça.

Hugo ficou surpreso ao constatar que a voz dela estava tão cheia de estupefação quanto a dele próprio.

— Estou falando sobre o fato de teres deparado comigo, é claro — ela elaborou.

Rápida como um raio, a faca se afastou da garganta dele, e a donzela segurou-o pelos pulsos e os prendeu nas costas, antes mesmo que ele se desse conta do que estava acontecendo.

— Agora tu és meu prisioneiro — disse Finnula Crais, com satisfação evidente por um trabalho bem-feito. — Para conquistares tua liberdade, terás que pagar. E muito.

Sábado, 29 de abril, 10h, em casa

Desde que acordei, só fico pensando no que o repórter disse... sobre o meu pai estar perdendo nas pesquisas e a culpa ser toda minha.

Eu sei que não é verdade. Quer dizer, sim, é verdade que vamos ter uma eleição.

Mas o fato de o meu pai estar perdendo não é culpa minha.

E daí, naturalmente, a minha cabeça fica voltando para o que Grandmère disse, lá no consultório do Dr. Loco. Sobre como meu pai podia ter mais chance contra René se a gente conseguisse colocar as mãos em um CardioBraço do Michael.

Só que eu sei muito bem que é errado pensar assim. A razão por que precisamos de um CardioBraço é porque isto faria com que a vida dos cidadãos de Genovia ficasse bem mais fácil.

Um CardioBraço no hospital real de Genovia não estimularia a economia, nem atrairia turistas para o país, nem mesmo ajudaria o meu pai nas pesquisas de opinião, nem nada do tipo, como Grandmère parece acreditar.

Mas ajudaria *sim* aos cidadãos de Genovia que estão cansados de ter que viajar até hospitais fora do país para obter tratamentos médicos, porque, em vez disto, poderiam facilmente fazer cirurgias não invasivas dentro das nossas próprias fronteiras. Economizariam em tempo e em custos.

Além do mais, como o artigo disse, essas pessoas se recuperariam mais rápido, por causa da precisão do CardioBraço.

Não estou dizendo que, se a gente conseguir um CardioBraço, vai ser mais provável que as pessoas votem no meu pai. Só estou dizendo que conseguir um equipamento desse seria o certo a fazer — seria o gesto nobre adequado — para o meu próprio povo.

E não estou dizendo que vou àquela coisa hoje, que quero voltar com o Michael. Quer dizer, isto se por acaso ele ainda estivesse interessado em mim, coisa que totalmente não está, já que ele seguiu em frente, como ficou evidente pelo fato de estar em Manhattan já há algum tempo e nem ter me ligado. Ou me mandado um e-mail.

Só estou dizendo que eu obviamente *devia* ir à coisa na Universidade de Columbia hoje. Porque é isso que uma princesa de verdade faria pelo seu povo. Conseguiria para o país o equipamento médico de mais alta tecnologia que existe.

Mas como é que vou lá sem parecer a maior idiota do mundo é que eu não sei. Quer dizer, não posso chegar lá e falar: "Hm, Michael, devido ao fato de a gente já ter namorado, e apesar de eu ter tratado você de um jeito horrível, será que dá para você passar Genovia para o topo da lista de espera e conseguir um CardioBraço pra gente, tipo agora? Aqui está o cheque."

Mas acho que vai ser mais ou menos assim que as coisas vão acontecer. Parte da função de uma princesa é engolir o orgulho e fazer o que é certo para o povo, por mais humilhante que isso possa ser do ponto de vista pessoal.

E, de todo modo, ele ainda me deve uma por causa da coisa com a Judith Gershner. Compreendo agora que a razão por que Michael não me disse antes que havia transado com ela foi porque na época eu não tinha maturidade suficiente para digerir a informação.

Ele estava certo: eu não tinha mesmo.

E apesar de ser um gesto manipulador de verdade e horroroso eu usar minha relação romântica do passado com o Michael para tentar fazer com que ele nos coloque no topo da lista de espera, a gente está falando de Genovia.

E o meu dever real é fazer todo o possível em nome do meu país.

Não passei os últimos quatro anos com os pentes da tiara perfurando a minha cabeça por nada, sabe como é.

Parece que, no fim, eu aprendi *mais* do que usar a colher de sopa com Grandmère.

É melhor eu ligar pra Tina.

Sábado, 29 de abril, 13h45, Pavilhão de Tratamento de Pacientes Simon e Louise Templeman, Centro Médico da Universidade de Columbia

Esta. Foi. A. Pior. Ideia. Da. Minha. Vida.

Eu sei que, hoje de manhã, quando acordei, pensei que tinha tido uma ideia nobre e que estava fazendo algo muito importante para o povo de Genovia.

E, tudo bem, eu confesso, talvez de um jeito meio distorcido, acho, para o meu pai.

Mas, na realidade, isto tudo simplesmente é uma loucura. Quer dizer, a família inteira do Michael está aqui. *Todos* os Moscovitz! Até a *avó* dele. É! A vovó Moscovitz está aqui!

Estou tão envergonhada que poderia morrer.

E, tudo bem, fiz com que todas nós sentássemos na última fileira (a segurança aqui é muito relaxada: deixaram todas nós entrarmos, apesar de estarmos só com duas credenciais), onde, graças a Deus, parece que não tem chance de algum deles nos ver (mas o Lars e o Wahim, o segurança da Tina, são tão altos que realmente não têm muita chance de não ser notados. Fiz os dois ficarem esperando do lado de fora. Estão furiosos comigo. Mas o que mais eu posso fazer? Não posso me arriscar a correr o risco de Lilly ver os dois).

E eu sei que o objetivo todo disto aqui era falar com Michael.

Mas eu não sabia que a *Lilly* ia estar aqui! E isto foi a maior burrice da minha parte. Eu já devia saber, é claro. Quer dizer, que a família do Michael (inclusive a irmã dele, que trouxe o Kenny, quer dizer, o Kenneth, que está de TERNO. E a Lilly está de vestido... e tirou todos os piercings. Eu quase não a reconheci) estaria aqui, é claro, em um evento tão importante e tão prestigioso.

Como é que eu posso ir lá falar com Michael na frente dela?

É verdade que Lilly e eu não estamos mais nos digladiando exatamente, mas definitivamente também não somos *amigas*. A última coisa de que eu preciso agora é que ela retome as atualizações do site euodeiomiathermopolis.com.

E dá totalmente para prever que ela faria isso se desconfiasse que eu estava tentando usar o irmão dela para, ah, sei lá, conseguir um CardioBraço para o meu país, ou algo do tipo.

Lana disse que não tem nada de mais e que eu simplesmente deveria chegar nos Drs. Moscovitz e dar um *oi*. Ela disse que se dá totalmente bem com os pais de todos os ex dela (algo que, levando em conta que estamos falando da Lana, é, tipo, metade da população do Upper East Side), apesar de ela ter usado a maior parte dos filhos deles para fazer sexo e coisas ainda piores (… como o quê? O que é pior do que usar um garoto só para fazer sexo? Nem quero saber. Lana levou Tina e eu até a Pink Pussycat Boutique no ano passado porque disse que a gente precisava de orientação nesse departamento, e embora eu realmente tenha feito uma compra, foi só um massageador pessoal da Hello Kitty. Mas você nem vai querer saber o que a Lana comprou).

Mas Lana nunca namorou ninguém tanto tempo quanto eu e Michael namoramos. E ela não era a melhor amiga da irmã de nenhum desses caras, nem deixou nenhuma delas tão furiosa quanto a Lilly tinha ficado louca da vida comigo. Então, chegar neles em algum evento público e falar assim: "E aí, como vão as coisas?", realmente não é nada de mais pra *Lana*.

Eu, por outro lado, não posso chegar para os Drs. Moscovitz e falar: "Ah, oi, tudo bem? Como vão as coisas, dra. e Dr. Moscovitz? Estão lembrados de mim? A menina que foi a maior babaca com seu filho e que costumava ser a melhor amiga da sua filha? Ah, e, oi, vovó Moscovitz. Como anda aquele doce delicioso, rugelach, que a senhora costumava fazer? Era uma delícia, eu gostava tanto daquilo! Bons tempos."

Enfim. Este negócio de doação está se transformando em um evento enorme (felizmente, porque tem uma tonelada de gente para eu me esconder atrás, e assim ninguém me vê). Tem imprensa de *todo lugar*, desde a revista *Anesthesia* até a PC *World*. Tem uns salgadinhos e tal também, e um monte de mulheres com cara de modelo andando de um lado para o outro com vestidos justos, distribuindo taças de champanhe.

Mas até agora não vi nem sinal do Michael. Ele deve estar em uma sala verde em algum lugar, recebendo uma massagem de alguma dessas mulheres de vestido justo. É isto que inventores de braços robotizados multimilionários fazem antes de oficializarem enormes doações à faculdade em que estudaram. Estou só chutando.

Tina disse para eu parar de escrever no meu diário e prestar atenção para o caso de o Michael entrar (ela não acredita na minha teoria da massagem da mulher de vestido justo). Além do mais, ela acha que os óculos escuros e a boina que eu estou usando só estão servindo para chamar mais atenção para mim, que não são um bom disfarce.

Mas o que a Tina sabe? Isso nunca aconteceu com ela. Só...

Ai.

Meu.

Deus.

Michael acabou de entrar...

Não consigo respirar.

Sábado, 29 de abril, 15h, Centro Médico da Universidade de Columbia, banheiro feminino

Certo. Eu estraguei tudo.
Estraguei tudo, *tudo* mesmo.

É só que... ele está tão inacreditavelmente lindo...

Não sei o que ele fez para se exercitar enquanto esteve no exterior... Lana acha que andou lutando contra monges no Himalaia, igual ao Christian Bale, no filme *Batman*. Trisha diz que ele só deve ter levantado uns pesos; já Shameeka acha que é provavelmente uma combinação de levantamento de pesos e exercícios aeróbicos.

Tina pensa que ele simplesmente "foi atingido por um raio de beleza pura".

Mas seja lá o que tenha sido, ele agora está com os ombros quase tão largos quanto os do Lars, e eu duvido muito que seja porque tem ombreiras por baixo do paletó social da Hugo Boss que ele está usando, como a Lana sugeriu.

E ele cortou o cabelo de verdade, como um homem adulto, e as mãos dele parecem enormes por algum motivo, e ele não pareceu nem um pouco nervoso quando subiu no palco e cumprimentou o Dr. Arthur Ward com um aperto de mãos. Ele estava totalmente à vontade, como se passasse o tempo todo fazendo discursos para centenas de pessoas!

E provavelmente é o que acontece.

E ele estava sorrindo, e olhava todos da plateia nos olhos, exatamente como Grandmère sempre me diz para fazer, e ele nem precisou ler anotações para discursar, tinha memorizado a coisa toda (exatamente como Grandmère sempre me diz para fazer *também*).

E ele foi engraçado e inteligente, e eu me aprumei na cadeira e tirei a boina e também os óculos escuros para poder enxergar melhor, e todas as minhas entranhas derreteram e eu percebi que tinha cometido um erro ao vir aqui. O pior erro *da minha vida*.

Porque só me serviu para perceber, mais uma vez, como eu não queria que nós tivéssemos terminado.

Não estou dizendo que não amo o J.P., nem nada disto.

Eu só queria... Eu...

Eu nem sei.

Mas eu sei que preferia não ter vindo aqui! E percebi com toda a certeza no minuto em que o Michael começou a falar, e a agradecer a todo mundo por recebê-lo, e a descrever como ele tinha tido a ideia para a Pavlov Cirúrgica (que eu já sabia, é claro — ele tinha dado esse nome por causa do cachorro dele, que é a coisa mais adorável do mundo), que não ia ter jeito de eu chegar e falar com ele depois. Nem se a Lilly, os pais deles e a vovó Moscovitz não estivessem ali.

Nem em nome do povo de Genovia. De jeito nenhum. Nunquinha.

Não confiava em mim mesma para chegar lá e falar com ele sem jogar meus braços ao redor do pescoço dele e enfiar a minha língua no fundo da garganta dele, como a Finnula faz com o Hugo em *Liberte o meu coração*.

Eu sei! E eu tenho namorado! Um namorado que eu amo!

Apesar de... bom. Tem aquela *Outra Coisa*.

Então fiquei pensando, tipo: *Está tudo bem, a gente está na última fila, simplesmente vamos sair de fininho quando ele terminar de falar.*

Eu realmente não achei que fosse ser nada de mais. Lars continuava no corredor com Wahim, apesar de eu perceber que ele ficava olhando para dentro e lançando um olhar enviesado para mim (e ele com certeza aprendeu isto com Grandmère). Não tinha chance de sermos descobertas, a menos que Lana ou Trisha começassem a se agarrar com um dos jornalistas sentados perto de nós, sendo que nenhum deles era gato, o que fazia a ideia parecer bastante improvável.

Mas então Michael começou a apresentar os outros integrantes da equipe do CardioBraço — sabe como é, as pessoas que o ajudaram a inventar e a comercializar o aparelho, ou sei lá o quê.

E uma dessas pessoas era uma moça totalmente fofa, chamada Midori, e quando ela subiu no palco e deu um abraço no Michael, deu para ver na hora... Quer dizer, eu logo vi que...

Mas, bom, foi aí que eu percebi que os dois estavam juntos, e foi também aí que eu senti a aveia com uvas-passas que eu havia comido no café da manhã subir pela minha garganta. E isso não fazia o menor sentido, porque nós terminamos, e, ah, sim, como já mencionei anteriormente: EU TENHO NAMORADO.

Mas, bom, Tina também viu o abraço, e se inclinou para o meu lado para cochichar: "Tenho certeza de que eles só são amigos e trabalham juntos. Fala sério, não se preocupe com isso."

E eu cochichei em resposta: "É, até parece. Porque todos os caras realmente ignoram a mulher de microminissaia do trabalho."

E é claro que pra isso Tina não tinha resposta. Porque a microminissaia da Midori era tão fofa quanto ela. E todos os homens na sala estavam ignorando. ATÉ PARECE.

E então Michael apresentou o CardioBraço dele — que era bem maior do que eu pensava — e todo mundo bateu palmas, e ele inclinou a cabeça em um gesto adoravelmente modesto.

E daí o Dr. Arthur Ward o surpreendeu ao lhe dar um diploma honorário de Mestre em Ciência. Sabe como é, isso é o tipo de coisa que deixa as pessoas surpresas.

Então todo mundo bateu mais palmas, e os Drs. Moscovitz subiram no palco com a vovó e a Lilly (o Kenny — quer dizer, Kenneth — ficou para trás, até Lilly finalmente fazer um sinal para ele se juntar a eles, e foi o que ele fez, depois de muita hesitação e de ela ficar acenando pra ele, até finalmente bater o pé no chão como quem dá uma ordem, algo que é a cara da Lilly e que fez todo mundo rir, até as pessoas que não a conheciam); e a família toda se abraçou e eu só...

Comecei a soluçar. De verdade.

Não porque o Michael tem uma namorada nova, nem por nada tão cafona assim.

Mas porque foi tão doce ver todos eles ali no palco, se abraçando, uma família inteira que eu conheço pessoalmente, e que passou por tanta coisa, com o quase divórcio dos pais do Michael e da Lilly e o fato de terem voltado e a loucura generalizada da Lilly e Michael ter ido para o Japão e ter se dedicado tanto ao trabalho, e...

... e eles estavam todos tão felizes. Foi simplesmente tão... *legal*. Foi um momento maravilhoso de sucesso e triunfo e de *maravilhamento*.

E lá estava eu, *espionando* tudo aquilo. Porque eu queria usar Michael para conseguir uma coisa que, é verdade, o meu país precisa, mas que eu não mereço, de jeito nenhum. Quer dizer, nós podemos esperar, como todos os outros.

Basicamente, eu me senti como se estivesse totalmente invadindo a privacidade deles, e que eu não tinha o direito de estar ali. Porque eu não tinha. Os meus pretextos para estar ali eram falsos.

E estava na hora de ir embora.

Então olhei para todas as outras meninas — o melhor que eu pude, através das minhas lágrimas — e falei: "Vamos embora." "Mas você nem falou com ele!", Tina exclamou.

"E não vou falar", respondi. Assim que eu disse, percebi que *esta* era a atitude nobre a tomar. Deixar Michael em paz. Agora ele estava feliz. Ele não precisava mais de mim, uma louca, neurótica, para estragar a vida dele. Ele tinha Midori, uma mulher doce e inteligente — ou, se não fosse ela, devia ser alguma outra parecida com ela. A última coisa de que ele precisava era da princesa Mia, que mente e escreve romances.

E que, aliás, já tem namorado.

"Vamos sair discretamente, uma de cada vez", falei. "Eu vou primeiro, preciso passar no banheiro." Eu sabia que precisava escrever tudo isto enquanto ainda estava fresco na minha mente. Além do mais, eu precisava passar lápis e rímel de novo, já que tinha borrado tudo com meu choro. "A gente se encontra na esquina da Broadway com a 168."

"Que saco", Lana disse. Ela presta muita atenção a seus sentimentos.

"A limusine está esperando lá", expliquei. "Eu levo vocês ao Pinkberry. Por minha conta."

"Pinkberry o caramba", Lana disse. "Você vai nos levar ao Nobu."

"Tudo bem", respondi.

Então entrei aqui. Onde retoquei a maquiagem e estou escrevendo isto.

Realmente, é melhor assim. Deixá-lo ir. Não que algum dia ele tenha sido meu, ou pudesse ter sido, na verdade, mas... bom, *é bem melhor assim* e tal. Tenho certeza de que Grandmère concordaria. Mas, de verdade, esta é a coisa mais nobre a se fazer.

Os Moscovitz pareciam tão *felizes*... Até a Lilly.

E ela *nunca* fica feliz.

Certo, é melhor eu ir encontrar com o pessoal. Acho que o Lars realmente pode dar um tiro em mim se eu o fizer esperar mais.

Eu...

Ei, estes sapatos me parecem muito familiares.

Ai, *não*.

Sábado, 29 de abril, 16h, na limusine, a caminho de casa

Ai, *sim*.

A Lilly. Era a *Lilly*.

Na cabine ao lado da minha.

Ela com certeza reconheceu o meu sapato-boneca de plataforma. O novo, da Prada, não o velho, que eu tinha há dois anos, que ela destruiu com tanta selvageria no site dela.

Ela ficou, tipo: "Mia? É você que está aí? Achei mesmo que tinha visto o Lars no corredor..."

O que eu podia fazer? Não podia dizer que não era eu. Obviamente. Então saí e lá estava ela, parecendo totalmente confusa, tipo: *O que você está fazendo aqui?*

Felizmente, durante todo o tempo que passei sentada na plateia, tive a oportunidade de inventar uma história para o caso de isto acontecer.

A Mentira Enorme Número Seis de Mia Thermopolis.

"Ah, oi, Lilly." Eu agi mesmo como quem não quer nada. Apesar de eu ter me maquiado toda com produtos MAC e de ter arrumado o cabelo, de estar usando o meu melhor top da Nanette Lepore e calça justa com detalhes em renda, agi como se a coisa toda não fosse nada de mais. "Gretchen Weinberger não pôde vir aqui hoje, então ela me deu a credencial de imprensa dela e pediu para eu fazer a reportagem da doação do Michael no seu lugar." Eu até tirei a credencial de imprensa da Gretchen da bolsa para comprovar a minha mentira colossal. "Espero que você não se incomode."

Lilly só ficou olhando pra credencial. Daí ela ergueu os olhos para mim (porque eu continuo uns quinze centímetros mais alta do que ela, principalmente de plataforma, apesar de ela estar de saltos).

Sinceramente, não gostei nada do jeito que ela estava olhando pra mim. Como se não acreditasse em mim.

Quando já era tarde demais, me lembrei de que Lilly sempre sabia quando eu estava mentindo (porque as minhas narinas ficam abrindo e fechando).

Mas eu tenho treinado mentir na frente do espelho, e também na frente de Grandmère, para impedir que isso aconteça, porque se as pessoas percebem que você está mentindo, sua futura carreira de princesa, ou qualquer outra coisa que você queira ser, está ameaçada de verdade, porque mentirinhas inocentes são fundamentais em todas as profissões. ("Ah, não, na verdade você vai viver muito mais do que seis meses.")

E Grandmère diz que eu melhorei muito (J.P. também. Bom, isto é óbvio. Se não, ele logo saberia quando eu disse que não fui aceita por todas as faculdades que falei que não me aceitaram. Isso sem mencionar qualquer uma das outras diversas mentiras que contei pra ele. Eu poderia ter *matado* a Lilly por ter contado a coisa das narinas pra ele. Às vezes fico imaginando se tem alguma *outra* coisa que ela contou pra ele a respeito de mim e que ele não me contou que ela revelou).

Eu estava bem segura de que Lilly não ia perceber que eu estava mentindo. Mas, só pra garantir, completei: "Espero que você não se importe de eu estar aqui. Tentei ficar lá no fundo, o mais longe possível de você. Sei que este é um dia especial pra você e a sua família, e eu... acho que isto é mesmo maravilhoso para o Michael."

Esta última parte não era mentira, então não precisei me preocupar com as minhas narinas. Nem um pouquinho.

Lilly apertou os olhos pra mim. Pra variar, ela não tinha feito uma maquiagem forte com lápis de olho preto neles. Eu sabia que ela tinha feito isso por respeito à vovó Moscovitz, que considera kajal vulgar.

Achei que ela ia me bater. Achei mesmo.

"Você realmente está aqui para cobrir a notícia para o *Átomo*?", perguntou, com voz seca.

Nunca me concentrei tanto nas minhas narinas do que naquele momento.

"Estou", respondi. E, de todo modo, não era mentira, porque a minha ideia era ir pra casa agora e escrever um artigo de 400 palavras sobre esta coisa toda e entregar na segunda de manhã. Depois de vomitar umas novecentas vezes.

O olhar maldoso da Lilly não mudou.

"E você realmente foi sincera quando falou sobre o meu irmão, Mia?", ela perguntou.

"Claro que sim", respondi. Isto também era verdade.

Bem como eu tinha desconfiado, Lilly estava olhando fixamente para o meu nariz. Como ela não viu minhas narinas se mexerem, pareceu relaxar um pouco.

Mas o que ela disse em seguida me deixou tão chocada que, por um instante, perdi a capacidade de falar:

"Foi muito legal da sua parte ter vindo aqui. No lugar da Gretchen, quer dizer", falou, parecendo cem por cento sincera. "E eu sei que o fato de você ter vindo vai ser muito importante para o Michael. E como está aqui mesmo, não pode ir embora sem dar um *oi* pra ele."

Foi aí que eu quase vomitei a minha aveia de novo. *O quê?*

"Hm", engasguei, recuando tão rápido que quase dei um encontrão em uma senhora que estava saindo de outra cabine. "Não, obrigada. Tudo bem! Acho que já tenho o suficiente para escrever o artigo para o *Átomo*. Este é um momento pra vocês ficarem em família. Não quero me intrometer. Aliás, minha carona está esperando, então eu preciso ir."

"Não seja idiota", Lilly disse, e agarrou o meu pulso. E não foi de um jeito gentil e simpático, do tipo *Vamos lá*. Mas sim como quem diz: *Eu peguei você, e vai vir comigo, mocinha*. Confesso: fiquei um pouco assustada. "Você é princesa, lembra? Pode dizer à sua carona quando é a hora de sair. Como sua editora, estou dizendo que você precisa de uma declaração exclusiva do Michael para o jornal. E ele ficaria magoado se descobrisse que você estava aqui e não deu um *oi*." E ela completou, com um apertão fatídico no meu pulso, junto com um olhar penetrante que seria capaz de congelar lava derretida: "Você não vai magoar o Michael de novo, Mia. Não enquanto eu estou aqui."

Eu? Magoar *Michael?* Acorda! Por acaso eu preciso lembrá-la de que foi o irmão dela que *me* deu um fora?

E, tudo bem, eu agi como uma babaca e mereci completamente levar um fora, mas mesmo assim.

O que estava acontecendo ali, aliás? Será que este era algum tipo de continuação à revanche para o que eu nem sei que fiz contra ela no ano passado? Será que ela ia me arrastar para dentro daquela sala e então fazer ou dizer alguma coisa horrível para me humilhar na frente de todo mundo, principalmente do irmão dela?

Se fosse isso, eu realmente não tinha opção além de deixar que ela me puxasse de volta para dentro daquele pavilhão apinhado de gente. Ela apertava o meu pulso como se a mão dela fosse de ferro.

Mas... e se isto *não* tivesse nada a ver com revanche? E se Lilly tivesse superado a coisa que a tinha deixado tão furiosa comigo durante dois anos? Talvez valesse a pena arriscar.

Porque, apesar de tudo — até do site euodeiomiathermopolis.com —, eu sentia falta da nossa amizade. Pelo menos quando ela não estava tentando se vingar de coisas que supostamente fiz contra ela.

Vi Lars erguer os olhos, surpreso, quando nós saímos do banheiro juntas, e os olhos dele se arregalaram — ele sabe muito bem que Lilly e eu não somos mais exatamente as melhores amigas do mundo. E acredito que, pelo jeito como ela estava agarrando meu pulso, ele também percebeu que eu não estava indo atrás dela por livre e espontânea vontade.

Mesmo assim eu sacudi a cabeça na direção dele pra avisar que não era pra ele usar aquele seu aparelhinho de choque. Esta confusão era minha, e eu ia achar um jeito de dar conta dela. Só não sabia como.

Também vi que Tina, no fim do corredor, reparou em nós e nos lançou um olhar assustado. Lilly, graças a Deus, não a viu. O queixo da Tina caiu quando ela percebeu o jeito como a mão da Lilly estava fechada no meu pulso, que, eu imagino, não parecia muito amigável. Tina colocou o celular na orelha bem rapidinho e fez com os lábios o movimento de "me liga!".

Assenti. Com certeza eu ia ligar pra Tina.

Ia ligar pra ela e dizer o que eu acho do fato de ela ter me metido nesta confusão, pra começo de conversa (apesar de eu reconhecer que vim até aqui, na verdade, por causa do meu grande plano de Tomar uma Atitude Nobre).

Antes de eu me dar conta, Lilly já estava me arrastando pelo Pavilhão de Tratamento de Pacientes Simon e Louise Templeman, na direção do palco onde Michael, os pais deles e a vovó Moscovitz, o Kenny — quer dizer, Kenneth — e os outros funcionários da Pavlov Cirúrgica ainda estavam, bebendo champanhe.

Achei que ia morrer. De verdade.

Mas então eu me lembrei de uma coisa que Grandmère certa vez me garantiu: ninguém nunca morreu de vergonha — nunca, nem uma vez em toda a história do mundo.

E sou uma prova viva disto, tendo a avó que tenho.

Então, pelo menos tenho a garantia de que vou escapar viva desta.

"Michael!", Lilly começou a berrar quando nós estávamos a meio caminho do palco. Ela tinha largado o meu pulso e pegado a minha mão — e isto foi muito estranho. Lilly e eu costumávamos nos dar as mãos o tempo todo para atravessar a rua quando éramos pequenas, porque as nossas mães nos obrigavam, como se isto fosse garantir que nós não seríamos atropeladas por um ônibus da linha M1 (basicamente, em vez disto, significava que nós *duas* seríamos esmagadas). Naquela época, a mão da Lilly sempre estava suada e melecada de doce.

Agora estava macia e fria. Uma mão adulta, na verdade. Foi estranho.

Michael estava ocupado, conversando com um grupo grande — em japonês. Lilly teve que dizer o nome dele mais duas vezes pra ele finalmente olhar e nos ver.

Eu gostaria de poder dizer que, quando os olhos escuros do Michael se encontraram com os meus, eu estava completamente calma, tranquila por voltar a vê-lo depois de tanto tempo, e que dei risadas despreocupadas e disse todas as coisas certas. Eu gostaria de dizer que, depois de ter levado, praticamente sozinha, a democracia a um país do qual eu por acaso sou princesa, e de ter escrito um romance de quatrocentas páginas, e de ter sido aceita por todas as faculdades às quais me inscrevi (mesmo que seja só por eu ser princesa), que eu consegui encontrar Michael de novo com graça e compostura total, depois de jogar o meu colar com pendente de floco de neve na cara dele há quase dois anos.

Mas nada disso aconteceu. Dava pra sentir que meu rosto estava corando quando o olhar dele me encarou. Além disto, minhas mãos começaram a suar no mesmo instante. E eu tinha plena certeza de que o chão balançaria e viria de encontro direto ao meu rosto, de tão tonta, desorientada que eu me senti.

"Mia", cumprimentou, com aquela voz sua profunda, depois de pedir licença para as pessoas com quem estava falando. Então ele sorriu, e a minha desorientação aumentou uns dez milhões por cento. Eu tinha certeza de que ia desmaiar.

"Hm", resmunguei. Acho que retribuí o sorriso. Não faço ideia. "Oi."

"Mia está aqui como representante do *Átomo*", Lilly explicou, já que eu não disse mais nada. Não *consegui* dizer mais nada. Se dissesse, teria desabado igual a uma árvore roída por um castor. "Ela vai fazer uma matéria sobre você, Michael. Não vai, Mia?"

Assenti com a cabeça. Matéria? *Átomo?* Do que ela estava falando? Ah, claro. Do jornal da escola.

"Como vão as coisas?", Michael perguntou. Ele estava falando comigo. Ele estava falando comigo de um jeito simpático e sem nenhum tipo de confronto.

E, no entanto, nenhuma palavra se formulava na minha mente, imagine então se alguma saiu da minha boca. Eu fiquei muda, igualzinho ao personagem do Rob Lowe naquele filme do Stephen King pra TV, *A dança da morte*. Só que eu não fiquei tão bonita quanto ele.

"Por que você não pergunta alguma coisa para o Michael pra sua reportagem, Mia?", Lilly provocou. Ela até me *cutucou*. No ombro. E doeu, viu?

"Ai", reclamei.

Uau! Uma palavra!

"Cadê o Lars?", Michael perguntou e riu. "É melhor tomar cuidado, Lil. Ela geralmente anda por aí acompanhada da escolta armada."

"Ele está por aí, em algum lugar", consegui proferir.

Finalmente! Uma frase. Acompanhada por uma risada trêmula. "Eu estou bem, obrigada por ter perguntado antes. E você, como está, Michael?"

Sim! Ela fala!

"Estou ótimo", Michael respondeu.

Foi bem aí que a mãe dele se aproximou e disse: "Querido, este senhor aqui é do *New York Times*. Ele quer falar com você. Será que dá para..." Daí ela me viu, e os olhos dela se arregalaram total. "Ah, *Mia*."

É isso mesmo. Como quem diz: Ah. *É Você. A Garota Que Acabou Com a Vida dos Meus Dois Filhos.*

Sinceramente, também não acho que foi minha imaginação. Quer dizer, eu precisaria ter a imaginação do tamanho da da Tina para transformar em: Ah. *É Você. A Garota Por Quem o Meu Filho Se Remói Há Dois Anos.*

E eu sabia que esse não era o caso, já que tinha visto a Micromini Midori.

"Olá, Dra. Moscovitz", murmurei.

"Como vai?"

"Estou bem, querida", ela respondeu, sorrindo, e se inclinou para me dar um beijo na bochecha. "Faz tanto tempo que não a vejo... Que bom que você pôde vir."

"Estou cobrindo o evento para o jornal da escola", apressei-me em explicar e percebi na hora como aquilo pareceu incrivelmente idiota. Mas eu não queria que ela pensasse que eu estava lá por causa de alguma das verdadeiras razões que me fizeram ir até lá. "Mas eu sei que ele está ocupado. Michael, vá lá falar com o *Times*..."

"Não", Michael respondeu. "Tudo bem. Tenho muito tempo pra isso."

"Está brincando?" Minha vontade era empurrar o Michael na direção do repórter, mas nós não estamos mais namorando, então não tenho permissão para tocar nele. Apesar de eu realmente estar com muita vontade de colocar a mão na manga do paletó dele, para sentir o que tinha por baixo. E isto foi uma percepção chocante, porque eu tenho namorado. "Ele é do *Times*!"

"Quem sabe vocês dois não tomam um café amanhã ou algo assim?", Lilly sugeriu como quem não quer nada, bem quando Kenneth — Há! Finalmente eu me lembrei! — chegou saltitante.

"Para, tipo, uma entrevista exclusiva?"

O que ela estava *fazendo*? O que ela estava *dizendo*? Pareceu que Lilly de repente tinha se esquecido do quanto me odiava. Ou então a Lilly Maldosa tinha sido substituída, quando ninguém estava olhando, pela Lilly Boazinha.

"Olhe só", Michael disse, animado. "Esta é uma boa ideia. O que você acha, Mia? Vai estar livre amanhã? Podemos nos encontrar no Caffe Dante, tipo lá pela uma da tarde?"

Antes que eu me desse conta do que estava fazendo, levada pelos famosos sentimentos, já estava assentindo e dizendo: "Claro, amanhã está ótimo. Certo, a gente se fala então."

E daí Michael se afastou... Mas, no último minuto, ele se virou e disse: "Ah, e leva o seu projeto. Ainda estou curioso pra ler!"

Ai, meu Deus.

Eu achei mesmo que ia vomitar em cima dos sapatos sociais reluzentes do Kenneth.

Lilly deve ter reparado, já que ela me cutucou nas costas (de novo, e de um jeito não muito gentil) e perguntou: "Mia, está *tudo bem* com você?"

A essa altura, Michael, que conversava com o repórter do *Times*, já estava longe demais para escutar o que nós estávamos dizendo, e a mãe dele tinha se afastado para conversar com o pai dele e com a vovó Moscovitz. Eu só fiquei olhando pra Lilly, arrasada, e disse a primeira coisa que me veio à mente, que foi:

"Por que você resolveu ser tão simpática comigo de repente?"

Lilly abriu a boca e começou a dizer alguma coisa, mas Kenneth deu um abraço nela, me encarou com ódio e perguntou: "Você continua namorando o J.P.?"

Eu só fiquei olhando pra ele, toda confusa. "Continuo", respondi.

"Então deixa pra lá", Kenneth disse, e levou Lilly para longe, como se estivesse bravo comigo ou algo assim.

E ela nem tentou impedi-lo.

E isto foi estranho, porque Lilly não é exatamente o tipo de menina que deixa um garoto dizer a ela o que fazer. Mesmo que seja o Kenneth, apesar de ela gostar dele de verdade. Ela mais do que gosta, tenho bastante certeza.

Mas, bom, esse foi o fim do meu grande reencontro com Michael, depois de quase dois anos. Desci do palco com a máxima dignidade possível (ajuda quando a gente tem um guarda-costas de escolta) e fui para a limusine, onde as meninas estavam esperando, ansiosas por saber todos os detalhes que eu pude fornecer enquanto escrevia isto (apesar de ter deixado de fora alguns detalhes na versão que contei a elas, obviamente).

Preciso levá-las ao Nobu, e elas estão dizendo que nós vamos experimentar todos os tipos de sushi do cardápio.

Mas eu não sei como vou ser capaz de me concentrar em apreciar os sabores sutis do Chef Matsuhisa se vou passar o tempo todo pensando: *O que eu vou fazer em relação a mostrar o meu livro para o Michael?*

Fala sério. Não quero parecer medíocre — como Grandmère diria —, mas neste momento eu estou bem ferrada.

Porque não posso mostrar o livro para o Michael. Ele inventou um braço robotizado que salva a vida das pessoas. Eu escrevi um romance. Uma coisa não tem nada a ver com a outra.

E realmente não quero que o cara que acabou de ganhar um título honorário de Mestre em Ciência da Universidade de Columbia (e que enfiou a mão dentro da minha blusa em diversas ocasiões) leia as minhas cenas de sexo.

Isto é que é passar vergonha.

Sábado, 29 de abril, 19h, em casa

Cheguei à conclusão de que o Dr. L tem razão. Preciso parar de mentir tanto. Quer dizer, se vou me encontrar amanhã com o Michael pra esta coisa de entrevista para o jornal (que não vou conseguir escapar, porque se eu não for vou precisar confessar que *não* fui à cerimônia para entrevistá-lo para o *Átomo*, e eu não vou confessar *de jeito nenhum* que estava lá *na verdade* para pedir um CardioBraço pra ele... Ou, pior, para espioná-lo com as minhas amigas insistentes), vou ter que dar a ele uma cópia do meu projeto.

Simplesmente vou ter que fazer isso. Não vou conseguir escapar desta. Ele lembrou, totalmente — nem me pergunte como, já que ele é obviamente o homem mais ocupado do universo.

E se o meu ex-namorado for mesmo ler o meu verdadeiro projeto, bom, isto significa que eu terei que contar a verdade a respeito dele para as pessoas que fazem parte da minha vida e que são mais importantes do que ele. Como, por exemplo, a minha melhor amiga e o meu atual namorado.

Porque, senão, não vai ser justo. Quer dizer, Michael saber a verdade a respeito de *Liberte o meu coração*, mas Tina ou J.P. não saberem.

Então eu resolvi simplesmente encarar os fatos e dar uma cópia pra cada um, pra TODOS eles. Neste fim de semana.

Aliás, acabei de mandar o da Tina por e-mail, agorinha mesmo. Nesta noite eu tenho todo o tempo livre, pois J.P. vai ensaiar, e eu ficarei cuidando do Rocky enquanto minha mãe e o Sr. G vão a uma reunião do bairro para discutir a expansão desenfreada da Universidade de Nova York e o que pode ser feito pra acabar com isto antes que só uma garotada de 20 anos que estuda cinema e tem uma bela herança para gastar tenha dinheiro para morar no Village.

Mandei uma cópia do meu original pra Tina com a seguinte mensagem:

Querida T,

Espero que você não fique brava comigo, mas lembra quando eu disse que o meu projeto final era sobre a história da extração de azeite de oliva em Genovia no período aproximado de 1254-1650? Bom, eu meio que estava mentindo. Na verdade, o meu projeto era um romance medieval de quatrocentas páginas chamado *Liberte o meu coração*, ambientado na Inglaterra de 1291, que conta a história de uma moça chamada Finnula, que sequestra um cavaleiro que tinha acabado de voltar das Cruzadas e exige um resgate para que a irmã grávida possa comprar lúpulo e cevada para produzir cerveja (uma prática comum naquele tempo).

Mas o que Finnula não sabia é que o cavaleiro, na verdade, é o conde do vilarejo dela. E Finnula também tem alguns segredos que o conde não conhece.

Estou enviando *Liberte o meu coração* pra você agora. Não precisa ler nem nada (a menos que tenha vontade). Só espero que você me perdoe por ter mentido. Estou me sentindo a maior idiota por ter feito isso. Não sei por que fiz, acho que fiquei com vergonha por não saber se era bom ou não. Além do mais, há muitas cenas de sexo no livro.

Espero, de verdade, que você ainda seja minha amiga.

Com amor,
Mia

Ela ainda não me respondeu, mas isto é porque a família Hakim Baba costuma jantar neste horário e Tina é proibida de olhar as mensagens à mesa. Esta é uma regra da família que até o Sr. Hakim Baba segue, agora que o médico fez um alerta a respeito da pressão alta dele.

Estou me sentindo meio enjoada — enjoada e ansiosa ao mesmo tempo. Quer dizer, por ter mandado *Liberte o meu coração* pra Tina. Não faço ideia do que ela vai dizer. Será que vai ficar brava por eu ter mentido pra ela? Ou feliz da vida porque um romance é a coisa de que ela mais gosta na vida? É verdade que ela prefere romances contemporâneos, e geralmente os que têm xeiques na história.

Mas é possível que ela goste do meu. Incluí uma tonelada de referências ao deserto na história.

Mas o mais importante é o que J.P. vai dizer quando eu contar pra ele. Quer dizer, ele sabe que eu adoro escrever e que quero ser escritora no futuro.

Mas nunca cheguei a comentar com ele que queria escrever *romances*.

Bom, acho que vou descobrir o que ele pensa bem rápido. Vou mandar uma cópia pra ele também.

Mas quem sabe quando ele vai chegar a abrir o e-mail e ler? Os ensaios da peça dele têm se estendido até a meia-noite.

E agora Rocky está implorando pra que eu assista *Dora, a aventureira* com ele. Compreendo que milhões de crianças gostam da Dora e aprenderam a ler ou a fazer sei lá o quê com o programa dela. Mas eu não me incomodaria se a Dora caísse de um penhasco e levasse os amiguinhos dela junto.

Sábado, 29 de abril, 20h30

Acabei de receber uma mensagem da Tina!

> AI, MEU DEUS, NÃO ACREDITO QUE VOCÊ ESCREVEU UM ROMANCE E NÃO ME CONTOU!!!!!!!!!! VOCÊ É O MÁXIMO!!!!!!!!! TE ADORO, MIA!!!!!!!!! LIVROS DE ROMANCE SÃO TUDO!!!! JÁ COMECEI A LER E É MUITO FOFO!!!! VOCÊ PRECISA TENTAR PUBLICAR ISTO!!!!!! NÃO ACREDITO QUE VOCÊ ESCREVEU UM LIVRO INTEIRO!!!!!!! Tina
>
> P.S. Preciso conversar com você sobre uma coisa. Não posso escrever. Não é nada de ruim. Mas é uma coisa que eu pensei por causa do seu livro. ME LIGA O MAIS RÁPIDO POSSÍVEL!!!!!

Bem quando eu estava lendo isto, meu telefone tocou. Era o J.P. Atendi e, antes que eu tivesse chance de dizer qualquer coisa, até "alô", ele já estava falando: "Espera... você escreveu um *romance*?"

Ele estava rindo. Mas não de um jeito maldoso. De um jeito carinhoso, como quem diz: *Eu não acredito.*

Antes que eu me desse conta, estava rindo com ele.

"É", respondi. "Lembra do meu projeto final?" "Aquele sobre a história da extração de azeite de oliva em Genovia no período aproximado de 1254-1650?" J.P. parecia incrédulo.

"Claro que sim."

"É", falei. "Bom, na verdade eu meio que... menti a respeito disso." Ai, meu Deus do céu, rezei. Não permita que ele me odeie por ter mentido. "Na verdade, meu projeto era um romance histórico. Esse que mandei pra você. É medieval, ambientado na Inglaterra de 1291. Você me odeia?"

"Odiar você?" J.P. riu um pouco mais. "É lógico que não te odeio, Mia. Eu nunca odiaria você. Mas um *romance*?", repetiu. "Tipo aqueles que a Tina gosta de ler?"

"É", concordei. Por que ele estava falando deste jeito? Não era assim *tão* estranho. "Bom, nao *exatamente* do tipo que ela gosta de ler. Mas mais ou menos o mesmo. Sabe, o Dr. L me disse que era ótimo eu ter ajudado Genovia a se tornar uma monarquia constitucional e tal, mas que eu realmente devia fazer algo por *mim mesma*, não só pelo povo de Genovia. E como eu adoro escrever, pensei — e o Dr. L concordou — que talvez devesse escrever um livro, porque quero ser escritora e tal, e passo o tempo todo escrevendo no meu diário, de todo jeito. E, bom, eu adoro romances. Eles proporcionam tanta felicidade... E também servem para aliviar o estresse, e isto está comprovado — você sabe quantas integrantes da Domina Rei, mulheres líderes no mundo empresarial e político, leem romances pra relaxar? Fiz uma pesquisa e mais de 25% de todos os livros vendidos são romances. Então achei que, se fosse escrever alguma coisa com a intenção de ser publicada, estatisticamente, eu teria mais chances com um romance..."

Certo. Eu estava falando só por falar. Quer dizer, eu tinha mesmo acabado de dizer a ele que mais de 25% de todos os livros vendidos são romances? Não era pra menos que ele não estava falando mais nada.

"Você escreveu um *romance*?", repetiu, finalmente. Mais uma vez. Foi estranho, J.P. parecia menos aborrecido com o fato de eu ter mentido pra ele do que por eu ter escrito um romance.

"Hm, escrevi", prossegui, tentando não me concentrar muito em como ele parecia estupefato. "Sabe, eu fiz muita pesquisa sobre o período medieval — sabe como é, tipo a época da princesa Amelie. Daí escrevi o meu livro. E agora estou tentando publicar..."

"Você está tentando *publicar*?", J.P. repetiu, e a voz dele ficou um pouco esganiçada na palavra *publicar*.

"Estou", confirmei, um pouco chocada com a surpresa dele. Do que ele estava falando? Não é o que se faz depois de escrever um livro? Quer dizer, ele tinha escrito uma peça, e tenho bastante certeza de que ele estava tentando fazer com que fosse produzida. Certo? "Mas não consegui ainda nenhum resultado positivo. Parece que ninguém quer. Só as editoras que a gente paga para publicar, é claro. Mas aí eu não vou receber nada; aliás, vou *gastar*. Mas isto não é assim tão incomum. Quer dizer, o primeiro livro do Harry Potter, da J.K. Rowling, foi rejeitado diversas vezes antes de ela..."

"Os editores sabem que foi *você* quem escreveu o livro?", J.P. interrompeu. "A princesa de Genovia?"

"Bom, claro que não", afirmei. "Estou usando um pseudônimo. Se eu dissesse que tinha escrito, eles certamente iam querer publicar. Mas daí eu não saberia se eles tinham gostado e achado que valia a pena publicar ou se só queriam editar um livro escrito pela princesa de Genovia. Percebe a diferença? Se for assim, eu nem quero ser publicada. Quer dizer, só quero ver se eu consigo — se posso ser uma autora publicada — sem que aconteça só porque eu sou princesa. Quero que aconteça porque o que escrevi é bom — talvez não seja a melhor coisa do mundo. Mas que seja bom o suficiente pra vender no WalMart ou em qualquer lugar assim."

J.P. só suspirou.

"Mia", suspirou. "O que você está *fazendo*?"

Fiquei estupefata. "Fazendo? Como assim?"

"Quer dizer, por que você está se vendendo por tão pouco? Por que está escrevendo ficção comercial?"

Preciso confessar que não entendi absolutamente nada do que ele estava falando. "Estar me vendendo por tão pouco"? E ficção comercial? Que outro tipo de ficção eu deveria escrever? Ficção baseada na vida de gente de verdade? Isto eu já tentei... há muito tempo. Escrevi um conto baseado em uma pessoa que existe — era sobre o J.P., aliás, antes de antes de a gente se conhecer.

E fiz o personagem inspirado nele se matar no fim, quando se jogou embaixo do metrô da linha F!

Graças a DEUS eu percebi no último minuto, logo antes de a história ser distribuída para a escola inteira por meio da revista literária da Lilly, que a gente simplesmente não pode *fazer* uma coisa dessa. Não se pode escrever histórias a partir da vida de pessoas que existem e fazer com que elas se joguem embaixo do trem do metrô da linha F no fim.

Porque daí você só vai magoar essas pessoas se elas por acaso lerem e se reconhecerem na história.

E não quero magoar ninguém!

Mas eu não podia contar isso para o J.P. Ele não sabia sobre o conto que eu havia escrito sobre ele. Guardei este segredo durante todo o tempo em que estamos juntos.

Então, em resposta à pergunta dele a respeito de ficção comercial, eu respondi: "Bom. Porque... é divertido. E eu gosto."

"Mas você é muito melhor do que isso, Mia", afirmou.

Preciso confessar que isso meio que doeu. Era como se ele estivesse dizendo que o meu livro — no qual eu passei quase dois anos trabalhando, e que ele ainda nem tinha lido — não valia nada.

Uau. Esta *realmente* não era a reação que eu esperava receber dele.

"Talvez você devesse ler primeiro", sugeri, procurando segurar as lágrimas que de repente encheram os meus olhos — não sei de onde elas vieram, realmente eu não sou assim tão sensível —, "antes de tirar alguma conclusão."

Na hora, J.P. pareceu arrependido.

"Claro que sim", concordou. "Você tem razão. Desculpa. Olha... preciso voltar para o ensaio. Será que a gente pode conversar melhor sobre isso amanhã?"

"Tudo bem", cedi. "Me liga."

"Vou ligar", garantiu. "Te amo."

"Eu amo você também", falei. E desliguei.

O negócio é que vai dar tudo certo. Eu sei que vai. Ele vai ler *Liberte o meu coração* e vai adorar. Eu sei que vai. Da mesma maneira que eu vou ver a estreia de *Um príncipe entre os homens* na semana que vem e vou adorar. Vai dar tudo certo! É por isso que nós dois combinamos tanto. Porque somos muito criativos. Somos artistas.

Quer dizer, J.P. provavelmente vai ter algumas observações editoriais a fazer a respeito de *Liberte o meu coração*. Nenhum livro é perfeito. Mas tudo bem, porque casais são assim. Igualzinho ao Stephen e a Tabitha King. Eu quero ouvir as críticas dele! Provavelmente também vou ter alguns comentários a fazer sobre *Um príncipe entre os homens*. Amanhã nós analisaremos os comentários dele sobre o meu livro e...

AI, MEU DEUS, EU VOU ENCONTRAR MICHAEL PARA TOMAR UM CAFÉ AMANHÃ!!!!!!!!!!

Como é que eu vou conseguir dormir AGORA?????

Domingo, 30 de abril, 3h, em casa

PERGUNTAS PRA FAZER AO MICHAEL PARA O *ÁTOMO*:

1. Qual foi a sua inspiração para inventar o CardioBraço?
2. Como foi morar no Japão durante 21 meses, partindo do princípio de que você ficou lá todo esse tempo sem voltar para este país antes de agora, e sem sequer me ligar, o que não teria o menor problema, já que nós terminamos mesmo?
3. Qual foi a coisa dos Estados Unidos de que você mais sentiu falta?
4. ~~Qual foi a coisa de que você mais gostou no Japão?~~

(Não posso perguntar isto! E se ele disser que é a Micromini Midori? Eu não vou conseguir suportar! Além do mais, não posso colocar esta resposta em um jornal de escola! Ah... quem sabe eu deva perguntar mesmo assim? Quem sabe ele não responde alguma coisa como *sushi*?)

4. Qual foi a coisa de que você mais gostou no Japão? (POR FAVOR, NÃO PERMITA QUE ELE RESPONDA QUE É A MICROMINI MIDORI!!!!)
5. ~~Quanto tempo é preciso esperar na fila para conseguir um CardioBraço da Pavlov Cirúrgica?~~

Isto eu também não posso perguntar! Porque parece que estou perguntando para ver quanto tempo demoraria para Genovia ter um, e que estou dando uma indireta de que quero conseguir um...

5. Hipoteticamente, se um país muito pequeno fosse encomendar um CardioBraço para um de seus hospitais (e estivesse disposto a pagar à vista por ele, é claro), que tipo de procedimento deveria ser seguido? A Pavlov Cirúrgica aceita cheque ou será que o país pode pagar com cartão Amex Black? Se puder, será que dá pra pagar agora?
6. Se você pudesse ser qualquer animal, que animal seria e por quê? (Meu Deus, esta é a pergunta mais idiota, mas parece que todo mundo que me entrevista faz esta pergunta, então acho que é melhor perguntar também.)
7. Quanto tempo você pretende ficar em Nova York? Esta mudança é permanente ou você acha que vai voltar para o Japão? Ou você se vê morando, talvez, no Vale do Silício, na Califórnia, que é onde todos os gigantes da informática, como, por exemplo, os fundadores do Google e do Facebook, parecem morar hoje em dia?
8. Como ex-aluno da EAE, qual é a melhor lembrança que você guarda da época que passou na escola? (Por favor responda Baile Inominável de Inverno do último ano.)
9. Pode dizer algumas palavras de inspiração para os formandos da EAE?

AAAAAAAAAAHHHHH! QUANTA PERGUNTA IDIOTA!!!!!!

Domingo, 30 de abril, meio-dia, em casa

Certo, ainda não pensei em nenhuma pergunta melhor para o Michael, mas aquelas foram as melhores que consegui inventar depois do que aconteceu com J.P., de ele ficar falando aquela coisa de *você escreveu um romance?* Isto sem falar as novecentas mensagens que recebi da Tina me dizendo que precisamos conversar "pessoalmente". Não faço ideia do que pode ser tão importante que nós não podemos falar pelo telefone.

Mas Tina está totalmente convencida de que o príncipe René pode ter colocado hackers para grampear em segredo as minhas comunicações por celular (como aconteceu com o príncipe Charles e Camilla e o incidente do "absorvente interno"), então, por enquanto, ela não vai dizer nem enviar por mensagem, usando o celular, nada muito importante.

E isso me faz pensar que, independentemente do que ela tem em mente, eu provavelmente não quero escutar.

A razão possível por eu não conseguir formular perguntas melhores para o Michael pode ter alguma coisa a ver com o fato de eu ter acordado hoje de manhã com Rocky batendo no meu rosto com os punhos e gritando: "Suplesa!"

Eu fiquei muito "suplesa" mesmo. Surpresa por ele estar no meu quarto, já que ele supostamente não tem permissão para entrar — e porque supostamente não deve conseguir entrar com a tranca especial que eu coloquei por cima da maçaneta, que só adultos sabem abrir.

Acontece que um adulto tinha aberto a porta pra ele. Um adulto que me espiava com um enorme sorriso alegre no rosto.

"Bom, e aí, Mia? Como estão as coisas?"

Ai, meu Deus! Era a vovó. Com o vovô logo atrás. No meu quarto. MEU QUARTO.

Agora já deu! Vou me mudar daqui. Assim que eu conseguir decidir em que faculdade vou estudar. E tenho um pouco menos de uma semana para resolver.

"Feliz aniversário adiantado!", vovó berrou. "Olha só pra você, na cama às dez da manhã! Quem você pensa que é, hein? Algum tipo de princesa?"

Isso fez com que vovó e vovô explodissem em risadas. Por causa da piada que eles mesmos inventaram. Isto me fez puxar as cobertas para cima da cabeça e berrar: "MANHÊ-Ê-ÊÊÊ!!!"

"Mãe." Eu ouvi quando a minha mãe chegou. "Por favor. Tenho certeza de que a Mia está muito contente de ver você, mas vamos deixar que ela acorde para cumprimentá-la da maneira adequada. Vocês vão ter muito tempo pra ficar juntas."

"Não sei quando", vovó respondeu. Dava pra ver pelo tom de voz dela que estava sendo sarcástica. "Você vai mandar a gente pra ver tantos museus e fazer tantos passeios e não sei mais o quê..."

"Bom, tenho certeza de que Mia vai ficar mais do que contente em acompanhar vocês a alguns desses passeios", ouvi mamãe dizer.

Foi nesse momento que eu tirei as cobertas de cima da cabeça e fiquei olhando fixo pra ela. Mamãe simplesmente retribuiu o olhar.

Então parece que hoje, mais tarde, vou levar vovó e vovô ao zoológico do Central Park.

Compreendo que isto é o mínimo que posso fazer na minha posição de única neta deles. Mesmo assim, *até parece que eu não tenho mais nada pra fazer, exatamente.*

Sendo que uma delas é me arrumar para o meu encontro no café, quer dizer, entrevista, com o Michael. E isto eu preciso continuar a fazer neste exato momento. Apesar de estar bem difícil, porque as minhas mãos tremem tanto que eu mal consigo segurar o lápis para passar delineador nos olhos.

E eu realmente gostaria que Lana parasse de me mandar mensagens pra dizer que roupa vestir, porque isto também não está ajudando nada.

Mas eu me recuso a seguir os conselhos dela, e vou usar alguma coisa mais casual. Só o meu jeans da 7 For All Mankind, as botas Christian Louboutin, meu top Sweet Robin Alexandra que deixa os ombros de fora, todas as minhas pulseiras, minha gargantilha de pedras de lava da Subversive e os meus brincos compridos. Isso não é demais, de jeito nenhum! Quer dizer, até parece que eu estou tentando fazer com que ele goste de mim de um jeito sensual. Agora nós só somos amigos.

Mas vou escovar os dentes mais uma vez, só pra garantir.

O Sr. G e o Rocky estão fazendo um recital de bateria pra vovó e pro vovô.

Por favor, permita que eu saia daqui sem ficar com uma dor de cabeça insuportável.

Sábado, 30 de abril, 12h55, Café Dante, MacDougal Street

Minhas mãos estão suando tanto. Este tipo de fraqueza é insuportável, principalmente para uma integrante da linhagem dos Renaldo. Nós somos feministas. Até o meu pai. Afinal de contas, ele tem o apoio da ONMG, a Organização Nacional das Mulheres de Genovia. Até Grandmère é membro desse grupo.

Falando em Grandmère, ela me mandou e-mail, tipo, QUATRO vezes hoje para falar da festa e/ou da eleição do papai. Deletei todos. Não tenho tempo pra ler as mensagens dramáticas dela! E por que ela não pode aprender a mandar e-mail direito? Sei que ela tem 400 anos de idade, e que eu preciso respeitar as pessoas mais velhas (apesar de que sequer ela não merece, de jeito nenhum, o meu respeito). Mas ainda assim ela bem que podia largar a tecla R depois que aperta a primeira vez.

CADÊ o Michael? Lars e eu já estamos aqui. E sei que estamos cinco minutos adiantados. (Eu quis chegar antes pra me livrar dos paparazzi, se fosse necessário, mas é estranho: não tem nenhum aqui. Eu também queria escolher o lugar em que iria me sentar primeiro, para garantir a melhor iluminação. Lana garante que isto é fundamental em encontros entre garotas e garotos, mesmo que seja do tipo Apenas Amigos. Além disto, também queria arranjar uma mesa próxima para o meu guarda-costas, mas que também fosse distante o suficiente pra ele não ficar em cima da gente.

Não quero ofender, claro, Lars, para o caso de você estar lendo isto por cima do meu ombro, que eu sei, e não minta, que é o que você faz quando acaba a bateria do celular. Então onde está...

Ai, meu Deus! Lá está ele. Está à nossa procura.

Ele está TÃO lindo. Ainda mais do que ontem, porque hoje ele está com um jeans que fica PERFEITO nele, apertado em todos os lugares certos.

Uau! Eu estou me transformando na Lana.

E ele também está com uma camiseta polo de mangas curtas preta, totalmente legal, e eu vou dizer logo que tudo que nós desconfiávamos que tinha embaixo das mangas do paletó dele ontem ESTÁ LÁ MESMO. Estou falando de músculos. E também não são aqueles músculos saltados de quem usa esteroides.

Mas Lana não estava muito longe quando fez a comparação entre ele e Christian Bale em *Batman*.

E eu sei que tenho namorado. Estou apenas observando a partir da minha capacidade de jornalista investigativa.

!!!!!

Ele me viu!!!!! Ele está vindo!!!!!

Agora eu estou morrendo, tchauzinho.

Entrevista com Michael Moscovitz para o *Átomo*, gravada por Mia Thermopolis no domingo, 30 de abril, com um iPhone (será transcrita posteriormente)

Mia: Então, tudo bem mesmo se eu gravar isto aqui?

Michael (rindo): Eu já disse que sim.

Eu: Eu sei, mas eu preciso gravar você dizendo isso. Eu sei que é besteira.

Michael (sem parar de rir): Não é besteira, só é meio esquisito. Quer dizer, estar aqui sentado, sendo entrevistado por você. Em primeiro lugar, é você. E em segundo lugar... bom, a celebridade sempre foi você.

Mia: Bom, agora chegou a sua vez. E quero agradecer de novo, muito, por me conceder esta entrevista. Eu sei como você deve estar ocupado, e quero que saiba que eu realmente fico feliz por reservar um tempo pra falar comigo.

Michael: Ah, Mia... mas é claro que sim.

Mia: Certo. Então, a primeira pergunta. Qual foi a sua inspiração para desenvolver o CardioBraço?

Michael: Bom, eu detectei uma necessidade na comunidade médica e achei que tinha os conhecimentos técnicos para atendê-la. Houve outras tentativas de criar produtos similares, mas o meu é o primeiro a incorporar tecnologia de imagem avançada. Eu posso explicar se você quiser, mas acho que não vai ter espaço para isso no seu artigo, se é que eu lembro bem o tamanho das reportagens do *Átomo*.

Mia (rindo): Hm, não, assim está bom...

Michael: E, é claro, você.

Mia: O quê?

Michael: Você perguntou qual foi a minha inspiração para desenvolver o CardioBraço. Parte disso foi você. Lembra, eu disse antes de viajar para o Japão que eu queria fazer alguma coisa que estivesse à altura de namorar uma princesa. Sei que isto agora parece bobeira, mas... foi uma parte importante da minha motivação. Naquela época.

Mia: C-certo. Naquela época.

Michael: Mas você não precisa colocar isso no artigo, se a constranger. Imagino que seu namorado não vá gostar de ler isso.

Mia: J.P.? Não, não, ele não acharia nada de mais. Está brincando? Quer dizer, ele já sabe disso tudo. Nós contamos tudo um para o outro.

Michael: Certo. Então ele sabe que você está aqui comigo?

Hm. Claro que sim! Então, onde eu estava? Ah, certo.

Mia: Como foi morar no Japão durante tanto tempo?

Michael: Foi ótimo! O Japão é ótimo. Eu recomendo!

Mia: É mesmo? Então você está pensando em... Ah, espera, esta pergunta é depois... Desculpe, a minha avó me acordou cedo demais hoje de manhã, e eu estou toda desorganizada.

Michael: Como está a princesa viúva Clarisse?

Mia: Ah, não foi ela. Foi a outra, a vovó de Versailles. Ela veio pra minha festa de aniversário.

Michael: Ah, certo. Eu queria mesmo agradecer pelos convites pra sua festa.

Mia: ... convites pra minha festa?

Michael: É. O meu chegou hoje de manhã. E minha mãe disse que o dela, o do meu pai e o da Lilly chegaram ontem à noite. Foi muito legal da sua parte não guardar ressentimento em relação à Lilly. Sei que ela e Kenny estão combinando de ir amanhã à noite. Os meus pais também. E eu vou tentar comparecer, claro.

Mia (bufando): Grandmère!

Michael: O que foi?

Mia: Nada. Certo... Então, qual foi a coisa dos Estados Unidos de que você mais sentiu falta?

Michael: Hm... de você?

Mia: Hahaha. Fala sério.

Michael: Desculpe. Tudo bem. Do meu cachorro.

Mia: Qual foi a coisa de que você mais gostou no Japão?

Michael: Das pessoas, provavelmente. Conheci muitas pessoas ótimas por lá. Vou sentir muita falta de algumas delas — das que eu não trouxe pra cá com a minha equipe.

Mia: Ah. É mesmo? Quer dizer... Então, agora você vai voltar definitivamente para os Estados Unidos?

Michael: Vou, já tenho um escritório aqui em Manhattan. A Pavlov Cirúrgica vai ter a sede corporativa aqui, apesar de o grosso da manufatura ser feito em Palo Alto, na Califórnia.

Mia: Ah. Então...

Michael: Será que agora eu posso fazer uma pergunta pra você?

Mia: Hm... claro.

Michael: Quando eu vou ler o seu projeto?

Mia: Olha, eu sabia que você ia me perguntar...

Michael: Então se você sabia, onde está?

Mia: Preciso contar uma coisa.

Michael: Xiiii, eu conheço este olhar.

Mia: É, o meu projeto não é sobre a história da extração de azeite de oliva em Genovia no período aproximado de 1254-1650.

Michael: Não é?

Mia: Não. Na verdade, é um romance histórico medieval de quatrocentas páginas.

Michael: Legal. Pode entregar.

Mia: Fala sério. Michael... Você só está sendo simpático. Não precisa ler.

Michael: Você acha que eu preciso ler? Se você acha que eu não quero mais ler, deve estar drogada. Anda fumando uns Gitanes da Clarisse? Porque eu tenho certeza de que uma vez fiquei tonto só de respirar a fumaça desse cigarro.

Mia: Ela teve que parar de fumar. Olha, se eu mandar uma cópia por e-mail pra você, promete não ler até eu ir embora?

Michael: Como assim, agora? Quer dizer, neste minuto? Para o meu celular? Juro, total e completamente.

Mia: Certo. Tudo bem. Aqui está.

Michael: Demais. Espere. Quem é Daphne Delacroix?

Mia: Você disse que não ia ler!

Michael: Ai, meu Deus, você tinha que ver a sua cara. Está do mesmo tom de vermelho do meu All Star.

Mia: Obrigada por fazer essa observação. Na verdade, mudei de ideia. Não quero mais que você fique com uma cópia. Me dá seu telefone aqui. Eu vou deletar.

Michael: O quê? De jeito nenhum. Vou ler esta coisa hoje à noite. Ei, para com isso. Lars, me ajuda aqui, ela está me atacando!

Lars: Só posso intervir se alguém atacar a princesa, não se ela atacar alguém.

Mia: Me dá!

Michael: Não...

Garçom: Temos algum problema aqui?

Michael: Não.

Mia: Não.

Lars: Não. Por favor, perdoe os dois. Cafeína demais.

Mia: Desculpe, Michael. Eu pago a lavanderia...

Michael: Não seja boba... você ainda está gravando isto?

Fim da gravação.

Domingo, 30 de abril, 14h30, em um banco no Washington Square Park

É, então a coisa não deu muito certo. E piorou mais ainda quando eu estava me despedindo do Michael — depois de tentar, sem conseguir, arrancar o iPhone da mão dele pra poder deletar a cópia do meu livro que eu cometi a idiotice de mandar pra ele — e nós nos levantamos pra ir embora, e eu estendi a mão para me despedir, e ele olhou e disse: "Acho que a gente pode fazer algo melhor do que isto, não é mesmo?"

E ele abriu os braços para me dar um abraço — um abraço de *amigo*, obviamente. Quer dizer, não era nada mais do que isso. E eu ri e respondi: "Claro que sim." E retribuí o abraço.

E sem querer senti o cheiro dele.

E tudo voltou como uma onda. Como eu sempre me sentia segura e quente nos braços dele, e como toda vez que ele me abraçava desse jeito eu nunca mais queria largar. Eu não queria que ele me largasse ali, bem no meio do Caffe Dante, onde eu só estava fazendo uma entrevista com ele para o *Átomo*, não estava em um encontro ou qualquer coisa assim. Foi tão idiota. Foi tão horrível. Quer dizer, eu praticamente tive que me *forçar* a largar, a parar de respirar o cheiro dele que eu não sentia há tanto tempo.

Qual é o meu *problema*?

E agora não posso ir pra casa porque acho que não vou conseguir encarar algum dos meus diversos parentes de Indiana (ou de Genovia) que podem estar por lá. Eu só preciso ficar sentada aqui na praça, tentando esquecer como fui uma idiota completa antes (enquanto o Lars fica de guarda para me proteger dos traficantes de drogas que não param de perguntar: "Quer fumar? Quer fumar?", e os sem-teto que querem saber se eu posso dar a eles "uns cinco dólar" e os montes de garotos da NYU com os pais que ficam repetindo: "Ai, meu Deus, será que é... é sim! É a princesa Mia de Genovia!") e torcer pra que eu volte ao normal em algum momento e os meus dedos parem de tremer e o meu coração pare de bater no ritmo de *Mi-chael, Mi-chael, Mi-chael*, como se eu estivesse de novo na porcaria da nona série.

Eu realmente espero que o chocolate quente não manche aquele jeans.

Além disso, gostaria de perguntar aos deuses ou a qualquer um que esteja escutando: por que não consigo me portar de maneira adulta perto de caras com quem eu já namorei e com quem eu terminei e que já devia ter SUPERADO cem por cento?

É que foi tão... *esquisito* ficar sentada tão perto dele mais uma vez...

Mesmo *antes* de eu poder sentir o cheiro dele. E eu já entendi que agora nós somos apenas amigos — e, é claro, eu sei que tenho namorado, e o Michael tem namorada (provavelmente — não consegui obter uma resposta direta neste sentido).

Mas é que ele simplesmente é tão... Não sei! Não consigo explicar! Ele meio que emana uma coisa que dá *vontade de pegar*.

E, é claro, eu sabia que não podia pegar nele (antes de eu encostar nele... e foi ele quem PEDIU para eu encostar. Ele não tinha como saber o que aquele abraço causaria em mim. Será que sabia? Não, não tinha como saber. Ele não é sádico. Não é igual à irmã).

Mas estar lá no café com ele foi como... Bom, foi como se o tempo não tivesse passado. Só que, é claro, muito tempo tinha passado. Só que apenas pelo melhor lado, sabe? Tipo, apesar de eu talvez parecer idiota na gravação (acabei de escutar, e eu parecia uma completa idiota), não me *senti* idiota enquanto estava falando — não do jeito que eu me sentia antes, quando estava perto do Michael. Acho que é porque... bom, muita coisa aconteceu desde a última vez que eu encontrei o Michael, e eu me sinto mais segura a respeito das coisas (certo, bom... a respeito dos homens) do que antes. Tirando o pânico causado por um abraço recente.

Por exemplo: agora que escutei a gravação, percebo que Michael estava meio que dando em cima de mim! Mas só um pouco.

E tudo bem. Pra falar a verdade, está *mais* do que bem.

Ai, não. Eu escrevi isto mesmo?

Não que faça diferença, porque eu tenho bastante certeza de que ele acha que a única razão por que eu estava lá era pra fazer uma reportagem para o *Átomo* (mas vou dizer, que péssima repórter eu sou. Nem fiz todas as perguntas pra ele, já que fiquei tão preocupada em tentar arrancar o telefone da mão dele).

Fiquei brigando com ele! Em um restaurante! Como se eu tivesse 7 anos. Maravilha. Quando vou aprender a agir como adulta?

Realmente achei que tinha chegado ao ponto de ser capaz de manter uma postura relativamente digna em um local público.

E daí, fiquei tentando arrancar o iPhone da mão do meu ex-namorado em um café! E derramei chocolate quente em cima dele!

E depois ainda senti o cheiro dele.

Acho que também perdi um dos meus brincos compridos.

Graças a Deus que não apareceu nenhum paparazzi para registar *aquilo*.

E isso é meio estranho, pensando bem. O fato de nenhum deles estar por perto, já que parecem estar em todos os outros lugares a que eu vou.

Tanto faz.

Mas, bom, acho que foi... fofo? Michael, quer dizer, e a reação dele quando eu disse que escrevi um romance. Apesar de eu ter me arrependido totalmente de ter mandado pra ele.

Ele disse que vai ler! Hoje à noite!

Claro que J.P. disse a mesma coisa. Mas J.P. também disse que eu não devia me vender por pouco. Michael não disse nada assim.

Mas, bom, Michael não é meu namorado. Ele não pensa no que é melhor pra mim como J.P. faz.

Mas também foi adorável o jeito como ele disse que eu fui a inspiração pra ele desenvolver o CardioBraço. Apesar de isso fazer séculos, e de ter sido antes de a gente terminar.

Ele também disse que foi legal da minha parte não guardar ressentimento em relação à Lilly. Ele obviamente não sabe a verdade.

Quer dizer, que não fui *eu* quem guardou ressentimento este tempo todo, mas...

Ah, não. Grandmère está ligando. Vou atender, porque preciso dizer umas poucas e boas pra ela.

"Amelia?" Grandmère parece estar dentro de um túnel. Mas estou ouvindo um secador ao fundo, por isso eu sei que ela está no salão. "Onde você está? Por que não responde aos meus e-mails?"

"Tenho uma pergunta melhor pra você, Grandmère. Por que convidou o meu ex-namorado e a família dele pra minha festa de aniversário amanhã à noite? E é melhor não me dizer que é para amolecê-lo, para que eu consiga pedir um CardioBraço, porque..."

"Bom, é claro que é por isso, Amelia", Grandmère afirma.

Ouço o barulho de um tapa, e daí ela diz: "*Pare com isso, Paolo. Eu já disse para não colocar muito spray.*" Pra mim, ela diz, em tom de voz mais alto: "Amelia? Você ainda está aí?"

Realmente, eu não devia me surpreender com mais nada que ela diz ou faz. E, no entanto, ainda me surpreendo. O tempo todo.

"Grandmère", digo. Estou furiosa! De verdade. Não estamos falando de um ex-namorado qualquer. É o *Michael*. "Você não pode fazer isso. Não pode *usar* as pessoas desse jeito."

"Amelia, não seja burra. Você quer que o seu pai vença a eleição, não quer? Precisamos de um desses equipamentos com braço. Como acredito já ter explicado a você. Se tivesse feito o que eu pedi e tivesse requisitado um aparelho, eu não precisaria enviar um convite para ele e para aquela irmã horrível dele, e você não estaria na posição desconfortável de precisar receber o seu ex-consorte na sua *soirée* amanhã à noite, na frente do seu atual pretendente. Reconheço que isso não vai ser nada fácil..."

"Ex...", eu praticamente cuspo. Tem um bando de adolescentes andando de skate aqui perto. Observo enquanto um deles se estatela em um monte de cimento colocado no parque por esse motivo. Sei exatamente como ele se sente. "Grandmère, Michael *não* era meu consorte. Essa palavra sugere que éramos amantes, e nós *não*..."

"Paolo, eu já *disse* para não colocar tanto spray no meu cabelo. Está tentando me envenenar com gás? Olhe só para o coitado do Rommel, está com dificuldade de respirar; a capacidade pulmonar dele não é a mesma que a dos humanos, sabia?" A voz de Grandmère ia e voltava. "Bom, Mia, quero falar sobre o seu vestido para amanhã à noite. A Chanel vai entregar pela manhã. Faça a gentileza de avisar à sua mãe que alguém precisa estar em casa para recebê-lo. Isso significa que ela vai ter que ficar no apartamento, em vez de ir para aquele ateliezinho uma vez na vida. Você acha que ela consegue fazer isso ou será responsabilidade demais? Nem se incomode, já conheço a resposta a essa pergunta..."

A chamada em espera está tocando. É a Tina!

"Grandmère. Ainda não terminamos de conversar", informo a ela. "Mas agora vou desligar..."

"Não ouse encerrar a minha ligação, mocinha. Nós ainda não conversamos sobre o que faremos se a Domina Rei fizer a oferta de afiliação para você amanhã, como sabe que é provável acontecer. Você..."

Sei que é falta de educação, mas eu já estou bem cheia de Grandmère. Fala sério, trinta segundos com ela são suficientes.

"Tchau, Grandmère", digo, e passo pra ligação da Tina. Depois eu lido com a ira da Grandmère.

"Ai, meu Deus", Tina diz no instante em que atendo.

"Onde você está?"

"No Washington Square Park", respondo. "Sentada em um banco. Acabei de encontrar o Michael e derrubei chocolate quente na calça dele. Nós nos abraçamos para nos despedir. Eu senti o cheiro dele."

"Você derrubou chocolate quente na calça dele?" Tina parece confusa. "Você *sentiu o cheiro* dele?"

"É." Os skatistas todos estão tentando superar um ao outro com seus saltos, mas a maior parte deles só cai o tempo todo. Lars está olhando pra eles com um sorrisinho no rosto. Realmente espero que ele não esteja pensando em pedir um skate emprestado para mostrar a eles como se faz. "Ele estava muito, muito cheiroso."

Um longo silêncio se instala enquanto Tina digere a informação.

"Mia", ela diz. "Você achou que o cheiro do Michael era melhor do que o do J.P.?"

"Achei", respondo, com a voz bem baixinha. "Mas sempre foi assim. J.P. tem cheiro de roupa lavada a seco."

"Mia", ela repete. "Achei que você tinha comprado um perfume pra ele."

"Comprei. Mas não adiantou nada."

"Mia", continua. "Eu *preciso* falar com você. Acho que é melhor você vir aqui."

"Não posso", respondo. "Preciso levar os meus avós ao zoológico do Central Park."

"Então eu vou encontrar você", Tina diz. "No zoológico."

"Tina", pergunto. "O que está acontecendo? O que é tão importante que você não pode me falar pelo telefone?"

"Mia", Tina diz. "Você *sabe*."

Ela está errada. Eu não faço a mínima ideia!

E deve ser algo bem ruim, se ela está com medo de que o programa de celebridades TMZ possa ficar sabendo, e que isto prejudicaria o meu pai nas pesquisas mais do que ele já está prejudicado agora.

"A gente se encontra na casa refrigerada dos pinguins às quatro e quinze", avisa, parecendo a Kim Possible. Se por acaso a Kim Possible algum dia pedisse aos outros que a encontrassem em zoológicos, na casa dos pinguins.

Mesmo assim, não estou surpresa. De algum modo, o lugar onde os pinguins ficam no zoológico do Central Park é sempre onde eu vou parar nos momentos de maior desespero.

"Será que você pode pelo menos me dar uma dica?", pergunto. "Com o que tem a ver? Boris? Michael? J.P.?"

"É o seu livro", Tina revela. E desliga.

O meu *livro*? O que o meu livro pode ter a ver com qualquer coisa? A não ser que...

Será que é *tão* ruim assim?

Ótimo. E tanto J.P. quanto Michael estão lendo cópias dele agora mesmo. EXATAMENTE NESTE MINUTO!

Dá vontade de vomitar só de pensar nisto.

Eu devia simplesmente ir até Eighth Street, comprar uma peruca em uma daquelas lojas de drag queen e fugir da cidade. Sou praticamente maior de idade e não tem mais nada pra eu fazer aqui. Fui humilhada de todas as maneiras possíveis para uma pessoa só. Seria melhor simplesmente pegar um ônibus para o Canadá.

Se pelo menos eu conseguisse arranjar um jeito de despistar meu guarda-costas...

Domingo, 30 de abril, 16h, no canto da casa refrigerada dos pinguins no zoológico do Central Park

Uau!

Entre ouvir o meu atual namorado me dizer que estou me vendendo barato com ficção comercial e depois derramar chocolate quente no jeans do meu ex-namorado (que está agora lendo o meu livro, NESTE EXATO MOMENTO), e depois ainda receber a notícia de que a minha melhor amiga precisa me encontrar porque tem um PROBLEMA com este livro — o mesmo livro em que eu passei 21 meses trabalhando —, eu realmente não achei que as minhas últimas 24 horas podiam piorar.

Mas isso foi antes de eu chegar ao zoológico com a minha mãe, meu padrasto, meu irmãozinho, meus avós e meu guarda-costas a tiracolo.

Acho que eu simplesmente nasci embaixo de uma estrela especial de sorte — há 17 anos e 364 dias.

O zoológico do Central Park não estava cheio demais para a primeira tarde de domingo de uma primavera perfeitamente ensolarada, então nós não tivemos absolutamente problema nenhum em manobrar o carrinho enorme do Rocky através da multidão. (ATÉ PARECE!!!!!)

E, além disso, ninguém reparou no meu guarda-costas enorme, que foi muito discreto na sua escolha de usar óculos escuros daquele tipo que cobre os olhos completamente, com o paletó preto combinando com camisa, gravata e calça preta.

Vovó não se destacava muito com o moletom rosa-choque tamanho GGG, que é cópia da Juicy Couture (no traseiro, em vez de estar escrito Juicy — que é gostoso —, está escrito Spicy — apimentado. Esta realmente é uma palavra que ninguém deseja associar com o traseiro da avó. Aliás, nenhuma das duas).

Ainda bem que vovô se recusou a se adaptar aos preceitos da moda de Nova York e ficou com o boné verde e amarelo dele da John Deere — apesar de ter permitido que vovó comprasse um novo pra ele, em que se lê *Legalmente Loira: O Musical*. Eu pagaria bem caro pra ver vovô usando isso.

Fizeram o maior escândalo para mostrar os ursos-polares e os macacos para Rocky — estes são os dois animais preferidos dele. E eu reconheço que o meu irmãozinho é fofo, principalmente quando imita um macaco, coçando a axila e tal (essa habilidade ele obviamente herdou do pai. Sem ofender, Sr. G).

Vovó estava animadíssima por passar um tempo comigo, e não só com o neto. O lado bom disto é que, depois, vamos passar ainda mais tempo juntas, vamos aproveitar muito a companhia uma da outra durante o jantar em um restaurante da escolha de vovó e vovô. E o restaurante que eles escolheram foi o... Applebee's.

Isso mesmo! Acontece que tem um Applebee's na Times Square, e é lá que os meus avós querem ir. Eu me virei para o Lars quando ouvi isso e disse: "Por favor, enfie uma bala no meu cérebro agora." Mas ele se recusou a fazer isso.

E mamãe me mandou calar a boca, senão ela ia a calar por mim.

Mas fala sério: Applebee's? Entre todos os restaurantes em Manhattan? Por que um restaurante que pode ser encontrado em praticamente todas as cidades dos Estados Unidos?

Falei pra vovó que tenho um cartão Amex Black e que tenho dinheiro pra levar os dois a qualquer restaurante que eles quisessem, para o caso de estarem preocupados com o preço. Vovó disse que não era o preço. Era o vovô. Ele não gostava de comer coisas estranhas. Gostava de ir sempre ao mesmo lugar, pra saber exatamente o que estava pedindo.

O que tem de mais divertido em comer fora é experimentar coisas novas! Mas vovô disse que experimentar coisas novas não é nem um pouco divertido.

Só rezo para todos os deuses que existem nos céus — Jeová, Alá, Vishnu etc. — que nenhum paparazzi apareça para tirar fotos minhas, a princesa de Genovia, saindo de um Applebee's durante este momento crucial da campanha do meu pai.

Mas, bom, vovó só quer falar sobre a faculdade. Tipo onde eu vou estudar (bem-vinda ao clube, vovó). Ela tem muitos conselhos a dar a respeito do que eu devo estudar. Na opinião dela, eu deveria mesmo estudar enfermagem. Ela diz que sempre há empregos para as enfermeiras e, na medida em que a população norte-americana envelhece, sempre vão precisar, cada vez mais, de boas enfermeiras.

Eu disse à vovó que, ao mesmo tempo que ela está coberta de razão, e que enfermagem de fato é uma profissão muito importante, eu não acho que poderei seguir esta carreira, pelo fato de ser princesa e tal. Quer dizer, preciso escolher uma profissão com a qual terei a possibilidade de passar a maior parte do meu tempo em Genovia, fazendo coisas de princesa, como batizar embarcações e ser anfitriã de eventos beneficentes e essas coisas.

Ser enfermeira não seria exatamente adequado a isso. Mas ser escritora seria, porque isso pode ser feito na privacidade de seu próprio palácio.

Além do mais, com a minha nota no vestibular, acho que a última coisa que qualquer pessoa vai querer é que eu meça seus sinais vitais. Eu provavelmente mataria muito mais gente do que salvaria.

Graças a Deus que existe gente como a Tina, que é boa em matemática, e escolhe a carreira médica em vez de mim.

Falando em Tina, entrei na casa dos pinguins para esperar por ela enquanto mamãe e os outros vão comprar para o Rocky um picolé ou algo que ele viu alguém comer e deu um ataque totalmente típico de menininhos de 3 anos pra ganhar um também. Deram uma arrumada neste lugar desde a última vez que estive aqui. Não está nem de longe tão fedido quanto era, e a iluminação está bem melhor pra escrever. Mas como tem mais gente! Juro que Nova York está se transformando na Disneylândia da região Nordeste dos EUA. Pensei ter escutado alguém perguntando onde era a montanha-russa. Mas talvez fosse brincadeira.

Apesar disso, como é que eu vou poder abandonar esta cidade pra ir à faculdade? Como??? Eu amo demais isto aqui!!!!

Ah, lá vem a Tina. Ela parece... *preocupada*. Será que está sabendo onde a gente vai jantar?

Brincadeira...

Domingo, 30 de abril, 18h30, no banheiro feminino do Applebee's da Times Square

Certo, estou EM PÂNICO COM O QUE TINA ME DISSE NO CANTO DA CASA DOS PINGUINS.

Simplesmente vou escrever isto aqui como aconteceu e tentar ignorar a batatinha pisoteada que está no chão, diante de mim (quem come batata frita no banheiro? QUEM??? Quem come QUALQUER COISA no banheiro???? Dá licença, mas que nojo e também eca!) e o fato de que estou escrevendo isto no banheiro feminino do Applebee's, o único lugar que arrumei pra fugir dos meus avós.

Então Tina chegou pra mim na casa dos pinguins e falou assim: "Mia, ainda bem que encontrei você. A gente precisa conversar."

E eu fiquei, tipo "Tina, qual é o problema? Você odiou o meu livro ou algo assim?"

Porque, preciso confessar, quer dizer, eu sei que o meu livro não é o melhor do mundo nem nada — se fosse, tenho certeza de que alguém já teria demonstrado interesse em publicá-lo a esta altura.

Mas eu não achei que pudesse ser TÃO ruim a ponto de a Tina precisar me encontrar no canto da casa refrigerada onde os pinguins ficam no zoológico do Central Park para me dizer pessoalmente.

Além do mais, ela parecia meio pálida por baixo do kajal e do batom dela. Mas talvez fosse a luz azul da casa do pinguins.

Mas daí ela agarrou o meu braço e disse assim: "Ai, meu Deus, Mia, não! Eu amei o seu livro! É tão fofo! E tinha cerveja! Achei tão engraçado, por causa da experiência ruim que você teve com cerveja. Lembra, no primeiro ano, quando você tentou cair na balada e bebeu cerveja e fez aquela dança sensual com o J. P. na frente do Michael?"

Fiquei olhando pra ela com raiva. "Achei que nós tínhamos combinado de nunca mais falar da dança sensual."

Ela mordeu o lábio. "Ops! Desculpe", disse. "Mas é tão fofo. Quer dizer, o fato de você ter escrito sobre cerveja! Eu adorei! Não, quando eu disse que precisava falar sobre o seu livro, o que eu quis dizer foi..."

E ela olhou bem feio para o Lars, como quem diz: SAIA DAQUI!

E ele captou a mensagem e foi se juntar ao Wahim, o guarda-costas dela, que estava olhando os pinguins fofinhos que nadavam de um lado para o outro, sem tirar os olhos de nós, mas a uma distância suficiente para não nos escutar.

E eu fiquei o tempo todo tipo pensando: certo, eu escrevi sobre cerveja, quer dizer, tem cerveja no meu livro, será que a Tina acha que eu sou alcoólatra? Será que ela está aqui para fazer uma intervenção comigo? Eu totalmente já vi aquele programa, *Intervention*, na TV. Será que é isso que ela vai fazer agora?

E eu já estava olhando em volta, à procura da equipe de filmagem, imaginando como ia escapar de ir para uma clínica de reabilitação, porque, fala sério, eu nem *gosto* de cerveja...

Mas aí Tina virou pra mim e fez a pergunta que me fez ficar tremendo até o âmago do meu ser até agora. Quer dizer, ela estava sorrindo quando perguntou, e os olhos dela estavam brilhando, mas ela também parecia supersséria.

E, ao escrever isto, ainda não consigo acreditar. Quer dizer... A TINA! A TINA HAKIM BABA! Ninguém menos.

Não estou julgando. É só que eu nunca, jamais esperava isso.

Nem desconfiava.

É que... A TINA!

Mas, bom, ela virou para mim e disse: "Mia, eu simplesmente tinha que perguntar... Quer dizer, eu estava lendo o livro e... Não me leve a mal, eu gostei, mas... Comecei a imaginar... E eu sei que não é da minha conta, mas... Você e o J.P. já fizeram Aquilo?"

A única coisa que eu consegui fazer foi ficar olhando pra ela. Aquilo estava tão longe de tudo que eu esperava que ela dissesse — principalmente no canto da casa refrigerada onde os pinguins ficam, com os nossos guarda-costas a poucos metros de distância e um monte de criancinhas ao nosso redor berrando: "Olha, mãe, é o *Happy Feet*!" — que devo ter ficado chocada demais durante alguns segundos pra conseguir falar.

"É só que", Tina se apressou em dizer, ao perceber que eu tinha ficado em silêncio, "as cenas de sexo no seu livro parecem meio realistas, e eu simplesmente não pude evitar pensar que talvez você e o J.P. fizeram Aquilo. Que vocês transaram, quer dizer. E se transaram, quero que você saiba que eu não estou julgando nem nada por não esperar até a noite do baile de formatura, como nós tínhamos combinado. Eu compreendo totalmente. Aliás, eu mais do que compreendo, Mia. A verdade é que eu estou esperando há muito tempo pra te contar que Boris e eu... bom, a gente também já transou."

!!!!!!!!!!!!!!!!!!!!!

"A primeira vez foi no verão passado", Tina continuou, depois de eu só ficar olhando para ela em silêncio total, fazendo a minha imitação de Rob Lowe em *A dança da morte* mais uma vez. "Sabe, na casa dos meus pais, em Martha's Vineyard? Lembra quando Boris foi me visitar lá e ficou duas semanas? Bom, foi lá que aconteceu a primeira vez. Eu tentei esperar, Mia, tentei de verdade. Mas ver Boris todo dia de sunga foi demais pra resistir. No final, eu só... bom, nós fizemos Aquilo. Depois que os meus pais foram dormir. E, de lá pra cá, a gente tem feito Aquilo com bastante regularidade, sempre que o Sr. e a Sra. Pelkowski não estão em casa."

Acho que estava parecendo que os meus olhos iam saltar das órbitas, porque a Tina sacudiu meu braço.

"Mia?", perguntou, com expressão preocupada. "Está tudo bem com você?"

"*Você?*", finalmente consegui dizer com a voz engasgada. "E o *Boris*?" Eu não sabia se ia vomitar ou desmaiar. Ou os dois.

Não era tanto o fato de que Tina — A TINA! —, ninguém menos, tinha desistido de realizar o sonho de perder a virgindade na noite do baile de formatura.

Era o fato de ela ter acabado de dizer que a visão do Boris de sunga tinha sido demais pra ela resistir. Sinto muito, mas...

Ao mesmo tempo que é verdade que Boris passou por uma transformação incrível de esquisito para gostosinho nos últimos anos — e, na verdade, chega até a ter umas groupies de violinistas chatas que o adoram e que o seguem por todo lado, implorando pra ele dar autógrafos em fotos dele sempre que se apresenta em salas de recital —, eu simplesmente não conseguia — NÃO CONSIGO — olhar pra ele desse jeito.

Talvez, se eu não tivesse conhecido Boris quando ele usava aquele aparelho móvel e se ele não enfiasse tanto o suéter para dentro da calça — e não tivesse namorado a Lilly —, quem sabe eu conseguisse.

Mas a verdade é que eu não consigo simplesmente olhar pra ele e enxergar o deus alto e musculoso que é hoje. Eu simplesmente não consigo. NÃO CONSIGO. É como se ele fosse... sei lá. Meu *irmão* ou algo do tipo.

Tina, é claro, confundiu totalmente a minha repulsa por outra coisa.

"Não se preocupe, Mia", falou, pegou a minha mão e olhou bem nos meus olhos, cheia de preocupação. "Nós fazemos com toda a segurança. Você sabe que nós dois nunca estivemos com outra pessoa. E eu tomo pílula desde os 14 anos por causa da minha dismenorreia."

Só fiquei encarando-a um pouco mais. Ah, certo. A dismenorreia da Tina. Ela costumava ser dispensada de educação física por causa disso todo mês. Que sortuda.

Tina me encarando, meio incerta. "Então... você não acha que eu sou uma vadia por não ter esperado até o baile de formatura?"

O meu queixo caiu. "O quê? Não, é óbvio que não! Tina!"

"Bom." Tina fez uma careta. "É só que... eu não tinha certeza. Eu queria te contar, mas não sabia o que você ia achar. Quer dizer, nós tínhamos o nosso plano pra noite do baile de formatura, e eu... estraguei tudo, porque não consegui esperar." Daí ela se alegrou. "Mas daí você disse que achava o baile de formatura uma chatice e J.P. não convidou você — e daí eu li o seu livro — e, bom, eu apenas somei tudo e achei que você também já devia ter transado! Só que agora que você e Michael..."

Olhei ao redor, pra casa dos pinguins, bem rápido. Tinha gente por todos os lados! A maior parte das pessoas tinha 5 anos! E estava gritando por causa dos pinguins! E nós com aquela conversa totalmente íntima! Sobre *sexo*!

"Agora que o Michael e eu o quê?", interrompi. "Não existe Michael e eu, Tina. Eu já disse que só derramei chocolate quente em cima dele. Nada mais!"

"Mas você sentiu o cheiro dele", Tina repetiu, com cara de preocupada.

"É, senti sim", respondi. "Mas foi só isso!"

"Mas você disse que o cheiro dele era melhor do que o do J.P." Tina ainda parecia preocupada.

"É", concordei, começando a entrar em pânico. De repente, a casa dos pinguins começou a fazer com que eu me sentisse um pouco claustrofóbica. Tinha gente demais ali. Além do que, os berros estridentes de todas aquelas crianças com dedos melecados — isso sem mencionar o leve odor de pinguim — estavam me deixando meio tonta. "Mas isso não significa nada! Até parece que a gente vai voltar ou algo assim. Nós somos apenas amigos."

"Mia", Tina disse, muito séria. "Eu li o seu livro, lembra?"

"Meu livro?" Eu senti o maior calor, apesar do ar-condicionado fortíssimo da casa dos pinguins. "O que o meu livro tem a ver com qualquer coisa?"

"Um lindo cavaleiro retorna depois de muito, muito tempo longe de casa?" Tina disse, cheia de segundas intenções. "Você não estava falando do Michael?"

"Não!", exclamei! Ai, meu Deus! Será que todo mundo que estava lendo ia pensar isso? Será que J.P. ia pensar isso? E o *Michael*?

AI, NÃO! ELE ESTAVA LENDO AQUILO NESTE MOMENTO!!!! Talvez estivesse lendo COM A MICROMINI MIDORI! E DANDO RISADA DELE!

"E a moça que se sentia obrigada a cuidar do povo dela?", Tina prosseguiu. "Você não estava, na verdade, escrevendo sobre si mesma? E o povo era o de Genovia?"

"Não!", repeti com voz esganiçada. Alguns dos pais que estavam com as crianças no colo, para que elas enxergassem melhor os pinguins, olharam para ver sobre o que aquelas duas adolescentes no canto escuro estavam conversando.

Ah, se eles soubessem a verdade... Provavelmente sairiam correndo e berrando do zoológico. Talvez até fossem pedir aos guardas para atirar em nós.

"Ah", Tina parecia desanimada. "Bom... parecia que sim. Parecia que... você estava escrevendo sobre você e Michael voltarem."

"Tina, eu não estava", respondi. Parecia que o meu coração estava começando a apertar. "Juro que não."

"Então..." Tina olhou pra mim com muita atenção sob o brilho azulado que vinha do tanque dos pinguins. "O que você vai fazer a respeito do J.P.? Quer dizer... vocês dois *estão* transando, não estão?"

Não sei o que aconteceu em seguida — que milagre do céu ocorreu para me salvar —, mas naquele exato momento vovó e vovô apareceram carregando Rocky e berrando o meu nome. Quer dizer, o Rocky estava berrando o meu nome, não vovó e vovô.

Acontece que o zoológico estava fechando, então todos nós precisamos ir embora. E isto serviu para encerrar a conversa a respeito da vida sexual da Tina. E da minha. Graças a DEUS.

Então agora eu estou aqui, no Applebee's.

E acho que nunca mais vou ser a mesma. Porque a Tina acabou de confessar que ela e o Boris andam transando com regularidade.

Eu já devia saber. Eles não têm feito demonstrações de carinho em público no último ano, apenas muito raramente — não se beijam, não ficam de mãos dadas no corredor, nada disto. E eu devia ter percebido que era indício de que alguma coisa séria estava acontecendo.

Tipo muita ação embaixo dos lençóis depois da aula, quando o Sr. e a Sra. Pelkowski não estavam em casa.

Meu Deus! Como eu não percebi isso???

Ah, não, meu telefone está tocando. É o J.P.! Ele deve estar ligando para me dizer o que achou de *Liberte o meu coração*.

Acabei de atender, apesar de estar no banheiro feminino e de ter gente dando descarga e fazendo outras coisas perto de mim. Eu pessoalmente acho nojento quando as pessoas atendem o telefone no banheiro, mas eu ainda não falei com J.P. hoje, e tinha deixado um recado pra ele antes. Eu quero *sim* saber o que ele achou do meu livro. Não quero parecer carente nem nada, mas, sabe como é. Ele já devia ter me ligado pra me dizer. E se ELE achar que meu livro é sobre o Michael e eu, como Tina achou?

Mas acontece que eu nem precisava me preocupar: ele nem teve chance de ler ainda porque passou a tarde toda no ensaio.

Ele queria saber se eu vou fazer alguma coisa no jantar.

Contei que estava no Applebee's com vovó e vovô, mamãe, o Sr. G e Rocky, e que ele estava convidado a se juntar a nós (e eu estava DESESPERADA pra que ele aceitasse o convite).

Mas ele só riu e disse que não, tudo bem.

Acho que ele realmente não compreendeu a gravidade da situação.

Mas então eu falei: "Não, você não está entendendo. Você PRECISA vir aqui encontrar conosco."

Porque eu percebi que *realmente* precisava encontrar ele, depois do dia que eu tinha tido... Depois de sentir o cheiro do Michael e de ficar sabendo sobre Tina e Boris e tal. Mas J.P. respondeu: "Mas, Mia, é o *Applebee's*."

Eu disse, sentindo um pouco de desespero (tudo bem — muito desespero): "J.P., eu sei que é o Applebee's. Mas este é o tipo de restaurante de que a minha família gosta. Bom, uma parte da minha família. E eu não posso sair daqui. Eu realmente ficaria bem mais animada se você pudesse dar uma passada. E vovó gostaria muito de conhecer você. Ela passou o dia inteiro fazendo perguntas sobre você."

Esta foi uma mentira total e completa. Mas tanto faz, eu minto tanto que uma mentira a mais não faz a menor diferença.

Vovó não tinha tocado no nome do J.P. nem uma vez, apesar de ter perguntado se algum dia eu pensei em convidar "aquele garoto bonitinho daquele programa *High School Musical* pra sair. Porque, sendo princesa, é claro que você conseguiria marcar um encontro com ele". Hm... valeu, vovó, mas eu não saio com garotos que usam mais maquiagem do que eu!

"Além do mais", disse ao J.P., "estou com saudade de você. Parece que a gente nunca mais consegue se encontrar de tão ocupado que você anda com a sua peça."

"Ah. Mas é isso que acontece quando duas pessoas criativas ficam juntas", J.P. observou. "Lembra como você ficou ocupada quando estava trabalhando naquilo que agora eu sei que é um livro?" A relutância dele em colocar os pés no horror que é o Applebee's da Times Square era palpável. Além do mais, devo dizer que era totalmente compreensível. Mas mesmo assim... "E você vai me ver na escola amanhã. E a noite inteira na sua festa. Realmente estou acabado por causa daquele ensaio. Você não se importa, não é?"

Olhei pra batatinha esmagada embaixo do meu sapato. "Não", respondi. O que mais eu podia dizer? Além do mais, será que existe alguma coisa mais ridícula do que uma menina de quase 18 anos em uma cabine de banheiro, implorando para o namorado a encontrar, e com os pais e os avós em um Applebee's pra jantar?

Acho que não.

Então falei: "A gente se vê depois." E desliguei.

Estava com vontade de chorar. Mesmo, mesmo, de verdade. Sentada lá, pensando que o meu ex-namorado estava talvez — provavelmente — lendo meu livro e pensando que era sobre ele, e que meu atual namorado nem tinha lido meu livro, e, bom...

Sinceramente, acho que devo ser a garota mais patética numa véspera de aniversário de toda Manhattan. Possivelmente de toda a Costa Oeste dos Estados Unidos.

Talvez de toda a América do Norte.

Talvez do mundo inteiro.

Um trecho de *Liberte o meu coração*, de Daphne Delacroix

Hugo estava preso embaixo dela, mal acreditando em sua sorte. Já tinha sido perseguido por várias grandes mulheres a seu tempo, mulheres mais bonitas do que Finnula Crais, mulheres com mais sofisticação e conhecimento do mundo.

Mas nenhuma delas o atraíra tão imediatamente quanto aquela moça. Ela anunciou, com muita ousadia, que só o desejava por seu dinheiro, e que não iria recorrer a seduções e estratagemas para obtê-lo. O jogo dela era sequestro, pura e simplesmente, e Hugo achou aquilo tudo tão peculiar que quase riu alto.

Todas as outras mulheres que ele conhecera, tanto no sentido literal quanto bíblico, tinham um único objetivo em mente: tornar-se a castelã de Stephensgate Manor. Hugo não tinha nada contra a instituição do casamento, mas nunca encontrara uma mulher com quem quisesse passar o resto da vida. E ali estava uma moça que afirmava, claro como a luz do sol, que só o queria pelo seu dinheiro. Era como se uma rajada de ar fresco inglês tivesse soprado sobre ele, renovando sua fé nas mulheres.

— Então, teu refém eu serei — Hugo disse para as pedras embaixo dele. — E o que te dá tanta certeza de que poderei pagar o resgate que pedes?

— Tu crês que sou parva? Vi a moeda que tu lançaste para Simon lá no bar A Raposa e a Lebre. Não se deve ser assim tão exibido com tuas posses. Tens sorte por ter sido eu a te abordar, e não alguns dos amigos de Dick e Timmy. Eles têm companheiros bastante desagradáveis, se tu me entendes. Poderias ter te metido em problemas sérios.

Hugo sorriu para si mesmo. Lá estava ele, preocupado com a possibilidade de a moça ter problemas em seu trajeto de retorno a Stephensgate, sem nunca desconfiar que ela compartilhava da mesma preocupação por ele.

— Oh, de que tu ris? — A moça quis saber e, para a infelicidade dele, saiu de cima de suas costas e o cutucou, de maneira nem um pouco delicada, na lateral do corpo, com um dedo do pé duro. — Agora, senta-te.

E para de rir. Não há nada de engraçado no fato de eu te sequestrar, sabes? Sei que não pareço ser grande coisa, mas acredito que comprovei lá no Raposa e Lebre que verdadeiramente sou a melhor atiradora com arco curto em todo o condado, e agradeço se te lembrares disto.

Hugo sentou-se com as costas eretas e percebeu que suas mãos estavam bem amarradas nas costas. Certamente não faltara nada nas aulas de dar nós daquela moça. Seus laços não eram tão apertados a ponto de interromper a circulação, nem tão frouxos a ponto de lhes dar a chance de soltá-los.

Ao erguer o olhar, descobriu que sua bela captora estava ajoelhada a alguns passos de distância dele. Seu rosto élfico e pálido estava envolvido por um halo de cabelo ruivo, ondulado e desgrenhado, tão comprido que as pontas se enroscavam nas violetas sob os joelhos dela. A camisa de camponesa estava para fora da saia e colava no corpo ainda molhado em algumas partes, de modo que os mamilos estavam completamente visíveis através do tecido fino.

Hugo ergueu a sobrancelha ao se dar conta de que a moça estava completamente alheia ao efeito devastador que sua aparência surtia sobre ele. Ou no mínimo sabia que apenas nua se transformava em atração cativante.

Segunda, 1º de maio, 7h45, na limusine, a caminho da escola

Hoje de manhã saí da cama quando o despertador tocou (apesar de eu não ter dormido nem um POUCO, imaginando se Michael tinha lido meu livro — POIS É!!! A única coisa em que consegui pensar, a noite toda, foi: "Será que ele já leu? E agora? Você acha que ele leu agora?" E daí eu entrava em pânico, e pensava: "O que me importa se o meu EX-namorado leu o meu livro? Recomponha-se, Mia! Não interessa o que ELE pensa! E o seu ATUAL namorado?", e daí eu ficava lá acordada, em pânico por causa do J.P. Será que ELE tinha lido? O que ELE tinha achado? Será que ELE tinha gostado? E se não tivesse?), tirei Fat Louie de cima do meu peito e fui tropeçando até o banheiro para tomar uma chuveirada e escovar os dentes, e enquanto me olhava no espelho (e reparava no jeito como o meu cabelo estava todo arrepiado em tufos esquisitos — graças a Deus eu finalmente comprei mais antifrizz de ervas), eu de repente percebi.

Tenho 18 anos. Sou maior de idade perante a lei.

E sou princesa (é claro).

Mas agora, graças à informação que Tina me deu ontem, tenho bastante certeza de que sou a única virgem que sobrou nesta turma do último ano da Escola Albert Einstein.

É isso aí. Faça as contas: Tina e Boris perderam a virgindade no verão passado.

Lilly e Kenneth? Obviamente estão transando há séculos. Dá pra ver só pelo jeito como eles se agarram no corredor (e, aliás, valeu: realmente não preciso ver aquilo a caminho da aula de trigonometria). É muito inapropriado.

Lana? Faça-me o favor. Ela deixou a virgindade pra trás na época de um tal de Sr. Josh Richter.

Trisha? A mesma coisa, apesar de não ter sido com Josh. Pelo menos tenho bastante certeza de que não foi — a não ser que ela seja uma cachorra ainda maior do que a gente desconfia (o que é provável).

Shameeka? Com o jeito que o pai dela a vigia, como se ela fosse todo o ouro no depósito de Fort Knox? Ela me contou no ano passado que perdeu a virgindade no primeiro ano (não que alguma de nós tenha desconfiado, de *tão* discreta que ela foi) com aquele aluno do último ano com quem ela estava saindo, nem lembro o nome dele.

Perin e Ling Su? Sem comentários.

E daí tem o meu namorado, J.P. Ele diz que passou a vida toda esperando a pessoa certa, e ele sabe que essa pessoa sou eu, e quando eu estiver pronta ele também vai estar. Ele pode esperar por toda a eternidade, se for preciso.

E com isso sobra quem? Ah, sim. Eu.

E Deus sabe que *eu* nunca fiz Aquilo, apesar do que todo mundo (bom, tudo bem, Tina) parece pensar.

Sinceramente? É só que nunca rolou. Entre J.P. e eu, quer dizer. Tirando a coisa toda de que J.P. está disposto a esperar por toda a eternidade (o que é uma mudança muito tranquilizadora em relação ao meu *último* namorado). Quer dizer, pra começo de conversa, J.P. é o epítome do comportamento cavalheiresco. Ele é *completamente* diferente do Michael nesse aspecto. Ele nunca deixou as mãos descerem abaixo do meu pescoço, nem por um *segundo*, enquanto a gente se beija.

Pra falar a verdade, eu ficaria preocupada de ele não estar interessado se ele não tivesse me dito que respeita os meus limites e que não quer ir além do que eu estou pronta pra fazer.

E isso é muito legal da parte dele.

O negócio é que eu na verdade não sei quais são os meus limites. Nunca tive a possibilidade de testar os meus limites. Não com o J.P., pelo menos.

É que era tão... diferente, acho, quando eu namorava o Michael. Quer dizer, ele nunca perguntou sobre os meus limites. Ele meio que só mandava ver, e se eu tivesse alguma objeção, eu devia dizer alguma coisa. Ou afastar a mão dele, que era o que eu fazia. Com frequência. Não porque eu não gostava do lugar onde ela estava, mas porque o colega de quarto ou os pais dele — ou os meus — sempre apareciam.

O problema com Michael era que, quando as coisas engrenavam, no calor do momento e tal, eu geralmente não *queria* dizer nada — nem afastar a mão dele — porque eu gostava demais do que estava acontecendo.

Este é o meu problema — a *outra coisa* —, o meu segredo horrível e terrível que eu não posso nunca contar pra ninguém, nem para o Dr. L:

Com J.P., eu nunca me sinto assim. Em parte porque as coisas nunca chegaram assim tão longe. Mas também porque... bom.

Acho que eu simplesmente podia fazer o que Tina fez com Boris e pular em cima dele. Eu já vi J.P. de sunga (ele foi me visitar em Genovia) várias vezes. Mas pular em cima dele simplesmente nunca me ocorreu. Não que ele não seja gostoso nem nada do tipo. Ele é totalmente musculoso. Lana diz que J.P. faz o Matt Damon nos filmes da série *Bourne* parecer o Oliver de *Hannah Montana*.

Eu simplesmente não sei qual é o meu problema! Não é que eu tenha perdido o meu desejo sexual, porque ontem, durante a briga para arrancar o iPhone da mão do Michael e de novo quando ele me abraçou, ele estava lá — e como.

Ele simplesmente parece não se manifestar com J.P. Essa é a *Outra Coisa*.

Mas essa não é uma coisa em que eu queira pensar no dia do meu aniversário. Não depois de já acordar na manhã do meu aniversário, olhar meu reflexo no espelho e perceber alegremente que estou com 18 anos, sou princesa e sou virgem.

Sabe o quê? A esta altura da minha vida, eu poderia muito bem ser um unicórnio.

Feliz porcaria de aniversário pra mim.

Mas, bom, a minha mãe, o Sr. G e o Rocky estavam me esperando com waffles em forma de coração feitos em casa como surpresa de café da manhã (a máquina de waffles em forma de coração foi um presente de casamento que eles ganharam da Martha Stewart). E isso foi superfofo da parte deles. Quer dizer, eles não sabiam da minha descoberta (que estou tão longe de me encaixar na sociedade que podia muito bem ser um unicórnio).

Daí o meu pai ligou de Genovia enquanto estávamos comendo para me desejar feliz aniversário e me lembrar de que hoje é o dia em que eu começo a receber minha mesada completa como princesa real (não é dinheiro suficiente para eu comprar minha própria cobertura na Park Avenue, mas basta para alugar uma, se eu quiser), e para não gastar tudo de uma vez (hahaha, ele não se esquece daquela vez que eu fui à Bendel's e gastei aquele monte de dinheiro e logo em seguida fiz uma doação enorme pra Anistia Internacional), porque só entra dinheiro na conta uma vez por ano.

Reconheço que ele ficou um pouco engasgado no telefone e disse que nunca pensou, quando nós nos encontramos no Plaza há quatro anos para me explicar que eu era na verdade a herdeira do trono e eu fiquei com soluço e agi como uma louquinha por descobrir que era princesa e tal, que eu me sairia assim tão bem (se é que dá para considerar que isto é bem).

Eu mesma fiquei meio engasgada e disse esperar que ele não estivesse magoado comigo por causa da coisa da monarquia constitucional, principalmente porque nós não vamos perder o título, o trono, o palácio, a coroa, as joias, o jatinho e tal.

Ele disse para eu não ser ridícula, com uma voz rouca, e isto significava que ele estava prestes a chorar de emoção por causa de tudo, e desligou.

Coitado do meu pai. Ele estaria bem melhor se simplesmente tivesse conhecido uma moça legal e se casado com ela (e não uma supermodelo, como aconteceu com o presidente da França, apesar de eu ter certeza de que ela é muito legal).

Mas ele continua procurando o amor nos lugares errados.

Como, por exemplo, em catálogos refinados de lingerie.

Pelo menos ele é esperto o bastante para não namorar enquanto está em campanha.

Então minha mãe apareceu com o presente dela para mim, que era uma colagem que reunia várias recordações de tudo que vivemos juntas, inclusive lembrancinhas, como recibos de passagens de trem da nossa viagem a Washington D.C., para participar da manifestação a favor dos direitos reprodutivos das mulheres, e o meu macacão antigo de quando eu tinha 6 anos, além de fotos do Rocky quando era bebê e fotos minhas e da minha mãe pintando o apartamento, e a coleira do Fat Louie de quando ele era filhote e fotos com as minhas fantasias de Dia das Bruxas, como Joana d'Arc e coisas assim.

Minha mãe disse que era para eu não ficar com saudade quando fosse pra faculdade.

E isso foi um amor total da parte dela, e os meus olhos ficaram completamente cheios de lágrimas.

Até ela me lembrar de que eu precisava me apressar e decidir em que faculdade vou estudar no ano que vem.

Certo! É, pode deixar que eu vou resolver agora mesmo! Por que você não me empurra pela janela do apartamento?

Eu sei que ela, o meu pai e o Sr. G têm as melhores das intenções. Mas não é assim tão fácil. Eu tenho muita coisa na cabeça neste momento. Como, por exemplo, o fato de a minha melhor amiga ter confessado que está transando com regularidade com o namorado e não tinha me dito até agora, e como antes disto eu dei meu livro para meu ex-namorado ler, e como agora eu preciso ir entregar o artigo que escrevi sobre o supracitado ex-namorado para a irmã dele, que me odeia, e como mais tarde, hoje à noite, eu tenho que ir a uma festa em um iate com trezentos dos meus amigos mais próximos, sendo que a maior parte deles eu nem conheço porque sao celebridades que a minha avó, que é a princesa viúva de um pequeno país europeu, convidou.

E, ah, sim, o meu atual namorado está com meu livro há mais de 24 horas e não leu e se recusou a ir ao Applebee's comigo.

Será que alguém poderia me dar uma folguinha, por menor que fosse? A vida não é fácil para os unicórnios, sabe? Nós somos uma espécie em extinção.

Segunda, 1º de maio, Sala de Estudos

Certo, eu acabei de sair da redação do *Átomo*. Ainda estou meio que tremendo.

Não tinha ninguém lá além da Lilly quando eu entrei agora há pouco. Estampei um sorrisão bem falso no rosto (como sempre faço quando vejo minha ex-melhor amiga) e falei: "Oi, Lilly. Aqui está a reportagem sobre seu irmão" e entreguei para ela. (Fiquei acordada até a uma da manhã escrevendo o texto. Como é possível escrever quatrocentas palavras sobre o ex-namorado e ser uma jornalista imparcial? Resposta: não dá. Eu quase tive uma embolia tentando fazer isso. Mas acho que só de ler não dá para perceber que eu derramei chocolate quente em cima do entrevistado, nem que eu senti o cheiro dele.)

Lilly ergueu os olhos do que estava fazendo no computador da escola (não pude deixar de me lembrar daquele período por que ela passou em que costumava colocar nomes de deidades e palavrões no Google só para ver que tipo de site aparecia. Meu Deus, que tempo bom. Eu tenho *saudade* desse tempo) e falou assim:

"Ah, oi, Mia. Obrigada."

Daí ela completou, com um pouco de hesitação: "Feliz aniversário."

!!!!! Ela lembrou!!!!

Bom, acho que o fato de Grandmère ter enviado a ela um convite pra minha festa deve ter servido como lembrete.

Surpresa, respondi: "Hm, obrigada."

Achei que era só isso e já estava quase na porta quando ela me deteve e disse: "Olha, espero que você não ache muito estranho se eu e Kenneth formos hoje à noite. À sua festa, quer dizer."

"Não, de jeito nenhum", respondi. A Mentira Enorme Número Sete de Mia Thermopolis. "Eu vou adorar se vocês forem."

E isso é só um exemplo de como tantas aulas de princesa valeram a pena. A verdade, é claro, é que na minha cabeça eu pensava: *Ai, meu Deus. Ela vai??? Por quê? Aposto que só vai porque está planejando alguma revanche horrível para cima de mim. Tipo que ela e Kenny vão sequestrar o iate quando zarpar e levá-lo até águas internacionais e detoná-lo em nome do amor livre quando todos nós estivermos em botes salva-vidas ou algo assim. Ainda bem que Vigo obrigou Grandmère a contratar seguranças extras para o caso de a Jennifer Aniston aparecer e o Brad Pitt também estar lá.*

"Obrigada", a Lilly disse. "Tem uma coisa que eu quero mesmo dar para você de presente de aniversário, mas só posso dar se eu for à sua festa."

Uma coisa que ela quer me *dar* de aniversário, mas só pode me dar no iate real de Genovia? Ótimo! A minha teoria do sequestro foi confirmada.

"Hm", gaguejei. "Você n-não precisa me dar nada, mesmo, Lilly."

Mas esta foi a coisa errada a se dizer, porque Lilly desdenhou de mim e disse: "Bom, eu sei que você já tem tudo, Mia, mas acho que tem uma coisa que *eu* posso dar para você e que ninguém mais pode."

Aí eu fiquei supernervosa (como se não estivesse antes) e disse: "Não foi isso que eu quis dizer. Minha intenção era..."

Lilly pareceu se arrepender do ataque ferino dela e disse: "Também não foi isso que eu quis dizer. Olha, eu não quero mais brigar."

Essa foi a primeira vez em dois anos que Lilly se referiu ao fato de que nós antes éramos amigas, e que estávamos brigadas. Fiquei tão surpresa que, no começo, nem soube o que falar. Quer dizer, nem tinha me ocorrido que não brigar era uma opção. Só achei que a única escolha era o que andávamos fazendo... basicamente nos ignorando.

"Eu também não quero mais brigar", falei, de coração.

Mas, se ela não queria mais brigar, O QUE ela queria? Certamente não queria ser minha amiga. Eu não sou descolada o suficiente para ela. Não tenho nenhum piercing, sou princesa, saio para fazer compras com Lana Weinberger, uso vestidos de baile cor-de-rosa de vez em quando, tenho uma bolsa da Prada, sou virgem e, ah, é verdade: ela acha que eu roubei o namorado dela.

"Mas, bom", Lilly disse e enfiou a mão na mochila, toda coberta de botons em coreano... imagino que sejam de promoção do programa dela lá. "Meu irmão pediu para dar isto aqui pra você."

E ela pegou um envelope e o entregou para mim. Era um envelope com uma marca em azul no lugar em que geralmente se coloca o endereço. Em letras maiores, lia-se "Pavlov Cirúrgica", e tinha um desenhinho do cachorro do Michael, o Pavlov. O envelope era meio volumoso, como se dentro houvesse algo mais do que uma carta.

"Ah", eu disse. Deu para sentir que eu estava ficando vermelha, como acontece toda vez que o nome do Michael é citado. Eu sabia que estava ficando da cor do All Star de canos altos dele. Ótimo.

"Obrigada."

"De nada", Lilly respondeu.

Graças a DEUS que o sinal tocou bem nessa hora. Daí eu disse: "A gente se vê mais tarde."

E daí eu dei meia-volta e saí correndo.

É que foi tão... ESQUISITO. Por que a Lilly está sendo tão LEGAL comigo? Deve ter tramado alguma coisa para hoje à noite. Ela e Kenneth. É óbvio que eles vão fazer alguma coisa para estragar a minha festa.

Mas talvez não, porque Michael e os pais deles vão estar lá. Por que ela faria algo para me magoar se isto pode envergonhar os pais e o irmão dela? Deu pra ver o quanto ela gosta deles naquele evento da Universidade de Columbia no sábado — e, é claro, porque eu a conheço quase a minha vida toda, apesar de termos passado os últimos dois anos sem nos falar.

Mas, bom. Olhei ao redor para ver se enxergava Tina ou Lana ou Shameeka ou alguém para conversar sobre o que tinha acabado de acontecer com a

Lilly, mas não encontrei ninguém. E isto foi estranho, porque eu achava que elas estariam na frente do meu armário para me dar parabéns ou algo assim. Mas não tinha ninguém.

Eu não pude deixar de pensar — em um exemplo da paranoia evidente que tenho exibido ultimamente — que talvez todas elas estivessem me evitando porque Tina falou sobre o meu livro. Eu sei que ela disse que era fofo, mas isto foi o que ela disse na minha frente. Vai ver que, pelas minhas costas, ela achou horrível e mandou para todo mundo e as outras também acharam péssimo, e a razão por que não vieram me desejar feliz aniversário é porque têm medo de não conseguir parar de rir na minha cara.

Ou talvez elas estejam *realmente* planejando uma intervenção. Não é improvável.

Agora eu estou com o coração acelerado porque, quando entrei na sala de estudo e tive certeza de que ninguém estava olhando, abri o envelope que a Lilly me deu e achei o seguinte lá dentro: um bilhete do Michael escrito a mão.

Querida Mia,

O que eu posso dizer? Não entendo muito de romances, mas acho que você deve ser o Stephen King do gênero. O seu livro é o máximo. Obrigado por me deixar ler. Qualquer um que não quiser publicar é um tolo.

Mas, como eu sei que hoje é o seu aniversário, e como eu também sei que você nunca faz cópia de segurança de nada, aqui está uma coisinha que eu fiz para você. Seria uma pena se Liberte o meu coração *se perdesse antes mesmo de ver a luz do dia, porque o seu disco rígido travou. A gente se vê à noite.*

Com amor,
Michael

Dentro do envelope tinha um pen drive que era uma bonequinha da Princesa Leia. Para eu guardar o meu livro, porque ele tinha razão: eu nunca faço cópia de segurança do disco rígido do meu computador.

Só de ver aquilo — a Princesa Leia com a roupa Hoth dela, que é a minha preferida (como ele lembrou?) — os meus olhos se encheram de lágrimas.

Ele disse que gostou do meu livro!

Ele disse que eu sou o Stephen King dos romances!

Ele me deu um pen drive personalizado para guardar o livro, para que ele não se perca!

Fala sério, existe algum elogio maior que um garoto pode fazer a uma garota?

Acho que não.

Acho que eu nunca ganhei um presente de aniversário melhor do que este.

Exceto o Fat Louie, obviamente.

Além do mais... ele assinou a carta *Com amor.*

Com amor, Michael.

Isso não significa nada, claro. As pessoas assinam as coisas *Com amor* o tempo todo. Isso não significa que elas amam você de um jeito romântico. Minha mãe assina os bilhetes que manda pra mim com *Com amor, mamãe.* O Sr. G escreve bilhetes para mim e assina *Com amor, Frank* (que, aliás, eca!).

Mas mesmo assim. O fato de ele ter escrito a palavra...

Amor. *Amor!*

Ai, meu Deus. Eu sei. Eu sou ridícula.

Um unicórnio ridículo.

Segunda, 1º de maio, História Mundial

Acabei de ver J.P. na entrada. Ele me deu um abraço e um beijo, me desejou feliz aniversário e disse que eu estava linda. (Eu por acaso sei que não estou linda. Na verdade, estou horrível. Passei metade da noite acordada, escrevendo o artigo sobre Michael, de modo que tenho olheiras, que eu tentei esconder com corretivo, mas, de verdade, corretivo só consegue esconder um tanto de olheira. E passei a outra metade da noite acordada em pânico com o que Tina me disse sobre ela e Boris, e depois preocupada com qual seria a reação do Michael e do J.P. ao meu livro.)

Talvez eu pareça linda para J.P. porque sou namorada dele. J.P. simplesmente gosta demais de mim para reparar que, na verdade, eu sou um unicórnio (mas não um daqueles fofinhos, com crina longa e sedosa, dos contos de fadas. Sou um daqueles unicórnios de brinquedo, de plástico todo retorcido com que a Emma, a amiguinha do Rocky na creche, brinca, aquele unicórnio do *My Little Pony* com pedaços sem cabelo na cabeça, que as criancinhas enfiam na boca o tempo todo).

Fiquei esperando J.P. me dizer que havia lido meu livro e que gostara, como Michael fez na carta dele, mas ele não disse nada.

Aliás, ele nem mencionou o livro.

Acho que ele ainda não teve tempo de olhar. Afinal, ele tem a peça dele e tal. Está chegando perto da noite de estreia, quando ele vai precisar apresentar para o comitê de avaliação do projeto final (na quarta à noite).

Mas mesmo assim. Eu esperava que ele dissesse *alguma coisa*.

A única coisa que J.P. me disse foi que eu não devia esperar o presente dele por enquanto. Ele disse que vai me dar hoje à noite, na minha festa. Disse que eu vou ficar emocionada. E disse também que não esqueceu o baile de formatura.

E isso é engraçado, porque eu com certeza esqueci.

Mas, bom, ainda não vi sinal da Tina, da Shameeka, da Lana, nem da Trisha, em lugar nenhum. Mas eu vi Perin e Ling Su, e as duas me desejaram feliz aniversário. Mas daí elas saíram correndo, dando risadinhas descontroladas, o que não tem nada a ver com elas.

Então isso realmente confirma tudo: elas leram o meu livro, total, e odiaram. A intervenção provavelmente vai ser na hora do almoço.

Não acredito que Tina pôde fazer uma coisa desta: mandar cópias do meu livro sem me pedir.

Quer dizer, hoje *é* o dia de leitura em preparação para as provas finais, então não tem nada para fazer na aula ALÉM de ler. Obviamente é o momento perfeito para as pessoas ficarem lendo o meu livro.

Talvez eu devesse tentar ser reprovada em todas as provas finais (no caso de trigonometria nem preciso tentar). Daí eu realmente não vou ter escolha além de ir para L'Université de Genovia no ano que vem.

Mas isso não vai dar certo. Não quero ficar tão longe assim do Rocky.

AH, NÃO! A diretora Gupta acaba de me chamar até a sala dela imediatamente, devido a uma emergência de família!

Segunda, 1º de maio, Salão de Beleza Elizabeth Arden Red Door Spa

É. Eu já devia saber.

Não tinha nenhuma emergência familiar. Grandmère fingiu que tinha, como sempre, para me tirar da escola, para eu passar o dia do meu aniversário sendo embelezada ao seu lado no salão preferido dela antes da minha festança de aniversário hoje à noite.

O lado bom é que eu não estou aqui sozinha com ela. E desta vez ela não convidou só gente que ela *acha* que deveria me fazer companhia, como as minhas primas da família real de Mônaco ou as Windsor ou sei lá quem.

Não, ela realmente convidou as minhas amigas de verdade. Só algumas delas (Perin e Ling Su, que de fato se preocupam com as notas, tiveram consciência suficiente para dizer não e ficar na escola para estudar para as provas finais em vez de virem aqui). Tina, Shameeka, Lana e Trisha estão todas aqui, fazendo os pés ao meu lado, enquanto Grandmère está na outra sala, onde estão removendo uma unha encravada dela. E graças a Deus isto não está acontecendo na minha frente, porque, senão, acho que eu ia vomitar. Já é bem ruim ter que olhar para as unhas dos pés de Grandmère quando estão *au naturel*, mas uma operação de unha encravada além de tudo? Não, muito obrigada.

É até tocante o fato de Grandmère finalmente ter entendido, depois de tantos anos. Quer dizer, que eu tenho amigas de quem eu gosto, e que ela não pode simplesmente me forçar a andar com as pessoas que ela considera companhia adequada para mim (apesar de a maior parte das pessoas que vão à festa hoje à noite ser amigas dela... ou da Domina Rei).

Às vezes Grandmère meio que arrasa.

Apesar de eu ficar feliz por ela não estar presente naquele momento específico, porque a conversa com toda a certeza não era algo que qualquer pessoa deseje que a avó escute.

"Ah, o Waldorf", Trisha ia dizendo em resposta a uma pergunta que Shameeka fez, enquanto a moça que fazia os pés dela esfregava grãos de sal gigantescos em suas canelas. "Brad e eu conseguimos um quarto."

"Quando eu liguei, já não tinha mais nenhum quarto disponível", Shameeka ia dizendo, toda chateada.

"Eu também", Lana estava com rodelas de pepino por cima das pálpebras. "Bom, tinha quartos disponíveis, mas não suítes. Derek e eu vamos ficar no Four Seasons, em vez de lá."

"Mas fica do outro lado da cidade!", Trisha praticamente berrou.

"Eu não me importo", Lana respondeu. "Eu não fico em nenhum lugar que só tenha um banheiro. Não vou dividir o banheiro com um cara qualquer."

"Mas você vai transar com ele", Trisha observou.

"Isso é diferente", Lana respondeu. "Quero poder usar o banheiro sem ter que esperar outra pessoa terminar. Ninguém pode esperar que eu vá *dividir*."

A esse respeito eu gostaria de perguntar: QUEM é a princesa aqui?

"Onde você e J.P. vão ficar depois do baile de formatura, Mia?", Shameeka perguntou, mudando de assunto com toda a delicadeza.

"Ele ainda não fez o convite a ela", Tina explicou a elas, como quem faz uma constatação. "Então eles provavelmente vão se juntar a você no Four Seasons, Lana." Eu não tive coragem de corrigir Tina em relação a isso. "Ah, Mia... posso contar pra elas?"

Shameeka pareceu se animar. "Contar o que pra gente?"

"Sobre... *você* sabe." Tina ergueu as sobrancelhas, toda animada para cima de mim.

É sério, eu entrei em pânico quando Tina veio com aquele *Posso contar para elas, Mia?* Achei — de verdade — que ela estava se referindo à nossa conversa na casa dos pinguins ontem. Sobre Michael e eu ter sentido o cheiro dele e tal.

E tendo visto que eu recebi o bilhete dele a respeito do meu livro — *Com amor, Michael* —, e estava com o pen drive dele no bolso, e como a coisa toda tinha me deixado um pouco... não sei. Acho que *louca* seria a palavra apropriada. Se é que unicórnios podem ficar loucos.

Além do mais, eu já estava extrassensível a respeito do fato de elas todas estarem falando dos namorados, e de onde eles as levariam depois do baile de formatura, e o meu nem tinha me *convidado* direito, quanto mais encostado em mim abaixo do pescoço...

Bom, acho que só posso dizer que a minha reação foi um tantinho exagerada. Porque de repente eu me peguei dizendo, alto demais, enquanto a mulher que fazia o meu pé lixava os calos dos meus calcanhares, causados pelo fato de andar demais de salto em inúmeros eventos beneficentes reais. "Olhem, eu nunca transei, certo? J.P. e eu nunca *fizemos Aquilo*. Então podem me processar! Estou com 18 anos, e sou princesa, e sou virgem. Será que *tudo bem* para todo mundo? Ou querem que eu vá esperar na limusine até vocês acabarem com a *conversinha sexual*?"

Durante um segundo, as quatro (bom, nove, se contarmos as moças que estavam fazendo os nossos pés) só ficaram olhando para mim em um silêncio estupefato. O silêncio finalmente foi rompido pela Tina, que disse: "Mia, eu só queria saber se tudo bem se eu contasse para elas que você escreveu um romance."

"Você escreveu um romance?", Lana parecia chocada. "Um livro? Você, tipo... *digitou* tudo?"

"*Por quê?*" Trisha parecia estupefata. "Por que você faria uma coisa dessa?"

"Mia", Shameeka disse, depois de trocar olhares nervosos com todas as outras. "Acho maravilhoso você ter escrito um livro. É s-sério! Parabéns!"

Demorou um minuto até eu me ligar que elas estavam mais chocadas pelo fato de eu ter escrito um livro do que de eu ser virgem. Aliás, parecia que elas nem se importavam com o fato de ser virgem, e que estavam *fixadas* no fato de eu ter escrito um livro.

E em relação a isso, permita-me dizer uma coisa: bom, para falar a verdade, eu me senti insultada.

"Mas e as cenas de sexo no livro!", Tina exclamou. Ela parecia tão chocada quanto as outras presentes. "Elas eram tão..."

"Já expliquei." Eu senti que estava ficando tão vermelha quanto a porta do salão. "Eu leio muitos romances."

"É tipo um livro de verdade?", Lana perguntou. "Ou é um daqueles livros que a gente faz no shopping e coloca o nome? Porque eu escrevi um assim quando tinha 7 anos. Era sobre como a LANA foi ao circo e a LANA se apresentou com os trapezistas e os artistas que montavam a cavalo sem sela porque a LANA é tão talentosa e bonita quanto..."

"É, é um livro de verdade", Tina disse, lançando pra LANA um *olhar*. "Mia escreveu sozinha, e é realmente..."

"ACORDEM!", berrei. "Eu acabei de contar pra vocês que eu nunca transei! E parece que vocês só são capazes de falar sobre o fato de que eu escrevi um livro. Será que nós podemos, por favor, nos CONCENTRAR? *Eu* nunca *transei*. Vocês têm alguma coisa a dizer sobre isso?"

"Bom, a coisa do livro é mais interessante", Shameeka disse. "Não sei qual é o problema, Mia. Só porque nós todas já transamos, isto não significa que você deva se sentir estranha por ter esperado. Tenho certeza de que vai ter uma tonelada de meninas na Universidade de Genovia que também não vão ter transado. Então você não vai ficar deslocada."

"Total", Tina disse. "E não é uma fofura o fato de o J.P não ter pressionado você?"

"Isso não é fofura nenhuma", Lana disse. "É uma esquisitice."

Tina lançou outro olhar enviesado para ela, mas Lana se recusou a recuar. "Bom, e é mesmo! É isso que os meninos fazem.

Tipo, o trabalho deles é fazer você transar com eles."

"J.P. também é virgem", informei a elas. "Ele está se guardando pra pessoa certa. E ele disse que achou. Eu. E está disposto a esperar até quando eu estiver pronta."

Quando eu disse isso, todo mundo no salão se entreolhou e soltou um suspiro sonhador.

Todas, menos Lana. Ela disse assim: "Então, o que ele está esperando? Tem certeza de que ele não é gay?"

Tina gritou: "Lana! Será que você pode falar sério um segundo, por favor", ao mesmo tempo que Shameeka perguntou:

"Mia, se J.P. está disposto a esperar, então qual é o problema?"

Eu só fiquei olhando pra ela. "Não tem problema nenhum", respondi. "Quer dizer, está tudo bem entre a gente." Mentira Enorme Número Oito de Mia Thermopolis.

E a Tina me pegou no pulo:

"Mas tem *sim* um problema", ela disse. "Não tem, Mia? Com base em uma coisa que você me disse ontem?"

Arregalei os olhos para ela. Eu sabia o que ela ia dizer, e realmente não queria que dissesse. Não na frente da Lana e do pessoal.

"Hm", murmurei. "Não. Não tem problema nenhum. Eu sempre fui mesmo meio atrasada..."

"E como", Lana zombou. "Sua esquisitona." Mas Tina não reparou na minha dica sutil.

"Você ao menos *quer* transar com J.P., Mia?", Tina perguntou.

Com amor, Michael. Então por que isso tinha que aparecer na minha cabeça?

"Quero, claro que sim!", exclamei. "Ele é *muito* gato." Tinha roubado a frase da parede do banheiro, sobre a Lana. Ela mesma tinha escrito, sobre si. Mas achei que também se aplicava ao J.P.

"Mas..." Tina estava com uma cara de quem está escolhendo as palavras com muito cuidado. "Ontem você me disse que acha o cheiro do Michael melhor."

Eu vi Trisha e Lana trocarem olhares. Daí, Lana revirou os olhos.

"Não me venha com aquela coisa do pescoço de novo", ela disse.

"Eu já *falei* pra você comprar um perfume pra ele."

"Eu *comprei*", respondi. "Não é isso... Olha, deixa pra lá, tá? De todo jeito, vocês têm sexo no cérebro. Existem mais coisas em um relacionamento do que sexo, sabiam?"

Isso fez com que as moças que estavam fazendo os nossos pés começassem a dar risadinhas histéricas.

"Bom", eu perguntei a elas, "e não tem?"

"Ah, tem sim", elas todas responderam. "Vossa Alteza."

Por que fiquei com a impressão de que elas estavam zoando com a minha cara? Que elas estavam TODAS zoando com a minha cara? Olhe, eu sabia, devido a todos romances que eu leio, que sexo é divertido.

Mas eu TAMBÉM sei, devido a todos os romances que eu leio, que existem coisas mais importantes do que sexo.

COM AMOR, MICHAEL.

"Além do mais", completei, desesperada, "só porque eu acho que o cheiro do Michael é melhor do que o do J.P. isto não quer dizer que eu ainda o ame nem nada do tipo."

"Certo", Lana respondeu. Daí ela baixou a voz até um sussurro e disse: "*Tirando a parte que quer dizer sim, total.*"

"Ai, meu Deus, triângulo amoroso!", Trisha esganiçou, e as duas começaram a dar tanta risada que jogaram para fora a água das bacias dos pés, fazendo com que as pedicures precisassem pedir que elas por favor se controlassem.

Foi naquele momento que Grandmère voltou pra sala, cambaleante, de robe e chinelos de dedo, com uma aparência especialmente assustadora porque ela também tinha acabado de fazer limpeza de pele e por isso todos os poros dela ainda estavam abertos e o seu rosto estava desprovido de maquiagem e a pele muito brilhante e uma expressão de surpresa extrema estampava seu rosto...

Mas acontece que não tinha sido (para o meu grande alívio) por ela ter escutado a nossa conversa.

Era porque ainda não tinham voltado a desenhar as sobrancelhas dela.

Segunda, 1º de maio, 19h, no Iate Real de Genovia Clarisse III, suíte master

Nunca vi tanta psicose pré-festa na vida. E eu já fui a *muitas* festas. O florista trouxe os arranjos errados — rosas brancas e lírios *roxos*, não cor-de-rosa — e os rolinhos primavera crocantes de frutos do mar do serviço de bufê vieram com molho de amendoim em vez de molho de laranja (eu não me importo, mas há especulações a respeito de a princesa Aiko, do Japão, ter alergia a amendoim).

Grandmère e Vigo estão tendo INFARTO por causa disso. Parece que alguém se esqueceu de polir a prataria ou algo do tipo.

E nem vou comentar do aneurisma que eles tiveram quando eu sugeri que usássemos o heliporto como pista de dança.

E daí?! Até parece que alguém vai pousar um helicóptero lá!

Pelo menos o meu vestido chegou a salvo. Eu fui enfiada dentro dele (é prateado, brilhante e justo e o que eu posso dizer? Foi feito especialmente pra mim, dá pra ver. Não sobra muita coisa para a imaginação), e o meu cabelo está todo retorcido e enfiado na minha tiara, e recebi ordens para ficar sentada quietinha, sem atrapalhar ninguém, e não me mexer até a hora da minha entrada grandiosa, quando todos os convidados já tiverem chegado.

Até parece que eu estou ansiosa para ir a qualquer lugar, tendo visto que o que me espera lá são as minhas "surpresas" gêmeas — uma do J.P. e outra da Lilly.

Tenho certeza de que eu estou exagerando. Tenho certeza de que vou gostar de qualquer coisa que o J.P. me dê. Certo? Quer dizer, ele é o meu namorado. Ele não vai fazer nada para me envergonhar na frente da minha família e dos meus amigos. A coisa toda com o cara que se vestiu de cavaleiro e montou um cavalo pintado de branco — quer dizer, eu já expliquei isso. Ele entendeu o recado.

Eu *sei* que ele entendeu o recado.

Então... por que estou sentindo o estômago revirado?

Porque ele me ligou agora há pouco pra ver como eu estava. (Na verdade estou me sentindo melhor em relação a *algumas coisas* agora que compartilhei meu "segredo" com as meninas. O do meu livro E o de eu ser o último unicórnio do último ano da Escola Albert Einstein — além do J.P., quer dizer. O fato de elas aparentemente não acharem nada de mais foi um grande alívio. Quer dizer, não que SEJA alguma coisa de mais, porque não é. É só que... bom, fico feliz em saber que *elas* não acham nada de mais. Mas eu gostaria que Lana parasse de me mandar mensagens com títulos alternativos para o meu livro. Realmente não acho que *Coloque no meu buraco* seja um bom título.)

J.P. também queria saber se eu estava "pronta" para a minha surpresa de aniversário.

Pronta para a minha surpresa de aniversário? Do que ele está *falando*? Será que está tentando me deixar em pânico de propósito? Fala sério, entre ele e Lilly — com o papo dela de que só pode me dar o meu presente *hoje à noite* — eu vou enlouquecer. Vou mesmo.

Também não sei como alguém pode achar que eu vou ficar sentada quietinha. Aliás, não estou sentada. Estou olhando através de uma escotilha pra ver todas as pessoas que estão entrando no barco pelo passadiço. (Estou tentando ficar escondida atrás das cortinas para ninguém me ver, sem esquecer da regra principal de Grandmère: *se você os enxerga, eles a enxergam*.)

Não acredito em todas as pessoas que estão chegando para esta coisa. Tantas celebridades... Tem o Donald Trump e a esposa. Os príncipes William e Harry. A Posh Spice e o David Beckham. O Bill e a Hillary Clinton. O Will Smith e a Jada Pinkett. O Bill e a Melinda Gates. A Tyra Banks. A Angelina Jolie e o Brad Pitt. O Barack e a Michelle Obama. A Sarah Jessica Parker e o Matthew Broderick. O Sean Penn. O Moby. O Michael Bloomberg. A Oprah Winfrey. O Kevin Bacon e a Kyra Sedgwick. A Heidi Klum e o Seal.

E a atração da noite, a Madonna, e a banda dela já está preparando tudo. Ela prometeu apresentar as músicas dela das antigas, além de algumas novas (Grandmère vai doar um dinheiro extra para uma instituição beneficente que a Madonna escolher para ela cantar "Into the Groove", "Crazy for You" e "Ray of Light").

Espero que não seja muito estranho para a Madonna o fato de o ex dela, o Sean Penn, também estar aqui.

Grandmère tinha inicialmente planejado outra atração musical para o meu décimo oitavo aniversário (o Pavarotti), mas ele infelizmente morreu. (Sem ofensa, ele era superlegal, mas é meio difícil dançar ópera.)

O negócio é que, além das celebridades... tem tanta gente do meu passado aqui! Meu primo Sebastiano (que parou para falar com todos os paparazzi, que estão tirando fotos no lugar em que as limusines e os táxis estão deixando as pessoas), de braços dados com uma supermodelo. Agora ele é um estilista famoso. Tem até uma linha de jeans no WalMart.

Ah, e tem meu primo Hank, que está de calça branca de couro e camisa de seda preta. As meninas que vivem atrás dele estão todas no Porto Marítimo (devem ter lido sobre a festa na coluna social da *Page Six*, que deu a notícia hoje de manhã), e estão gritando para conseguir o autógrafo dele. Hank fez uma pausa, todo gentil, e assinou pra elas. É difícil acreditar que nós costumávamos caçar pitu juntos, de macacão e descalços, lá em Versailles, Indiana, há tantos anos. Agora o Hank sempre tem outdoors enormes dele de cueca na Times Square. Quem poderia adivinhar? Quer dizer, eu já o vi espirrar Coca-Cola pelo nariz.

Ah, e lá estão vovó e vovô. Notei que Grandmère arrumou um estilista pra eles. Imagino que ela estivesse preocupada que eles fossem aparecer com camisetas da Nascar.

Mas eles estão ótimos! Vovô esta até de smoking! Ele ficou um pouco parecido com o James Bond. Sabe como é, se o James Bond mastigasse tabaco.

E vovó está usando um vestido de festa! E parece que Paolo deu um jeito no cabelo dela. E, tudo bem, ela fica parando e acenando para os paparazzi, sendo que nenhum deles quer tirar foto dela.

Mas ela está ótima! Tipo a Sharon Osbourne. Se a Sharon Osbourne tivesse cabelo loiro descolorido e um bundão e dissesse "Ei, pessoar!" o tempo todo.

E lá estão a minha mãe, o Sr. G e o Rocky! Mamãe está linda, como sempre. Ah, se pelo menos um dia eu puder ficar bonita assim... Até o Sr. G não está assim tão mal. E o Rocky não está uma fofura com o smoking de criancinha dele? Imagino quanto tempo vai demorar até que ele derrame alguma coisa na parte da frente (dou cinco minutos). Aposto que vai ser molho de amendoim.

E lá vêm Perin, Ling Su, Tina, Boris, Shameeka, Lana, Trisha e os pais deles... Ah, não estão todos bonitos? Bom, menos o Boris.

Ah, tudo bem. Até o Boris. Quando se está de smoking, enfiar a camisa para dentro da calça *é* o mínimo a ser feito.

E lá está a diretora Gupta! E o Sr. e a Madame Wheeton! E a Sra. Hill, a Srta. Martinez, a Srta. Sperry, o Sr. Hipski, a enfermeira Lloyd, a Srta. Hong e a Sra. Potts, e praticamente todos os outros funcionários da Escola Albert Einstein!

Foi legal Grandmère ter me deixado convidar todos eles, apesar de ser superesquisito ver os professores fora da escola. O fato de estarem com roupa de festa faz com que fiquem praticamente irreconhecíveis e, eca, acho que o Sr. Hipskin trouxe a esposa, e ela é quase idêntica a ele, tirando o bigode. Infelizmente, estou falando do dela, não do dele...

Uau, isto aqui até que é divertido, tirando o fato de que daqui a pouco eu vou ter que...

Ah! Ele chegou.

J.P., quer dizer. Ele trouxe os pais.

E com toda a certeza está LINDO com o paletó de noite dele e uma gravata branca.

Não está trazendo nenhum pacote grande. Então... o que pode ser? A surpresa dele para mim, quer dizer? Porque ele não está carregando nenhum presente, isto eu estou vendo...

Ah, olha, agora ele deu uma parada, com os pais, para conversar com os paparazzi. Por que alguma coisa me diz que ele vai mencionar a peça dele?

Bom, se eu tivesse escrito meu livro com meu próprio nome, será que eu desperdiçaria qualquer oportunidade possível de mencioná-lo? Provavelmente não, certo?

Por outro lado, levando em conta o que — ou melhor, *quem* — era o assunto principal, de acordo com Tina, talvez não...

Certo, eu não aguento mais isto! Acho que eu vou vomitar.

Quando é que eu vou poder entrar na festa? Prefiro acabar logo com isto a ficar aqui esperando feito uma...

Lá vêm os Moscovitz! Estão descendo de uma LIMUSINE! Lá estão os Drs. Moscovitz — fico tão feliz por eles terem voltado! O Dr. Moscovitz não está elegante com o smoking dele? E a mãe da Lilly e do Michael, com o vestido de festa vermelho dela, com o cabelo todo preso para cima? Tão bonita! Bem diferente de como ela é normalmente, com óculos e tailleur e tênis Lady Air Jordan...

E tem ainda Kenneth, que também está de smoking e neste momento está se virando para ajudar a... LILLY! Nossa, mas ela realmente se arrumou toda com um vestido de veludo preto bem legal. Imagino onde foi que ela arranjou isso; certamente não foi na loja em que ela geralmente compra roupas, que é no brechó do Exército da Salvação. E, olhe, a bolsa da câmera de vídeo dela combina com o vestido. Quanto estilo!

Ela está tão bonitinha... Não dá para imaginar que ela esteja tramando alguma coisa maldosa para hoje à noite. Será?

E lá está MICHAEL! Ele VEIO! Ele está tão MARAVILHOSO de smoking! Ai, meu Deus, acho que vou...

AI! É Grandmère... e...

O capitão!

Ótimo. O capitão Johnson diz que não vai ter jeito de desatracar das docas porque o barco já está com a capacidade máxima e ainda há mais limusines e táxis chegando, e se ele tentar navegar com mais pessoas do que a capacidade, o iate vai afundar.

"Certo", Grandmère diz: "Amelia, você vai ter que dizer aos seus convidados para irem embora."

Eu só ri na cara dela. Ela já tomou Sidecars DEMAIS se acha que isso vai acontecer.

"Os *meus* convidados? Desculpe, quem foi que convidou o casal Brangelina? *E* todos os filhos deles?", foi o que perguntei. "Eu nem *conheço* essa gente, e quero me divertir na *minha* festa de aniversário com os *meus* amigos. *Você* que peça aos *seus* amigos-celebridades para ir embora!"

Grandmère engoliu em seco.

"Você sabe que eu não posso fazer isso!", ela exclamou. "Angelina faz parte da Domina Rei! Existe uma grande possibilidade de que ela tenha trazido o seu convite para se juntar à associação, a menos que esteja com a Oprah!"

Mas, bom, nós fizemos um acordo: ninguém vai ser expulso.

Em vez disso, simplesmente não vamos zarpar. O barco vai ficar ancorado nas docas.

Por mim, tudo bem. Eu não quero mesmo ficar no meio do mar com alguns destes lunáticos. (Só para o caso de a Lilly estar MESMO planejando algo mais do que simplesmente filmar todo mundo com a boca cheia de coquetel de camarão ou qualquer coisa assim.)

Lars acabou de bater na porta! Diz que está na hora da minha grande entrada... Agora eu acho mesmo que *vou* vomitar.

Pena que não vou ser carregada em uma poltrona por gostosões de torso nu como algumas daquelas meninas daquele programa de festas de 16 anos da MTV, *My Super Sweet 16*. Eu só vou andando.

Claro que eu estou com uma tiara na cabeça. Então tenho que andar bem ereta, senão ela cai.

Mas ainda assim...

Segunda, 1º de maio, 23h, no Iate Real de Genovia, Clarisse III

(naquela parte esquisita que se projeta bem perto do lugar onde fica o leme, onde o Leo e a Kate ficaram em *Titanic*, e o Leo disse que era o rei do mundo, não sei como chama, eu não sei nada sobre barcos, mas faz frio aqui e eu queria um casaquinho)

Ai, meu Deus Ai, meu Deus Ai, meu Deus Ai, meu Deus Ai, meu Deus Ai, meu Deus Ai, meu Deus Ai, meu Deus Ai, meu Deus Ai, meu Deus Ai, meu Deus Ai, meu Deus Ai, meu Deus Ai, meu Deus Ai, meu Deus Ai, meu Deus Ai, meu Deus Ai, meu Deus Ai, meu Deus Ai, meu Deus!

Certo, eu só preciso me lembrar de respirar. RESPIRE. Inspirar, expirar. INSPIRAR. Depois, EXPIRAR.

O negócio é que tudo começou tão bem... Quer dizer, eu cheguei e a Madonna estava cantando "Lucky Star" e a minha tiara não caiu e todo mundo bateu palmas, e tudo estava tão bonito, apesar das preocupações de Grand-mère e do Vigo, principalmente com as flores roxas, e — esta foi a coisa mais legal — acontece que o *meu pai* veio da Europa especialmente para a ocasião, a bordo do jatinho real, deixando a campanha em suspenso por uma noite como surpresa especial para mim.

Isso mesmo! Ele saiu de trás do maior arranjo de flores roxas e fez um discurso sobre como eu sou uma filha e uma princesa maravilhosa... foi um discurso que eu mal escutei, de tão chocada e com os olhos cheios de lágrimas que eu estava só de vê-lo.

E daí, antes que eu me desse conta, ele já estava me abraçando, e me deu uma caixa de veludo preto GIGANTESCA, e dentro dela tinha uma tiara muito reluzente. Eu achei que já tinha visto aquilo em algum lugar, e ele explicou para todo mundo que era a tiara que a princesa Amelie Virginie estava usando no retrato que eu tenho pendurado no meu quarto. Ele disse que, se tinha alguém que merecia ficar com ela era eu. Fazia quase quatrocentos anos que estava sumida, e ele mandou procurarem por ela no palácio todo, e finalmente alguém achou em um canto empoeirado do cofre das joias, e mandaram polir e limpar só para mim.

Dá para imaginar uma coisa assim tão fofa?

Demorei cinco minutos para parar de chorar. E mais cinco minutos para Paolo tirar a minha tiara velha e colocar a nova, graças a tantos grampos.

Sabe, esta encaixa na minha cabeça bem melhor do que a antiga. Não parece *nem um pouco* que vai ficar escorregando.

Depois, todo mundo se aproximou e disse coisas gentis para mim, como "Obrigado por ter me convidado" e "Você está linda" e "Os rolinhos primavera estão deliciosos!".

E a Angelina Jolie se aproximou e me entregou o convite formal para eu entrar para a Domina Rei, que eu aceitei na hora (Grandmère me disse que eu tinha que aceitar, mas eu queria aceitar, é claro, porque é uma organização incrível).

Grandmère viu quando a gente estava conversando e, é claro, entendeu *imediatamente* o que estava acontecendo, de modo que veio correndo igual ao Rocky quando ouve uma caixa de biscoitos sendo aberta.

E daí a Angelina deu a ela o convite *dela*, e todos os sonhos de Grandmère se tornaram realidade.

Eu gostaria de poder dizer que ela então se afastou, mas ela passou o resto da noite, até onde eu vi, andando atrás da Angelina e agradecendo em todas as oportunidades que teve. Foi vergonhoso.

Mas, bom, estamos falando de Grandmère. Qual é a novidade?

E daí eu circulei pela festa fazendo o que uma princesa deve fazer, que foi conversar com todo mundo pessoalmente e agradecer pela presença, e nem foi assim tão estranho, porque, sei lá, depois de quatro anos fazendo isso, eu já estou bem acostumada, e já nem me assusto mais com as coisas bizarras que as pessoas às vezes dizem, que certamente são apenas comentários fora de contexto, como, por exemplo, quando a esposa do Sr. Hipskin disse: "Você parece uma sereia!"

Tenho certeza de que ela só disse isto porque o meu vestido é todo brilhante, e não porque ela é vidente (mas só em parte) e misturou sereias com unicórnios e sabe que eu sou a última virgem que sobrou na turma do último ano da Escola Albert Einstein, além do meu namorado, no caso.

E Lana, Trisha, Shameeka, Tina, Ling Su, Perin e a minha *mãe* nos divertimos à beça dançando "Express Yourself" ("Come on, girls!"), e então Lana e Trisha fizeram um trenzinho para os príncipes William e Harry (óbvio), e J.P. e eu dançamos juntinhos a lenta "Crazy for You", e meu pai e eu dançamos rumba em "La Isla Bonita". E apesar de Lilly estar filmando tudo, o que tecnicamente não era permitido, eu disse aos seguranças para deixar, em vez de fazer confusão. Pelo menos ela estava perguntando para as pessoas antes se tudo bem, então não teve nenhum problema — e parecia que ela estava fazendo *só* isso mesmo.

Só Deus sabe o que ela vai fazer com o filme depois. Provavelmente vai usar para algum tipo de documentário sobre os gastos exorbitantes dos podres de ricos — *As verdadeiras princesas de Nova York* — e passar cenas da minha festa ao lado de cenas de pessoas passando fome.

(Lembrete pra mim mesma: fazer uma doação enorme para uma organização que lute contra a fome. Uma em cada três crianças no mundo morre de fome *todos os dias*. É sério. E Grandmère estava tendo um ataque por causa de um MOLHO em que os rolinhos primavera seriam mergulhados.)

Mas Lilly abaixou a câmera quando chegou perto de mim — com Kenneth a tiracolo e Michael um pouco atrás — e disse:

"Oi, Mia. Esta festa está ótima."

Eu totalmente quase engasguei com o coquetel de camarão que estava na minha boca. Porque eu não tinha conseguido comer a noite toda, de tão ocupada que eu fiquei dançando e cumprimentado as pessoas, e Tina tinha acabado de chegar para mim *naquele minuto* com um pratinho de comida, e disse: "Mia, você precisa parar um minuto para comer alguma coisa, senão vai desmaiar..."

"Ah", respondi, com a boca cheia (algo que Grandmère reprova totalmente). "Obrigada."

Confesso que estava falando com a Lilly.

Mas o meu olhar passou direto por cima dela e se fixou em Michael, atrás do Kenny (quer dizer, Kenneth), e no smoking dele. Michael estava simplesmente tão... incrível, ali em pé com o brilho das luzes da zona sul de Manhattan atrás da cabeça dele, e um pouquinho da condensação do ar tinha se alojado em cima dos ombros largos dele, deixando o tecido um pouco brilhante com todas as luzes da festa que piscavam.

Eu não sei. Eu não *sei* qual é o meu problema. Eu *sei* que ele terminou comigo. Eu *sei* que o Dr. Loco e eu já trabalhamos o assunto na terapia. Eu sei que tenho namorado, um namorado perfeitamente bom, que me ama e que naquele momento estava no bar, pegando uma água com gás para mim.

Eu *sei* de tudo isso.

O problema nem é saber de tudo isso e ainda assim olhar para o Michael e o ver sorrindo para mim e pensar que ele é o cara mais lindo do mundo (apesar de ele não ser; o Christian Bale é que é, como a Lana rapidamente observaria).

O problema é o que aconteceu a seguir.

Que foi Michael ter dito: "Que chapeuzinho de festa legal você arrumou, Thermopolis", referindo-se à tiara da princesa Amelie Virginie.

"Ah", falei, e estendi a mão para encostar nela. Porque eu ainda não conseguia acreditar — que o meu pai tinha encontrado, ou que ele realmente tinha vindo até aqui para me dar de presente. "Obrigada. Eu vou matar o meu pai por ter feito isto. Ele não pode se afastar da campanha assim por tanto tempo. René está liderando as pesquisas."

"Aquele cara?" Michael pareceu chocado. "Ele sempre foi meio bobão. Como é que as pessoas podem gostar mais dele do que do seu pai?"

"Todo mundo gosta de uma cebola frita em forma de flor", Boris, que estava ao lado da Tina, respondeu.

"Não tem cebola frita em forma de flor no Applebee's", rosnei para ele. "É no Outback que tem!"

"Não entendo por que o seu pai quer tanto ser primeiro-ministro, aliás", Kenneth disse. "Ele sempre vai ser príncipe, certo? Por que ele simplesmente não tem vontade de se recostar e relaxar enquanto outro cara toma conta das providências políticas para que ele possa fazer só as coisas divertidas de príncipe, como passear em iates como este com... bom, parece que é a Srta. Martinez, não?"

Olhei para onde Kenneth apontava.

E, tudo bem, certo, o meu pai estava dançando "Live to Tell" agarradinho com a Srta. Martinez. Os dois pareciam realmente... envolvidos.

Mas agora eu tenho 18 anos.

Então não. Para dizer a verdade, não fiquei com ânsia de vômito.

Em uma atitude muito madura e sábia, retornei à conversa em andamento e disse: "Na verdade, Kenneth, sim, o meu pai poderia, com muita facilidade, optar por não concorrer ao cargo de primeiro-ministro e simplesmente ficar feliz com o título e as obrigações reais normais dele. Mas ele prefere ter papel mais ativo no delineamento do futuro de seu país, e é por isso que ele quer ser primeiro-ministro. E é por isso que eu meio que gostaria que ele não tivesse perdido tempo vindo aqui." E agora que acabei de ver o que vi, eu REALMENTE gostaria que ele não tivesse vindo.

Ah, tudo bem. A Srta. Martinez de fato leu meu livro e deixou valer como projeto final.

Eu *acho* que ela leu. Uma parte pelo menos.

Mas também não foi por isso que fiquei apavorada.

A Lilly disse, em defesa do meu pai: "Foi legal ele ter vindo. A gente só faz 18 anos uma vez na vida. E não vai poder ver você muito depois que ele for eleito e você for pra faculdade."

"Vai sim, se a Mia for estudar na Universidade de Genovia", Boris disse, "como ela está planejando."

E foi aí que a cabeça do Michael virou de repente, ele olhou para mim com os olhos esbugalhados e falou assim: "Universidade de Genovia? Por que você vai estudar *lá*?" Porque, é claro, ele sabe que é uma faculdade péssima.

Eu percebi que fiquei vermelha. Michael e eu, é claro, nas nossas conversas por e-mail, não havíamos discutido o fato de que eu entrara em todas as faculdades em que me inscrevi, muito menos o fato de que eu tinha mentido sobre isso para todos os meus amigos da escola.

"Porque ela não entrou em nenhum lugar além de lá", Boris respondeu, prestativo, no meu lugar. "A nota dela no vestibular foi baixa demais."

Isso fez com que Tina desse uma cotovelada nele, forte o suficiente pra que ele dissesse: "Uuf!"

Foi nesse momento que J.P. voltou com a minha água com gás. A razão por que ele tinha demorado tanto foi porque parou no caminho para bater um papo bem profundo com Sean Penn — e ele deve ter ficado bem feliz com isso, já que Sean Penn é o herói dele e tal.

"Eu realmente acho muito difícil acreditar que você foi rejeitada por *todas* as faculdades em que se inscreveu, Mia", Michael foi dizendo, sem se dar conta de quem estava chegando. "Existem muitas faculdades que nem levam em conta a nota no vestibular hoje em dia. Algumas ótimas, aliás, como a Sarah Lawrence, que tem um programa de escrita muito bom. Não acredito que você não tenha se inscrito lá. Será que você não está exagerando sobre..."

"Ah, J.P.!", exclamei, interrompendo Michael. "Obrigada! Estou morrendo de sede!"

Arranquei a água da mão dele e virei tudo de um gole. J.P. ficou lá parado, só olhando para Michael, com uma expressão um pouco perplexa.

"Mike", J.P. disse. Ele ainda parecia estar tonto da conversa com seu herói artístico. "Oi. Então. Você voltou."

"Já faz um tempinho que Michael voltou", Boris disse. "O braço cirúrgico robotizado dele é um sucesso financeiro enorme. Fico surpreso por você não ter ouvido falar. Hospitais de todos os lugares querem ter um, mas cada um custa mais de um milhão de dólares e tem lista de espera... *ai*!"

Tina deu mais uma cotovelada nele. Desta vez acho que ela deve ter quase quebrado uma costela do Boris, porque ele praticamente se dobrou em dois.

"Uau", J.P. disse, com um sorriso. Ele não parecia nada incomodado com a notícia dada pelo Boris. Aliás, estava com as mãos nos bolsos da calça do smoking, como se fosse o James Bond ou alguém assim. Devia ter pegado o telefone do Sean Penn e estava remexendo nele. "Que coisa ótima."

"J.P. escreveu uma peça", Tina disse com a voz esganiçada. Parece que foi porque ela não estava suportando a tensão e queria mudar de assunto.

Todo mundo só ficou olhando para ela. Achei que a Lilly ia estourar um piercing de tão franzida que a testa dela estava de tentar segurar o que parecia ser uma gargalhada enorme.

"Uau", Michael disse. "Que coisa ótima."

Eu sinceramente não sei se ele estava falando sério ou se estava zoando o J.P., basicamente repetindo a mesma coisa que ele tinha acabado de dizer. Eu só sabia que precisava fugir dali, ou a tensão ia me matar. E quem quer ter um derrame no próprio aniversário de 18 anos?

"Bom", falei, e entreguei meu prato pra Tina. "O dever me chama. A princesa precisa circular. A gente se vê mais tarde..."

Mas antes que eu pudesse dar um passo sequer, J.P. pegou uma das minhas mãos, me puxou e disse: "Na verdade, Mia, se estiver tudo bem pra você, eu meio que tenho um anúncio a fazer, e não vejo momento melhor do que agora. Será que você pode vir comigo até o microfone? A Madonna logo vai fazer um intervalo."

Foi *aí* que eu comecei a sentir o estômago revirar.

Afinal, que tipo de anúncio J.P. podia querer fazer? Na frente do casal Clinton? E da Madonna e a banda dela? E do meu pai?

Ah, e do Michael.

Mas antes que eu pudesse protestar, J.P. começou a me puxar com delicadeza — certo, ele estava me arrastando para cima do palco montado por cima da piscina do iate.

E, quando eu me dei conta, Madonna já estava se afastando com muita gentileza e J.P. tinha pegado o microfone e estava pedindo a atenção de todo mundo — e conseguindo. Trezentos rostos se voltavam para nós enquanto o meu coração disparava dentro do peito.

É verdade que eu já fiz discursos para muito mais gente do que isso. Mas era diferente. Na ocasião, *eu* era a responsável pelo microfone. Desta vez ele estava na mão de outra pessoa.

E eu não fazia ideia do que ele iria dizer.

Mas eu mais ou menos suspeitava sim.

E fiquei com vontade de morrer.

"Senhoras e senhores", J.P. começou, com a voz profunda dele ribombando por todo o convés do barco... e, até onde eu sabia, por todo o Porto Marítimo de South Street. Era provável que os paparazzi lá embaixo estivessem escutando. "Tenho muito orgulho de estar aqui nesta noite para celebrar esta ocasião especial com uma garota tão extraordinária... uma garota que significa tanto para todos nós... para o país, para os amigos, para a família dela... Mas a verdade é que a princesa Mia é mais importante para mim, talvez, do que para qualquer um de vocês..."

Ai, meu Deus. Não. *Aqui* não. *Agora* não! Quer dizer, foi totalmente fofo da parte do J.P. expressar o quanto eu era importante pra ele desse jeito. Na frente de todo mundo — Deus sabe que Michael nunca teria tido coragem de fazer algo assim.

Mas e daí? Acho que Michael nunca pensou que houvesse necessidade de fazer isso.

"E é por isso que eu quero aproveitar a oportunidade para mostrar o quanto ela significa para mim ao pedir a ela, na frente de todos os amigos dela e das pessoas que ela ama..."

Foi quando eu o vi colocar a mão dentro de um dos bolsos da calça do smoking que eu *realmente* comecei a achar que ia precisar de massagem cardíaca, de verdade, dali a um minuto.

E é claro que, do bolso, o J.P. tirou uma caixinha de veludo preto... muito menor do que aquela em que estava a tiara da princesa Amelie.

A que o J.P. segurava na mão era do tamanho de um anel.

Assim que todo mundo viu a caixa — e daí, quando o J.P. se ajoelhou —, a plateia enlouqueceu completamente. As pessoas começaram a dar vivas e a bater tantas palmas que eu mal consegui escutar o que o J.P. disse em seguida... e eu estava bem do lado dele. Tenho certeza de que ninguém mais escutou o que ele disse, apesar de estar falando em um microfone.

"Mia", J.P. prosseguiu, olhando nos meus olhos com um sorriso cheio de segurança no rosto, e abriu a caixinha, revelando um diamante extremamente grande em formato de pera sobre uma armação de platina, "você quer..."

Os berros e as comemorações da multidão ficaram ainda mais altos. Tudo ficou embaçado na frente dos meus olhos. O horizonte de Manhattan à nossa frente, as luzes da festa no barco, os rostos dos convidados, J.P. aos meus pés.

Por um segundo, eu realmente pensei que ia desmaiar. A Tina tinha razão: eu devia ter comido mais.

Mas uma coisa estava bem firme na minha visão, para ser enxergada com perfeita clareza:

Michael Moscovitz. Indo embora.

Isso mesmo, saindo da festa. Do barco. Sei lá. O negócio é que ele estava indo embora. Em um minuto eu vi o rosto dele, perfeitamente sem expressão nenhuma, mas ali, embaixo de mim.

E, em seguida, estava olhando para a parte de trás da cabeça dele.

Vi os ombros largos e as costas dele a caminho da terra firme.

Ele estava indo embora.

Sem nem esperar para ver qual seria a minha resposta à pergunta do J.P.

Ou nem qual, exatamente, era a pergunta. Que, aliás, não era o que todo mundo parecia achar que era.

"... ir ao baile de formatura comigo?", J.P. terminou, com um sorriso largo e cheio de confiança em mim.

Mas eu mal consegui desviar os meus olhos para onde ele estava.

Porque eu não conseguia parar de olhar para o Michael.

É só que... não sei. Olhando no meio da multidão daquele jeito, depois que a minha visão tinha ficado meio embaralhada de surpresa, e ver o Michael me dar as costas e simplesmente ir embora, como se não desse a mínima para o que fosse acontecer...

Foi como se alguma coisa tivesse gelado dentro de mim. Uma coisa que eu nem tinha me dado conta que ainda *existia* dentro de mim.

E que, por acaso, era uma faísca de esperança. Esperança de que talvez, de algum modo, algum dia, Michael e eu pudéssemos voltar.

Eu sei que sou uma boba. Uma idiota! Depois de todo esse tempo, por que eu continuo cheia de esperança? Principalmente tendo um namorado tão fantástico, que, aliás, continuava ajoelhado na minha frente, com um ANEL na mão! (E, me desculpe, mas que negócio é este? Quem dá um ANEL para uma garota quando a convida para o *baile de formatura*? Bom, só o Boris. Mas faça-me o favor, ele é o BORIS.)

Mas obviamente eu era a única nutrindo aquela lasca de esperança. Michael nem se incomodou em ficar tempo suficiente para ver o que eu diria em resposta ao anel de convite para o baile de formatura do meu namorado de longa data. (Acho que foi isto, não foi?)

Então. Acabou assim.

É meio engraçado, porque eu achava que o Michael tinha partido o meu coração há muito tempo. Mas ele simplesmente partiu mais uma vez quando saiu daquele jeito.

É surpreendente como os meninos conseguem fazer isso.

Felizmente, apesar de eu não estar conseguindo enxergar muito bem por causa das lágrimas que encheram os meus olhos quando Michael saiu daquele jeito, e o meu coração simplesmente ter se despedaçado (de novo), eu ainda estava conseguindo pensar com clareza. Mais ou menos.

A única coisa em que eu conseguia pensar era na minha vontade de fazer para J.P. o discurso que Grandmère tinha me obrigado a ensaiar um milhão de vezes para uma situação exatamente assim — apesar de eu achar que a ocasião, na verdade, nunca se apresentaria:

"Ah, *insira o nome da pessoa aqui*, estou tão abalada pela intensidade das suas emoções que nem sei o que dizer. Você realmente me pegou de surpresa, e acredito que a minha cabeça esteja rodando..." O que não era mentira nesse caso.

"Sou tão jovem e inexperiente, sabe, e você é um homem tão viajado... eu simplesmente não estava esperando por isto."

O que não é absolutamente mentira nenhuma, de novo, neste caso. Quem é que faz um pedido desse no ensino médio? Mesmo que seja só um anel de compromisso ou sei lá o quê?

Ah, espere, está certo. Boris.

Espera aí, cadê o meu pai? Ah, ali está ele. Ai, meu Deus, nunca vi o rosto dele daquela cor. Acho que a cabeça dele vai explodir, literalmente, de tão furioso que ele parece. Ele deve estar pensando, como todo mundo, que J.P. acabou de me pedir em casamento. Ele não ouviu que J.P. só estava me convidando para o baile de formatura. Ele viu o anel, viu J.P. se ajoelhar e já ficou achando... Ah, que confusão! Por que diabos J.P. tinha que comprar um *anel* pra mim? Será que foi isso que *Michael* pensou? Que J.P. estava me pedindo em casamento?

Agora eu quero morrer.

"Acho que eu preciso dar uma deitadinha nos meus aposentos — sozinha — e pedir à minha empregada que aplique um pouco de óleo de lavanda nas minhas têmporas enquanto eu reflito sobre o assunto. Simplesmente estou tão lisonjeada e emocionada... Mas não, não me ligue. Pode deixar que *eu* ligo pra você."

A verdade é que o discurso de Grandmère só parecia um pouquinho... *antiquado*.

E também tinha o fato de que ele realmente parecia não se aplicar à situação, já que o J.P. e eu namoramos há quase dois anos. Então não é exatamente o caso de o convite dele para o baile de formatura acompanhado de anel ter sido completamente do além.

Fala sério! Eu nem sei onde vou estudar no ano que vem. Como é que eu vou saber com quem eu quero ficar no futuro próximo?

Mas eu tenho uma boa pista: *não* com alguém que nem *olhou* o meu livro ainda, apesar de estar com ele há mais de 48 horas.

Só estou dizendo.

O negócio é que eu nunca diria isso na frente de todo mundo naquele barco inteiro, humilhando J.P. Eu o amo. Amo mesmo. É só que...

Por que, meu Deus, por que ele tinha que ajoelhar daquele jeito na frente de todo mundo? E com um *anel*?

Então, em vez do discurso de Grandmère — e totalmente ciente de que o silêncio só fazia crescer enquanto eu ficava lá parada, feito uma idiota, sem dizer nada, eu falei, sentindo as minhas bochechas ficarem cada vez mais quentes: "Bom, a gente vê depois!" *Bom, a gente vê depois*? BOM, A GENTE VÊ DEPOIS?

Um cara totalmente gostoso, totalmente perfeito, totalmente maravilhoso que, aliás, me ama e está disposto a me esperar por toda a eternidade, me convida para ir ao baile de formatura com ele, e também me oferece o que parece, pelo menos de acordo com a tabela de tamanhos que Grandmère me fez guardar de cabeça, um anel de diamante de três quilates, e eu digo: *Bom, a gente vê depois?*

Qual é o meu *problema*? Fala sério, será que eu tenho algum desejo de ficar sozinha (bom, com Fat Louie) para o resto da minha vida?

Acho realmente que tenho sim.

O sorriso cheio de segurança do J.P. se apagou... mas só um pouquinho.

"É assim que se fala", ele disse, se levantou e me abraçou enquanto alguém no meio da multidão começou a bater palmas... primeiro bem devagar (eu reconheci aquele jeito de bater palmas... tinha que ser o Boris), e daí mais rápido, até que todo mundo estava aplaudindo com educação.

Foi horrível! Estavam aplaudindo por eu ter dito "Bom, a gente vê depois!" em resposta ao convite que o meu namorado me fez para o baile de formatura! Eu não merecia aplauso. Eu merecia ser jogada na água. Só estavam fazendo isso porque eu sou princesa, e dona da festa. Eu sei que, lá no fundo, estavam pensando:

"Mas que metida!"

Por quê? Por que Michael tinha *ido embora*?

Quando J.P. me abraçou, eu sussurrei: "A gente precisa conversar." Ele sussurrou de volta: "Tenho um certificado garantindo que este não é um diamante de sangue. É por isso que você ficou tão apavorada?"

"Em parte", respondi, inalando o cheiro dele, uma mistura de roupa lavada a seco e Carolina Herrera for Men. Aí nós nos afastamos do microfone, para não ter perigo de alguém nos escutar. "É só que..."

"É só um anel de compromisso", J.P. largou o abraço primeiro, mas continuou segurando as minhas mãos... e nelas colocou a caixa com o anel gigantesco. "Você sabe que eu faria qualquer coisa para deixar você feliz. Achei que era isso que você queria."

Eu só fiquei olhando para ele, totalmente confusa. Parte da minha confusão se devia ao fato de que ali estava um cara maravilhoso, maravilhoso de verdade, que realmente tinha dito aquilo do fundo do coração — eu sabia que ele faria qualquer coisa para me deixar feliz. Então por que eu não podia simplesmente permitir?

E outra parte de mim ficava imaginando o que eu podia ter dito para ele ficar pensando que eu queria um anel de compromisso, de noivado ou de qualquer outra coisa.

"É o mesmo que Boris comprou pra Tina", explicou, ao ver minha falta de compreensão. "E você ficou tão feliz por ela..."

"Sim", respondi. "Porque esse é o tipo de coisa de que *ela* gosta..."

"Eu sei", J.P. respondeu. "Da mesma maneira que ela gosta de romances, e você escreveu um..."

"Por isso, naturalmente, se o namorado dela deu um anel de compromisso para ela, eu também ia querer um?" Sacudi a cabeça. Acorde. Será que ele não percebe que existe uma diferença enorme entre mim e Tina?

"Olha", J.P. disse, e fechou os meus dedos ao redor da caixinha de veludo. "Eu vi este anel e pensei em você. Considere um presente de aniversário, para não entrar em pânico pensando que é alguma outra coisa. Não sei o que anda acontecendo com você ultimamente, mas só quero que você saiba... que eu não vou a lugar nenhum, Mia. *Eu* não vou abandonar você para ir para o Japão, nem para nenhum outro lugar. Vou ficar aqui mesmo, ao seu lado. Então, qualquer coisa que você decidir, quando decidir... você sabe onde me encontrar."

Foi aí que ele se inclinou e me beijou. E daí ele também foi embora.

Igualzinho ao Michael.

E foi aí que eu corri para a segurança... deste lugar.

Onde estou agora.

Eu sei que devia descer daqui. Meus convidados provavelmente estão indo embora, e é falta de educação não estar lá para me despedir.

Mas acorda! Quantas vezes uma garota recebe esse tipo de pedido de compromisso? No dia do aniversário dela? Na frente de todo mundo que ela conhece? E daí dispensa o cara? Mais ou menos? Só que não exatamente?

E também... qual é o meu problema? Por que eu não disse sim, simplesmente? J.P. é obviamente o cara mais fantástico do planeta... ele é maravilhoso, lindo, ótimo e gentil. E ele me ama. Ele me AMA!

Então por que eu simplesmente não posso retribuir o amor dele, da maneira como ele merece ser amado?

Ah, porcaria... alguém está chegando. Quem eu conheço que é ágil o suficiente para subir aqui? Não é Grandmère, com certeza...

Terça, 2 de maio, meia-noite, na limusine, a caminho de casa, depois da minha festa

Meu pai não está muito contente comigo.

Foi ele quem subiu até o topo da proa do iate para me dizer que eu tinha que parar de "ficar na fossa" (a expressão que ele usou para descrever o que eu estava fazendo, que não é completamente exata, na minha opinião... eu chamaria de "botar pra fora", porque estou escrevendo no meu diário) e descer para me despedir de todos os meus convidados.

E isso também não foi tudo que ele disse. Mas nem de longe. Ele disse que eu tenho que ir ao baile de formatura com o J.P. Disse que a gente não pode namorar um cara quase dois anos e daí resolver, uma semana antes do baile de formatura do último ano, que não vai com ele, só porque não está a fim de ir ao baile de formatura.

Ou, como ele colocou, de maneira totalmente injusta: "Só porque o seu ex-namorado por acaso está de volta."

Eu fiquei tipo: "Sei lá, pai! Michael e eu somos só amigos!" *Com amor, Michael.* "Até parece que a ideia de ir ao baile de formatura com ele algum dia PASSOU PELA MINHA CABEÇA!"

Porque totalmente não passou. Quem leva um cara de 21 anos, formado na faculdade, que é milionário e inventor de um braço cirúrgico robotizado a um baile de formatura do ensino médio?

Que, aliás, terminou comigo há dois anos e que também obviamente não dá a mínima para mim, então até parece que ele iria se eu convidasse.

E até parece que eu faria isso com J.P. ainda por cima.

"Tem um nome para garotas como você", o meu pai disse ao se sentar no meu poleiro precário por cima da água. "E para o que você está fazendo com o J.P. E eu nem quero repetir. Porque não é um nome bonito."

"É mesmo?" Eu fiquei totalmente curiosa. Ninguém nunca me xingou de nada. Tirando os xingamentos de sempre da Lana — CDF, esquisitona e essas coisas. Bom, e as coisas de que a Lilly me chamava em euodeiomiathermopolis. com. "Que nome?"

"Abusada", meu pai respondeu com toda a seriedade.

Preciso confessar que isso me fez começar a rir. Apesar de a situação ser supostamente muitíssimo séria, com o meu pai sentado ali na beirada do iate, falando comigo em um tom como se eu estivesse prestes a cometer suicídio ou qualquer coisa do tipo.

"Não é nada engraçado", meu pai disse, em tom irritado. "A última coisa de que precisamos agora, Mia, é que você fique malfalada."

Isso me fez rir ainda mais, considerando o fato de que eu por acaso sou a última pessoa virgem no último ano da Escola Albert Einstein (além do meu namorado). Foi muito irônico o fato de o meu pai estar me passando um sermão — em *mim*! — a respeito de ficar malfalada. Eu estava rindo tanto que precisei me segurar na lateral do barco para não cair nas águas escuras como breu do East River.

"Pai", eu disse, quando finalmente consegui falar. "Posso garantir a você que eu *não* sou abusada."

"Mia, ações falam mais alto do que palavras. Não estou dizendo que você e J.P. devem ficar noivos. *Isso*, obviamente, é um absurdo completo. Espero que explique a ele, com muita elegância e gentileza, que você é nova demais para estar pensando nesse tipo de coisa no momento..."

"P-pai", respondi, revirando os olhos. "É um anel de *compromisso*."

"Independentemente das suas opiniões pessoais a respeito do baile de formatura", ele prosseguiu, ignorando o que eu dizia, "o J.P. quer ir, e certamente não era errado ele achar que a levaria..."

"Eu sei", respondi. "E eu disse a ele que não me importaria se ele levasse outra pessoa..."

"Ele quer levar *você*. A namorada dele. Com quem ele está há quase dois anos. Ele tem certos direitos de expectativa por causa disso. Um deles é que, tirando alguma espécie de comportamento absolutamente inadequado da parte dele, você o acompanhe ao baile de formatura. Assim a atitude correta é ir com ele."

"Mas, pai", falei, sacudindo a cabeça. "Você não entende. Quer dizer... eu escrevi um romance e dei pra ele, e ele nem..."

Meu pai só ficou olhando para mim. "Você escreveu um *romance*?" Ops. É, acho que eu tinha esquecido de mencionar esta parte para o meu bom e velho pai. Talvez eu fosse capaz de distraí-lo.

"Hm", respondi. "Escrevi sim. E sobre isso... não precisa se preocupar. Ninguém quer publicar mesmo..."

Meu pai abanou a mão, como se as minhas palavras fossem um inseto irritante zumbindo ao redor da cabeça dele.

"Mia", ele disse. "Acho que a esta altura você já sabe que ser integrante da realeza não significa só andar por aí de limusine, ter guarda-costas, viajar em jatinhos particulares, comprar a última bolsa ou o jeans da moda e estar sempre cheia de estilo. Você sabe que o principal é sempre ser uma pessoa generosa, ser gentil com os outros. Você escolheu namorar o J.P. Escolheu ficar com ele durante quase dois anos. Você não pode *não* ir com ele ao baile de formatura, a menos que ele tenha sido cruel com você em algum sentido... e isso, pela sua descrição, é pouco provável. Agora, para de ser uma... como é mesmo que vocês dizem? Ah, uma rainha do drama, e desça daqui. Minha perna está ficando com cãibra."

Sabia que o meu pai tinha razão. Eu estava sendo estúpida. Passei a semana toda agindo como uma idiota (qual é a novidade?). Eu iria ao baile de formatura, e iria com o J.P. Eu e ele somos perfeitos um para o outro. Sempre fomos.

Eu não sou mais criança, e preciso parar de agir como se fosse. Preciso parar de mentir para todo mundo, exatamente como o Dr. Loco me disse para fazer.

Mas o mais importante é que eu preciso parar de mentir para mim mesma. A vida não é como em um romance. A verdade é que romances vendem tão bem — a razão por que as pessoas gostam tanto deles é que a vida de ninguém é daquele jeito.

Todo mundo *quer* que a vida seja assim.

Mas a vida de ninguém é assim, na verdade.

Não. A verdade era que eu e Michael já não tínhamos mais nada — apesar de ele ter assinado a carta dele para mim *Com amor, Michael*. Mas isto não significava nada. Aquela faísca de amor que eu carregava — em parte, eu sei, porque o meu pai me disse que o amor está sempre à nossa espera na próxima esquina — precisava se apagar e permanecer muito bem apagada, de verdade. Eu precisava *permitir* que ela morresse, e ficar feliz com o que eu tenho.

Porque o que eu tenho é legal pra caramba.

Acho que o que aconteceu nesta noite finalmente apagou aquela faísca de esperança que eu carregava em relação ao Michael. Acho mesmo.

Pelo menos tive certeza quase absoluta quando desci e encontrei J.P. (conversando com Sean Penn de novo, é óbvio) e cheguei pra ele e disse: "Eu aceito", e mostrei a ele que estava usando o anel. Isso apagou de vez a faísca. Matou bem mortinha.

Ele me deu um abraço, me ergueu do chão e me rodopiou no ar. Todo mundo que estava perto comemorou e aplaudiu.

Exceto minha mãe. Vi quando ela lançou um olhar enviesado para o meu pai, e ele sacudiu a cabeça, e ela apertou os olhos para ele, tipo: *Você vai ver só uma coisa*, e ele lançou para ela outro olhar, como quem diz: *É só um anel de compromisso, Helen*.

Desconfio que amanhã eu vá receber um sermão de café da manhã a respeito do feminismo pós-moderno. Como Lana diria, *tantufaz*. Até parece que qualquer sermão da minha mãe pode me fazer sentir pior do que eu me senti quando vi as costas do Michael agora há pouco.

Tina, Lana, Trisha, Shameeka, Ling Su e Perin não conseguiam parar de falar do anel, apesar de Ling Su querer saber principalmente se dava para cortar louça com o meu diamante, já que ela está fazendo uma peça de instalação nova que inclui pedaços de cerâmica quebrada (nós testamos em alguns pratos do serviço de bufê e a resposta é sim, meu anel é capaz de cortar louça).

A pessoa que parecia mais interessada era Lilly. Ela se aproximou e olhou pra ele com muita atenção mesmo, e disse assim: "Então o que vocês dois são agora? Tipo noivos?" E eu só respondi: "Não, é só um anel de compromisso." E ela falou: "Mas que *compromisso* bem grande", referindo-se ao diamante. E tenho certeza de que ela disse isto mais ou menos como um insulto...

E ela conseguiu me insultar.

O que eu não conseguia entender era por que a Lilly ainda não tinha feito a "surpresa" dela para mim... aquela que ela disse que só poderia dar se fosse à minha festa. Achei que isso significava que ela ia me dar *durante* a festa — ou pelo menos no dia certo do meu aniversário. Mas até então ela não tinha demonstrado nenhum sinal de que o faria.

Talvez eu tivesse entendido mal.

Ou talvez — apenas talvez — ainda houvesse algum resquício de afeição em algum lugar dela, e ela tivesse desistido de executar o plano sórdido que tivesse inventado, seja lá qual fosse.

Então eu me lembrei do que o meu pai disse a respeito de ser uma pessoa generosa acima de tudo quando se é da realeza e me recusei a ficar ofendida com a observação de "mas que *compromisso* bem grande" dela.

E também me recusei a perguntar para onde o irmão dela tinha ido. Apesar de Tina, é claro, ter me chamado de lado para observar — para o caso de eu, por algum motivo, não ter reparado — que ele tinha ido embora... e que tinha feito isso bem quando J.P. sacou o anel.

"Você acha", Tina sussurrou, "que Michael foi embora porque não suportou ver a mulher que ele ama há tanto tempo se comprometer com outro homem?" Realmente, isso era demais.

"Não, Tina", respondi na lata. "Acho que ele foi embora simplesmente porque não está nem aí pra mim." Tina fez uma cara de chocada.

"Não!", ela exclamou. "Não é por isso! Eu sei que não é por isso! Ele foi embora porque acha que VOCÊ não está nem aí pra ele, e sabe que não é capaz de controlar sua paixão desenfreada por você. Ele deve ter ficado com medo de querer MATAR o J.P.!"

"Tina", falei. Estava meio difícil manter a calma, mas eu lembrei o meu novo lema — a vida não como em um romance — e ficou um pouco mais fácil. "Michael não está nem aí pra mim. Encare os fatos. Eu estou com J.P. agora, como sempre devia ter estado. E, por favor, não fale mais comigo a respeito do Michael desse jeito. Isso realmente me incomoda."

E o papo acabou aí. Tina pediu desculpa por ter me incomodado — mais ou menos um milhão de vezes — e ficou preocupada de verdade em ter me magoado, mas nós nos abraçamos e tudo ficou bem depois disso.

A festa ainda se estendeu mais um pouco, mas foi desanimando quando o mestre das docas chegou e disse que a banda da Madonna precisava baixar o som devido às reclamações das associações de moradores dos prédios com vista para o rio (acho que eles teriam dado preferência ao Pavarotti).

No geral, a festa foi boa. Eu ganhei alguns presentes excelentes: uma tonelada de bolsas, bolsinhas e carteiras e outros acessórios Marc Jacobs e Miu Miu; muitas velas perfumadas (que eu nem vou poder levar para o alojamento da faculdade — independentemente de onde eu vá estudar — porque velas são consideradas como risco de incêndio); uma fantasia de gato da princesa Leia para o Fat Louie, que nem vai ser muito confusa para ele do ponto de vista de gênero; uma camiseta do Brainy Smurf da Fred Flare; um pingente do castelo da Cinderela da Disney; presilhas de cabelo de diamantes e safiras (de Grandmère, que fica dizendo o tempo todo para eu tirar o cabelo do rosto, agora que está comprido); e US$ 253.050 em doações para o Greenpeace.

Ah, sim, e um anel de compromisso de diamante (sem sangue) de três quilates.

Eu adicionaria um coração partido à lista, mas estou tentando não ser uma "rainha do drama", como meu pai disse. Além disto, Michael partiu o meu coração há muito tempo. Ele não pode partir *de novo*. E a única coisa que ele fez foi ter dito que gostou do meu livro e escreveu *Com amor, Michael* no final do bilhete que me mandou para falar dele. Isso dificilmente significa querer voltar. Não faço ideia de por que eu fiquei tão cheia de esperança desse jeito de mulherzinha ridícula infantil.

Ah, está certo: porque eu sou uma mulherzinha ridícula infantil.

Terça, 2 de maio, prova final de História geral

Acho que não foi muito boa ideia fazer a minha *soirée* de 18 anos no dia exato em que faço aniversário, tendo em vista que as provas finais começam hoje. Já vi mais do que algumas pessoas tropeçando pelos corredores, com os olhos vermelhos, como se pudessem aproveitar umas duas horas de sono a mais. Inclusive eu.

Graças a Deus que o horário está todo bagunçado pra última semana e eu só tenho história geral e literatura inglesa hoje, minhas matérias mais fáceis. Se eu tivesse prova final de trigonometria ou de francês, ia querer morrer.

Literalmente. O discurso da minha mãe a respeito de como as mulheres fizeram muitas conquistas desde a época em que costumavam se casar logo ao sair do ensino médio, porque não eram aceitas na universidade, nem havia empregos abertos a elas, demorou um tempão. E, cada vez que eu começava a cochilar no meio dele, ela me cutucava e me acordava.

Eu disse: "Mãe, dãââ! J.P. e eu não vamos nos casar depois da formatura! Sou ambiciosa, está certo? Eu superentrei em todas as faculdades às quais me candidatei e escrevi um livro e estou tentando publicar! O que mais você quer de mim?"

Mas, de algum modo, nada disso pareceu reconfortá-la. Ela ficava dizendo: "Mas você não *escolheu* nenhuma faculdade. Você tem menos de uma semana para decidir onde vai estudar" e "É um romance", como se alguma dessas coisas fizesse diferença.

E tanto faz: a heroína do meu romance tem a mira mais do que certeira com arco e flecha na mão.

Eu nem uso o anel do J.P. em casa, então não sei muito bem qual é o problema. Até parece que ela precisa ficar olhando para ele. O que ele tem que a deixa tão ofendida?

Terça, 2 de maio, Almoço

Todo mundo só fica pedindo pra ver o anel, o tempo todo. Quer dizer, eu fico lisonjeada e tal, mas... é meio constrangedor. Daí eu tenho que explicar que não é um anel de noivado. Afinal, é exatamente isso que ele parece. E todo mundo acha que J.P. me pediu em casamento.

E é tão grande que fica enganchando nas coisas. Por exemplo, nos fios soltos da minha saia, e uma vez em uma das trancinhas da Shameeka. Demorou, tipo, cinco minutos pra desenganchar.

Não estou acostumada a ser assim tão glamourosa na escola.

Mas dá pra ver que J.P. está feliz da vida.

Então pronto. Se ele está feliz, eu estou feliz.

Terça, 2 de maio, prova final de Literatura Inglesa

!!!!!!!!!!!!!!!!
Certo, mais uma vez eu me fiz de boba total e completa.

Mas, sinceramente, qual é a novidade?

Não que faça diferença, porque eu segui em frente. Estou com 18 anos, e sou adulta, e daqui a quatro dias vou sair deste inferno PRA SEMPRE (só não me pergunte pra onde eu vou, porque ainda não faço ideia).

Mas, bom, é tudo culpa da Tina, porque ela mal está falando comigo. Eu sei que eu disse para ela não falar sobre Michael comigo, mas não é a mesma coisa que dizer *não me dirija mais a palavra*.

Seria de pensar que ela teria muita coisa para conversar comigo, tendo em vista que nós duas estamos comprometidas a noivar e tal.

Mas vai ver que ela está com tanto medo de dizer a coisa errada para mim agora, para não me magoar, que resolveu não dizer absolutamente nada.

Não quero saber qual é o problema dela. Parece que eu não consigo vencer no quesito *melhor amiga*. Acho que eu nunca consigo deixar a minha feliz.

Eu realmente devia me contentar com a Lana como a minha melhor amiga. É muito mais fácil se relacionar com ela do que com qualquer outra pessoa que eu conheço. Ela está muito animada hoje, porque está com uma marca de chupão no pescoço e diz que é do príncipe William (até parece). Ela anda de um lado para o outro, mostrando para todo mundo. Fico surpresa de ela não ter desenhado um círculo grande e vermelho ao redor dele, com batom, com uma seta e a indicação: (SUPOSTO) CHUPÃO DO PRÍNCIPE WILLIAM.

Mas, bom, depois do almoço eu encontrei Tina no banheiro e falei, tipo: "Qual é o problema?"

E ela ficou toda assim: "Problema? Que problema? Não tem problema nenhum, Mia", com os olhões de Bambi dela.

Mas dava para ver que, apesar dos olhos bem esbugalhados e inocentes, ela estava mentindo. Quer dizer, não sei exatamente por que eu percebi isto.

Certo, talvez ela não estivesse mentindo. Talvez eu só estivesse me protegendo (este é um termo que nós aprendemos em psicologia, para quando você atribui seus próprios pensamentos indesejáveis a outra pessoa como mecanismo de defesa). Talvez eu ainda estivesse atordoada com o que havia acontecido ontem à noite, quando Michael foi embora da festa e tal.

Mas, de todo modo, eu disse: "Tem um problema sim. Você acha que eu estou errada de dizer sim para o J.P., porque eu ainda sinto alguma coisa pelo Michael." (É, eu sei. Enquanto ouvia as palavras saindo da minha boca, eu pensava: *O que você está dizendo? Cala a boca, Mia.* Mas eu não conseguia calar a boca. Só continuei falando, como se estivesse em um pesadelo.)

"Bom", continuei. "Fique sabendo que eu já superei o Michael. Não sinto mais nada por ele.. Nós realmente seguimos cada um com a sua vida. Ontem à noite, quando ele saiu do jeito que saiu, foi a gota de água. E eu resolvi que, depois do baile de formatura, J.P. e eu vamos fazer Aquilo. Isso mesmo. Vamos." Sinceramente, não faço ideia de onde aquilo estava saindo. Acho que eu simplesmente tive a ideia naquele exato momento. "Estou cansada de ser a última virgem da nossa turma. De jeito nenhum eu vou pra faculdade com a minha inocência intacta. Apesar de eu provavelmente já ter perdido há muito tempo, em uma bicicleta ou qualquer coisa assim."

A Tina continua com aquela pose de olhos arregalados de quem diz: *Não sei do que você está falando.*

"Certo, Mia", ela disse. "A decisão é sua. Você sabe que eu apoio qualquer coisa que você resolver."

ARGH! Às vezes ela é tão LEGAL que chega a deixar a gente frustrada!

"Aliás", eu disse e peguei o meu iPhone. "Vou mandar uma mensagem para o J.P. agora mesmo. Isso! Agora mesmo! E vou dizer pra ele arrumar um quarto de hotel pra depois do baile de formatura!"

Agora os olhos da Tina tinham ficado ENORMES. Ela falou: "Mia, você tem certeza de que quer fazer isso? Sabe, realmente não tem problema nenhum em ser virgem. Muita gente da nossa idade..." "Tarde demais!", eu berrei.

Juro que não sei o que deu em mim. Talvez tenha sido porque, alguns minutos antes, o anel do J.P. tenha enganchado no capuz da Stacey Cheeseman quando ela passou pelo corredor. Talvez tenha sido toda a PRESSÃO em cima de mim... provas finais, a eleição do meu pai, todo mundo me dizendo que eu preciso escolher uma faculdade até o fim da semana, a coisa com o Michael, a Lilly toda legal comigo de vez em quando... sei lá. Talvez seja apenas *tudo*.

Mas, bom, eu mandei a seguinte mensagem para o J.P.:

Ñ ESQUECE DE RESERVAR O HOTEL P/ DPS DO BAILE.

Foi logo depois disso que alguém deu a descarga. Uma porta de reservado se abriu.

E Lilly saiu lá de dentro.

Quase tive um ataque sináptico ali mesmo no meio do banheiro. Só fiquei parada, olhando para ela, percebendo que ela tinha ouvido tudo que eu disse — sobre finalmente ter superado o Michael *e* sobre ser virgem...

... e que eu estava mandando uma mensagem de texto para dizer para o J.P. arrumar um quarto de hotel para depois do baile de formatura.

Lilly me encarou sem dizer nenhuma palavra. (Desnecessário dizer que eu também não. Não consegui pensar em nenhuma palavra para dizer. Mais tarde, é claro, eu pensei em *um* milhão de palavras que devia ter dito. Como, por exemplo, que eu e a Tina só estávamos ensaiando a cena de uma peça ou algo assim.)

Então ela deu meia-volta, caminhou até as pias, lavou as mãos, secou, jogou fora a toalha de papel e saiu.

Tudo em silêncio total e completo.

Eu olhei pra Tina, que ficou olhando para mim com os olhos enormes e cheios de preocupação dela... olhos que, então eu percebi, não tinham nada além de preocupação comigo.

"Não se preocupe, Mia", foram as primeiras palavras que saíram da boca da Tina. "Ela não vai contar para o Michael. Ela não contaria. Eu *sei* que ela não contaria."

Eu assenti. Isso era algo que Tina não sabia. Ela só estava sendo legal. Tina sempre é legal.

"Você tem razão", eu disse. Apesar de não ter. "E mesmo se contar... ele não se importa mais. Quer dizer, é óbvio que ele não se importa mais; senão não teria ido embora ontem à noite como fez." Isto pelo menos era verdade.

Tina mordeu o lábio.

"Claro que sim", ela respondeu. "Você está certa. Mas é só que, Mia... você não acha..."

Só que eu nunca fiquei sabendo o que Tina queria saber se eu achava, porque o meu celular tocou. E era uma mensagem de texto de resposta do J.P.

E dizia:

QUARTO DE HOTEL GARANTIDO. TD CERTO. TE AMO.

Então. Maravilha!

Já está tudo organizado. Oba! Vou ser desvirginada.

Parabéns para mim.

Terça, 2 de maio, 18h, em casa

Daphne Delacroix
1005 Thompson Street, Apt. 4A
Nova York, NY 10003

Cara Srta. Delacroix,

Lamentamos informar que não temos condições de publicar o material enviado. Obrigado por nos dar a oportunidade de lê-lo.

Atenciosamente,
Os editores

E... as coisas só pioram.

Cheguei em casa e encontrei (além desta carta) a minha mãe com os envelopes de aceitação que recebi de todas as faculdades espalhados pelo chão, com Rocky sentado no meio, como se fosse o caule de uma flor (se algum caule de flor algum dia bebeu em um copo de criança de Dora, a Aventureira). Mamãe só olhou pra mim e disse: "Vamos escolher uma faculdade pra você. *Hoje à noite.*"

"Mãe", reclamei. "Se isso for por causa do J.P. e da coisa do anel..."

"Isso aqui é por causa de *você*", ela respondeu. "E do seu futuro."

"Eu vou pra faculdade, ok? Eu disse que ia escolher até o dia da eleição. Tenho até lá. Não posso encarar isto neste momento, tenho prova final de trigonometria amanhã e agora preciso estudar."

Além do mais, vou ser desvirginada depois do baile de formatura no sábado. Só que eu não mencionei esta parte pra ela.

Obviamente.

"Quero discutir esse assunto agora", a minha mãe disse. "Quero que você faça uma escolha embasada, não que escolha um lugar qualquer só por causa da pressão do seu pai."

"E eu não quero ir pra alguma faculdade famosa", falei, "em que eu não mereci entrar, e em que só fui aceita porque sou princesa." Eu estava total enrolando para ganhar tempo, porque a única coisa que eu queria era ir para o meu quarto e digerir a história de perder a virgindade no sábado. E o fato de que a Lilly Moscovitz, minha ex-melhor amiga, sabia disto. Será que ela ia contar para o irmão?

Não. Ela não contaria. Ela não se importava mais comigo. Então por que contaria?

Só se ela quisesse me aniquilar completa e totalmente aos olhos dele, mais ainda do que eu já fui aniquilada, por causa do meu próprio comportamento idiota.

"Então não vá para uma faculdade famosa", minha mãe disse. "Vá para alguma faculdade em que você teria chance de entrar sem a coisa de ser princesa. Deixa eu ajudar você a escolher um lugar. Por favor, Mia, pelo amor de Deus. Não vá me dizer que a sua formação futura vai ser de SRA."

"O que é isso?", perguntei pra ela.

"*Sra*. Reynolds-Abernathy IV", ela respondeu.

"É um anel de COMPROMISSO!", berrei. Meu Deus! Por que ninguém me *escuta*? E por que, quando eu estava com todas aquelas garotas que já transaram, eu não fiz mais perguntas a elas a respeito do assunto? Eu sei que escrevi sobre isso no meu romance. Com certeza já LI bastante sobre isso.

Mas, na verdade, não é a mesma coisa que fazer, sabe?

"Que bom", minha mãe disse, a respeito da coisa do anel de compromisso. "Então COMPROMETA-SE a me deixar diminuir um pouco as opções para eu poder dizer para o seu pai que estou cuidando da questão. Ele já me ligou *duas vezes* hoje para falar sobre isso. E ele acabou de chegar em Genovia há apenas algumas horas. E eu também estou levemente preocupada com isso, sabe?"

Fiz uma careta pra ela. Então caminhei pela sala e peguei os pacotes de inscrição das faculdades em que eu achei ser capaz de passar quatro anos estudando. Tentei prestar atenção especial às que não contam as notas do vestibular (procurei quais eram na internet, por sugestão do Michael, apesar de não ter feito isso por ELE. Simplesmente fiz porque... bom, foi um conselho útil), e que possivelmente teriam me aceitado mesmo sem a coisa toda de ser princesa.

Essa foi provavelmente a coisa mais adulta que eu fiz o dia inteiro. Além de organizar todas as mensagens de agradecimento pelos meus presentes de aniversário. Eu não cheguei exatamente a uma decisão definitiva a respeito de onde quero estudar, mas já fiz uma seleção possível bem reduzida, de modo que, no dia da eleição-barra-baile-de-formatura, talvez eu seja capaz de dizer a eles que cheguei a alguma decisão.

Acho. Mais ou menos.

Eu estava no meio de arrumar as anotações de trigonometria para começar a estudar quando recebi uma mensagem do J.P.:

JPRA4: Oi! Como foi o dia hoje? Com as provas finais, no caso.

FtLouie: Foi tudo bem, acho. Só tive história geral e literatura inglesa, então não foi nada assim tão estressante. É com amanhã que eu estou preocupada. Trigonometria! E você?

Foi muito estranho nós ficarmos trocando mensagens a respeito das provas finais, sendo que em menos de uma semana nós vamos... sabe como é.

E nós nunca chegamos a tirar a roupa no mesmo recinto.

JPRA4: Tudo bem. Também estou preocupado com amanhã... amanhã à noite.

FtLouie: Ah, certo, é a sua grande apresentação para o comitê dos projetos finais! Não se preocupe, tenho certeza de que vai ser ótimo. Estou ansiosa pra ver!

Como ele pode se preocupar tanto com o projeto final idiota dele se nós vamos transar? Qual é o problema dos garotos?

JPRA4: Se você estiver lá, vai ser ótimo.

DO QUE É QUE ELE ESTÁ FALANDO???? POR ACASO ELE É LOUCO?????? SEXO!!!! NÓS VAMOS TRANSAR!!!! POR QUE NÃO PODEMOS CONVERSAR SOBRE ISSO?????

Michael, pelo menos, falaria sobre o assunto.

FtLouie: Você sabe que eu não perderia por nada. E vai ser maravilhoso!

JPRA4: Você que é maravilhosa.

Continuamos assim durante um tempo, um dizendo para o outro que era mais maravilhoso, mas nenhum dos dois falando o que realmente PRECISÁVAMOS discutir (ou pelo menos o que eu achava que nós devíamos discutir), até que recebi uma mensagem da Tina, que nos interrompeu:

Iluvromance: Mia, eu sei que você disse que não era mais para falar sobre esse assunto, mas isto aqui não é falar. É mandar mensagem sobre o assunto. Eu realmente não acho que o Michael saiu da festa ontem à noite porque ele não se importa com você. Acho que ele foi embora porque se importa SIM com você e não suportou ver você com outro. Eu sei que você não quer escutar isto, mas é o que eu acho.

Eu amo a Tina mesmo. De verdade.

Mas, às vezes, fico com vontade de estrangulá-la.

Iluvromance: Quer dizer, eu estava só pensando se você levou em conta todas as implicações do que vai fazer com o J.P. na noite do baile de formatura. Ouça a voz de quem já fez isso; eu sei que Lana e Trisha passam a impressão de que não é nada de mais, mas sexo é uma experiência profundamente emocional na primeira vez, Mia. Ou pelo menos deveria ser. Este realmente é um passo muito importante, e você não devia fazer com qualquer um.

FtLouie: Está falando do meu namorado de quase dois anos que eu amo um monte, é isto?

Iluvromance: Certo, já entendi aonde você quer chegar, e vocês estão juntos há muito tempo. Mas e se você estiver cometendo um erro? E se o J.P. não for o Homem Certo para você?

FtLouie: DO QUE VOCÊ ESTÁ FALANDO? É claro que o J.P. é o Homem Certo. PORQUE ELE NÃO TERMINOU COMIGO. COMO O MICHAEL FEZ. LEMBRA?

Iluvromance: É, mas isso já faz muito tempo. E agora o Michael voltou. E eu estava aqui pensando... quem sabe seja melhor você não tomar decisões apressadas. Afinal, e se a Lilly contar para o Michael o que ela ouviu no banheiro hoje?

Eu sabia que Tina estava mentindo hoje.

FtLouie: VOCÊ DISSE QUE ELA NÃO IA CONTAR.

Iluvromance: Bom, provavelmente não vai. Mas... e se contar?

FtLouie: Mas, Michael não está nem aí, Tina. Quer dizer, ele terminou comigo. Ele foi embora da festa ontem à noite. Que diferença faz para ele se eu ando por aí dizendo que ainda sou virgem, mas que vou pra cama com o meu namorado depois do baile de formatura e que superei o fato de ainda gostar dele? Se ele se importasse, tomaria alguma atitude a respeito, certo? Quer dizer, o Michael tem o meu telefone, certo?

Iluvromance: Certo.

FtLouie: E o telefone não está tocando, não é mesmo?

Iluvromance: Acho que não.

FtLouie: Não, não está. Então. Não quero ofender, Tina. Eu também adoro romances, mas, neste caso, ACABOU. MICHAEL NÃO SE IMPORTA MAIS COMIGO. E o comportamento dele na minha festa deixou isso bem evidente.

Iluvromance: Bom. Tudo bem, se você está dizendo.

FtLouie: É sim. Estou dizendo sim. Caso encerrado.

Foi aí que eu disse a Tina e ao J.P. que eu precisava mesmo desligar. Se eu não desligasse, a minha cabeça ia sair rodopiando pelo pátio do prédio e voaria para o espaço, até alcançar aqueles satélites que ficam caindo na nossa cabeça igual a chuva.

Mas é claro que não foi isso que eu disse para eles. Eu disse que, se eu não fosse estudar, não passaria em trigonometria. Para falar a verdade, talvez uma dessas faculdades que me aceitaram com base nas minhas notas e redações e atividades extracurriculares e tal de verdade não me deixem estudar lá.

J.P. me mandou um milhão de beijos de despedida por mensagem. Eu retribuí todos. A Tina só mandou um "tchau". Mas dava para perceber que ela queria dizer mais mil coisas. Tipo que o J.P. não era o Homem Certo para mim, sem dúvida.

Legal da parte dela mencionar isso AGORA. Não que eu possa fazer alguma coisa a esse respeito.

Acho que ela acredita que o Homem Certo para mim é o Michael. Por que a minha melhor amiga acha que o Homem Certo para mim é um cara que não está absolutamente nem um pouco interessado em mim?

Terça, 2 de maio, 20h, em casa

Porcaria. Os sites de fofoca estão lotados de coisas sobre o meu "noivado" com J.P. Reynolds-Abernathy IV.

Está tudo relacionado com o fato de o meu pai estar perdendo nas pesquisas de opinião sobre a eleição em Genovia... e que talvez o fato de ter ido passar um dia nos Estados Unidos para ir à festa de 18 anos da filha não tenha sido a melhor das ideias, tendo em vista que ele não pode se dar ao luxo de se afastar da campanha.

Por outro lado, muitos artigos dizem que, talvez, se ele de fato passasse mais tempo com a filha, ela não ficaria noiva assim tão cedo.

Eu sou a Jamie Lynn Spears da família Renaldo! Sem a parte da gravidez!

Vou me enfiar embaixo das cobertas e nunca mais sair de lá.

É um ANEL DE COMPROMISSO! Aliás, quem foi que disse a eles que era um anel de noivado?

Fala sério, quando é que tudo isso vai parar?

Ah, já sei: nunca.

Terça, 2 de maio, 21h, em casa

Grandmère acabou de ligar. Ela queria saber se eu já tinha providenciado um vestido para o baile de formatura.

"Hm", respondi ao me lembrar, de repente, que não tinha providenciado, para falar a verdade. "Não?"

"Achei mesmo que não", Grandmère disse, com um suspiro. "Vou falar com Sebastiano para resolver a questão, já que ele está por aqui."

Daí ela disse que, se eu tivesse feito para o J.P. o discurso que ela me fez decorar há tanto tempo, nenhuma das fofocas estaria acontecendo. Acho que falaram alguma coisa a respeito do assunto no *Entertainment Tonight*. Grandmère nunca perde um episódio, já que é obcecada pela postura da Mary Hart, que ela considera perfeita, e diz que eu devia imitar. (Eu imitaria, mas ia precisar enfiar um cabo de vassoura no traseiro.)

"Por outro lado", ela prosseguiu, "se você tinha mesmo que ficar noiva de alguém, Amelia, pelo menos escolheu alguém de berço e de fortuna própria. Poderia ser pior. Imagino", ela completou, com um cacarejo. "Podia ter sido Aquele Rapaz."

Quando diz *Aquele Rapaz*, Grandmère está falando do Michael.

E eu sinceramente não sei por que isso é tão engraçado.

"Não estou noiva", eu disse. "É um anel de compromisso."

"Mas, em nome de Deus, o que é um anel de compromisso?", Grandmère perguntou. "E que história é essa que o seu pai me contou sobre você ter escrito um romance?"

Eu realmente não estava no clima de discutir *Liberte o meu coração* com Grandmère. Eu ainda tinha uns vinte capítulos de trigonometria pra revisar.

Ah, e a minha desvirginação para mapear. Tinha que ver o que precisava comprar na farmácia para impedir que um roteiro completo de *Juno* se desenrolasse. O próximo livro que eu escrever não tem que se chamar *Princesa grávida*.

"Não precisa se preocupar com isso", explodi. "Ninguém quer publicar mesmo."

"Bom, dou graças a Deus por isso", Grandmère disse. "A última coisa de que esta família merece é uma escritora de livrinhos de bolso cafonas..."

"Não é cafona", interrompi, magoada. "É um romance muito bem-humorado e emocionante sobre o despertar sexual de uma garota no ano 1221..."

"Ai, meu Deus." Grandmère falou como se tivesse engolido errado.

"Por favor, diga que, se for publicado, você vai usar um pseudônimo."

"Claro que sim", respondi. Quanta coisa uma única pessoa supostamente é obrigada a aguentar, aliás? "Mas, mesmo que não fosse usar, qual é o problema? Por que todo mundo tem que ser tão pudico? Sabe, já faz quase quatro anos que aceito fazer tudo que todo mundo quer que eu faça. Já está na hora de começar a fazer alguma coisa que *eu* quero..."

"Bom, pelo amor de Deus", Grandmère disse, "por que você não vai esquiar ou qualquer coisa assim? Por que tem que escrever *romances*?"

"Porque eu gosto de fazer isso", respondi. "E eu posso fazer e ainda ter tempo de ser a princesa de Genovia, sem ter um monte de paparazzi correndo atrás de mim, e não me faz mal, e por que você não consegue simplesmente ficar feliz por eu ter encontrado a minha vocação?"

"A vocação dela!" Dava para sentir que Grandmère estava revirando os olhos. "A *vocação* dela, nada menos. Não pode ser a sua vocação se ninguém está interessado nem em comprar essa porcaria, Amelia. Olha, se está em busca de uma vocação, eu pago para você ter aulas de salto livre. Ouvi dizer que está fazendo muito sucesso entre a juventude de..."

"Eu não *quero* aulas de salto livre", respondi. "Vou escrever romances e não tem nada que você possa fazer para me impedir. E eu vou pra faculdade para aprender a escrever melhor. Só que eu ainda não sei que faculdade vai ser. Vou decidir até o baile de formatura e a eleição..."

"*Bom*", Grandmère respondeu, parecendo ofendida. "Alguém não curtiu seu sono de beleza!"

"Porque eu estava na *sua* festa", falei. Daí eu suavizei o tom, porque me lembrei do que o meu pai disse a respeito de as princesas precisarem ser gentis. "Peço desculpas. Eu não quis falar assim. Foi muito legal da sua parte fazer aquela festa para mim, e foi ótimo ver o meu pai, e você e o Vigo fizeram um serviço maravilhoso. Eu só quis dizer..."

"Suponho que devo me sentir aliviada por não precisar organizar uma festa de noivado para você", Grandmère disse em tom rígido. "Ninguém dá festas de anéis de compromisso... dá? Mas imagino que você espere uma festa de *livro* algum dia."

"Se eu for publicada", respondi, "vai ser legal."

Grandmère deu um suspiro dramático e desligou. Dava pra ver que ela ia tomar um Sidecar, apesar de os médicos terem ordenado expressamente que ela diminuísse o consumo deles (e eu vi que ela estava com um na mão a noite inteira ontem. Ou o copo era mágico e nunca esvaziava ou ela tomou vários).

Então, bom. Exatamente o que o meu pai NÃO queria: parece que eu sou uma Princesa Malfalada.

Por outro lado, a esta altura... pode até ser que eu faça jus ao falatório, acho.

Quarta, 3 de maio, prova final de Trigonometria

Certo. Nesta eu quase não passei.
Vamos seguir em frente.

Quarta, 3 de maio, Almoço

AI, MEU DEUS! Eu só estava lá sentada à nossa mesa de almoço no refeitório com o meu hambúrguer de tofu e uma salada quando meu telefone tocou e eu vi que era meu pai.

Papai nunca me liga na hora da escola, a menos que seja uma emergência importantíssima, de modo que eu quase larguei a bandeja e falei "O QUE FOI?" no telefone.

Claro que J.P, Tina, Boris, Lana e todo mundo parou de falar e olhou pra mim.

As únicas coisas em que eles conseguiram pensar foram:

Grandmère finalmente bateu as botas por causa de tantos Gitanes; ou de algum modo os paparazzi ficaram sabendo do fato de que eu vou transar na noite do meu baile de formatura e contaram tudo para os meus pais, e eu me ferrei. Será que Tina estava certa? Será que eles grampearam mesmo meu telefone?

Daí o meu pai falou assim, com a voz completamente calma:

"Achei que você estaria interessada em saber que o nosso CardioBraço novinho em folha acaba de ser entregue ao Hospital Real de Genovia, com um cartão indicando que era uma doação feita por

Michael Moscovitz, Presidente e CEO da Indústria

Pavlov Cirúrgica."

Quase deixei meu celular cair dentro do frozen yogurt da Lana.

"Ei, cuidado", reclamou.

"Uma programadora chamada Midori veio com o CardioBraço para dar um curso de duas semanas para os nossos cirurgiões, para eles aprenderem a usar", meu pai prosseguiu. "Ela está no hospital agora, montando o equipamento." A Micromini Midori!

"Não estou entendendo", falei. Eu estava totalmente confusa, de verdade. "Por que ele faria uma coisa dessa? Nós não pedimos o equipamento. Você pediu? Eu não pedi."

"Eu não pedi", meu pai disse. "E já perguntei para a sua avó. Ela jura que também não pediu."

Eu precisei sentar, porque as minhas pernas de repente cederam. Eu nem tinha pensado em Grandmère. Ela tinha que estar por trás disso! Ela deve ter batido as pestanas até fazer Michael doar um dos seus CardioBraços pra Genovia! Não é pra menos que ele saiu cedo da minha festa! Coitado.

E durante todo esse tempo eu fiquei pensando coisas horríveis sobre ele...

"Mia, está tudo bem com você?", J.P. perguntou com ar de preocupação. "O que está acontecendo?"

"Ela deve ter dito alguma coisa para ele", falei ao telefone, ignorando meu namorado. "Ela só pode estar mentindo. Por que outro motivo ele teria feito isso?"

"Ah, acho que faço uma boa ideia do por quê", papai falou, com uma voz estranha.

"Faz?" Eu fiquei embasbacada. "Bom, e por quê? Que outro motivo pode haver além de Grandmère o ter encurralado na noite da minha festa para exigir o equipamento? Pai, ela deve ter feito isso." Baixei a voz para que o pessoal do almoço não escutasse. "Tem uma lista de espera enorme para conseguir uma dessas coisas. Custa mais de um milhão de dólares! Ele não ia simplesmente mandar entregar um em Genovia sem nenhum motivo!"

"Acho que tem um motivo, sim", papai falou, seco. "Por que você não liga para ele e vocês conversam? Imagino que ele vai explicar tudo em um jantar."

"Jantar?", repeti. "Do que você está falando? Por que nós sairíamos para jant..."

De repente, entendi. Não dava pra acreditar que eu demorei tanto tempo para perceber o que o meu pai queria dizer — que o Michael tinha mandado o CardioBraço porque ainda gostava de mim. Talvez até *mais* do que gostasse de mim.

Senti que comecei a ficar vermelha. Fiquei feliz por as pessoas que estavam na mesa não poderem ouvir os dois lados da conversa. Quer dizer, se é que já não tinham percebido tudo só pelo meu lado.

"Pa-ai!", sussurrei. "Não é nada disso! Quer dizer...", baixei a voz ainda mais, agradecida pelo barulho do refeitório. *"Ele terminou comigo, lembra?"*

"Isso já faz quase dois anos", meu pai disse. "Vocês dois amadureceram muito de lá pra cá. Um de vocês em especial."

Ele estava falando de mim. Eu sei que ele estava falando de mim. Certamente não estava falando do Michael, que nunca tinha sido nada além de calmo e compreensivo, ao passo que eu fui...

Bom, nada disso.

Esquisitona.

"Mia, o que está acontecendo?", Tina perguntou. Ela parecia preocupada. "Está tudo bem com seu pai?"

"Está tudo ótimo", respondi. "Conto daqui a um minuto..."

"Mia, eu preciso desligar", o meu pai disse. "A imprensa está aqui. Acho que nem preciso dizer como uma coisa assim... bom, é uma notícia muito importante para um país tão pequeno quanto Genovia."

Não, ele não precisava me dizer isso. Ninguém faz doações de equipamentos de alta tecnologia, que custam milhões de dólares, para o hospital porcaria que tem em Genovia. Uma coisa dessa receberia enorme cobertura da imprensa.

Muito mais, aliás, do que as iniciativas do René para abrir um Applebee's.

"Certo, pai", eu disse, tonta. "Tchau."

Então desliguei, sentindo-me totalmente confusa. O que estava acontecendo? Por que Michael tinha feito isso? Quer dizer, eu sei por que o meu pai *acha* que o Michael fez isso.

Mas por que ele *realmente* tinha feito isso? Eu notei o jeito como ele foi embora da minha festa, sem mais nem menos. Não fazia o menor sentido.

Com amor, Michael.

"O que está acontecendo, Mia?", J.P. perguntou.

"Você está com cara de quem comeu uma meia", Tina disse.

"Não é nada", respondi rápido. "Era só o meu pai dizendo que o Hospital Real de Genovia recebeu a doação de um CardioBraço da empresa do Michael. Só isso."

Tina engasgou com a Coca Zero que estava tomando. Todas as outras pessoas receberam a notícia com muita calma.

Inclusive J.P.

"Nossa, Mia", ele disse. "Que coisa ótima! Uau. Que presente generoso."

Ele não parecia nem um pouco enciumado.

E por que deveria ter ciúme? Até parece que existe alguma coisa de que se ter ciúme. Michael não gosta de mim desse jeito, apesar do que meu pai — e Tina — possa pensar. Tenho certeza de que ele só doou o CardioBraço para ser simpático.

E a Micromini Midori... o fato de ele ter enviado logo ela para ensinar os cirurgiões a usar o equipamento? Isso não significa que ela e Michael não estejam juntos. Só significa que o relacionamento deles é tão estável que podem passar semanas afastados e isto não os incomoda nem um pouco.

Do que eu estou falando? E daí se o Michael e a Micromini Midori estiverem namorando? Eu tenho na mão um anel de compromisso de outro cara! Com quem vou perder a virgindade depois do baile de formatura no próximo sábado! Qual é o meu problema?

De verdade: qual é o meu problema? Eu nem devia estar pensando nessas coisas! Tenho uma prova final de francês daqui a quinze minutos!

O QUE EU VOU FAZER A RESPEITO DO FATO DE MICHAEL TER ENVIADO UM CARDIOBRAÇO PARA O HOSPITAL REAL DE GENOVIA?????

E eu não consigo parar de pensar nele nem um segundo, e estou fadada a perder a virgindade com meu namorado depois do baile de formatura, daqui a quatro dias (três sem contar hoje)!!!!

Quarta, 3 de maio, prova final de Francês

Mia, você terminou a prova?

Terminei. Foi um horror.

Foi, né? O que você respondeu na número 5?

Não sei. Futuro perfeito, acho. Não lembro mais. Estou tentando bloquear da minha mente.

Eu respondi a mesma coisa. Então. Eu sei que você provavelmente não quer falar sobre o assunto, mas o que você vai fazer a respeito do Michael e do fato de ele ter feito o que fez? Porque você pode dizer o que quiser, Mia, mas não pode negar: nenhum cara vai mandar um CardioBraço para o país de uma garota de quem ele não gosta.

Está vendo, eu sabia que isso ia acontecer. Tina pega qualquer coisa que acontece, enrola em papel de seda prateado, a amarra com um laço grande e chama de Amor.

E *eu* é que supostamente sou a escritora de romances.

Ele não gosta de mim! Não assim. Ele só fez isso para ser simpático. Em nome dos velhos tempos, tenho certeza.

Bom, não sei como você pode ter certeza se nem falou sobre o assunto com ele. Você conversou com ele sobre isso?

Bom, não. Ainda não. Mas também não tenho certeza se vou conversar. Porque, para o caso de você não se lembrar, Tina, eu estou usando o anel de compromisso de uma outra pessoa.

Isso não dá a você o direito de ser grosseira! Quando alguém se dá ao trabalho de doar um CardioBraço para o seu país, o mínimo que você pode fazer é agradecer pessoalmente! Mas isso não significa que precisa ir pra cama com ele, nem nada. Tenho certeza de que Michael não está esperando nada assim. Mas você podia dar um beijo nele.

Ai, meu Deus.

Afinal, de que lado você está, Tina? Do J.P. ou do Michael?

Do J.P., é claro! Porque foi ele que você escolheu, certo? Quer dizer... não escolheu? Seria bem estranho se NÃO fosse ele que você escolheu, tendo em vista que está usando o anel dele e que planeja passar a noite com ele no sábado.

Claro que eu escolhi J.P.! O Michael terminou comigo, lembra?

Mia, isso já faz quase dois anos. As coisas estão diferentes agora. Você está diferente agora.

POR QUE TODO MUNDO FICA REPETINDO ISSO?

AI, MEU DEUS, GENTE! ACABEI DE SAIR DA MINHA PROVA FINAL DE ALEMÃO, A ÚLTIMA DA VIDA! Nunca mais vou ver uma prova de alemão! Pelo menos que eu vá fazer. Acho que na faculdade vou fazer espanhol, porque assim vou poder pedir mais coisas quando for pra Cabo nas férias, em vez de só tacos.

Enviado pelo meu Blackberry®

Lana, você não acha que a Mia devia ligar para o Michael para agradecer a doação do CardioBraço para o Hospital Real de Genovia?

Tantufaz, ela devia ligar pra ele porque ele é GOSTOSO igual a uma pimenta bem forte, sobre a qual eu vou começar a aprender quando for estudar ESPANHOL, em vez de ALEMÃO!!!!

Enviado pelo meu Blackberry®

Tá vendo? Mia, só manda uma mensagem pra ele agradecendo a doação. Isso não vai magoar o J.P. E, tudo bem, talvez Michael tenha feito isso porque Lilly contou pra ele o que escutou a gente falando no banheiro. Mas há grandes chances de que ele fosse mandar de todo jeito. Então só liga pra ele.

Você acha que ele mandou o CardioBraço porque a Lilly disse pra ele que me ouviu dizendo que eu ainda gostava dele? Acho que eu vou vomitar!!!!

Não! Eu disse que TALVEZ tenha sido por isso.

AI, MEU DEUS, foi por isso! Com certeza foi por isso! Eu sei! Ai, meu Deus. AI, MEU DEUS!!!!!!

Olha, tenho certeza de que NÃO foi por isso. Mas você deveria ligar pra descobrir...

Espera... A partir de agora eu vou passar as férias em Genovia. Eu deveria aprender francês no ano que vem. Como se diz taco em francês?

Enviado pelo meu Blackberry®

Quando eu for pra faculdade, a primeira coisa que vou fazer é escolher amigas novas. Porque as que eu tenho no momento são psicóticas.

Quarta, 3 de maio, 16h, na limusine, a caminho da suíte da Grandmère no Plaza

Sebastiano pegou meia dúzia de vestidos da última coleção dele para eu experimentar para o baile de formatura, e eu vou me encontrar com Grandmère para dar uma olhada neles.

Tenho a sensação de que vão ser horríveis, mas acho que eu não devo ser assim tão preconceituosa. Eu gostei de verdade do último vestido formal dele que usei (no Baile Inominável de Inverno do primeiro ano. Será que faz mesmo tanto tempo assim? Parece que foi ontem). Só porque Sebastiano vende as peças dele no WalMart, não significa que vai ser tudo horrível.

Mas, bom, eu passei todo o trajeto no carro escrevendo e apagando mensagens para o Michael. Fiquei testando com o Lars. (É óbvio que ele acha que eu sou louca. Mas e daí, qual é a novidade?) Será que é realmente tão difícil assim capturar um tom exato que seja ao mesmo tempo despreocupado, caloroso e sincero?

Lars acha que eu devo mandar este:

Caro Michael,

Mal posso dizer como fiquei surpresa e feliz, hoje, ao receber do meu pai a notícia a respeito de uma certa entrega que chegou ao Hospital Real de Genovia. Você não faz nem ideia de como isso é bom para ele e para o povo genoviano. Sua generosidade nunca será esquecida. Eu gostaria de agradecer pessoalmente em nome deles (se você tiver tempo).

Atenciosamente,
Mia

Acho que isto tem exatamente um tom educado e ao mesmo tempo simpático. É o tipo de coisa que uma garota que usa o anel de compromisso de outro cara pode mandar sem ser mal interpretada. E que também não vai causar problemas para ela se for interceptado pelos paparazzi.

Eu adicionei a parte de nós nos encontrarmos pessoalmente porque... bom, simplesmente me pareceu que se deve agradecer pessoalmente a alguém que dá um presente de mais de um milhão de dólares. Não é porque eu queira sentir o cheiro dele mais uma vez. Independentemente do que o Lars pensa (eu realmente gostaria que ele não ficasse escutando todas as minhas conversas. Mas acho que é um dos efeitos colaterais de ser guarda-costas de alguém).

Vou apertar o botão ENVIAR antes que eu perca a coragem.

Quarta, 3 de maio, 16h05, na limusine, a caminho da suíte da Grandmère no Plaza

Ai, meu Deus! Michael recebeu a minha mensagem e já respondeu! Estou em pânico. (Lars está rindo ainda mais de mim, mas eu nem ligo.)

Mia,

Adoraria te encontrar "pessoalmente". Que tal hoje à noite? Michael

P.S. Não precisa me agradecer em nome do seu pai, nem de Genovia. Eu só mandei o equipamento porque achei que podia ajudar seu pai na eleição, e que isto, por sua vez, ia deixar você feliz. Então, como você vê, minha motivação foi completamente egoísta.

E agora, o que eu faço????

Lars não tem resposta para mim. Bom, tem sim, só que é completamente irracional. Ele falou, tipo: "Liga pra ele. Saia com ele hoje à noite."

Mas eu não posso sair com ele hoje à noite! Porque eu tenho NAMORADO! Além do mais, tenho a peça do J.P. hoje à noite.

Eu prometi que estaria lá para apoiá-lo.

E eu *quero* apoiar o J.P. Claro que quero. É só que...

O que Michael quis dizer quando escreveu que a motivação dele foi inteiramente egoísta? Será que ele quis dizer o que Lars falou que acha que ele quis dizer, que só mandou o CardioBraço porque ele gosta de mim?

E quer voltar?

Não. Isso não é possível. Lars passou tempo demais sob o sol do deserto, desarmando explosivos com Wahim. Por que Michael iria querer voltar comigo, se eu sou obviamente uma louca? Quer dizer, quando nós estávamos juntos da última vez, eu dei uma de Britney pra cima dele. Imagino que nenhum garoto gostaria de se oferecer para receber mais uma dose daquilo.

Apesar de, é claro, como o meu pai disse, eu ter amadurecido muito desde então...

E nós nos divertimos bastante no Caffe Dante. Mas aquilo foi só uma entrevista.

Ah! Mas o cheiro dele estava tão bom! Imagino que ele não deve ter achado que o *meu* cheiro também estava bom, será?

Preciso ver o que Tina acha... apesar de ela ser mais sem noção do que eu, se quer saber a minha opinião.

Mas nem se preocupe com isso. Vou encaminhar esta mensagem pra ela... E, droga, agora que chegamos à suíte da Grandmère, vou ter que aguentar horas experimentando roupas. Quem tem paciência pra moda quando tudo ISTO está acontecendo?

Quarta, 3 de maio, 20h, no Teatro Ethel Lowenbaum

Realmente é muito difícil escrever aqui, já que as luzes estão apagadas e a peça do J.P. está rolando. Aliás, estou fazendo isto aqui com o brilho do meu celular.

Eu sei que não devia estar escrevendo no meu diário de jeito nenhum — devia estar prestando atenção à peça, já que o comitê de avaliação do projeto final está aqui (e também os pais do J.P. e todos os nossos amigos que não ficaram em casa pra estudar para as provas finais), e eu devia passar a impressão de que apoio J.P. e tal.

Mas eu simplesmente preciso escrever mais a respeito do e-mail do Michael. Porque, é claro, eu não pude guardar para mim. Eu *tive* que mostrar para todo mundo no apartamento de Grandmère.

Grandmère disse que só serve para provar que o Michael alimenta *une grande passion* por mim. Ela disse que um equipamento médico de um milhão de dólares é um presente quase tão romântico quanto um anel de compromisso de platina com um diamante de três quilates.

"Mas", ela prosseguiu, "o fato de o Michael ter feito a doação sem que você pedisse é bastante extraordinário. Estou começando a me perguntar se, no fundo, eu estava errada a respeito Daquele Rapaz."

!!!!!!

Sinceramente, eu quase desmaiei ali mesmo. Eu NUNCA ouvi Grandmère dizer que estava errada a respeito de NADA!!!!!

Bem, quase nunca.

Mas, enfim, essa foi uma coisa tão surpreendente de ouvir saindo da boca de Grandmère que eu quase caí do banquinho em que Sebastiano me fez subir enquanto ele enfiava alfinetes no vestido que estava ajustando. Ele disse "Tsk, tsk, tsk" e perguntou se eu queria ficar parecendo um porco-espinho.

Só que, obviamente, Sebastiano ainda não domina muito bem o básico da nossa língua, de modo que ele chamou só de "porco".

"G-Grandmère", gaguejei. "O que você está dizendo? S-será que eu devo dar mais uma chance ao Michael? Será que eu devo devolver o anel do J.P.?"

Juro que o meu coração estava batendo tão forte dentro do peito que eu achei que mal conseguiria respirar enquanto esperava a resposta dela. E isto foi estranho, porque até parece que eu dou algum VALOR especial aos conselhos de Grandmère, já que ela é, de fato, uma lunática de carteirinha.

"Bom", Grandmère disse, com ar pensativo. "Este anel é incrivelmente *grande*. Por outro lado, trata-se de um equipamento médico absurdamente caro. Mas não dá pra andar por aí com um braço cirúrgico robotizado."

Está vendo o que eu quero dizer?

"Eu sei o que você deve fazer, Amelia", Grandmère disse, mais animada. "Vá para a cama com os dois, e aquele que tiver o melhor desempenho no *boudoir* é o que você deve escolher. Foi isso que eu fiz com Baryshnikov e Godunov. Que rapazes mais adoráveis. E também muito flexíveis."

"Grandmère!" Eu fiquei chocada. Quer dizer, falando sério. Como ela pode ser tão diabólica? Como é que nós podemos ter o mesmo sangue?

Sinceramente, eu não me considero pudica. Mas acho que a gente precisa no mínimo estar *apaixonada* por alguém antes de fazer *aquilo* com ela (uma ideia que eu tentei, sem sucesso, incutir na Lana. Ah, e na minha avó).

Mas, bom, eu falei para ela não ser besta, que eu não vou pra cama com ninguém. A Mentira Enorme Número Nove de Mia Thermopolis.

Mas o que é que eu *vou* fazer? Recebi um e-mail de confirmação de leitura da Tina. (Ela está hoje aqui com Boris. Mas obviamente não podemos *conversar* sobre o assunto. Não com o J.P. por perto. Ah, e o Boris.)

Ela acha que o recado do Michael quis dizer o que Grandmère achou que quis dizer (mas quem é que leva em consideração o que Grandmère pensa, já que ela obviamente tem parafusos soltos): o Michael realmente mandou o CardioBraço por mim. Por MIM!

Tina disse que eu tenho que responder e fazer algum tipo de combinação para nos encontrarmos pessoalmente. Porque, como ela acabou de me escrever da poltrona *dela*:

Você não pode deixar o Michael sem resposta. *Talvez* ele só esteja flertando com você, mas eu duvido. Ele teve o maior trabalho para mandar aquele CardioBraço... isso sem mencionar a Micromini Midori, que foi junto.

E a única maneira de descobrir o que realmente está acontecendo com ele é encontrá-lo pessoalmente. Quando você olhar nos olhos dele, vai saber de verdade se ele está brincando ou se está falando sério.

Este é um caso delicado, Mia: você pode ficar DIVIDIDA ENTRE DOIS AMORES!!!!

Eu sei que você provavelmente está muito aborrecida com tudo isso, mas será que é errado eu, pelo menos, achar tudo isto MUITO, MUITO EMOCIONANTE????? Certo, sinto muito, vou parar de pular na minha poltrona. Uma pessoa na fileira da frente acabou de me olhar muito feio, e Boris quer que eu preste atenção à peça agora.

Ainda bem que existe alguém que está feliz com isso, porque eu, pessoalmente, não estou. Sinceramente, não sei como aconteceu. Como é que eu, Mia Thermopolis, passei da pessoa mais tediosa do planeta (tirando a coisa de ser princesa), que basicamente passou o ano e meio anterior inteiro sem sair de casa porque estava sempre fazendo o projeto final, a história da extração de azeite de oliva em Genovia, no período aproximado de 1254-1650 (e, tudo bem, na verdade era um romance histórico, mas e daí?), para uma garota que é desejada por dois homens que são um partidão?

De verdade: como????

E, de acordo com a minha melhor amiga, o que eu devo fazer a respeito disso é combinar de encontrar aquele com quem eu não estou comprometida para ficar noiva...

Mas como é que eu posso combinar de encontrar Michael agora, conhecendo a minha fraqueza por ele — principalmente pelo cheiro do pescoço dele —, quando é possível que ele *goste* de mim — o suficiente para enviar um CardioBraço para o meu país (junto com alguém para ensinar os cirurgiões a usá-lo)?

Não posso fazer isso com o J.P. Ele tem seus defeitos (ainda não acredito que ele não tenha lido o meu livro), mas nunca sai com as ex dele sem me avisar (não que ele tenha alguma ex além da Lilly). Ele nunca *mentiu* para mim.

E eu reconheço que a coisa da Judith Gershner agora já não parece mais tão importante quanto parecia antes, tendo em vista que isso tudo aconteceu antes de eu e o Michael ficarmos juntos. E eu nunca perguntei para o Michael exatamente se ele tinha ficado com alguém antes de mim; então, tecnicamente, não é o caso de ele ter mentido.

Mas não dá para negar o fato de que essa era uma informação bem importante, que ele devia ter compartilhado comigo. Quem está em um relacionamento romântico realmente deve compartilhar seu histórico sexual entre si. O histórico sexual *completo*.

Mas acho que ele *de fato* compartilhou comigo. No fim.

E eu me comportei com a maturidade de uma criança de cinco anos a respeito do assunto. Exatamente como ele sabia que eu me comportaria.

Ai, meu Deus! Estou tão confusa... Não sei o que fazer! Preciso conversar sobre isso com alguém de mente sã — alguém que *não* seja meu parente (consulte afirmação anterior, ref. Pessoa de mente sã) ou com quem eu estudo.

Acho que, com isso, só me sobra o Dr. Loco, infelizmente.

Mas eu só vou encontrá-lo na sexta, na nossa última consulta para sempre. Então.

QUE SORTE A MINHA!!! Eu posso ficar aqui sentada, sem fazer nada, tentando descobrir qual é a melhor coisa a fazer até lá.

Acho que é assim que as pessoas de 18 anos que em breve vão se formar no ensino médio tratam das coisas.

(Sabe, tem alguém aqui nesta plateia que me parece tão familiar... passei a noite toda aqui tentando me lembrar quem é, até que finalmente caiu a ficha: é o Sean Penn. Não é para menos que o J.P. estava tão nervoso antes. O *Sean Penn,* o diretor preferido dele, está aqui na plateia para a apresentação da peça dele, *Um príncipe entre os homens.* O J.P. deve ter falado com ele sobre o espetáculo quando estavam conversando no barco, na minha festa de aniversário. Ou isso ou foi a Stacey quem falou, porque ela já participou de um filme do Sean Penn. É realmente muitíssimo legal da parte do Sr. Penn comparecer.)

Enfim. Eu sei que preciso responder à mensagem do Michael. Afinal de contas, fui eu quem disse que queria encontrá-lo pessoalmente. Eu simplesmente não disse nada depois daquela última mensagem em que ele falou aquela coisa legal de ter feito a doação por mim, não pelo meu pai, nem por Genovia.

Mas eu não sei exatamente o que dizer! *Hoje à noite eu não posso* parece bem óbvio, tendo em vista que já passa das oito.

Por outro lado, quem já saiu do ensino médio fica fora de casa até muito tarde, então talvez isto não pareça óbvio para ele.

Mas Tina tem razão. Eu preciso encontrá-lo. Que tal isto:

> Oi, Michael! Hoje à noite não vai dar (obviamente), e amanhã à noite tem a apresentação do projeto final do Boris (o concerto dele no Carnegie Hall). Sexta é o dia que a turma do último ano não tem aula. Você está livre para um almoço na sexta?
>
> Mia

Almoço está bom, certo? Almoço não é sexy nem nada. Dá pra almoçar e continuar sendo apenas amigos. Amigos de sexo oposto almoçam juntos o tempo todo e não tem nada nem um pouco romântico nisto.

Pronto. Mandei.

Acho que foi uma mensagem de texto bem boa. Eu não disse *Com amor, Mia*, nem nada do tipo. Não entrei na questão de ele ter doado o CardioBraço pra Genovia por minha causa, e não do meu pai. Simplesmente fui despreocupada e casual, e...

Ai, meu Deus, ele respondeu. Que rápido!

> Mia,
>
> **Almoçar na sexta está ótimo. Que tal a gente se encontrar no Boathouse do Central Park, do lado do lago, à uma hora?**
>
> **Com amor,**
> **Michael**

No restaurante Boathouse! Amigos não almoçam no Boathouse. Bom, quer dizer, almoçam sim, mas... não é casual nem despreocupado. É necessário fazer reserva para conseguir uma mesa, e o restaurante que dá vista para o lago é meio... romântico. Mesmo na hora do almoço.

E ele assinou COM AMOR, MICHAEL! De novo! Por que ele fica REPETINDO isso?

Ah — todo mundo está batendo palmas...
Nossa! Já está no intervalo?

Quarta, 22h, no Teatro Ethel Lowenbaum

Certo.
Certo, então, a peça do J.P. é sobre um personagem chamado J.R., que é basicamente idêntico ao J.P. Quer dizer, ele é um garoto bonito e rico (interpretado por Andrew Lowenstein), que estuda em uma escola particular refinada de Nova York, que por acaso também é frequentada pela princesa de um pequeno principado europeu. No início da peça, J.R. é muito solitário, porque só tem como passatempo jogar garrafas do telhado do prédio em que ele mora, escrever no seu diário e tirar o milho do chili que as funcionárias do refeitório da escola servem para ele. Isto abala muito a relação dele com os pais, totalmente autocentrados, e ele pensa muito seriamente em se mudar para a Flórida para morar com os avós.

Mas, um dia, a princesa, Rhea (interpretada por Stacey Cheeseman, que usa uma saia xadrez azul na peça, que, aliás, é muito mais curta do que qualquer uma que eu já tive), chega para J.R. no refeitório e realmente o convida para se sentar à mesa dela na hora do almoço, e a vida toda do J.R. muda. De repente, ele começa a ouvir os conselhos do psiquiatra dele, para não jogar garrafas do telhado do prédio, e o relacionamento dele com os pais melhora, e ele para de querer se mudar para a Flórida. Logo tudo se resume à linda princesa, que se apaixona pelo J.R. por causa da esperteza e da gentileza dele.

Deu para ver que a peça era sobre mim e o J.P. Ele tinha mudado os nossos nomes (só um pouquinho) e alguns detalhes. Mas sobre quem mais poderia ser?

O negócio é que eu estou acostumada com gente que faz filmes baseados na minha vida, e com o fato de tomarem liberdades com os acontecimentos dela.

Mas as pessoas que fazem esses filmes não me conhecem! Elas não estavam presentes quando as coisas mostradas de fato estavam acontecendo.

Mas J.P. estava. As coisas que ele fez o Andrew e a Stacey dizerem na peça dele... Quer dizer, são coisas que J.P. e eu realmente dissemos um para o outro. E J.P. fez os atores da peça dele dizerem tudo totalmente fora de contexto!

Por exemplo, tem uma cena em que a princesa Rhea bebe uma cerveja, faz uma dança sensual e se envergonha totalmente na frente do ex-namorado.

E isto, tudo bem, aconteceu mesmo, total.

Mas será que algumas coisas não deviam ser particulares entre namorado e namorada? Por acaso J.P. *tinha* que compartilhar isso com todo mundo que a gente conhece (apesar de todo mundo que a gente conhece já estar careca de saber disso)?

E J.P. mostrou J.R. em uma pose toda nobre ao lado da princesa, dando apoio a ela (apesar da dança sensual, que, eu acredito, tenha o intuito de fazer com que todo mundo a odeie e ache que ela é a maior vagabunda e tal). Neste momento está rolando uma cena em que a Stacey Cheeseman, toda chorosa, explica para Andrew Lowenstein que é capaz de compreender se ele não quiser ficar com ela, porque ele nunca vai ter a possibilidade de ter uma vida normal ao lado dela, com tanta cerveja e dança sensual e o fato de que tem sempre um monte de paparazzi correndo atrás deles. E se algum dia eles se casassem (!!!!), é claro que ele teria que virar príncipe e perder todo o anonimato, e que, como consorte real, ele sempre teria que caminhar cinco passos atrás dela e nunca poderia dirigir carros de corrida.

Mas o Andrew Lowenstein está dizendo, em um tom muito paciente, enquanto segura as mãos da Stacey Cheeseman e olha nos olhos dela com muito amor, que ele não se importa, que ele simplesmente a ama tanto que está disposto a sofrer qualquer indignidade por ela, até mesmo o fato de ela fazer danças sensuais e de ele ter que se tornar príncipe...

Ah, e agora todo mundo está batendo palmas feito louco, enquanto a cortina se fecha, e o J.P. se juntou ao elenco para os agradecimentos...

É só que... eu não entendo. Quer dizer... a peça dele é sobre *nós*.

Só que não exatamente. Metade das coisas nem aconteceu tecnicamente do jeito que ele mostrou como aconteceram.

Alguém pode *fazer* isso?

Acho que pode. Ele acabou de fazer.

Quarta, 3 de maio, 23h, em casa

Cara autora,

Obrigado por enviar o seu manuscrito, *Liberte o seu coração*, para a Publicações Tremaine. Apesar de o seu trabalho parecer promissor, acreditamos não ter espaço para ele no momento. Pedimos desculpas por não termos condições de fazer uma avaliação mais detalhada do seu trabalho, devido o volume de originais que recebemos. Obrigado por se lembrar da Tremaine!

Atenciosamente,
Publicações Tremaine

Obrigada por nada, Publicações Tremaine.
    Mas, bom, a peça do J.P. foi um sucesso enorme.
    Claro que ele foi aprovado pelo comitê de avaliação do projeto final com nota máxima.
    Mas isso não é tudo:
    Sean Penn quer comprar os direitos da peça.
    E isto basicamente significa que Sean Penn — o Sean Penn — quer transformar *Um príncipe entre os homens* em filme.
    E eu fico totalmente feliz com isto. Não me entenda mal.
    Estou animadíssima pelo J.P.
    E já existem tantos filmes sobre a minha vida... Que diferença vai fazer mais um, certo?
    É só que... QUANDO VAI CHEGAR A MINHA VEZ?
    Fala sério. Quando é que alguém vai reconhecer alguma coisa que *eu* fiz? Além de ter levado a democracia a um pequeno país, algo que, sinceramente, as pessoas parecem não valorizar nada.
    Não quero ser reclamona (e eu sei que isto é hilário, porque esta é basicamente a única coisa que eu faço no meu diário), mas pelo amor de Deus. Acho que não é justo um cara poder escrever uma peça (que é basicamente

um pedação da MINHA vida que ele mais ou menos ROUBOU), jogar no palco e conseguir um contrato de filmagem com o Sean Penn.

Ao passo que eu trabalho sem parar em um livro, durante meses, e não consigo nem fazer com que uma editora dê uma olhada.

Fala sério!

E vou dizer a verdade: não gostei tanto assim daquele filme do Sean Penn, *Na natureza selvagem.*

É! Eu sei que foi aclamado pela crítica! Sei que ganhou um monte de prêmios! É uma tristeza o fato de o garoto ter morrido e tal. Mas eu achei que o filme *Encantada*, com a princesa-cantora e o esquilo e todo mundo dançando no Central Park, era mais fofo.

Então pronto!

Mas, enfim, J.P. chegou pra mim e perguntou o que eu tinha achado de *Um príncipe entre os homens*. ("Eu estava explorando o tema da autodescoberta", ele me explicou, "com a jornada de um garoto na direção da vida adulta e a mulher que o ajudou a encontrar seu caminho da infância conturbada para a percepção completa do que significa ser homem... e, no fim, até se transformar em príncipe." Ele não mencionou nada a respeito de explorar o tema da dança sensual.)

Eu disse a ele que tinha gostado muito. O que mais eu podia dizer? Acho que, se não fosse sobre mim, eu teria mesmo gostado muito. Só que a princesa parecia uma menina meio bobona, que sempre precisava do namorado para livrá-la das situações complicadas em que ela se metia, e eu realmente não acho que sou assim. Para falar a verdade, não acho que ninguém precisa me salvar de nada.

Mas aquele me pareceu o momento errado de fazer as minhas observações editoriais. E fiquei feliz de não ter feito, porque ele pareceu tão contente de me ouvir dizer que havia gostado... ele queria que eu saísse com ele e o Sean Penn e os pais dele e a Stacey Cheeseman e o Andrew Lowenstein para podermos conversar sobre o acordo cinematográfico dele. Sean Penn tinha convidado todo mundo, inclusive o comitê de avaliação do projeto final, para jantar no restaurante chinês Mr. Chow.

Mas eu disse que não podia ir. Disse que precisava ir para casa, estudar pra minha prova final de psicologia.

E isso, eu reconheço, não foi muito simpático da minha parte. Principalmente porque eu não preciso estudar nem um pouco pra minha prova final de psicologia. Eu sei tudo que preciso saber a respeito de psicologia. Afinal, a melhor amiga que eu tive durante a maior parte da minha vida é uma garota cujos pais são psiquiatras. Depois eu namorei o irmão dela. E agora eu *faço* terapia.

Mas isso obviamente não ocorreu ao J.P., porque ele só disse: "Tem certeza que não quer nos acompanhar, Mia?" Daí ele me *beijou* quando eu respondi que tinha e correu para se juntar ao Sean e ao Andrew e à Stacey Cheeseman e aos pais dele na porta do teatro, onde uma tonelada de paparazzi estava esperando pra tirar fotos dele.

É. Porque havia uma quantidade enorme deles na frente do teatro. Quando eu saí, eles me perguntaram o que eu achava de o meu namorado ter feito uma peça sobre mim que vai ser transformada em um filme dirigido pelo Sean Penn.

Eu disse que achava o máximo, transformando assim a afirmação na Mentira Enorme Número Dez de Mia Thermopolis.

Mas acho que estou começando a perder as contas.

Não sei como eu vou conseguir dormir hoje à noite se só consigo pensar nisto:

P.S. Não precisa me agradecer em nome do seu pai nem de Genovia. Eu só mandei o equipamento porque achei que podia ajudar o seu pai na eleição, e que isso, por sua vez, ia deixar *você* feliz. Então, como você vê, minha motivação foi completamente egoísta.

EEEEEEEEEEEEEEEEEEEEEEEEEEEEEE!!!!!!!!

Um trecho de *Liberte o meu coração*, de Daphne Delacroix

Ele sentiu o corpo dela tenso, mas, quando ela tentou se afastar dele, duas coisas aconteceram simultaneamente para impedir a fuga. A primeira foi o fato de ela ter dado um encontrão no flanco sólido de Violet. A égua só olhou para eles e ficou lá mastigando capim, sem se mexer. A segunda foi que os braços de Hugo a envolveram e fizeram os pés de Finnula saírem do chão quando a língua dele deslizou para dentro da sua boca.

Finnula soltou um chiado de protesto que rapidamente foi abafado pelos lábios dele... mas os protestos dela pareceram ter vida curta. Ou Finnula era uma mulher que apreciava um bom beijo, ou gostava dele, pelo menos um pouquinho. Afinal, um segundo depois de as duas bocas se encontrarem, a cabeça dela se inclinou sobre os braços dele, e seus lábios se abriram como um botão de flor. Ele sentiu quando ela relaxou aninhada nele; as mãos dela, que antes tentavam repeli-lo, de repente foram até sua nuca para puxá-lo para mais perto.

Foi só quando sua língua se agitou cautelosa contra a dele que ele abriu mão do controle tão cuidadoso. De repente, ele a beijava com ainda mais urgência, suas mãos passeavam pelo corpo dela, passando pelos quadris, até levantá-la totalmente contra seu corpo.

Os seios firmes dela se apertaram contra o peito dele, suas coxas seguraram o quadril dele com força, Hugo encaixou Finnula em seu corpo, beijando seu rosto, suas pálpebras, seu pescoço. A reação sensual que ele despertou nela o surpreendeu e o deixou excitado, e quando ela pegou o rosto dele entre as mãos e o brindou com uma chuva de beijos, ele murmurou, por causa da doçura de seu gesto, e também porque ele sentia o calor do meio das pernas dela queimando contra sua necessidade urgente.

Envolvendo-a com um braço, ele abriu a gola da camisa dela com um gesto. Finnula soltou mais um som, desta vez um suspiro de anseio tal que Hugo não conseguiu abafar um grito sem palavras, e procurou um monte de feno espesso o bastante para os dois se deitarem...

Quinta, 4 de maio, prova final de Psicologia

Descreva o complexo de histocompatibilidade principal.

Que fácil!

Complexo de histocompatibilidade principal é a família de genes encontrada na maior parte dos mamíferos, responsável pelo sucesso reprodutivo. Essas moléculas, que se apresentam na superfície das células, controlam o sistema imunológico. Elas têm a capacidade de matar agentes patogênicos, ou células com mau funcionamento. Em outras palavras, os genes CHP ajudam o sistema imunológico a reconhecer e destruir invasores. Isto é especialmente útil na seleção de parceiros em potencial. Recentemente foi comprovado que o CHP tem papel importantíssimo, por meio do olfato (o sentido do cheiro), nesta capacidade. Foi demonstrado que quanto mais diverso, ou diferente, for o CHP do pai e da mãe, mais forte será o sistema imune da criança. É interessante notar que as tendências de escolha de parceiro pela diferença de CHP foram determinadas categoricamente em seres humanos. Quanto mais diferente o CHP de um homem parecer para uma mulher (sem desodorante ou perfume), o cheiro dele tende a parecer "melhor" para ela em estudos clínicos. Esses estudos foram repetidos diversas vezes, sempre com os mesmos resultados. Ratos e peixes demonstraram resultados semelhan...

Ai.
Meu.
Deus.

Quinta, 4 de maio, prova final de psicologia

O *que eu faço?*
É sério. Isso não pode estar acontecendo. Eu *não posso* estar sofrendo de complexo de histocompatibilidade principal pelo Michael. Isso é simplesmente... isso é simplesmente *ridículo*.

Por outro lado... por que então eu sempre me senti tão atraída — tudo bem, completamente obcecada — pelo cheiro que o pescoço dele tem?

Isso explica tudo! Ele é o meu par perfeito em relação à diferença de CHP! Não é para menos que eu nunca consegui esquecer ele! Não sou eu, nem o meu coração, nem o meu cérebro... são os meus *genes*, berrando de anseio por seu oposto genético total e completo!

Mas e o J.P.? Isto explica perfeitamente por que eu nunca me senti assim tão atraída fisicamente por ele... para mim, o cheiro dele nunca foi nada além de fluido de lavagem a seco. Nós somos compatíveis demais do ponto de vista do CHP! Nós somos próximos *demais* em termos de combinação genética. Nós somos até *parecidos*... cabelo loiro, olhos claros, a mesma constituição física. Como aquela pessoa colocou, há tanto tempo, quando nos viu juntos no teatro:

"Eles formam um casal muito bonito. Os dois são tão altos e loiros."

Não é para menos que o J.P. nunca fez nada além de me beijar. As nossas moléculas ficam, tipo: REJEIÇÃO! REJEIÇÃO! NÃO FIQUEM JUNTOS!

E aqui estou eu, exigindo que nós façamos Aquilo mesmo assim. Bom, com camisinha.

Mas mesmo assim. Crianças *podem* vir a resultar disso, no futuro, se o J.P. e eu nos casarmos.

AI, MEU DEUS! Imagine só os tipos de defeitos genéticos que os nossos filhos poderiam ter, levando em conta que eu não sinto a menor atração olfativa por ele! Provavelmente vão nascer todos esteticamente perfeitos, iguais à LANA!!!!

E isso, pensando bem, é um defeito genético sério. Nascer perfeita transformaria qualquer criança em um monstro terrível, do tipo *Cloverfield* — igualzinho à Lana (bom, durante os primeiros dezessete anos da vida dela, levando em conta como ela era terrível antes de se tornar um ser humano melhor). Quer dizer, quando uma pessoa nasce perfeita, como a Lana, nunca é necessário aprender qualquer mecanismo de superação, como aconteceu comigo quando eu era criança. Porque pessoas bonitas geralmente podem se garantir apenas pelo visual, sem nunca precisar desenvolver senso de humor, ou compaixão pelos outros, ou qualquer coisa do tipo. Por que precisariam? Elas são perfeitas. Se a pessoa nascesse esteticamente bonita, como os filhos do J.P. comigo nasceriam, ela seria basicamente um monstro... e os meus genes sabem disso.

É por isso que sempre que J.P. me beija eu não fico com aquele frio na barriga que sempre me dava quando Michael me beijava... OS MEUS GENES NÃO QUEREM QUE EU DÊ À LUZ MONSTROS GENÉTICOS!!!!!

O que eu vou fazer?????? Marquei de transar em menos de dois dias com um cara que é minha combinação perfeita de CHP!

E ISSO É EXATAMENTE O OPOSTO DO OBJETIVO TODO DO COMPLEXO DE HISTOCOMPATIBILIDADE PRINCIPAL!

A minha *des*combinação de CHP é alguém que terminou comigo há quase dois anos!

E que, apesar do que a minha avó e a minha melhor amiga parecem pensar, NÃO me ama, mas realmente só quer ser meu amigo.

É verdade que J.P. e eu temos *muitas* coisas em comum do ponto de vista da personalidade — nós dois gostamos de escrita criativa, e de *A Bela e a Fera*, e de teatro.

Ao passo que Michael e eu não temos basicamente nada em comum, a não ser um amor profundo e inabalável por *Buffy, a caça-vampiros* e *Guerra nas estrelas* (os três filmes originais, não aqueles outros horrorosos que foram feitos depois).

E, no entanto, é melhor eu admitir logo, tenho uma fraqueza inexorável por ele. É sim! Eu tenho! Não consigo resistir ao cheiro dele. Eu me sinto tão atraída por ele quanto o público norte-americano se sente atraído pela Tori Spelling.

Preciso lutar contra isso. Não posso permitir que eu me sinta desse jeito por um garoto tão incrivelmente errado para mim (à exceção, óbvio, do ponto de vista genético).

Mas e se eu não tiver forças suficientes para isso?

Quinta, 4 de maio, prova final de Psicologia

Mia, é verdade? A peça do J.P. vai mesmo virar filme?

Ahhhhh! Você me assustou. Não tenho tempo para falar disso agora, Tina. Acabei de descobrir que J.P. e eu não combinamos em nada do ponto de vista do CHP... ou melhor, que combinamos perfeitamente. Nossos filhos vão ser mutantes genéticos perfeitos, iguais à Lana! E que o Michael é perfeito para mim do ponto de vista do CHP! É por isso que eu sempre fui obcecada pelo cheiro do pescoço dele! E é por isso que, sempre que eu estou perto dele, ajo como uma idiota total e completa. Tina, eu estou ferrada.

Mia... você usou alguma droga?

Não! Você não percebe o que isso significa? Isso explica TUDO! Por que eu nunca me senti atraída pelo J.P.... Por que eu não consigo esquecer o Michael... Ai, Tina, sou refém do meu próprio CHP. Preciso LUTAR contra isso. Você me ajuda?

Você precisa de ajuda? Porque eu posso ligar para o Dr. Loco.

Não! Tina... Olha, é só... Deixa pra lá. Está tudo bem. Finge que eu não disse nada.

Por que todo mundo sempre acha que eu estou louca, se nunca estive mais sã na vida? Será que a Tina — será que todo mundo — não consegue ver que eu sou apenas uma mulher preocupada em dar um jeito na vida? Estou com 18 anos. Eu sei o que preciso fazer para dar conta de tudo.
Ou, como é o caso, dar um jeito para que nada seja feito, acho.
Porque eu não posso fazer nada a respeito disso.
A não ser ficar muito, muito longe de Michael Moscovitz.
Não dá pra acreditar que comprei tanto perfume para o J.P. Já que perfume não tinha nada a ver com nada, pra começo de conversa. O tempo todo eram os genes dele.

Quem poderia saber?

Bom... eu, acho. Simplesmente ainda não tinha juntado os fatos até hoje.

Acho que *tenho* muita coisa na cabeça, com o negócio de tentar fazer meu pai ser eleito e escolher uma faculdade e tal.

Eu culpo o sistema educacional deste país. Por que eles esperaram até o segundo semestre do último ano do ensino médio para me explicar tudo isso — sobre o CHP, quer dizer? Esta informação poderia ter sido útil para mim, ah, sei lá, mais ou menos no nono ano, quem sabe?

A grande questão é a seguinte: como é que eu vou fazer para não sentir o cheiro do Michael durante o almoço amanhã?

Não sei. Acho que só vou ficar o mais longe possível dele. Com certeza não vou dar um abraço nele desta vez. Se ele pedir um abraço, simplesmente vou dizer que estou resfriada.

Pronto! É isso. E eu não quero que ele pegue.

Meu Deus. É genial.

Não dá pra acreditar que Kenneth é o orador da nossa turma. Tinha que ser eu. Se eles escolhessem os oradores de acordo com as lições de VIDA, seria eu.

Quinta, 4 de maio, no almoço

Meu pai acaba de ligar para dar mais notícias dos Moscovitz. Desta vez era sobre a Lilly.

Fala sério, eu devia parar de comprar comida aqui, já que só vou derrubar tudo no chão mesmo. Apesar de que, como amanhã é o dia que não tem aula do último ano... acho que este é o último dia em que eu vou ter esse problema específico.

"Você se lembra de que ela estava filmando todo mundo na sua festa?", meu pai perguntou quando eu atendi, certa de que, desta vez, Grandmère tivesse *realmente* batido as botas.

"Lembro...", respondi, tirando pedacinhos de salada do cabelo. Todo mundo estava olhando feio pra mim, tirando salada do próprio cabelo. Mas realmente não foi minha culpa ter derrubado a minha tigela de Fiesta Taco Bowl.

"Bom, ela fez um comercial de campanha com as imagens. Começou a passar na televisão de Genovia ontem, à meia-noite."

Suspirei. Todo mundo olhou para mim com uma expressão educada, querendo saber o que era — menos J.P. Ele tinha recebido uma ligação no celular dele naquele exato momento.

"É o Sean", ele disse, em tom de desculpa. "Preciso atender. Já volto." Ele se levantou para falar do lado de fora, longe do barulho do refeitório.

"E quais são os danos?", perguntei. Os números do meu pai tinham melhorado um pouco depois da doação do Michael e do espaço na imprensa que ele recebeu com isso.

Mas René continuava liderando as pesquisas.

"Não é isso", o meu pai disse, em um tom estranho. "Você não entendeu, Mia. O comercial dela é para me *apoiar*. Não é contra mim."

"O quê?", perguntei, sem fôlego. "*O que* você disse?"

"É isso mesmo", meu pai respondeu. "Achei que você precisava saber. Te mandei o link. Na verdade, é adorável. Não posso imaginar como ela conseguiu. Você disse que ela tem um programa na Coreia ou algo assim? Acho que ela deve ter pedido para o pessoal montar, e daí arrumaram alguém daqui para..."

"Pai", eu disse, com o coração apertado. "Preciso desligar."

Desliguei e fui direto conferir minhas mensagens. Passei por todas as mensagens dramáticas da Grandmère sobre o que eu vou usar no baile de formatura e no dia seguinte, na formatura propriamente dita (como se isto fizesse diferença, já que vou estar de beca por cima do vestido de formatura, seja lá qual for), até achar o do meu pai. O link para o comercial da Lilly estava lá, e eu cliquei. O anúncio começou a passar.

E ele tinha razão. Era *mesmo* adorável. Era um clipe de sessenta segundos com todas as celebridades da minha festa — os casais Clinton, Obama e Beckham; a Oprah; o Brad e a Angelina; a Madonna; o Bono e os outros, todos dizendo coisas adoráveis e parecendo muito sinceras sobre o meu pai, sobre coisas que ele tinha feito por Genovia no passado e sobre como os eleitores de Genovia deviam votar nele. Intercaladas entre as imagens das celebridades, havia paisagens lindas de Genovia (que, eu percebi, Lilly tinha registrado durante as várias viagens que fez pra lá), da água azul reluzente da baía, das montanhas verdes por cima dela. Das praias brancas, do palácio, tudo imaculado e intocado pelo turismo em massa.

No fim do anúncio, umas letras rebuscadas apareciam na tela e diziam: "Conserve as maravilhas históricas de Genovia. Vote no príncipe Phillipe."

Quando a música terminou — que eu percebi ser uma balada composta pelo Michael, lá na época da Skinner Box —, eu estava quase chorando.

"Ai, meu Deus, pessoal!", exclamei. "Vocês precisam ver isso."

E daí eu passei o telefone pra todo mundo assistir. Logo a mesa toda estava à beira das lágrimas. Bom, todo mundo, menos J.P., que ainda não tinha voltado, e o Boris, que é imune a emoções que não envolvam a Tina.

"Por que ela resolveu fazer isso?", Tina perguntou.

"Ela já foi legal", Shameeka disse. "Lembra? E então alguma coisa aconteceu."

"Preciso falar com ela", eu disse, ainda tentando segurar as lágrimas.

"Falar com quem?", J.P. perguntou. Ele finalmente tinha voltado do telefonema com Sean Penn.

"Com a Lilly", respondi. "Olha o que ela fez." Entreguei o celular para ele, para que pudesse assistir ao comercial que ela fez. Ele assistiu com a testa franzida.

"Bom", ele falou, quando terminou. "Foi... legal."

"Legal? É fantástico", eu disse. "Preciso agradecer."

"Realmente, acho que não precisa", J.P. disse. "Ela tem uma dívida com você. Por causa daquele site que ela fez sobre você. Lembra?"

"Isso já faz muito tempo", respondi.

"É", J.P. retrucou. "Mesmo assim, eu tomaria cuidado se fosse você. Ela continua sendo uma Moscovitz."

"O que você quer dizer com isso?", perguntei.

J.P. deu de ombros. "Bom, você, mais do que qualquer outra pessoa, Mia, devia saber. Você tem que imaginar que Lilly quer alguma coisa em troca pela aparente generosidade dela. Com Michael sempre foi assim, não é mesmo?"

Fiquei olhando para ele, completamente chocada.

Por outro lado, talvez eu não devesse ter ficado surpresa. Ele *estava* falando do Michael, o garoto que havia despedaçado o meu coração em tantos pedacinhos... pedacinhos que J.P. tinha ajudado a juntar de novo com tanta doçura.

Mas, antes que eu tivesse oportunidade de dizer qualquer coisa, Boris disse, absolutamente do além: "Que engraçado, eu não tinha reparado. Michael vai me deixar morar com ele no próximo semestre sem cobrar absolutamente nada."

Isso fez com que todos nós virássemos a cabeça pra olhar para ele, como se ele fosse um parquímetro que de repente, como que por magia, tivesse começado a falar.

Tina foi a primeira de nós que se recuperou.

"O QUÊ?", ela exigiu que o namorado explicasse. "Você vai morar com *Michael Moscovitz* no próximo semestre?"

"Vou", Boris confirmou, com uma expressão de surpresa por ela não saber. "Eu não entreguei a minha inscrição de alojamento na Juilliard no prazo, e os quartos individuais acabaram. Eu não vou morar com um COLEGA DE QUARTO. Então Michael disse que eu posso ficar no quarto extra dele até abrir um quarto individual para mim, porque eu estou na lista de espera. Ele tem um apartamento incrível, sabe, na Spring Street. É enorme. Ele nem vai perceber que eu estou lá."

Olhei pra Tina e os olhos dela estavam maiores do que eu já vi na vida! Não sei se aquilo se encaixava na descrição de estupefação.

"Então, durante todo este tempo", Tina disse, "você fez uma amizade secreta com Michael, pelas costas da Mia? E você não me disse?"

"Não tem segredo nenhum nisso", Boris se defendeu. "Michael e eu sempre fomos amigos, desde que eu toquei na banda dele. Não tem nada a ver com a Mia. A gente não deixa de ser amigo de alguém só porque ele terminou com a namorada. E tem muita coisa que eu não falo pra você. Coisas de *homem*. E você não deveria me deixar estressado hoje, tenho meu concerto à noite, preciso estar bem tranquilo..."

"Coisas de homem?", Tina repetiu e pegou a bolsa. "Você não tem que me contar as suas *coisas de homem*? Certo. Você quer ficar tranquilo? Não quer ficar estressado? Tudo bem. Por que eu não saio daqui então, pra aliviar *todo* o seu estresse?"

"Ah, Ti", Boris disse, revirando os olhos.

Mas quando ela saiu do refeitório batendo os pés, ele percebeu que Tina estava falando sério e saiu correndo atrás dela.

"Esses dois", J.P. murmurou, com uma risadinha, quando eles não estavam mais lá.

"É", respondi. Mas eu não estava rindo. Estava me lembrando de uma coisa que aconteceu há quase dois anos, quando Boris chegou pra mim e implorou que eu mandasse um e-mail para o Michael, quando ele me escrevia, mas eu não me sentia segura para responder. Lembro de ter me perguntado como é que Boris sabia que Michael me escrevia. Achei que era porque Tina contava pra ele.

Aí fiquei pensando que eu podia estar enganada. Talvez o *Michael* tivesse contado pra ele. Porque os dois se falavam.

E falavam sobre *mim*.

E se o Boris tivesse passado todo o tempo em que ficava arranhando o violino dele dentro do almoxarifado me espionando para o Michael?

E agora Michael vai retribuir com um quarto e alimentação de graça pra ele no apartamento chique que ele tem no SoHo!

Ou será que eu estou tirando conclusões precipitadas, como sempre?

E eu não acho que seja verdade o que J.P. disse a respeito de os Moscovitz sempre quererem alguma coisa em troca. Quer dizer, sim, o Michael queria transar quando a gente estava namorando (se é que era disto que ele estava falando... acho que era).

Mas a verdade é que eu também queria. Talvez eu não estivesse pronta do ponto de vista emocional na época como estou agora. Mas não dava exatamente para evitar a atração que sentíamos um pelo outro.

E agora eu finalmente percebo por quê!

Isso tudo é confuso demais. Sinceramente, *o que* está acontecendo? Por que Lilly fez aquele comercial para o meu pai? Por que Michael doou o CardioBraço?

Por que todo mundo da família Moscovitz de repente resolveu ser tão legal comigo?

Quinta, 4 de maio, 14h, no corredor

Estou limpando meu armário.

Amanhã não tem aula (apesar de tecnicamente não ser um dia de folga sancionado pela diretoria) e as minhas provas finais acabaram, então este é basicamente o único momento que eu tenho para fazer isto — e também é a última vez que vou estar dentro deste inferno (tirando a formatura, que vai ser no Central Park, a menos que chova).

De certo modo é muito triste.

Acho que este lugar na verdade não é um inferno. Ou pelo menos nem sempre foi. Eu passei alguns bons momentos aqui. Pelo menos uns poucos. Estou jogando fora toneladas de bilhetinhos da Lilly e da Tina (lembra quando a gente costumava escrever bilhetinhos, antes de todas nós termos ganho celulares e começarmos a mandar mensagens) e um monte de coisas coladas que eu não consigo identificar (é sério, eu bem que gostaria de ter dado uma limpada nisto aqui umas duas ou três vezes antes de hoje nesses últimos quatro anos. Além do mais, acho que um rato passou por aqui).

Achei uma caixa amassada de bombons sortidos Whitman's Sampler (vazia) que alguém me deu um dia. Parece que eu comi tudo que tinha dentro. E aqui está uma flor amassada de algum tipo que, eu tenho certeza, já teve alguma importância a certa altura, mas que agora está meio mofada. Por que eu não cuido melhor das minhas coisas? Eu devia tê-la colocado para secar direitinho, no meio de um livro, como Grandmère me ensinou, e anotado que tipo de flor era e quem me dera, para sempre poder guardar essa lembrança com carinho.

Qual é o meu problema? Por que eu a enfiei no meu armário desse jeito? Agora apodreceu, e eu não tenho escolha, além de jogar no saco de lixo que o Sr. Kreblutz, o chefe dos inspetores, deu para mim.

Sou uma pessoa horrível. Não só porque não cuido melhor das minhas coisas, mas porque... bom, por todos os outros motivos, que a esta altura já devem estar bem evidentes.

O que eu faço? O QUE EU FAÇO?

Procurei Lilly em todo lugar, mas não consegui encontrar. Acho que ela deve ter alguma prova final hoje à tarde.

(Mas encontrei Tina e Boris. Eles fizeram as pazes. Pelo menos se o fato de eles estarem se agarrando na escada do terceiro andar significar alguma coisa. Eu saí de fininho antes que eles percebessem que eu estava lá.)

Acho que eu podia ligar pra ela (pra Lilly, quer dizer). Mas... eu não sei o que falar. Obrigada? Parece tão ridículo...

O que eu tenho vontade de perguntar é... *Por quê?* Por que você está sendo tão legal comigo?

Talvez eu pergunte para o irmão dela no almoço amanhã. Quer dizer, se ele souber. Depois que eu avisar a ele sobre o meu resfriado. E dizer pra ficar longe de mim.

Enfim.

É muito estranho estar andando pelos corredores deste lugar enquanto todo mundo está na aula. A diretora Gupta me viu, com certeza, mas não disse nada do tipo "Por que você não está na aula, Mia? Cadê o seu passe?". Ela só disse assim: "Ah, oi, Mia", e continuou andando, toda distraída. Obviamente estava preocupada com a formatura (eu também estou — QUE FACULDADE EU VOU ESCOLHER???) ou sei lá o que, e tinha coisa mais importante na cabeça do que saber por que uma princesa está vagando pelos corredores da escola dela.

Ou isso ou eu não parecia ser uma ameaça muito grande. Acho que é isso que acontece quando se é uma aluna do último ano que vai se formar.

Com um guarda-costas a tiracolo.

Talvez um dia eu escreva um livro sobre isto. Uma garota do último ano da escola, vivendo emoções conflitantes enquanto limpa o armário, dando adeus para o local de educação de alta qualidade que ela conhece há tanto tempo... o relacionamento de amor e ódio que ela tem por aquele local e, no entanto... está com medo de ir embora, de abrir as asas e começar tudo de novo em outro lugar. Ela odeia os corredores compridos, cinzentos e fedidos e, no entanto, ela também os ama. Quer dizer, de certo modo.

> *Einstein Lions, torcemos por vocês,*
> *Vamos lá, sejam corajosos, vamos lá, sejam corajosos, vamos lá, sejam corajosos, Einstein Lions, torcemos por vocês. Azul e dourado, azul e dourado, azul e dourado,*
> *Einstein Lions, torcemos por vocês,*
> *Temos um time que ninguém jamais domará, Einstein Lions, torcemos por vocês! Vamos ganhar este jogo!*

Adeus, EAE. Isto aqui é um saco. Eu odeio você.

E, no entanto... de algum modo, também vou sentir saudade.

Quinta, 4 de maio, 18h, em casa

Cara Srta. Delacroix,

Estamos devolvendo o seu manuscrito. Sentimos muito informá-la de que esta não seria a escolha adequada para nós neste momento. Desejamos-lhe sorte com a publicação em outra editora.

Atenciosamente,
Heartland Publicações Românticas

Tive que esconder esta carta do J.P., que está aqui agora.

Ele veio pra minha casa depois da aula hoje. É a primeira vez em meses que ele não teve que ensaiar ou que eu não tinha aula de princesa ou que um de nós faria terapia.

Então. Ele veio aqui.

Está na sala neste momento, conversando com a minha mãe e o Sr. G sobre o contrato cinematográfico dele. Eu estou "me trocando para o concerto do Boris".

Mas, obviamente, não estou. Estou escrevendo sobre o que aconteceu quando ele veio aqui. E foi que eu me ESFORCEI MUITO, MUITO para fazer os meus CHPs reagirem aos dele. E fiz isso imitando o que Tina fez quando viu Boris de sunga.

Isso mesmo. Eu pulei em cima dele.

Ou pelo menos tentei. Achei que se eu conseguisse fazer J.P. me beijar — mas me beijar *de verdade*, do jeito que Michael me beijava quando a gente dava uns bons amassos no quarto do alojamento dele —, talvez tudo ficasse bem. Talvez assim eu não precisasse me preocupar em fingir que estou com resfriado amanhã, quando eu almoçar com Michael. Talvez assim eu não me sentisse mais superatraída por ele.

Mas não deu certo.

Não foi porque J.P. me repeliu, nem nada assim. Ele retribuiu o beijo e tal. Ele tentou. Mas tentou mesmo.

Mas ele ficava parando em intervalos de mais ou menos trinta segundos para falar do contrato cinematográfico dele.

E isso nem é piada.

Tipo como o "Sean" tinha pedido para ele escrever o roteiro. (Acho que roteiro de cinema não é a mesma coisa que roteiro de peça, J.P. vai ter que escrever a coisa toda do zero, em um programa de computador diferente.)

E como o J.P. está seriamente pensando em se mudar "para o litoral", para poder estar presente durante as filmagens.

Está até pensando em ficar um ano sem estudar para poder trabalhar no filme. Porque dá para estudar a qualquer momento.

Mas só se pode ser um dos jovens roteiristas mais badalados de Hollywood uma vez.

Mas, bom, ele me chamou pra ir com ele. Pra Hollywood.

Isso acabou com o clima total. O clima de pegação, quero dizer.

Acho que algumas meninas iam adorar se o namorado, que havia escrito uma peça sobre eles que em breve se transformaria em um filme importante dirigido pelo Sean Penn, fizesse o convite para que elas ficassem um ano sem estudar e se mudassem para Hollywood com ele.

Mas eu, por ser a grande fracassada que sou, simplesmente soltei: "Por que eu faria *isso*?", antes que eu conseguisse me segurar. Em grande parte foi porque eu realmente não estava com a cabeça na conversa. Eu estava pensando sobre... bom, não sobre contratos de filmes de Hollywood.

E também porque eu sou uma pessoa horrível, na maior parte do tempo. "Bom, porque você me ama", J.P. foi obrigado a me lembrar. Estávamos deitados na minha cama, com Fat Louie olhando cheio de maldade para nós, do peitoril da janela. Fat Louie detesta quando alguém além de mim deita na minha cama.

"E você quer me apoiar."

Eu fiquei vermelha, cheia de culpa pela minha explosão.

"Não", falei. "Quer dizer, o que *eu* iria fazer em Hollywood?"

"Escrever", o J.P. respondeu. "Talvez não romances, porque, francamente, eu acho que você é capaz de fazer trabalhos muito mais importantes..."

"Você nem leu o meu livro", lembrei a ele, magoada. Nós ainda não podemos ter a nossa conversa editorial de Stephen e Tabitha King. E trabalho importante? Romances são importantes! Para as pessoas que os leem, pelo menos.

"Eu sei", J.P. disse, rindo. Mas não foi de um jeito maldoso. "E eu vou ler, eu juro. É só que eu andei muito ocupado com a peça e as provas finais e tal. Você sabe como é. E tenho certeza de que é o melhor romance que existe. Só estou dizendo que eu acho que você podia escrever alguma coisa de muito mais peso se realmente se dedicasse. Alguma coisa que pudesse mudar o mundo."

De mais peso? Do que ele está falando? E por acaso eu já não fiz bastante pelo mundo? Quer dizer, eu transformei Genovia em uma democracia. Bom, não fui eu pessoalmente, mas ajudei. E se a gente escreve uma coisa que deixa alguém feliz quando está pra baixo, isto por acaso não muda o mundo?

E vou dizer uma coisa: agora que eu assisti a *Um príncipe entre os homens*, essa peça não vai mudar o mundo, NEM alegrar ninguém. Não quero soar como se eu estivesse só me vingando de críticas, mas é a verdade. Nem faz a gente pensar nada, a não ser que o cara que escreveu a peça é o maior convencido.

Desculpe. Não era a minha intenção escrever isto. Foi gratuito.

Mas, bom, eu falei, tipo: "J.P., não sei. Minha mãe e o meu pai não vão gostar nada da ideia de eu me mudar para Hollywood com você. Os dois querem que eu vá pra faculdade."

"Certo", J.P. disse. "Mas passar um ano sem estudar talvez não seja má ideia. De todo modo, você não entrou em nenhum lugar muito bom."

Ai, esta doeu. Sabe, esta seria uma ótima oportunidade para eu dizer: "Na verdade, J.P., eu meio que estava exagerando quando disse que não fui aceita em lugar nenhum..."

Só que, é claro, eu não fiz isso. Só sugeri que fôssemos pra sala, assistir a *Vida de verdade: sou viciada em OxyContin,* porque eu não queria começar a discutir.

Mas, bom, depois de assistir a *Vida de verdade*, eu aprendi uma coisa. Não só que eu nunca vou usar drogas (obviamente). Mas que escrever é a minha droga. É a única coisa que eu faço e de que gosto de verdade.

Quer dizer, além de beijar o Michael. Mas isto eu não posso mais fazer, obviamente.

Quinta, 4 de maio, 20h, no banheiro feminino do Carnegie Hall

AI, MEU DEUS! Eu achei que este concerto ia ser a maior chatice, mas estava enganada.

Ah, não estou falando da música. *Isso* foi realmente a maior chatice. Já ouvi um milhão de vezes, saindo do almoxarifado em S & T (mas devo reconhecer que é meio diferente quando a gente ouve saindo do meio do palco do Carnegie Hall, principalmente tendo em vista que toda esta gente chique compareceu super bem-vestida, trazendo nas mãos CDs com Boris — o BORIS — na capa, todas dizendo o nome dele em tom animado. Quer dizer, é só o Boris Pelkowski. Mas essas pessoas parecem achar que ele é um tipo de celebridade. E isto, desculpe, é SUPER-HILÁRIO).

Mas o fato de todo mundo que eu conheço da EAE estar aqui, incluindo *os dois* irmãos Moscovitz — *isto* sim é emocionante. Por isso eu não esperava.

E eu sei que é errado ficar emocionada de ver o meu ex-namorado quando estou junto com o meu atual namorado.

Mas a culpa não é minha. É o meu CHP.

Nossas cadeiras estão separadas por fileiras e mais fileiras, então não existe a possibilidade de eu ser dominada pelo *eau de Michael*. A menos que, por algum motivo, eu esbarre com ele mais tarde. E isto eu duvido muito que vá acontecer.

Mas, bom, Michael está sozinho. Ele não veio com ninguém! E isto pode ser porque a Micromini Midori está em Genovia.

Só que eu não consigo parar de pensar que talvez ele tenha vindo sozinho porque escrevi no meu e-mail que eu estaria aqui.

Mas daí eu me lembrei do que o Boris havia dito — que eles vão morar juntos no próximo semestre. Então acho que, na verdade, é por isso que ele está aqui. Para dar apoio ao amigo.

Como eu sou burra de ficar toda cheia de esperança. DE NOVO.

Enfim. Acho que preciso voltar pro meu lugar. E não quis ser mal-educada e ficar escrevendo enquanto eu devia estar com cara de quem estava prestando atenção, mas...

ESPERE.
Ai, meu Deus.
Eu conheço estes sapatos.

Quinta, 4 de maio, 20h30, no banheiro feminino do Carnegie Hall

Eu tinha razão. Os sapatos eram *mesmo* dela. Eu totalmente a confrontei quando ela saiu da cabine. Bom, confrontar não é o verbo certo. Eu *perguntei* sobre o comercial que ela fez para o meu pai. Por que fez aquilo, quer dizer.

No começo, ela tentou se safar, dizendo que tinha sido presente de aniversário para mim.

E é verdade, ela tinha dito, na redação do *Átomo*, quando eu entreguei minha reportagem sobre Michael, que tinha uma coisa que ela ia me dar de presente de aniversário. E ela tinha dito que, para poder me dar, ela precisava ir à minha festa. Essa parte eu já tinha entendido.

Mas... por que agora? Por que um presente *neste* ano? E ainda um presente assim tão *maravilhoso*?

No começo, ela pareceu ficar mesmo muito incomodada por eu simplesmente não deixar pra lá. Como se ela não fosse capaz de acreditar que tinha entrado no banheiro e topado comigo.

Acho que *realmente* parece que, cada vez que ela vai fazer xixi, lá estou eu.

Bom, isso é basicamente verdade. Parece que eu tenho uma espécie de radar de bexiga da Lilly Moscovitz.

E desta vez Kenneth não estava por perto para fazer perguntas estranhas sobre se eu ainda estava ou não namorando J.P., para assim impedir que ela respondesse. Por um segundo, fiquei achando que ela não responderia mesmo.

Mas daí parece que ela tomou uma decisão. Ela meio que suspirou, com uma cara meio aborrecida, e disse assim: "Certo. Se você quer mesmo saber, Mia... Meu irmão disse que eu tinha que ser legal com você."

Só fiquei olhando pra ela. Demorou alguns segundos para as palavras dela serem registradas. "O seu *irmão* disse..."

"Que eu tinha que ser legal com você", Lilly concluiu por mim, em tom exasperado, como se eu já devesse saber disto. "Ele ficou sabendo do site, tá?"

Eu parei de encará-la e comecei a piscar descontroladamente. Estava fazendo progresso. "Euodeiomiathermopolis.com?"

"Esse mesmo", a Lilly respondeu. Na verdade, ela estava parecendo um pouco envergonhada de si mesma. "Ele ficou bravo de verdade. Reconheço... foi *mesmo* meio infantil."

Michael ficou sabendo do euodeiomiathermopolis.com? Quer dizer que... antes ele não sabia? Achei que todo mundo, no mundo inteiro, conhecia aquele site idiota.

E ele tinha dito pra Lilly que ela tinha que ser *legal* comigo?

"Mas..." Eu estava com dificuldade para processar tanta informação ao mesmo tempo. Era como se eu estivesse em um deserto que finalmente estava recebendo um pouco de chuva... só que tinha chuva demais, e eu não conseguia absorver tudo. Logo eu estaria escorregando na lama. E sendo carregada pela enchente. "Mas... por que você ficou tão brava comigo, para começo de conversa? Sei que fui a maior babaca com seu irmão. Mas eu me arrependi, e tentei voltar com ele. Foi ele quem disse não. Então, por que você ficou tão brava?" Essa era a parte que eu nunca tinha conseguido entender. "Foi por causa... foi só por causa do J.P.?"

O rosto da Lilly ficou sombrio. "Você não sabe?", ela perguntou, em tom incrédulo. "Realmente não sabe?"

Eu estava definitivamente experimentando sobrecarga sensorial. "Não." Sacudi a cabeça. Na verdade, ela não tinha respondido à minha pergunta. "O que eu devia saber?"

"Eu nunca conheci uma pessoa tão sem noção quanto você na vida, Mia", a Lilly disse, sem entonação na voz.

"O quê?" Continuei sem ter a menor ideia do que ela estava falando. Eu sei que sou sem noção. Sei mesmo! Eu sou a maior esquisitona. Ela não precisava esfregar na minha cara. Podia ter me ajudado um pouco. "Sem noção a respeito de *quê*?"

Mas, nesse momento, uma senhora entrou no banheiro, e talvez Lilly pensou que já havia dito o suficiente. Ela só sacudiu a cabeça e saiu.

E, com isso, eu só fiquei aqui imaginando, como já fiz um milhão de vezes: *O que eu devia saber? Por que a Lilly me acha tão sem noção?*

É verdade que comecei a namorar J.P. logo depois de os dois terminarem. Mas ela já não estava mais falando comigo quando isto aconteceu. Então não pode ser isso.

Por que Lilly não pode simplesmente me dizer por que eu sou assim tão sem noção? Ela é que é um gênio, não eu. Eu detesto quando os gênios ficam querendo que o restante de nós seja tão inteligente quanto eles. Não é justo. Eu tenho inteligência *mediana*, sempre tive. Sou criativa e tal, mas sou criativa para escrever romances! Não me dou bem em testes de QI, e certamente não no vestibular (obviamente).

E eu NUNCA consegui entender a Lilly.

E também não consigo entender o irmão dela. Por exemplo, por que *Michael* se importa se ela é legal comigo ou não?

Ah, maravilha. Estou ouvindo palmas! É melhor voltar pro meu lugar...

Sexta, 5 de maio, em casa

Eu estava errada a respeito de ser capaz de ficar longe do meu par perfeito de CHP.

Todo mundo subiu no palco depois do sucesso fantástico do concerto do Boris (com todo mundo aplaudindo de pé) para dar parabéns a ele.

Foi assim que eu me vi ao lado do J.P., conversando com a Tina e o Boris, quando o Michael e a Lilly subiram para parabenizar o Boris também.

E isto não deixou ninguém desconfortável, imagina.

Levando em conta que Lilly era ex do Boris (lembra quando ele derrubou o globo em cima da própria cabeça por ela?) e J.P. era o ex da Lilly e Michael era o meu. Ah, e Kenny — quer dizer, Kenneth — também é meu ex!

Ah, sim, foi muito divertido.

Até parece.

Por sorte Michael não tentou me dar nenhum abraço. Nem dizer nada do tipo "Ah, oi, Mia, a gente se vê amanhã no almoço". Parecia que ele sabia que eu não tinha comentado o assunto com o meu namorado.

Só que ele foi perfeitamente cordial, não saiu pisando firme, como fez no meu aniversário. (Por que ele fez aquilo, *aliás*? Não pode ser por causa do que Tina disse, porque não suportava me ver com J.P. Porque ele parecia não estar se incomodando nem um pouco de me ver com J.P. hoje à noite.)

Lilly, por outro lado, ignorou J.P. completamente — apesar de ter dado uma espécie de sorrisinho para mim.

Tina, enquanto isso, estava tão nervosa com a coisa toda (e isto foi estranho, porque ela era a única ali que *não* tinha nenhum ex presente) que começou a falar com um tom de voz todo estridente a respeito do comitê de avaliação do projeto final — os integrantes estavam parecendo meio acabados, possivelmente por causa da noitada com Sean Penn — e eu tive que puxá-la pelo braço e começar a afastá-la dali, com gentileza, murmurando: "Vai dar tudo certo. Shhhh. Agora já terminou. Boris foi aprovado com nota máxima..."

"Mas", Tina disse, lançando um olhar por cima do ombro.

"Por que Michael e Lilly estão aqui? *Por quê*?"

"Michael é amigo do Boris. Lembra? Eles vão morar juntos no próximo semestre, até o Boris conseguir o quarto individual da lista de espera."

"Preciso de férias", Tina choramingou. "Eu realmente preciso de férias."

"Você vai ter férias", falei. "Amanhã não tem aula."

"Você vai mesmo pra cama com o J.P.?", Tina perguntou.

"Vai mesmo, Mia? Mesmo?"

"Tina", cochichei. "Será que não dá pra você falar um pouco mais alto? Acho que o Carnegie Hall inteiro não escutou."

"Só não acho que você esteja fazendo isso pelos motivos certos", Tina disse. "Não faça só porque você acha que precisa fazer, ou porque não quer ser a última menina da turma que ainda é virgem, ou porque não quer ser a única menina da faculdade que não foi pra cama com ninguém. Faça porque é isso que você *quer*, porque você sente uma paixão ardente. Quando eu olho para vocês dois juntos, simplesmente não acho... Mia, não acho que você *queira*. Não sinto que exista qualquer *paixão*. Você escreve sobre paixão no seu livro, mas eu não acho que você *sinta* isso na verdade. Não pelo J.P."

"Certo", falei, dando tapinhas no braço dela. "Agora eu vou embora. Diga ao Boris que ele foi adorável. Então, tchau."

Peguei Lars e J.P., avisei a todo mundo que a gente estava indo embora, fiquei longe do Michael o suficiente para não sentir o cheiro dele e daí fui embora. Deixei o J.P. na casa dele, a caminho da minha.

Eu me esforcei muito mesmo para sentir paixão quando dei um beijo de boa-noite nele.

Acho que até senti. Com certeza alguma coisa eu senti.

Mas talvez tenha sido o grampo da etiqueta da lavanderia que a família Reynolds-Abernathy usa na parte de trás da gola da camisa do J.P. Acho que arranhou o meu dedo enquanto eu tentava dar um agarrão apaixonado nele.

Sexta, 5 de maio, 9h, em casa

Eu não acredito.

A minha mãe acabou de enfiar a cabeça pela porta e disse: "Mia. Acorde."

E eu fiquei, tipo: "MÃE. Eu não vou pra escola. Hoje não tem aula. Não me importo se não é um dia de folga com aprovação oficial da diretoria. Estou no último ano. Eu não vou. E isto significa que EU NÃO PRECISO ACORDAR."

E ela disse assim: "Não é isso. Tem uma pessoa no telefone de casa pedindo para falar com a tal da Daphne Delacroix."

Achei que ela estava zoando. Achei mesmo. Mas ela jurou que estava falando sério.

Então eu me arrastei para fora da cama, peguei o telefone que ela estava me estendendo, coloquei no ouvido e falei, tipo: "Alô?"

"É a Daphne?", perguntou uma voz de mulher, animada além da conta.

"Hm", respondi. "Mais ou menos." Na verdade eu ainda não estava acordada o suficiente para ser capaz de lidar com a situação.

"O seu nome verdadeiro não é Daphne Delacroix, é?", a voz perguntou, rindo um pouco.

"Não exatamente", respondi e dei uma olhada na janelinha do identificador de chamada. Dizia Avon Books.

Avon Books era o nome que estava na lombada da metade dos livros de romance histórico que eu tinha lido para fazer pesquisa para o meu. É uma enorme editora de romances.

"Bom, quem está falando aqui é Claire French", a voz animada disse. "Eu acabei de terminar de ler seu livro, *Liberte o meu coração*, e estou ligando para oferecer um contrato de publicação."

Juro que eu achei que estava ouvindo mal. Parecia que ela estava dizendo que estava me ligando para oferecer um contrato de publicação.

Mas ela não podia ter dito isso, de jeito nenhum. Porque ninguém liga para oferecer um contrato de publicação. Principalmente assim tão cedo. Nunca.

"O quê?", perguntei, demonstrando muita inteligência.

"Estou ligando para oferecer um contrato de publicação pra você", ela disse. "Gostaríamos de oferecer um contrato para o seu livro. Mas vamos precisar saber o seu nome verdadeiro. Aliás, qual *é* o seu nome verdadeiro, se não se incomoda de me dizer?"

"Hm", respondi. "Mia Thermopolis."

"Ah", ela disse. "Bom, oi, Mia." Ela então começou a falar umas coisas sobre dinheiro, e contratos, e prazos, e algumas outras coisas que eu não entendi porque estava tonta demais.

"Hm", eu finalmente disse. "Será que você pode me dar o seu telefone? Acho que vou precisar ligar mais tarde."

"Claro!", ela respondeu. E me deu o ramal dela. "Vou ficar esperando você ligar."

"Certo", eu disse. "Muito obrigada." Daí, desliguei.

Voltei a deitar na cama e olhei para o Fat Louie, que me encarava, ronronando, todo feliz nos meus travesseiros.

Daí eu dei o berro mais alto possível e assustei a minha mãe, o Rocky e, lógico, o Fat Louie, que saiu em disparada da cama (todas as pombas que estavam na escada de incêndio da minha janela também saíram voando).

Não consigo acreditar.

Recebi uma oferta pelo meu livro.

E, tudo bem... não é uma tonelada de dinheiro. Se eu fosse uma pessoa de verdade, que precisasse ganhar a vida fazendo isso, eu não conseguiria sobreviver mais do que uns dois meses — pelo menos não em Nova York — com o que eles ofereceram. Se você quiser mesmo ser escritora, obviamente tem que escrever *e* ter outro emprego para poder pagar o aluguel etc. Pelo menos no começo.

Mas como eu vou doar o dinheiro para o Greenpeace mesmo... E daí? Alguém quer comprar o meu livro!!!!!

Sexta, 5 de maio, 11h, em casa

Eu me sinto como se estivesse flutuando...
Fala sério, estou tão feliz! Este é o melhor dia da minha vida.

Pelo menos até agora.

E eu estou falando sério. Nada vai estragar este dia. NADA.

Nem NINGUÉM.

Não vou permitir que isso aconteça.

A primeira coisa que fiz depois de contar pra minha mãe e o Sr. G sobre o contrato de publicação foi ligar pra Tina. Eu falei assim: "Tina, adivinha só? Fizeram uma oferta pelo meu livro."

E ela ficou, tipo: "O QUÊ???? AI, MEU DEUS, MIA, QUE COISA FANTÁSTICA!!!!"

Então, daí, a gente ficou berrando durante, tipo, é sério, uns dez minutos.

Depois disso eu liguei para o J.P. Acho que devia ter ligado pra ele primeiro, já que é meu namorado. Mas eu conheço a Tina há mais tempo.

O negócio é que, apesar de J.P. ter ficado feliz por mim e tal, ele não ficou... Bom, ele me deu alguns avisos de cautela.

Mas só porque ele me ama muito.

"Você não deve aceitar a primeira oferta, Mia", ele disse.

"Por que não?", perguntei. "Você aceitou a do Sean Penn."

"Mas isto é diferente", ele disse. "O Sean é um diretor premiado. Você nem conhece essa editora."

"Conheço sim", respondi. "Acabei de fazer uma pesquisa sobre ela na internet. Ela já publicou toneladas de livros. Ela é totalmente legítima, e a editora em que ela trabalha também. É enorme. Eles publicam todos os romances. Bom, vários deles."

"Mesmo assim", o J.P. disse. "Pode ser que você receba uma oferta melhor de outra pessoa. Eu não me precipitaria."

"Eu não devia me precipitar?", repeti. "J.P., eu recebi, tipo, umas sessenta e cinco cartas de rejeição. Ela foi a única pessoa que expressou o mais remoto interesse no meu livro. A oferta é totalmente justa."

"Se você fizesse o que eu estou dizendo", J.P. prosseguiu, "e tentasse vender com o seu nome verdadeiro, você despertaria uma tonelada a mais de interesse, e provavelmente receberia um adiantamento bem maior."

"Mas o problema é exatamente esse", eu disse. "Ela quis publicar sem saber quem eu era! Isso significa que ela gostou do livro pelos próprios méritos dele. Isso significa muito mais pra mim do que dinheiro."

"Olha", J.P. disse. "Só não aceite a oferta por enquanto. Deixa eu falar com o Sean. Ele conhece gente do ramo editorial. Aposto que ele consegue uma oferta melhor pra você."

"Não!", exclamei. Não dava pra acreditar que o J.P. estava tentando estragar aquele momento tão lindo pra mim. Mas não era culpa dele. Eu sabia que ele só tinha em vista os meus melhores interesses. Mas estava totalmente jogando um balde de água fria na minha animação, como se diz. "De jeito nenhum, J.P. Eu vou aceitar essa oferta."

"Mia", ele continuou. "Você não sabe nada sobre o mercado editorial. Como é que vai saber no que está se metendo? Você nem tem um agente."

"Eu tenho os advogados reais de Genovia", lembrei a ele. "Acho que não preciso lembrar a você que eles mais parecem um bando de pit bulls raivosos. Lembra o que eles fizeram com aquele cara que tentou publicar aquela biografia não autorizada no ano passado?" E eu não quis completar dizendo: *E o que eles poderiam fazer com você, por ter escrito uma peça autobiográfica amplamente baseada em mim?* Porque eu não quis ser desagradável e, é claro, nunca jogaria os advogados reais de Genovia em cima do J.P. "Vou pedir pra eles darem uma olhada no contrato antes de eu assinar."

"Acho que você está cometendo um erro", J.P. insistiu.

"Bom, eu não acho que esteja", respondi. Fiquei com vontade de chorar. Fiquei mesmo. Eu sabia que ele só estava agindo assim porque me ama, mas fala sério.

Mas eu superei. Apesar de J.P. e eu termos tido a nossa primeira briga (que foi bem insignificante), ainda acho que estou fazendo o que é certo. Porque eu liguei para o meu pai e contei o caso pra ele, e depois que ele me fez muitas perguntas (de um jeito meio distraído, porque está ocupado com a campanha. Fiquei meio mal de ter que incomodá-lo com uma coisa tão sem importância em um momento que ele tem tanta coisa pra fazer, mas... bom, isto é importante para mim), disse, de todo jeito, que para ele tudo bem, e que eu podia fazer o que quisesse — desde que não assinasse nada até mandar os advogados pit bulls dele darem uma olhada.

Então eu disse: "VALEU, PAI!"

Daí eu liguei pra Claire French e disse a ela que aceitava. O único problema foi que, quando eu retornei a ligação, ela já sabia exatamente quem eu era.

Ela disse: "Isto vai parecer estranho, mas quando você disse que o seu nome era Mia Thermopolis, eu achei que conhecia de algum lugar, então — por favor, não fique ofendida — eu fiz uma pesquisa no Google. Você por acaso não é a princesa Mia Thermopolis de Genovia, é?"

Meu coração ficou totalmente pesado.

"Hm", murmurei.

O negócio é o seguinte: apesar de eu estar totalmente acostumada a mentir, sabia que não ia adiantar nada mentir para ela a respeito disto. Ela ia acabar descobrindo. Como, por exemplo, quando eu enviasse a minha foto para ela colocar no livro ou quando nós nos encontrássemos para um almoço chique entre editora e autora, ou quando os meus advogados pit bulls usassem um selo com o escudo de Genovia para reconhecer firma ou algo assim.

"Sou", respondi. "Sou sim. Mas eu não mandei o livro com o meu nome real porque eu não queria ser publicada só porque sou uma celebridade, sabe? Eu queria ver se as pessoas iam gostar com base nos méritos próprios do livro, e não por causa de quem escreveu. Espero que você possa compreender isto."

"Ah", Claire disse. "Eu compreendo perfeitamente! E você não precisa se preocupar, eu não fazia ideia que era você quando eu li, nem quando fiz a oferta. Mas o negócio é que... bom, o nome Daphne Delacroix... realmente soa muito falso, e o sobrenome — Delacroix — é difícil para os norte-americanos pronunciarem corretamente. Ao passo que o seu nome verdadeiro é muito mais fácil de reconhecer e de lembrar. Imagino que não esteja fazendo isso para obter nenhum tipo de ganho financeiro..."

"Não", eu disse, horrorizada. "Vou doar todos os direitos autorais para o Greenpeace!"

"Bom, mas a verdade", continuou, "é que você teria muito mais direitos autorais para doar se permitisse que nós publicássemos o livro com o seu nome verdadeiro."

Apertei o telefone contra a minha orelha com muita força, sentindo-me meio desorientada.

"Quer dizer... Mia Thermopolis?"

"Eu estava pensando em Mia Thermopolis, Princesa de Genovia."

"Bom..." Meu coração estava batendo meio rápido. Eu me lembrei do que Grandmère havia dito a respeito de me assegurar de não usar meu nome verdadeiro. Ela iria odiar isto aqui, pensei. Ela iria ficar morrendo de ódio se eu publicasse um romance picante com o meu próprio nome!

Por outro lado... todo mundo da escola iria ver. Todo mundo na escola iria ver o meu livro e dizer: "Ai, meu Deus. Eu *conheço* esta garota! Eu estudei com ela."

E também Claire não tinha comprado o livro sabendo que era eu... mas os leitores saberiam. Pense em todo o dinheiro que iria para o Greenpeace!

"Acho que tudo bem", eu disse.

"Ótimo!", Claire respondeu. "Então está combinado. Estou ansiosa para trabalhar com você, Mia."

Esse foi o telefonema mais fantástico de todos os tempos. Quase me fez esquecer de que J.P. e eu tínhamos tido um tipo de briguinha e que eu muito em breve teria um almoço no mínimo intenso com Michael.

Sou uma autora publicada. Bom, logo vou ser.

E ninguém pode tirar isto de mim. NINGUÉM!

Sexta, 5 de maio, 12h15, em casa

Linha de atendimento de Emergência da Moda. Estamos aqui pra ajudar você. Você tem que colocar o seu jeans da Chip & Pepper e o top de lantejoulas rosa e preto da Alice + Olivia com aquela jaqueta de motoqueiro roxa que nós compramos na Jeffrey e aqueles sapa-

tos de plataforma superfofos da Prada que têm aquelas franjinhas. Entendeu? Não exagere na maquiagem porque acho que ele gosta do tipo natural (sei lá por quê) e não coloque os brincos compridos desta vez, use um pequenininho. Aaaaah, que tal aquelas cerejinhas que eu dei para você de presente de aniversário? São totalmente apropriadas pra você Hahaha

Enviado pelo meu Blackberry®

Não! Acho que é de mais. Aliás, o meu livro vai ser publicado!

Não é nada de mais, simplesmente faça o que eu digo, não se esqueça de usar o curvex nos seus cílios, LEGAL o negócio do COLOQUE NO MEU BURACO!
Que cor você vai usar no baile de formatura?

Enviado pelo meu Blackberry®

Ainda não sei, Sebastiano vai me mandar algumas coisas. Os sapatos de plataforma da Prada são demais. Acho que vou de bota. E o título não é Coloque no meu Buraco, eu já disse.

NÃO! ESTAMOS NO MEIO DA PRIMAVERA. NADA DE BOTA NO ALMOÇO. Podemos chegar a um meio-termo com aquelas sapatilhas lindas de veludo.

Enviado pelo meu Blackberry®

Certo, você tem razão em relação às sapatilhas. OBRIGADA! PRECISO IR!!!! ESTOU ATRASADA. Estou tão nervosa!!!!

Não se preocupe, Trisha e eu vamos alugar um bote e ficaremos remando pelo lago para dar uma olhada em você.

Enviado pelo meu Blackberry®

NÃO! LANA!!! NÃO!!!! NÃO VÁ LÁ!!! Se você for, nunca mais falo com você.

TCHAU!!! Divirta-se!
_____
Enviado pelo meu Blackberry®

Sexta, 5 de maio, 12h55, na limusine, a caminho do Central Park

Vou ficar longe do Michael.
Não vou dar nenhum abraço nele.
Não vou nem cumprimentá-lo com um aperto de mãos.
Não vou fazer nada que possa, *de maneira nenhuma*, resultar em eu sentir o cheiro dele, e perder o controle, e fazer alguma coisa de que eu possa me arrepender.
Não que isso faça diferença, porque ele não gosta de mim assim. Não gosta mais. Ele me considera só como amiga.
Mas, quer dizer, eu não quero me envergonhar na frente dele.
E, de todo modo, eu tenho namorado. Que me ama de verdade mesmo. O suficiente para desejar o que é melhor para mim.
Então, concluindo:
Ficar longe do Michael — Confere.
Não dar um abraço nele — Confere. Nem apertar a mão dele — Confere.
Não fazer nada que possa resultar em sentir o cheiro dele — Confere.
Certo. Acho que estou pronta. Eu vou conseguir. Vou conseguir sim, com certeza. Está tudo determinado. Nós somos só amigos. E isto é só um almoço. Amigos almoçam juntos sempre.
Mas desde quando amigos dão de presente um para o outro equipamentos médicos de um milhão de dólares? Ai, meu Deus. *Eu não vou conseguir.*
Chegamos. Acho que eu vou vomitar.

Um trecho de *Liberte o meu coração*, de Daphne Delacroix

Era verdade que Finnula já tinha sido beijada antes.

Mas os poucos homens que tinham tentado fazer isso tinham vivido para se arrepender, já que ela era tão hábil com os punhos fechados quanto com o arco e flecha.

Mas havia alguma coisa naqueles lábios específicos, pressionando-se com tanta vontade contra os dela, que não chegou a despertar sentimentos de rancor em seu âmago.

Ele beijava muito bem mesmo, aquele seu prisioneiro, com a boca movimentando-se sobre a dela de maneira levemente inquisitiva — não atrevida, de jeito nenhum, mas como se ele estivesse fazendo uma pergunta para a qual apenas ela, Finnula, tivesse a resposta. Ela só percebeu que tinha respondido a essa pergunta, de alguma maneira, quando sentiu a intrusão da língua dele dentro da sua boca, apesar de não saber exatamente como. Agora não tinha nada de questionador no jeito dele. Ele desferira o primeiro golpe e percebera que as defesas de Finnula estavam baixas. Ele atacou sem clemência.

Foi então que Finnula se deu conta, como se tivesse levado um golpe, que o beijo dele era algo fora do comum, e que talvez ela não estivesse assim tão no controle da situação quanto gostaria de estar. Apesar de se debater contra o ataque repentino e estonteante a seus sentidos, ela não conseguia se desvencilhar da atração hipnótica que os lábios dele exerciam, da mesma maneira que ele não conseguira romper as amarras com as quais ela o prendera. Ela largou o corpo completamente nos braços dele, como se estivesse se derretendo nele, à exceção das mãos, que, por vontade própria, escorregaram ao redor do pescoço teso dele, embaraçando-se no cabelo surpreendentemente macio que estava meio escondido pelo capuz abaixado da capa dele. Ela ficou imaginando o que havia na introdução da língua daquele homem em sua boca que parecia ter relação direta com uma sensação muito repentina e muito distinta de aperto entre suas coxas.

Ela se afastou dele e colocou a mão em seu peito, em uma atitude de restrição. Finnula lançou um olhar acusador para o rosto dele e ficou surpresa com o que viu ali. Não foi o sorrisinho de desdém ou os olhos de desprezo aos quais ela tinha se acostumado, mas sim uma boca abarrotada de desejo e olhos verdes cheios de... de quê? Finnula não foi capaz de determinar o que tinha percebido naquelas órbitas, mas o que viu a assustou na mesma medida que a excitou.

Ela tinha que colocar fim nessa loucura, antes que chegasse longe demais.

— Perdeste a razão? — ela quis saber, através de lábios que pareciam entorpecidos da pressão forte do beijo. — Solta-me agora mesmo.

Hugo ergueu a cabeça, com a expressão desorientada de um homem que acaba de despertar do sono. Ficou olhando fixamente para a moça em seus braços, piscando muito, apresentando todos os indícios de que a tinha escutado. Sua mão ancorada no seio dela, no entanto, apertou-se como se ele não tivesse intenção de soltá-la. Quando ele falou, foi com voz rouca e entonação arrastada:

— Acredito que não tenha sido minha razão a se perder, donzela Crais, mas sim meu coração — respondeu, com a garganta seca.

Sexta, 5 de maio, 16h, na limusine, a caminho da terapia

Eu sou péssima.

Eu sou uma pessoa horrível, terrível, detestável.

Eu não mereço estar na presença do J.P., muito menos usar o anel dele.

Não sei como isso aconteceu. Nem como eu *deixei* acontecer.

Além do mais, foi completamente minha culpa. Michael não teve nada a ver com o que aconteceu.

Bom, talvez tenha tido *um pouco* a ver. Mas a maior parte da culpa foi minha.

Eu sou a pior garota do mundo, e também a mais detestável.

E agora eu sei que Grandmère e eu REALMENTE temos o mesmo sangue. Porque eu sou exatamente tão horrível quanto ela!

Talvez isso seja porque eu tenho andado muito com a Lana.

Talvez ela tenha passado isso para mim!

Ai, meu Deus. Será que agora eu tenho que abrir mão do meu lugar na Domina Rei? Tenho certeza de que uma Domina Rei não faria o que eu fiz.

Tudo começou na maior inocência, além do mais. Eu cheguei ao Boathouse, e Michael estava lá, esperando por mim. E ele estava lindíssimo (nenhuma surpresa), de paletó social (mas sem gravata), com o cabelo escuro meio despenteado, como se ele tivesse acabado de sair do banho.

E a primeira coisa que aconteceu — a *primeiríssima* coisa! — foi ele se aproximar de mim e se inclinar para me cumprimentar com um beijo na bochecha.

E, mesmo assim, eu tentei me afastar, exclamando: "Ah, não, eu estou gripada!"

Ele só riu e respondeu: "Eu gosto dos seus germes."

E foi aí que aconteceu. Bom, pela primeira vez. Eu senti o cheiro dele, aquele cheiro de *Michael* fresco e limpo. Todas aquelas moléculas dessemelhantes me atingiram com tudo no meu sentido olfativo ao mesmo tempo. Juro que foi tão forte que eu quase caí, e Lars precisou estender a mão para pegar o meu cotovelo e perguntar: "Está tudo bem, princesa?"

Não. A resposta era não, eu não estava nada bem. Eu quase fui derrubada. Derrubada pelo desejo! O desejo pelas moléculas proibidas e dessemelhantes!

Mas consegui me recompor e rir como se nada tivesse acontecido. (Mas alguma coisa tinha acontecido sim! Alguma coisa *muito, muito* ruim!)

Aí, logo nos levaram para nossa mesa banhada de sol (Lars se sentou no bar para poder ficar com um olho em algum evento esportivo e o outro em mim. Ah, por que, Lars, por quê? Por que você foi se sentar tão longe????), e Michael não parava de falar, não faço ideia sobre o quê, e eu continuava tonta por causa dos feromônios ou sei lá o que que corriam na minha cabeça, e nós ficamos em uma mesa BEM AO LADO DO LAGO, de modo que precisei ficar prestando atenção para ver se Lana e Trisha apareciam, para o caso de elas terem resolvido passar de bote por ali.

Mas eu também acho que fiquei ofuscada pelo sol que refletia na água, estava tudo tão lindo e fresco que nem parecia que nós estávamos em Nova York, mas sim... bom, em Genovia ou algo assim.

Juro que parecia que eu tinha usado drogas.

Finalmente, o Michael disse assim: "Mia, está tudo bem com você?", e eu sacudi a cabeça, igual o Fat Louie faz quando eu faço carinho demais nas orelhas dele, e respondi assim, toda nervosa: "Está, está, está tudo bem, desculpe, só estou um pouco distraída." Mas é claro que eu não podia dizer a ele POR QUE eu estava tão distraída.

Daí, no último minuto, me lembrei da notícia excelente que eu tinha recebido e soltei: "Recebi uma ligação hoje de manhã de uma editora — ela quer publicar o meu livro."

"Que maravilha!", Michael disse e o rosto dele se abriu em um sorriso enorme. Aquele sorriso maravilhoso de que eu me lembro do meu primeiro ano de ensino médio, quando ele costumava ir até a minha classe de álgebra para me ajudar com as lições do Sr. G *durante* a aula, e eu achei que tinha morrido e ido para o céu. "A gente precisa comemorar!"

Então, daí, ele pediu água com gás e fez um brinde ao meu sucesso, e eu fiquei totalmente acanhada, por isso retribuí com um brinde ao sucesso dele (quer dizer, sinceramente, o meu romance não vai salvar a vida de ninguém, mas, como ele observou, enquanto o CardioBraço dele salva a vida do paciente, pode muito bem ser que os familiares da pessoa que está sendo operada fiquem na sala de espera bem felizes e calmos lendo o meu livro. E é uma observação muito boa), e nós ficamos lá bebendo água Perrier à beira do lago no meio de uma tarde de sexta, no Central Park, em Nova York.

Até que os raios de sol brilhantes da tarde bateram no diamante do anel que o J.P. me deu, que eu tinha esquecido de tirar. Enfim, o reflexo resultante criou uma explosão de miniarco-íris no rosto do Michael e o deixou ofuscado.

Eu me senti péssima e disse "Desculpe", e tirei o anel e guardei na minha bolsa.

"Mas que pedra, hein?", Michael disse, com um sorriso meio sacana. "Então vocês agora estão, tipo, noivos?"

"Ah, não", respondi. "É só um anel de amizade." Mentira Enorme Número Onze de Mia Thermopolis.

"Sei", o Michael respondeu. "As amizades ficaram bem mais... caras do que quando eu estudava na EAE."

Ai, essa doeu.

Mas então Michael mudou de assunto: "E onde J.P. vai fazer faculdade no ano que vem?"

"Bom", comecei, com muito cuidado. "Sean Penn comprou os direitos de uma peça que J.P. escreveu, então ele está pensando em ir para Hollywood no ano que vem e fazer faculdade depois."

Michael pareceu muito interessado nessa informação. "É mesmo? Então vocês dois vão namorar a distância?"

"Bom", respondi. "Não sei. Estamos falando sobre eu ir com ele..."

"Para Hollywood?" Michael parecia totalmente incrédulo.

Daí ele pediu desculpa. "Sinto muito. É só que você... quer dizer, você nunca me pareceu fazer o tipo de Hollywood. Não que você não esteja cheia de glamour agora. Porque está, totalmente."

"Obrigada", respondi, morrendo de vergonha. Felizmente, a esta altura, o garçom já tinha trazido uma salada, então eu pude me distrair dizendo não, muito obrigada, à oferta de pimenta-do-reino.

"Mas eu sei do que você está falando", prossegui, quando o garçom se afastou. "Não sei muito bem o que eu faria o dia inteiro em Hollywood. J.P. disse que eu poderia escrever. Mas... eu sempre achei que, se fosse adiar a faculdade por um ano, seria para viajar em um daqueles barcos que se coloca entre os barcos de pesca e as baleias jubarte, ou algo do tipo. Não para ficar passeando em Melrose. Sabe como é?"

"Por algum motivo, não acho que os seus pais vão ficar contentes com nenhum desses planos", Michael disse.

"E tem isso também", suspirei. "Tenho algumas coisas para decidir. E não tenho muito tempo para fazer isso. As unidades paterna e materna querem uma decisão a respeito de onde eu vou estudar até a eleição."

"Você vai tomar a decisão certa", Michael disse, todo confiante. "Você sempre toma."

Só fiquei olhando para ele. "Como você pode dizer uma coisa dessa? Não tomo não, de jeito nenhum."

"Toma sim", ele disse. "No fim."

"Michael, eu sempre estrago tudo", eu disse e larguei o garfo. "Você, mais do que qualquer outra pessoa, devia saber disso. Eu estraguei o nosso relacionamento completamente."

"Não, não estragou", ele respondeu, parecendo chocado. "Fui eu que estraguei."

"Não, fui *eu*", falei. Não dava pra acreditar que nós finalmente estávamos dizendo essas coisas... essas coisas que eu andava pensando havia tanto tempo, e dizendo para outras pessoas — os meus amigos, o Dr. Loco —, mas nunca para a única pessoa para quem elas importavam... Michael. A pessoa a quem eu devia ter dito, há um século: "Eu nunca devia ter feito tanto caso com a coisa da Judith..."

"E eu devia ter contado para você desde o início", Michael interrompeu.

"Mesmo assim", respondi. "Eu agi como uma psicopata inteira e completa..."

"Não, Mia, não agiu..."

"Ai, meu Deus", eu disse, erguendo a mão para fazer um sinal para ele parar de falar e dando uma risada. "Será que nós podemos, por favor, não tentar reescrever a história? Fui eu que estraguei tudo. Você tinha todo o direito de terminar comigo. As coisas estavam ficando intensas demais. Nós dois precisávamos de um tempo para respirar."

"É", Michael disse. "Um *tempo para respirar*. Você não tinha que sair por aí e ficar noiva de outro cara enquanto isso."

Durante um segundo depois de ele ter dito isso, eu fiquei sem ar. Parecia que todo o oxigênio do lugar tinha sido sugado dali, ou algo do tipo. Só fiquei olhando para ele, sem ter certeza se eu tinha escutado direito. Será que ele tinha mesmo dito... Será que era possível ele...?

Daí ele riu e, quando o garçom voltou para pegar o prato vazio de salada dele (eu mal tinha tocado no meu), disse: "Estou brincando. Olha, eu sabia que era um risco. Eu não podia ficar achando que você iria ficar me esperando para sempre. Você pode ficar noiva ou... o que é mesmo isso aí? Certo, amiga... de quem você quiser.

Só fico contente por você estar feliz."

Espera. O que estava acontecendo?

Eu não sabia o que dizer, nem o que fazer. Grandmère tinha me preparado para toneladas de situações — desde como lidar com empregadas ladras até fugir de embaixadas durante golpes de Estado.

Mas, sinceramente, nada poderia me preparar para isso. Será que o meu ex-namorado realmente estava dando a entender que queria voltar?

Ou será que eu estava entendendo coisas que não existiam? (Não seria a primeira vez que isto acontecia.)

Felizmente, foi bem aí que os nossos pratos principais chegaram e Michael desviou a conversa de volta para assuntos normais, como se nada tivesse acontecido. Talvez nada *tivesse* acontecido. De repente estávamos conversando a respeito de se Joss Whedon vai ou não algum dia fazer um longa-metragem sobre *Buffy, a caça-vampiros* e como a Karen Allen é o máximo e o concerto do Boris e a empresa do Michael e a campanha do meu pai. Para duas pessoas com relativamente nada em comum (porque, vamos encarar, ele é criador de um braço cirúrgico robotizado. Eu sou escritora de romances... e princesa. Adoro musicais, e ele odeia. Ah, e nós temos DNAS completamente dessemelhantes), nós realmente nunca ficamos sem assunto.

E isso é totalmente estranho.

Daí, sem eu saber muito bem como, começamos a falar da Lilly.

"O seu pai viu o comercial que ela fez para ele?", Michael perguntou.

"Ah", respondi, sorrindo. "Viu! Ficou maravilhoso. Eu quase não acreditei. Será que... você teve alguma coisa a ver com isso?"

"Bom", Michael respondeu, sorrindo também. "Ela quis fazer. Mas... talvez eu tenha incentivado um pouco. Não acredito que vocês duas não voltaram a ser amigas, depois de todo esse tempo."

"Não é que nós *não* sejamos mais amigas", eu disse, lembrando que Lilly tinha me falado que ele tinha dito para ela ser legal comigo. "Nós só... Eu não sei o que aconteceu, para falar a verdade. Ela não quis me dizer."

"Ela também não quis me dizer", Michael explicou. "Você não sabe mesmo?"

Voltou à minha mente a imagem da Lilly em S & T, no dia em que ela me disse que o J.P. tinha terminado com ela. Eu sempre fiquei me perguntando se não tinha sido isso. Será que a coisa toda era por causa de um garoto? Será que era a respeito disso que eu era tão *sem noção*?

Mas isso seria a maior estupidez. Lilly não era o tipo de pessoa a permitir que uma coisa tão besta quanto um menino atrapalhasse uma amizade. Não com a melhor amiga dela.

"Realmente não faço a menor ideia", confessei.

Os cardápios de sobremesas chegaram e Michael insistiu para nós pedirmos uma sobremesa de cada, para podermos experimentar todas (porque aquilo era uma comemoração), enquanto me contava histórias sobre as diferenças culturais no Japão — tinha um restaurante que entregava comida em casa em pratos de porcelana de verdade, que depois ele deixava na frente da porta para serem recolhidos, e isto leva a reciclagem a um outro nível — e algumas das vergonhas que ele tinha passado por causa disso (cantar baladas no karaokê, algo que os colegas japoneses levavam muito a sério, era uma das maiores de todas).

E enquanto Michael ia falando, ficou bem claro que ele e a Micromini Midori não estavam juntos. Ele falou sobre o namorado dela, que parecia ser o maior sucesso do karaokê, que tinha vencido concursos várias vezes em Tsukuba.

Daí eu comecei a rir de um jeito completamente diferente quando todas as sobremesas chegaram e eu reparei em duas meninas em um bote no meio do lago, em uma discussão ferina, remando em círculos, sem chegar a lugar nenhum. O plano da Lana de me espionar tinha falhado, completa e totalmente.

Foi só depois, quando a conta chegou e Michael pagou, apesar de eu dizer que *eu* estava convidando, para agradecer pela doação para o hospital, que as coisas *realmente* começaram a se desintegrar.

Bom, talvez elas tivessem passado a tarde inteira desmoronando — eu é que não estava prestando atenção. As coisas costumam acontecer assim na minha vida, já reparei. Foi quando nós estávamos na frente do Boathouse e Michael perguntou o que eu ia fazer durante o resto do dia, e eu confessei — para variar — que não ia fazer nada (até a hora da minha terapia, mas isto eu não mencionei. Algum dia eu conto a ele sobre as consultas. Mas não hoje), que tudo se desintegrou, igual às madalenas que nós estávamos comendo antes.

"Você não tem nada para fazer até às quatro? Que bom", o Michael disse e pegou o meu braço. "Então a gente pode continuar comemorando."

"Comemorando como?", perguntei, bem idiota. Eu estava tentando me concentrar em não sentir o cheiro dele. Na verdade, não estava prestando atenção a mais nada. Tipo para onde nós estávamos indo.

"Você já andou nisto aqui?", ele perguntou.

Foi aí que eu vi que ele tinha me levado até uma daquelas charretes puxadas por cavalos, bem cafonas, que estão em todo lado no Central Park.

Bom, tudo bem, talvez não sejam cafonas. Talvez sejam românticas e a Tina e eu conversemos em segredo sobre dar um passeio nelas o tempo todo. Mas este não é o ponto.

"Claro que eu nunca andei nisso aí!", exclamei, fingindo estar horrorizada. "Isso tem tanta cara de turista! E a Sociedade Protetora dos Animais está tentando proibir. E são para pessoas que estão em encontros amorosos."

"Perfeito", Michael disse. Ele entregou um pouco de dinheiro para a charreteira, que estava usando uma roupa antiquada ridícula (e com isto eu quero dizer fantástica) com cartola. "Vamos dar uma volta no parque. Lars, suba na frente. E não vire para trás."

"Não!", praticamente berrei. Mas eu estava rindo. Não consegui me segurar. Porque aquilo tudo era o maior absurdo. E era uma coisa que eu sempre quis fazer, mas nunca disse para ninguém (a não ser a Tina, é claro), por medo de ser ridicularizada. "Eu *não* vou subir aí! Isso é a maior crueldade com os cavalos!" A charreteira pareceu ficar ofendida.

"Eu cuido muitíssimo bem do meu cavalo", ela disse. "Talvez melhor do que você cuida dos seus bichos de estimação, mocinha."

Daí eu me senti mal — além do mais, Michael me lançou um olhar do tipo: *Está vendo, você magoou a moça. Agora vai ter que subir.*

Eu não queria subir. Não queria mesmo!

Não porque aquilo era idiota e coisa de turista e eu estava com medo de que alguém me visse (claro que eu não me importava com isto, porque, secretamente, é algo que eu sempre quis fazer). Mas porque era um passeio romântico de charrete! Com uma pessoa que não era o meu namorado!

Pior ainda, com alguém que era meu ex-namorado! E de quem eu tinha jurado que não ia chegar perto hoje.

Mas Michael estava tão fofo ali com a mão estendida, à minha espera, com os olhos tão doces, como quem diz: *Vamos lá. É só um passeio de charrete cafona. O que pode acontecer?*

E na hora eu só consegui pensar que ele talvez tivesse razão. Quer dizer, que mal podia fazer uma volta de charrete no parque?

Além do mais, eu olhei ao redor e não avistei nenhum paparazzi. E o assento de veludo vermelho na parte de trás da charrete parecia bem espaçoso. Com toda a certeza dava para nós dois nos acomodarmos ali sem nos encostar nem nada. Tipo eu podia total ficar sentada ali sem correr o risco de sentir o cheiro dele.

E de verdade, no fim das contas, como é que um passeio de turista em uma charrete cafona poderia ser romântico para uma nova-iorquina descolada como eu? Apesar do retrato que o J.P. fez de mim em *Um príncipe entre os homens*, como sendo uma mulher frágil que sempre precisa ser salva (uma coisa completamente inexata), na verdade eu sou bem durona. Vou ser uma autora publicada!

Então revirei os olhos e fingi estar, tipo, *"Eu já superei total"*, ri e deixei Michael me ajudar a subir na charrete e me sentar no banco empelotado. Enquanto isso, Lars se acomodou ao lado da moça de cartola, ela fez o cavalo começar a andar e nós demos início ao passeio com um solavanco...

Só que eu estava errada.

O assento não era tão espaçoso assim.

E eu não sou uma nova-iorquina assim *tão* descolada.

Até agora eu não sei dizer muito bem como aquilo aconteceu. E parece que aconteceu bem rapidinho também. Em um instante, o Michael e eu estávamos sentados calmamente um ao lado do outro naquele assento, Sem Nos Beijar, e, de repente... estávamos um nos braços do outro. Nos Beijando. Como duas pessoas que nunca tinham se beijado antes.

Ou melhor, como duas pessoas que costumavam se beijar muito, e que gostavam muito de fazer isto, e daí tinham passado muito tempo sem poder se beijar. E daí, de repente, elas tinham sido reapresentadas aos beijos e se lembraram de que gostavam muito de se beijar. Muito mesmo.

E daí elas começaram a se beijar de novo. Muito. Como um casal de maníacos famintos de beijos, que tinham estado em um deserto sem beijos durante aproximadamente 21 meses.

Nós basicamente nos agarramos desde, tipo, a 72th Street, pelo parque todo, até a 57th Street. Isso é, tipo, uns vinte quarteirões, mais ou menos.

ISSO MESMO, NÓS NOS BEIJAMOS POR VINTE QUARTEIRÕES. EM PLENA LUZ DO DIA. EM UMA CHARRETE À MODA ANTIGA!

Qualquer pessoa podia ter nos visto. E TIRADO FOTOS!!!!

Não faço ideia do que deu em mim. Em um minuto eu estava apreciando o barulhinho dos cascos do cavalo no pavimento e a linda paisagem verdejante do parque. E daí...

E, sim, eu admito que realmente pareceu que o Michael estava sentado perto DEMAIS de mim naquele assento, no começo.

E, tudo bem, eu meio que reparei quando ele me abraçou quando a charrete saiu com um solavanco. Mas foi um gesto bem natural, e eu achei muito gentil. Era o tipo de coisa que um amigo — um amigo homem — faria com uma amiga.

Mas daí o Michael não tirou o braço do lugar em que tinha colocado.

E daí eu senti o cheiro dele de novo.

E daí acabou tudo. Eu sabia que estava tudo acabado, mas virei a cabeça para dizer a ele — com toda a educação, é claro, da maneira como uma princesa faria — para nem se dar ao trabalho, que agora eu estou com J.P. e que não adiantava nada; eu não ia fazer nada para magoar ou trair J.P. porque ele me deu apoio no momento em que eu estava mais desesperada, e Michael devia desistir, se era essa a intenção dele. Que provavelmente não era, mas só para garantir.

Mas, de algum modo, essas palavras nunca saíram da minha boca.

Porque, quando eu virei a cabeça para dizer tudo isso ao Michael, vi que ele estava olhando para mim, e eu não pude deixar de retribuir o olhar, e alguma coisa nos olhos dele... não sei. Parecia que havia uma pergunta ali. E eu não sei qual era a pergunta.

Certo. Acho que sei sim.

De todo modo, tenho bastante certeza de que respondi quando ele encostou os lábios nos meus.

E, como eu disse, nós continuamos nos beijando, cheios de paixão, por uns vinte quarteirões. Ou sei lá quantos. Matemática não é a minha melhor matéria.

Na verdade, já que eu estou confessando tudo mesmo, preciso admitir que foi mais do que simplesmente nos beijarmos. Também teve um pouco de ação bem discreta abaixo do pescoço. Realmente espero que Lars tenha feito o que Michael pediu e não tenha olhado para trás.

Mas, bom, quando a charrete parou, eu finalmente recuperei os sentidos. Acho que foi o fato de o barulho dos cascos do cavalo ter parado. Ou talvez tenha sido aquele solavanco final que praticamente nos jogou para fora do assento.

Foi aí que eu disse, tipo, "Ai, meu Deus!", e fiquei olhando para Michael, toda horrorizada, ao me dar conta do que eu tinha feito.

Que foi ficar com um garoto que não era o meu namorado. E por muito tempo também.

Acho que a parte mais horripilante foi ver o quanto eu tinha gostado. Que foi muito. Mas muito mesmo. Sabe aquela coisa toda do complexo de histocompatibilidade principal? NÃO se pode brincar com isso.

E deu pra ver que Michael tinha sentido a mesma coisa.

"Mia", ele disse, e olhou pra mim com aqueles olhos escuros dele, cheios de alguma coisa que eu quase tinha medo de definir, e com o peito subindo e descendo, como se ele tivesse acabado de correr. As mãos dele estavam no meu cabelo. Ele estava segurando a minha cabeça. "Você *precisa* saber. Você precisa saber que eu te a..."

Mas eu coloquei a mão na boca dele, do mesmo jeito que tinha feito com a Tina. A minha mão que, naquela manhã mesmo, exibia um anel de diamante de três quilates. Que outro cara tinha me dado!

Falei: "NÃO DIGA ISSO."

Porque eu sabia o que ele ia dizer.

Foi daí que eu falei assim: "Lars, nós vamos embora. *Agora*." E Lars desceu da charrete e me ajudou a descer do assento. E nós dois fomos pra minha limusine, que estava à nossa espera. E eu entrei. E não olhei para trás, não mesmo. Nem uma vez.

E tem uma mensagem do Michael no meu telefone, mas eu não vou ler para ver o que ele disse. NÃO vou.

Porque eu não posso fazer isso com J.P. *Não posso*.

Mas, ai, meu Deus. Eu amo tanto o Michael... Ai, graças a Deus.

Nós chegamos.

O Dr. Loco e eu temos *muito* sobre o que conversar hoje.

Sexta, 5 de maio, 18h, na limusine, para casa, saindo do consultório do Dr. Loco

Quando eu entrei no consultório do Dr. Loco, Grandmère estava lá. DE NOVO.

Eu quis saber por quê. POR QUE ela insiste em desrespeitar a privacidade da minha consulta médica. E, tudo bem, hoje supostamente seria a minha última sessão de terapia da vida, mas mesmo assim. Só porque eu a tinha convidado algumas vezes para me acompanhar, isto não significava que ela podia aparecer nas minhas consultas o tempo TODO.

Ela tentou usar a desculpa de que este é o único lugar onde ela sabe que vai me encontrar. (Pena que não olhou pela janela do apartamento dela no Plaza agora há pouco, pois podia ter visto a neta dando voltas no Central Park em uma charrete e se agarrando com um cara que não é o namorado dela.)

E acho que isso (então) era uma desculpa razoável. Mas mesmo assim não fazia com que fosse CERTO, e eu disse isto a ela.

Claro que ela me ignorou completamente. Disse que precisava saber se era verdade que eu iria publicar um romance e, se era, como eu podia fazer isso com a família e por que eu não dava um tiro nela simplesmente, se queria matá-la, pra acabar logo com tudo? Por que eu tinha que fazer isso assim, humilhando-a lentamente na frente de todos os amigos dela? Por que eu não podia ser mais parecida com a Bella Trevanni Alberto, que é uma neta tão perfeita (juro que, se eu tiver que escutar isto *mais uma vez*...)?

Daí ela começou a falar da faculdade Sarah Lawrence (de novo) e que ela sabe que eu preciso escolher uma faculdade até o dia da eleição (que também é o dia do BAILE DE FORMATURA), e que se eu simplesmente *escolhesse a Sarah Lawrence* (a faculdade em que ela teria estudado se tivesse se dado ao trabalho de estudar), então tudo ficaria bem.

Soltei um berro de frustração, passei direto pela frente de Grandmère e entrei na sala do Dr. Loco, porque não queria mais escutar aquela conversa.

Porque, falando sério, como esta mulher consegue ser ridícula. Além do mais, eu estava em plena crise com o negócio com Michael. Não tenho tempo para os dramas da Grandmère.

Mas, enfim, o Dr. Loco escutou com toda a calma ao que tinha acabado de acontecer — comigo e Grandmère, quer dizer —, e ele disse que sentia muito e que, obviamente, como aquela era a minha última sessão, aquilo não voltaria a acontecer, mas ele conversaria com Grandmère se eu quisesse. Como se isto adiantasse alguma coisa.

Daí ele escutou quando eu descrevi o que tinha acabado de acontecer com Michael.

E a resposta dele foi perguntar se eu tinha refletido sobre a história que ele me contara na semana anterior sobre a égua que ele tinha, chamada Sugar.

"Porque eu estava explicando, Mia", o Dr. Loco prosseguiu, "que às vezes um relacionamento que parece perfeito na teoria nem sempre funciona na realidade, do mesmo jeito que a Sugar parecia ser um cavalo perfeito na teoria, mas, na realidade, nós dois simplesmente não combinávamos."

SUGAR! Eu abro o meu coraçãozinho e relato todas as minhas provações românticas (e falo sobre a minha avó, que é um pé no saco), e o Dr. Loco continua falando dos cavalos dele, nada mais.

"Dr. L", eu disse. "Será que a gente pode falar de alguma coisa que não seja de cavalos por um minuto?"

"Claro que sim, Mia", ele respondeu.

"Bom", eu disse. "Os meus pais me disseram para escolher uma faculdade para estudar até o dia da eleição do meu pai — e do meu baile de formatura. E eu não consigo decidir. Quer dizer, parece que todas as faculdades que me aceitaram só me aceitaram porque eu sou princesa..."

"Mas você não *sabe* se isso é verdade", o Dr. Loco disse.

"Não, mas com o meu resultado no vestibular, fica bem óbvio..."

"Nós já conversamos sobre isso, Mia", o Dr. Loco disse. "Você sabe que não deve ficar obcecada pelas coisas sobre as quais não tem controle. Aliás, o que você deve fazer, em vez disso?"

Ergui os olhos para o quadro que estava atrás da cabeça dele, de uma manada de mustangues em disparada. Quantas horas eu já tinha passado olhando para aquele quadro ao longo dos últimos 21 meses, torcendo para que caísse na cabeça dele? Mas não pra machucar. Só pra assustar.

"Aceitar as coisas que eu não posso mudar, coragem para mudar as coisas que eu possa, e sabedoria para saber a diferença."

O negócio é que... eu sei que esse é um bom conselho. Chama-se a "Oração da Serenidade", e realmente serve para colocar as coisas em perspectiva (supostamente é para pessoas que estão se recuperando de alcoolismo, mas também ajuda na recuperação de gente viciada em preocupação, como eu).

Mas, sinceramente, isso é uma coisa que eu podia descobrir *sozinha*.

O que está ficando mais óbvio pra mim a cada dia que passa é que eu me formei. Não só na escola e nas aulas de princesa, mas na terapia também. Não que eu esteja autorrealizada nem nada, porque Deus sabe que eu não estou — já nem acredito mais que alguém é capaz de atingir a autorrealização. Não se quiser continuar sendo um ser humano que ainda pensa e aprende.

Acabei de me dar conta da verdade, que é a seguinte: ninguém é capaz de me ajudar. Meus problemas simplesmente são esquisitos demais. Onde é que eu vou arrumar um terapeuta com experiência em ajudar uma garota norte-americana que descobre que é, na verdade, princesa de um pequeno país europeu, cuja mãe também é casada com o professor de álgebra dela, cujo pai não consegue se comprometer em nenhum relacionamento romântico, cuja melhor amiga não fala com ela, cujo ex-namorado ela não consegue parar de beijar em uma charrete no Central Park, cujo namorado escreveu uma peça revelando detalhes a respeito da vida deles e cuja avó é louca de carteirinha?

Em lugar nenhum. Eis onde.

A partir de agora, eu preciso resolver meus próprios problemas. E sabe o quê? Tenho bastante certeza de que estou pronta.

Mas eu não queria que o Dr. Loco se sentisse mal, porque ele tinha me ajudado muito antes. Então eu disse: "Dr. Loco. Será que você se importa de olhar uma mensagem comigo?"

"De jeito nenhum", ele respondeu.

Então nós abrimos a mensagem do Michael juntos. Dizia assim:

Mia,

Eu não sinto muito.
E eu posso esperar.

Com amor,
Michael

Uau.

E também... *uau*.

Até o Dr. Loco concordou. Mas eu duvido que o recado do Michael fez o coração dele bater mais rápido — *Mi-chael, Mi-chael, Mi-chael* — como fez com o meu.

"Ah, nossa", o Dr. Loco disse em relação à mensagem do Michael. "Ele foi muito direto. Então. O que você vai fazer?"

"Fazer?", perguntei, cheia de tristeza. "Não vou *fazer* nada. Eu estou namorando J.P."

"Mas você não se sente atraída pelo J.P.", o Dr. Loco disse.

"Eu me sinto sim!", respondi. Como é que *ele* podia saber isso? Eu nunca fiz essa confissão. Não para ele, pelo menos. "Ou, pelo menos... bom, estou cuidando desse assunto."

Ciência. O problema é a ciência. E eu nunca fui boa nisso.

Mas existem maneiras de vencer a ciência. É isso que os cientistas, como Kenneth Showalter, fazem. O dia inteiro. Encontram maneiras de derrotar a ciência. Eu preciso derrotar essa coisa com o Michael. Porque eu não posso magoar o J.P. *Não posso*. Ele tem sido gentil demais comigo.

"Mia?", o Dr. Loco perguntou, com um suspiro. "Nós ainda não terminamos o nosso trabalho aqui, não é mesmo?" Hm... terminamos. Terminamos sim, total.

"Eu não posso terminar com um garoto perfeitamente legal", respondi, imaginando se ia precisar explicar a teoria do meu pai a respeito de eu ser atrevida, "só porque meu ex-namorado quer voltar comigo."

"Além de poder, você deve, se ainda estiver apaixonada por esse ex-namorado", o Dr. Loco disse. "Senão você não vai ser justa com esse garoto perfeitamente legal."

"Ah!" Enterrei o rosto entre as mãos. "Olha, eu sei disso, tá? Mas simplesmente não sei o que fazer!"

"Sabe sim", o Dr. Loco respondeu. "E você vai fazer quando chegar a hora certa. Falando em hora, a nossa terminou."

AAAAARGH!!!!

E do que ele está falando? Que eu vou saber o que fazer quando chegar a hora certa? Eu não faço a menor ideia do que fazer!

Na verdade, eu sei sim: eu quero me mudar para o Japão e mandar entregar comida em louça de verdade na minha casa, e viver sob um pseudônimo (Daphne Delacroix).

Sexta, 5 de maio, 21h30, em casa

Tina acabou de ligar. Ela queria saber como tinha sido o meu almoço com Michael. Ela já tinha ligado algumas vezes, para dizer a verdade, mas eu não tinha atendido (J.P. também ligou algumas vezes). Eu simplesmente não ia conseguir falar com nenhum dos dois. De vergonha, sabe? Como é que eu podia contar para ela?

E como é que eu posso voltar a falar com J.P. algum dia? Eu sei que vou ter que falar, eventualmente. Mas... não agora.

Enfim, eu também não contei para ela agora há pouco, quando a gente se falou. Eu só disse assim: "Ah, o almoço foi bom", toda leve e despreocupada. Não falei nenhuma palavra sobre charretes antigas, nem beijos que duraram quarteirões e quarteirões, nem nada sobre a mãozinha abaixo do pescoço.

MEU DEUS! Eu sou uma vadia!

"É mesmo?", Tina disse. "Que coisa ótima! Então... e o SHP?"

"Você quer dizer CHP? Ah, tudo bem, está tudo sob controle." Vadia e MENTIROSA!

"Bom..." Tina parecia não estar acreditando nem um pouco. "Que ótimo, Mia! Então você e Michael no fim podem mesmo ser só amigos."

"Claro", respondi. Mentira Enorme Número Doze de Mia Thermopolis. "Sem problema."

"Isso é ótimo", a Tina disse. "É só que..."

"O quê?", perguntei. Ah, não. O que tinham contado pra ela? Será que Lana e Trisha tinham conseguido controlar os remos delas e nos seguiram? Eu tinha recebido uma mensagem de texto da Lana que só dizia)(&$#!, o que me levou a acreditar que a Lana tinha tomado saquê demais no Nobu, o que sempre acontece às sextas.

"Bom, eu estava falando com Boris", Tina continuou. "E, sabe, ele estava me contando que o tempo todo que o Michael passou no Japão — você vai ter que rir quando ficar sabendo disto, acho —, ele pediu para o Boris meio que... bom, ficar de olho em você. Sabe como é, enquanto vocês estavam em superdotados & talentosos juntos? Não dá pra acreditar que Boris não me contou antes. Mas ele disse que Michael pediu pra ele não me contar nada. Parece que os dois são mais amigos do que pensei, acho. Mas, bom, Boris disse que ele acha que Michael está apaixonado de verdade por você, e que sempre esteve. Que ele nunca parou de amar você, nem depois que vocês terminaram. Acho que simplesmente achou que não era justo deixar você esperando por ele enquanto ele estava fora, tentando provar para o seu pai que ele era digno ou sei lá o quê. Sabe como é? Meu Deus, isto é tão... é tão romântico."

Eu tive que afastar o telefone do meu rosto, porque tinha começado a chorar. E eu estava com medo de que a Tina escutasse as minhas fungadas.

"É", respondi. "É romântico mesmo."

"Não é que Boris estivesse espionando você nem nada", Tina continuou. "Quer dizer, eu nunca contei pra ele nenhuma das coisas sobre as quais você e eu conversamos. Mas, bom, Boris me disse que a razão por que o Michael foi embora da sua festa de aniversário naquela noite em que o J.P. tirou aquele anel do bolso foi exatamente por causa do que eu disse... porque ele não suportou ver você ficando noiva de outro cara. Boris não disse que Michael disse isso, mas acho que Michael não gosta muito do J.P. Porque ele tem ciúme, porque o J.P. está com você agora. Essa não é a coisa mais romântica que você já ouviu na vida?"

Lágrimas escorriam sem parar pelo meu rosto. Mas eu fingi que não estavam.

"Ahan", falei. "Uma graça."

"Mas ele não falou nada sobre isso no almoço?", Tina perguntou. "Vocês não falaram mesmo sobre esse assunto?"

"Não", respondi. "Quer dizer, Tina... Eu estou com J.P. agora. Eu nunca faria isso com ele." Mentirosa!

"Caramba", Tina disse. "Bom, claro que não. Você não é esse tipo de garota!"

"Não mesmo", respondi. "Preciso ir. Vou pra cama cedo, para o meu sono de beleza, em preparação para o baile de formatura."

"Ah, claro", a Tina disse. "Eu também! Bom, a gente se vê amanhã!"

"Até amanhã", eu disse e desliguei.

Daí eu fiquei chorando igual a um bebê durante uns dez minutos inteiros, até que a minha mãe entrou no meu quarto, com uma cara de quem não estava entendendo nada, e disse assim: "Qual é o problema agora?"

E eu só disse: "Quero um abraço, mamãe."

E apesar de eu estar com 18 anos e ser maior de idade, subi no colo da minha mãe e fiquei lá, tipo, uns dez minutos, até o Rocky chegar e falar: "VOCÊ não é criancinha! Eu que sou!"

E a minha mãe disse: "Às vezes ela pode ser criancinha."

Então o Rocky pensou sobre o assunto e finalmente disse: "Tudo bem", e me fez um carinho na bochecha. "Criancinha bonita."

De algum modo, isso fez com que eu me sentisse melhor. Pelo menos um pouquinho.

Sábado, 6 de maio, meia-noite, em casa

Acabo de receber o seguinte e-mail do J.P.:

Mia,

Tentei ligar para você algumas vezes, mas você não atendeu. Sei que você deve estar brava comigo, mas apenas, por favor, escute o que eu tenho a dizer... Sei que você pediu para eu não fazer isto, mas conversei com Sean sobre o seu livro, de todo modo. Por favor, não fique brava. Eu só fiz isso porque amo você e quero o melhor para você. E quando você souber o que Sean acabou de dizer, quando me ligou agora há pouco, acho que você vai ficar feliz por eu ter falado com ele: ele é muito amigo do presidente da Sunburst Publishing (sabe aqueles livros que são resenhados no *New York Times*, que você nunca lê, que são todos transformados em filmes, que têm todos os amigos do Sean como protagonistas?). E ele ADORA-RIA publicar o seu livro (desde que possa ser assinado por SAR Princesa Amelia Renaldo, de Genovia). Sean disse que ele está disposto a oferecer 250 mil dólares por ele. Isso não é fantástico, Mia? Você não acha que deve reconsiderar aquela outra oferta que recebeu? Quer dizer, é só uma porcentagem minúscula daquilo.

De todo modo, eu só quis tentar ajudar. Durma bem, e... estou ansioso por amanhã à noite.

Te amo,
J.P.

Então.

O negócio é que eu provavelmente *devia* aceitar a oferta da Sunburst Publishing. Aqueles 250 mil dólares... é uma tonelada a mais de dinheiro que eu poderia doar para o Greenpeace. Mas... a Sunburst Publishing nunca nem sequer *leu* o meu livro. Eles não fazem ideia se é bom. Só estão fazendo a proposta de publicação por causa de quem eu sou.

E eu simplesmente não quero um contrato de publicação assim. É a mesma coisa que... escrever uma peça sobre a sua namorada, a princesa. De certo modo.

Eu sei que foquinhas e a floresta tropical vão sofrer por causa do meu egoísmo, mas...

Simplesmente não posso fazer isso. NÃO POSSO.

Eu sou péssima. Sou pior do que qualquer ser humano do planeta.

Sábado, 6 de maio, 10h, em casa

Passei a noite inteira pensando no J.P. e nas foquinhas que eu não vou salvar por não aceitar o dinheiro da Sunburst Publishing.

E no Michael, é claro.

Acho que só dormi algumas horas. Foi horrível.

Acordei com uma dor de cabeça fortíssima e sem a menor ideia a respeito do que eu faria em relação aos dois, e vi que as últimas pesquisas de Genovia mostravam o meu pai totalmente empatado com René na eleição de hoje para primeiro-ministro.

Quase todas as notícias que eu vi atribuem a subida repentina do meu pai nas pesquisas ao comercial da Lilly (apesar de não a terem citado pelo nome, é claro) e à doação do novo equipamento médico de altíssima tecnologia para o Hospital Real de Genovia.

Fala sério, eu não sei se acredito que é verdade. Os *Moscovitz* asseguraram o cargo de primeiro-ministro para o meu pai?

E, mesmo assim...

Será que esses dois algum dia não conseguiram fazer alguma coisa que enfiaram na cabeça?

Não. Pra falar a verdade, não. Olha, isso dá até medo.

A eleição termina ao meio-dia daqui (que significa seis da tarde em Genovia). Então nós ainda temos mais duas horas para esperar. O Sr. G está fazendo waffles (desta vez são os normais, não em forma de coração) enquanto esperamos o telefonema.

Estou com tudo que eu tenho cruzado, para dar sorte.

Não tem como o René ganhar. Quer dizer... *de jeito nenhum*.

Nem o povo de Genovia pode ser assim tão burro.

Ah, espera. Eu escrevi mesmo isto?

Hoje à noite tem o baile de formatura. Agora eu preciso parar de escrever... não vou ter como escapar.

E, no entanto, nunca existiu nada que eu tivesse menos vontade de fazer na vida.

E isto inclui me tornar princesa.

Sábado, 6 de maio, meio-dia, em casa

A votação terminou.
Meu pai acabou de ligar.

Oficialmente, a disputa está acirrada demais pra alguém poder fazer uma previsão.

Eu queria ter comido menos waffles. Estou totalmente enjoada.

Sábado, 6 de maio, 13h, em casa

Grandmère está aqui. Ela trouxe Sebastiano e todos os vestidos dele para eu escolher um para o baile de formatura como desculpa para estar aqui.

Mas dá pra ver que ela veio até aqui só porque não queria ficar esperando o resultado da eleição sozinha no apartamento dela no Plaza.

Eu sei como ela se sente.

Rocky está feliz da vida, é claro. Ele não para de falar: "Gam-mer, Gam-mer", fica jogando beijinhos para ela, como ela ensinou. Ela finge que os pega no ar e coloca no coração.

Juro que, quando Grandmère está perto de criancinhas, ela se transforma em uma pessoa totalmente diferente.

Estamos todos aqui sentados, esperando o telefonema.

Isso é uma tortura.

Sábado, 6 de maio, 18h, em casa

Ainda não recebemos notícias do meu pai.

No final, eu disse a eles que precisava sair. Pra me arrumar, quer dizer.

O Paolo estava chegando com todo o equipamento dele para fazer uma escova perfeita no meu cabelo. Além disto, eu tinha que raspar os pelos das pernas e fazer todas as outras coisas que é preciso para ficar bonita antes de uma noite importante... máscara purificadora de lama, clareador dental, adesivos Biore para limpar os poros etc. (eu nem queria pensar sobre o que poderia acontecer depois do baile).

Mas a cada vinte minutos mais ou menos eu colocava a cabeça para fora da porta do quarto e perguntava se tinha chegado alguma notícia.

Mas meu pai não ligou. Não sei dizer se isso é bom ou mau sinal. A votação não devia ser assim tão apertada. Devia?

Finalmente eu estava pronta para escolher um vestido, estava com o cabelo arrumado — Paolo tinha colocado na frente as fivelas de diamante e safira que Grandmère me dera de presente de aniversário, mas deixou a parte de trás solta, meio jogada — e tudo estava limpo e hidratado e ajeitado e raspado e cheirando bem.

Não que isso realmente faça diferença, porque eu já decidi que ninguém vai se aproximar o suficiente para inspecionar qualquer uma dessas partes em mim. Quer dizer, eu já tenho problemas suficientes na minha situação atual — não preciso de sexo para completar o pacote.

Na verdade, eu estava me esforçando muito para não pensar no que iria acontecer *depois* do baile de formatura — ou no que eu tinha me metido. Quer dizer, a coisa toda do pós-baile de formatura simplesmente tinha uma placa enorme de NÃO ENTRE no meu cérebro. Eu tinha chegado à conclusão de que a única maneira de sobreviver a esta noite seria viver cada minuto — literalmente — na medida em que fosse acontecendo. Eu até tinha respondido ao e-mail do J.P. dizendo "Obrigada!" pela oferta que ele arrumou na Sunburst Publishing.

Eu não disse que já havia aceitado a outra oferta, nem que tinha resolvido não aceitar a dele, nem nada assim. Simplesmente me pareceu que não valia a pena discutir por causa disto. A nossa noite seria agradável, desprovida de preocupações, no nosso baile de formatura do último ano. Isto eu tinha decidido.

Porque isso eu devia a ele, pelo menos.

Tudo daria certo. Ninguém precisava saber que eu tinha passado uma parte significativa do dia de ontem agarrando o meu ex-namorado em uma charrete antiquada puxada por um cavalo. Tirando o meu ex-namorado, o meu guarda-costas e a charreteira.

Que eu sinceramente espero que não tenha me reconhecido e resolvido liberar a informação para o TMZ.

Experimentei vários vestidos do Sebastiano e fiz um minidesfile para Grandmère, mamãe, o Sr. G, Rocky, Lars, Sebastiano e Ronnie, nossa vizinha, que estava aqui em casa (e ficava dizendo "Menina, você está uma *belezura*!" e "Não acredito como você cresceu desde que era uma coisinha de macacão e bottons do Ralph Nader!").

No final, todo mundo escolheu um pretinho curto de renda, que era um vestidinho de noite meio retrô, dos anos 80, que não tinha muito jeito de princesa, nem de baile de formatura, mas que mais ou menos combinava com o fato de que eu sou uma garota que totalmente traiu o namorado (apesar de ninguém além de mim e o Lars, e possivelmente a charreteira, saber disto).

Isso se beijar contar como traição. E, tecnicamente, eu não acho que conte. Principalmente se for com o ex.

Não vamos nem entrar na parte da ação abaixo do pescoço.

Então, agora, eu só estou esperando J.P. chegar para me buscar.

E daí nós vamos para o Waldorf, para realizar os meus sonhos da noite do baile de formatura, de frango borrachudo e dança com música ruim. Exatamente como eu sempre disse que não queria que acontecesse nesta noite. Oba! Posso esperar o quanto for.

Espera, alguém está batendo na porta do meu quarto.

Não pode ser... Ah. É a minha mãe.

Sábado, 6 de maio, 18h30, em casa

Eu devia saber que a minha mãe não iria deixar passar uma ocasião tão marcante como o meu baile de formatura do último ano sem me fazer um discurso imponente. Ela fez um discurso assim em todos os outros momentos importantes da minha vida. Por que o baile de formatura seria uma exceção?

Este aqui foi para dizer que não é só porque eu estava namorando o J.P. há quase dois anos que eu devia me sentir *obrigada* a fazer qualquer coisa que eu *não estivesse a fim de fazer*. Que os garotos às vezes pressionam as garotas, afirmando que eles têm *necessidades*, e que se as garotas realmente os amassem, elas os ajudariam a satisfazer essas necessidades, mas que os garotos na verdade não vão explodir, nem ficar loucos se essas necessidades não forem atendidas.

Não que J.P. seja esse tipo de garoto, a minha mãe se apressou em explicar. Mas nunca se sabe. Ele pode se transformar em um garoto assim. O baile de formatura surte efeitos estranhos nos garotos.

Tive que me esforçar muito mesmo para manter uma expressão séria durante todo o tempo em que ela estava falando, porque eu fiz aula de saúde no primeiro ano e já sabia que os meninos não explodem se não transarem. Também tinha o pequeno detalhe de que ela estava falando sobre uma coisa que NUNCA, NUNQUINHA VAI ACONTECER, NEM EM UM MILHÃO DE ANOS.

Só que, é claro, antes de ontem, meio que estava realmente planejado pra acontecer, já que transar com J.P. depois do baile de formatura tinha sido ideia minha, para começo de conversa.

Então, ela realmente tinha certa razão. Não, é claro, que eu fosse transar com ele *agora*. Não se eu pelo menos tivesse alguma mínima chance de escapar, o que, é claro, eu teria. Só precisava dizer não.

E eu tinha total intenção de fazer isso.

Mas eu realmente não queria magoar o J.P.

Eu realmente queria perguntar a ela como poderia fazer isso, mas daí, obviamente, ela saberia que eu estava pensando em fazer Aquilo, e não ia ter jeito, mas não ia ter jeito mesmo, de tocar NESTE assunto, apesar de ela, claro, estar falando dele.

Daí minha mãe prosseguiu e disse que o baile de formatura surte efeitos estranhos nas garotas também, e que apesar de ela saber que eu sou um tipo de garota diferente do que *ela* era quando era adolescente (na década de 1980, quando ninguém tinha ouvido falar de abstinência, e a minha mãe tinha perdido a virgindade aos 15 anos com um garoto que depois se casou com uma Princesa do Milho), ela esperava que, se eu me deixasse levar pelo clima desta noite — apesar de ela preferir que não —, que eu pelo menos praticasse sexo seguro.

"Mã-ã-ãe", eu disse, contorcendo-me toda de vergonha. Porque esta é a única reação apropriada para uma afirmação como esta.

"Bom", minha mãe disse. "Dê um pouco de crédito para nós, os pais, Mia. Quando vocês chegam aos tropeções em casa, depois do café da manhã, no dia seguinte ao baile de formatura, todos nós sabemos onde a maior parte de vocês esteve, e não foi em uma pista de boliche 24 horas."

Flagra!

"Mãe", eu disse, em tom diferente. "Eu... hm.. hã... certo. Obrigada."

Graças a DEUS que o interfone acabou de tocar. Ele chegou.

E lá vou eu.

Salva pelo gongo.

Literalmente.

Ou não.

Para falar a verdade, eu não sei.

Eu consigo fazer isso. Eu com certeza consigo fazer isso.

Sábado, 6 de maio, 21h, no banheiro feminino do Waldorf-Astoria

Eu não consigo fazer isso.

Não me entenda mal, J.P. está sendo o maior amor. Ele até me deu um corsage, como prometeu.

Felizmente, Grandmère se lembrou de providenciar uma flor para o J.P. colocar na lapela (nunca achei que eu me sentiria tão agradecida a ela), já que eu esqueci completamente disso. Minha mãe tirou muitas fotos no momento em que eu ajeitei a flor. E eu nem fiquei morrendo de vergonha nem nada.

Acho que ela *sabe* agir como uma mãe normal quando quer. Mas, bom, nós chegamos aqui — eu consegui me comportar de um jeito bem normal durante o trajeto, sem deixar transparecer que tinha dado uns pegas no meu ex-namorado ontem — e o salão está lindo. O salão de baile do Waldorf-Astoria é muito bonito mesmo, com aquele pé-direito gigantesco, e está todo bem arrumado, com mesas bem fofas, decoração suntuosa e tapetes grossos. O comitê do baile de formatura se superou com os cartazes de boas-vindas, com os objetos da EAE, com o DJ e tudo o mais.

E J.P. está *totalmente* adorando. Quer dizer, eu achei que *eu* é que adorava este tipo de coisa, quando entrei no ensino médio e vivia e respirava baile de formatura, *baile de formatura*, BAILE DE FORMATURA!

Mas o J.P. *ama* isto aqui. Ele quer dançar todas as músicas. Comeu todos os pedaços de frango dele (borrachudos, bem como eu desconfiava) e o meu também (eu sou flexetariana, mas não assim *tão* flexível). Ele trouxe a câmera digital dele, e tirou 8 mil fotos — estamos em uma mesa grande todos juntos, Lana e o cara que veio com ela (cadete da Academia Naval de West point, com uniforme completo), Trisha e Shameeka, cada uma com um cara, Tina e Boris, Perin e Ling Su e uns caras que elas arrumaram em algum lugar só para agradar aos pais delas. A cada cinco minutos J.P. repetia: "Sorriam!"

E isso até que não é tão mau. Mas, quando nós estávamos entrando, ele me fez parar e posar para os paparazzi ao lado dele na frente do hotel (e isto... eu ainda estou tentando entender, quer dizer, primeiro o Blue Ribbon... depois a minha festa... depois a peça dele... e agora o baile de formatura. Será que é impressão minha ou o TMZ colocou um rastreador no meu namorado?).

Mas esta não é a pior parte. Nem de longe. Ah, não. A pior parte é que os garotos na mesa estavam todos se exibindo com os quartos de hotel que tinham reservado para depois do baile de formatura (e tudo bem, mas, sem ofensa, tirando J.P. e talvez Boris, eu por acaso sei que foram as GAROTAS que fizeram a reserva dos quartos de hotel) e mostrando as chaves para todo mundo, e J.P. tirou do bolso a chave do Waldorf dele, como se não fosse nada — bem na frente de todo mundo.

Eu quis morrer. Quer dizer, eu nem conheço os caras que estão com Lana, Trisha e Shameeka! Será que dá para demonstrar *um pouco* de discrição? Principalmente porque...

Espera um minuto.

Como é que o J.P. *conseguiu* um quarto no Waldorf, se Tina disse que o hotel não tinha mais vaga há semanas? E J.P. só ligou para reservar nesta semana?

Sábado, 6 de maio, 22h, no Waldorf--Astoria, na mesa 10

Acabei de marchar de volta à nossa mesa e perguntar ao J.P. sobre a reserva no hotel.

E ele me disse: "Ah, eu liguei e tinha um quarto disponível. Não tive problema nenhum. Por quê?"

Mas quando depois eu fui perguntar pra Tina o que ela achava disso, quando J.P. foi buscar um ponche para mim, ela disse: "Bom, vai ver que... talvez... alguém cancelou?" Mas por acaso não haveria uma lista de espera?

E como J.P. poderia estar no topo da lista de espera se ligou *naquele dia*?

Tinha alguma coisa que simplesmente não parecia certa na resposta dele. Não é que eu não confie no J.P. Mas aquilo... aquilo me pareceu estranho.

Então eu procurei a minha fonte de toda a maldade e das tramoias por baixo do pano (agora que Lilly basicamente não faz mais parte da minha vida): Lana.

Ela parou de engolir o cara que estava com ela só por um instante, para me dizer: "Dã. Ele deve ter feito a reserva há *meses*. Obviamente, ele sempre planejou levar você pra cama hoje. Agora saia daqui. Não está vendo que eu estou ocupada?"

Mas isso não tem como ser verdade. Porque J.P. e eu nunca nem sequer falamos sobre a possibilidade de transar nesta noite — até eu mandar a mensagem pra ele naquele dia. Ele nunca nem tinha colocado a mão nos meus peitos! Por que ele ia ficar achando que eu ia querer transar na noite do baile de formatura? Ele nem tinha me *convidado* para ir ao baile de formatura até a semana passada. Quer dizer, por acaso o fato de fazer uma reserva de quarto na noite do nosso baile de formatura sem nem ter me convidado para ir não é um pouco de... *presunção*?

Então. É isso aí. Eu comecei a entrar em pânico. Só um pouquinho. Por causa disso. Quer dizer, será que J.P. estava mesmo planejando isso desde o início, pra gente transar hoje à noite? Tendo em vista que nós nunca nem *conversamos* sobre a questão?

O negócio é que... dá para ver pela peça dele que ele tem planos de se casar comigo e se tornar príncipe um dia. Ele até colocou na peça dele o título de *Um príncipe entre os homens*. Então... até parece que ele não planeja o futuro. Ele até me deu um anel gigantesco.

E talvez não seja um anel de noivado.

Mas é quase isso.

E isso não é tudo. Quando nós estávamos dançando, agorinha mesmo, eu disse, só como um comentário de quem não quer nada mesmo, porque é uma coisa sobre a qual eu tenho pensado desde a minha escorregada no passeio de charrete ontem: "J.P., você não acha estranho os paparazzi aparecerem em todos os lugares a que a gente vai junto? Como, por exemplo, hoje?"

E J.P. respondeu: "Bom, é uma boa divulgação para Genovia, você não acha? Sua avó sempre diz que, quando você aparece no jornal, é como se fosse um anúncio grátis de turismo para você e seu país."

E eu continuei: "Acho que sim. Mas é estranho, porque o jeito como eles aparecem é tão aleatório... Tipo quando eu fui ao Applebee's outro dia com vovó e vovô, fiquei morrendo de medo que eles aparecessem e tirassem uma foto minha. E isto teria acabado com as chances do meu pai na eleição. Você pode imaginar o que teria acontecido se o TMZ ou algum outro veículo de imprensa conseguisse uma foto minha comendo no Applebee's? Mas eles não estavam lá."

E eles não apareceram ontem, quando eu estava na charrete com Michael. Mas eu não completei com esta parte. Obviamente.

"Eu simplesmente não sei como às vezes eles sabem onde vou estar, e outras vezes não sabem", prossegui. "Eu sei que Grandmère não diz nada para eles. Ela é ardilosa, mas não *tanto* assim..." J.P. não disse nada. Só continuou me abraçando e dançando.

"Aliás", falei, "tenho a impressão de que eles só aparecem quando eu estou com... *você*."

"Eu sei", J.P. respondeu. "É a maior chatice, não é mesmo?"

É, é mesmo. Porque isso só passou a acontecer, de verdade, quando eu comecei a sair com J.P. Exatamente na primeira vez que nós saímos juntos, quando fomos ver *A Bela e a Fera*. Foi a primeira vez que a imprensa publicou uma foto nossa. Saindo do teatro, parecendo que nós estávamos juntos, apesar de não estarmos.

Sempre fiquei imaginando quem tinha ligado para eles para dizer que nós estávamos juntos. E voltou a acontecer todas as vezes que saímos depois disso, sendo que muitas delas não ia ter como eles saberem de antemão — como, por exemplo, quando fomos comer sushi no Blue Ribbon na outra noite. Como é que eles sabiam daquilo, se a gente só deu uma saída para comer um sushi perto da minha casa? Eu saio para comer perto da minha casa o tempo todo, e os paparazzi nunca aparecem.

A menos que J.P. esteja junto.

"J.P.", falei, olhando para ele em meio às luzes azuis e cor-de-rosa da festa. "É *você* que liga para os paparazzi pra dizer onde eles podem nos encontrar?"

"Quem, eu?", J.P. riu. "De jeito nenhum."

Não sei o que foi. Talvez tenha sido aquela risada... que pareceu só um pouquinho nervosa. Talvez tenha sido porque, depois de todo esse tempo, ele ainda não tinha lido o meu livro. Talvez tenha sido o fato de ele ter colocado aquela cena de dança sensual na peça dele, para todo mundo rir. Ou talvez tenha sido o fato de o personagem dele, J.R., parecer ter muita, muita vontade de se tornar príncipe.

Mas, de algum modo, eu simplesmente percebi tudo:

Aquele "de jeito nenhum" tinha sido a Mentira Enorme Número Um de J.P. Reynolds-Abernathy IV. Na verdade, posso dizer que foi a Número Dois. Acho que ele também estava mentindo sobre a reserva de hotel.

Eu não consegui parar de olhar para ele, que olhava para mim com aquele sorriso nervoso nos lábios.

Aquele, pensei, não era o J.P. que eu conhecia. O J.P. que não gostava quando colocavam milho no chili dele e que escrevia um diário em um caderno de anotações Mead igualzinho ao meu e que fazia terapia havia muito mais tempo do que eu. Este era um J.P. diferente.

Só que não era. Era exatamente o mesmo J.P.

Só que agora eu o conhecia melhor.

"Quer dizer", J.P. disse, com uma risada, "por que eu faria isso? Chamaria os paparazzi para me perseguir?"

"Talvez", eu disse, "porque você gosta de se ver no jornal?"

"Mia", ele disse, olhando para mim com aquele mesmo sorriso nervoso no rosto. "Para com isso. Vamos só dançar. Sabe o quê? Ouvi um boato de que talvez nós sejamos eleitos como rei e rainha do baile de formatura."

"Meu pé está doendo", eu disse. Isto era mentira. Mas, pela primeira vez, eu não me senti culpada por mentir. "Estes sapatos são novos. Acho que eu preciso sentar um pouco."

"Ah, não", J.P. disse. "Vou ver se consigo arrumar um BandAid para você. Não saia daqui."

Então J.P. está procurando um Band-Aid. E eu estou tentando compreender tudo isso.

Como é que o J.P. — J.P., que é tão alto e tão loiro e tão bonito, o cara com quem eu tenho tanta coisa em comum, o cara que todo mundo acha que combina muito mais comigo do que o Michael — pode ser alguém com quem eu talvez não tenha absolutamente nada em comum?

Não pode ser possível. Simplesmente *não pode* ser.

Só que... sobre o que mesmo o Dr. Loco estava falando outro dia?

Com a história sobre a égua dele, a Sugar. A puro-sangue que parecia tão boa na teoria, mas em cuja sela ele nunca se sentia confortável? O Dr. Loco tinha desistido da Sugar, porque nunca tinha vontade de montá-la, e isto não era justo para ela.

Agora eu entendi. Agora eu entendi tudo.

Algumas pessoas podem *parecer* perfeitas... tudo sobre elas pode ser exatamente perfeito, na teoria.

Até você conhecer a pessoa. Conhecer *de verdade*.

Daí você descobre, no fim, que, apesar de ela parecer perfeita para todo mundo, simplesmente não é perfeita para *você*.

Por outro lado...

O que há de tão errado em um cara que ama a namorada reservar um quarto para os dois, com meses de antecedência, pra noite do baile de formatura? Ah, mas que grande crime.

Então, ele pisou na bola com a peça. Se eu pedir, tenho certeza de que ele muda. Eu...

Ai, meu Deus. Estou vendo a Lilly.

Ela está de preto da cabeça aos pés. (Bom, eu também estou, para falar a verdade. Só que, de algum modo, eu não acho que esteja parecendo uma assassina treinada, como ela parece.) Ela está indo para o banheiro.

Certo, talvez isso se enquadre em perseguição. Mas eu vou atrás dela. Ela namorou J.P. durante seis meses.

Se alguém sabe se o meu namorado é o maior falso do mundo é ela. Se ela vai ou não falar comigo é uma outra questão.

Mas o Dr. Loco disse *mesmo* que, quando eu descobrisse qual era a coisa certa a fazer, eu faria.

Espero que seja isto...

Sábado, 6 de maio, 23h, no banheiro feminino do Waldorf-Astoria

Certo. Estou tremendo. Preciso ficar aqui até os meus joelhos pararem de tremer tempo suficiente para eu conseguir ficar em pé. Por enquanto só vou ficar aqui sentada neste sofazinho de veludo e tentar escrever tudo o que aconteceu para conseguir encontrar sentido nesta história... Mas, bom...

Acho que eu finalmente descobri por que Lilly ficou tão brava comigo durante tanto tempo.

Entrei no banheiro e lá estava ela, passando um batom vermelhão na frente do espelho.

Era exatamente da cor de sangue.

Ela olhou para o meu reflexo e meio que ergueu as sobrancelhas.

Mas eu não iria recuar, apesar de o meu coração estar martelando no peito. *Dai-me coragem para mudar as coisas que eu puder.*

Eu dei uma olhada para conferir se nós éramos as únicas pessoas no banheiro. Éramos. Daí eu falei para o reflexo dela, antes que perdesse a coragem: "J.P. é o maior falso ou o quê?"

Ela tampou o batom com toda a calma e guardou na bolsinha de noite dela. Daí ela disse, com uma expressão de nojo completo, depois de se virar e me olhar bem nos olhos: "Mas você demorou, hein?"

Não vou dizer que foi como se ela tivesse enfiado uma faca no meu peito, nem nada assim tão dramático. Porque a parte em mim que antes achava que amava o J.P. tinha parado de pensar desta maneira assim que eu derramei chocolate quente em cima do Michael na semana passada e eu percebi que a coisa toda de amar o J.P. só tinha sido pensamento positivo. Quer dizer, acho que eu *poderia* ter treinado para me apaixonar pelo J.P. no final, se Michael Moscovitz nunca tivesse voltado do Japão, nem tivesse sido tão legal comigo e não me fizesse perceber que eu nunca tinha me desapaixonado dele.

Mas agora isso nunca vai acontecer.

"Por que você não me disse?", perguntei pra Lilly. Eu não estava brava, de verdade. Tinha se passado muito tempo — e muita água tinha rolado — para eu estar brava. Eu só estava curiosa, mais do que tudo.

"Ah, o quê?", a Lilly disse com uma risada sarcástica. "Foi *você* que começou a sair com ele no dia em que ele me deu um fora, praticamente — que ele me deu um fora por causa de *você*, aliás."

"Ele não terminou com você por minha causa", eu disse, sacudindo a cabeça. "Não foi assim que aconteceu."

"Com licença", Lilly disse. "Eu estava presente, você não. Acho que eu saberia que o J.P., com toda a certeza, me deu um fora porque, como ele disse, em suas próprias palavras, estava completamente apaixonado por você. Eu não mencionei esta parte, não é mesmo, no dia em que contei sobre a nossa separação para você?"

Fiquei olhando para ela, sentindo o sangue se esvair do meu rosto. "Não..."

"Bom, foi o que ele me disse. Que estava me dando um fora e me largando como se eu fosse uma batata quente no minuto em que as coisas entre você e Michael terminaram, porque ele, abre aspas, tinha uma chance com você, fecha aspas. Mas eu disse a ele que não ia ter como, de jeito nenhum, a minha melhor amiga dar a menor bola pra ele, porque você nunca faria isso com o cara que deixou o meu coração despedaçado." O olhar de nojo dela se aprofundou. "Ah, mas... acho que eu estava errada a respeito disso, não é mesmo?"

Eu fiquei tão chocada que nem soube o que dizer. Não dava pra acreditar! O *J.P.*? O J.P. havia dito pra Lilly que me amava... antes mesmo de ele e eu começarmos a ficar juntos? O J.P. deu um fora na Lilly porque eu estava disponível?

Isso era pior — muito pior — do que ligar para os paparazzi e avisar onde eu ia jantar, para eles poderem tirar fotos de mim.

Ou de fazer com que uma editora aceitasse publicar o meu livro sem nem sequer ter lido.

"Não tente negar, Mia", Lilly continuou, com o lábio superior se recurvando. "Não deu cinco minutos que eu contei pra você que a gente tinha terminado — praticamente na aula seguinte — e eu vi vocês dois se beijando."

"Aquilo foi um acidente!", eu exclamei. "Ele virou a cabeça no último instante!" De propósito, agora eu sabia, sem sombra de dúvida.

Mas, bom, eu não devia ficar abraçando garotos no corredor, de todo modo.

"Ah, e foi um *erro* vocês dois terem saído juntos na mesma noite que o meu irmão viajou para o Japão?", ela perguntou, com uma risadinha de desdém.

"Não foi nada romântico", eu disse. "Nós saímos como amigos."

"Não foi o que a imprensa disse", a Lilly respondeu, sacudindo a cabeça.

"A imprensa?" Respirei fundo, uma única inspiração horrorizada quando finalmente me dei conta da verdade... depois de 21 longos meses. "Ai, meu Deus, ele ligou para eles naquela noite. A noite em que nós fomos assistir à *Bela e a Fera*. Foi por isso que os paparazzi estavam lá. Foi o J.P. mesmo quem chamou."

"Ah, AGORA você finalmente percebeu." Lilly sacudiu a cabeça. Agora que a venda tinha sido tirada dos meus olhos, finalmente, ela parou de ficar com aquela cara tão de nojo. "Ele foi desonesto com nós duas. Ele só saiu comigo para poder ficar mais perto de você... apesar de eu não saber o que o fato de *ter ido* pra *cama* comigo tem a ver com você..."

"Ai, meu Deus!" Foi aí que todos os ossos do meu corpo se transformaram em geleia e eu tive que me sentar para não cair. Desabei em cima de um dos sofazinhos de veludo que os funcionários do Waldorf-Astoria tinham sido gentis de colocar ali por este motivo, e enfiei a cabeça entre as mãos.

Além disso, eu também gostaria de adicionar: *Eu sabia!* Eu sabia que eles tinham feito Aquilo! Lá no começo do segundo ano, eu sabia.

"Lilly!", exclamei. "Você me disse que nunca foi pra cama com ele! Eu perguntei para você, diretamente, e você disse que ele podia ter se aproveitado, mas nunca se aproveitou!"

"É", Lilly disse, largando o corpo ao meu lado e se escorando na parede. O rosto dela estava sem expressão. "Bom, eu menti. Eu tinha *um pouco* de orgulho, acho. E, de todo modo, até parece que eu também não tirei proveito daquilo. Eu gostei total do corpo do cara.

Eu só teria apreciado, sabe como é, se no fim não descobrisse que, o tempo todo, ele só estava com tesão pela minha amiga."

"Ai, meu Deus!", exclamei mais uma vez. Eu estava tendo muita dificuldade em imaginar o J.P. e a minha melhor amiga —Lilly — fazendo... bom. *Aquilo*.

E também o que dizer sobre todas as vezes que J.P. afirmou ser virgem, assim como eu? E sobre a coisa de ele estar feliz por ter esperado a garota certa, e que essa garota era eu? A Mentira Enorme Número Quatro de J.P. Reynolds-Abernathy IV. Ou será que já estava na Cinco? Uau, logo, logo ele iria começar a bater o *meu* recorde.

"Lilly", eu disse. Meu coração parecia estar se contorcendo no peito, de tão mal que eu estava me sentindo. Não por mim. Pela Lilly. Agora eu entendia. Tudo... até por que ela tinha feito o site euodeiomiathermopolis.com. Não que fosse certo.

Mas pelo menos parecia mais compreensível.

"Sinto muito, de verdade", eu disse e estiquei o braço para pegar a mão dela, com as unhas pintadas de preto. "Eu não fazia ideia. E... bom, sobre aquela outra coisa. De ele ter terminado com você por minha causa. Eu também não fazia ideia disso. Mas, sinceramente... por que você simplesmente não me *disse*?"

"Mia, fala sério." Lilly sacudiu a cabeça. "Por que eu deveria ter dito? Na posição de minha melhor amiga, por acaso o meu ex não devia estar proibido para você? Você devia saber disto. E que negócio foi aquele de terminar com o meu irmão por causa daquela idiotice com a Judith Gershner, para começo de conversa? Aquilo foi tão... psicótico. Durante a maior parte do começo do último ano letivo, você estava parecendo uma louca completa."

Mordi o lábio e disse: "É, eu sei. Mas as coisas que você fez não ajudaram em nada, sabe?"

"Eu sei", Lilly disse. Quando eu olhei para ela, vi que estava com lágrimas nos olhos. "Acho que eu também estava bem louca. Eu... bom, eu amava o J.P., sabe? E ele me deu um fora por causa de *você*. E eu... eu simplesmente fiquei tão *brava* com você... E você não conseguia enxergar a pessoa que ele é na verdade. Mas... você parecia feliz. E até lá eu já estava com Kenny — quer dizer, Kenneth —, e *eu* estava feliz... e, bom, achei que, talvez agora que estava com você, o J.P. ia melhorar... como é que se pede desculpas por uma coisa dessa... pelo que eu fiz?"

Ela olhou para mim e deu de ombros, impotente. Olhei de novo para ela, agora com os meus olhos cheios de lágrimas também.

"Mas, Lilly", falei, fungando um pouco. "Eu senti sua falta. Eu senti tanto a sua falta..."

"Eu também senti sua falta", Lilly respondeu. "Apesar de eu ter passado um tempo odiando você de verdade." Isto fez com que eu fungasse ainda mais.

"Eu também odiei você de verdade", respondi.

"Bom", Lilly respondeu, com lágrimas brilhando como pedras preciosas no canto dos olhos. "Nós *duas* agimos como idiotas."

"Porque nós deixamos um garoto se intrometer na nossa amizade?"

"Dois garotos", a Lilly disse. "O J.P. *e* o meu irmão."

"É", eu respondi. "Talvez a gente possa combinar de nunca mais fazer isso."

"Concordo", Lilly disse, e enganchou o dedo mindinho dela no meu. Nós juramos que sim. E daí, soluçando um pouco, nós nos abraçamos.

E é engraçado. O cheiro dela não é parecido com o do irmão.

Mas o cheiro dela é muito bom, assim como o dele. O cheiro dela me lembra de... bom, da minha casa.

"Agora", Lilly disse, enxugando as lágrimas dos olhos com as costas das mãos, quando me soltou, "eu preciso voltar pra festa, antes que Kenny — quer dizer, Kenneth — faça alguma coisa explodir."

"Certo", eu disse, com uma risada trêmula. "Já vou sair. Só preciso... só preciso de um minuto."

"A gente se vê depois, PDG", Lilly disse.

Nem dá para dizer como eu me senti feliz de ouvi-la me chamar disso. Apesar de eu antes odiar ser chamada assim. Não pude deixar de rir enquanto enxugava as minhas próprias lágrimas.

E ela se levantou e saiu, bem quando duas meninas que pareciam meio conhecidas chegaram para mim e disseram: "Ai, meu Deus, você não é, tipo, a Mia Thermopolis?"

E eu respondi assim: "Sou." O que foi agora? Fala sério! Não sei mais o quanto eu vou suportar.

E elas falaram assim: "É melhor você voltar pra lá. Está todo mundo procurando você. Estão dizendo que vão te anunciar como a rainha do baile de formatura. Estão, tipo, só estão esperando você voltar pra dar início à cerimônia."

Então. É. Parece que eu vou ser a rainha do baile de formatura.

Infelizmente, se J.P. for o rei do baile de formatura, ele vai ter uma surpresa enorme.

Domingo, 7 de maio, meia-noite, na limusine, a caminho do centro

Eu saí do banheiro e, é claro, estavam chamando o nome do rei e da rainha do baile de formatura da Escola Albert Einstein: J.P. Reynolds-Abernathy IV e Mia Thermopolis.

Não estou brincando.

Como foi que eu passei da menina mais nerd da escola inteira no primeiro ano para rainha do baile de formatura no último? Não entendo.

Acho que o fato de todo mundo ficar sabendo que eu sou princesa ajudou.

Mas, de verdade, acho que isto não tem assim tanto a ver com o fato.

J.P. atravessou a multidão, me encontrou, sorriu, pegou a minha mão e me levou até o palco, onde as luzes brilharam bem fortes em cima de nós. Todo mundo estava berrando. A diretora Gupta entregou um cetro de plástico para ele e colocou uma tiara de strass na minha cabeça. Daí ela fez um discurso sobre valores morais positivos e disse que nós éramos exemplo disto e que todo mundo devia se espelhar em nós.

E isto foi a maior piada, levando em conta o que nós combinamos de fazer depois do baile de formatura. Ah, e tudo que eu fiz em uma charrete à moda antiga ontem com o meu ex.

Daí J.P. me agarrou e tombou o meu corpo para trás, e me beijou, e todo mundo aplaudiu.

E eu deixei, porque não queria deixá-lo envergonhado se mandasse Lars usar o aparelhinho de disparos elétricos nele, na frente da turma toda do último ano.

Mas, para falar a verdade, era isso que eu tinha vontade de fazer.

Só que, pensando bem, eu não sou muito superior a ele do ponto de vista moral. Quer dizer, estou usando o anel dele, e não estou nem um pouco apaixonada por ele. Pelo menos não estou mais. E eu também passo o tempo todo mentindo.

Só que as minhas mentiras eram para fazer as pessoas se sentirem melhor. Já as mentiras dele? Nem tanto.

Mas pelo menos eu pretendo tomar uma atitude em relação a isso.

Mas, bom, logo depois do nosso beijo, um monte de balões caiu do teto e o DJ colocou para tocar uma versão punk super-rápida de "Let the Good Times Roll", da banda The Cars, e todo mundo começou a dançar feito louco.

Menos eu e J.P.

Isso porque eu o arrastei para fora do palco e disse: "Nós precisamos conversar."

Só que eu tive que berrar no ouvido dele, para ele me escutar por cima da música.

Não sei o que J.P. achou que eu disse, mas ele respondeu:

"Ótimo, certo, tudo bem, vamos lá."

Acho que ele estava mesmo de muito bom humor, por ter sido coroado como rei do baile de formatura. Enquanto nós atravessávamos o salão, fomos recebendo parabéns de todas as meninas, e J.P. cumprimentava todos os meninos — com um "toca aqui" ou, no caso do acompanhante da marinha da Lana, com um encontrão peitoral — por causa do jeito maluco de rei do baile de formatura dele. Por causa disto, o nosso avanço até as portas que levavam ao lobby, onde estava mais calmo, foi muito lento.

Mas nós finalmente chegamos lá.

"Olha, J.P.", eu disse e arranquei a tiara de plástico da minha cabeça. Estava machucando, e tenho certeza de que estragou o meu penteado bonito. Mas eu nem liguei. Dei uma olhada para ver se Lars estava por perto. Estava, enfiando os indicadores nas orelhas para conferir a audição, que ele parecia achar que tinha sido prejudicada pelo barulho do salão. "Sinto muito mesmo sobre tudo isto."

O negócio é que meu pai só disse que eu precisava ir ao baile de formatura com J.P. E no que me diz respeito, o baile de formatura já tinha terminado. Quer dizer, o rei e a rainha tinham sido coroados. Então eu achei que isto significava que a coisa toda estava completa.

E isto significava, no que diz respeito ao J.P., que eu não devia mais nada para ele.

"Você sente muito pelo quê?" J.P. tinha me levado até a frente do lugar onde ficavam as portas dos elevadores. Na hora eu não entendi por que, já que a saída do hotel era no andar térreo e o salão de baile também. Mas, depois, eu percebi. "Este é na verdade o momento perfeito para sair. Aquela música estava me deixando louco. Não sei o que há de errado com um pouco de Josh Groban. E não tem momento melhor para sair do que quando todo mundo está pedindo mais, certo? Como está o seu pé? Ainda está doendo? Olha...", ele baixou a voz. "Será que você não devia dizer para o Lars que ele pode ir embora agora? Eu cuido de você a partir daqui." Ele deu um sorriso cheio de segundas intenções e apertou o botão de SUBIR para chamar o elevador.

Eu não tinha ideia do que ele estava fazendo. Nem do que ele estava falando, pelo menos não na hora. Eu estava completamente concentrada no que eu precisava fazer.

"É só que...", eu disse. Eu não queria magoar J.P. Grandmère havia me dado um sermão a respeito de como dispensar pretendentes com gentileza.

Mas sinceramente. O que ele tinha feito com Lilly era imperdoável. E eu não via nenhuma razão para ser gentil com ele.

"Acho que está na hora de nós sermos sinceros um com o outro", eu disse. "Sinceros *de verdade*. Já sei que é você quem chama os paparazzi toda vez que a gente sai. Não posso provar, mas está muito claro. Não sei por que você faz isso. Talvez ache que é uma boa divulgação para a sua carreira futura de roteirista ou algo assim. Não sei. Mas eu não gosto disso. E não vou mais suportar."

J.P. olhou para mim com uma expressão chocada no rosto. Ele disse: "Mia, do que você está falando?"

"E aquele negócio da peça?", eu sacudi a cabeça. "J.P., você escreveu uma peça inteira sobre mim. Como você pôde fazer uma coisa dessa? Escancarar a minha vida inteira, como, por exemplo, a dança sensual, para todo mundo — e ainda deixar o Sean Penn fazer um filme disto? Se você me amasse de verdade, nunca faria uma coisa dessa. Uma vez eu escrevi um conto sobre você, mas foi antes de nós nos conhecermos, e depois que a gente se conheceu eu mandei destruir todas as cópias existentes, porque não é justo se aproveitar das pessoas desse jeito."

O queixo do J.P. caiu mais um pouco. "Mia. Eu escrevi aquela peça para nós. Para que o mundo soubesse como nós somos felizes... o quanto eu amo você..."

"E isso é uma outra coisa", eu disse. "Se você me ama tanto assim, como é que nem leu o meu livro? Não estou dizendo que seja o melhor livro do mundo, mas você está com ele há uma semana e ainda não leu. Não dava para dar uma olhada e me dizer o que você achou? Fico feliz por você tentar arrumar para mim o tal contrato de publicação maravilhoso — só que eu não preciso dele, porque já tenho o meu contrato —, mas será que você não podia ter dado uma olhadinha?"

"Mia." Agora J.P. estava assumindo uma postura defensiva. "Esta história de novo? Você sabe que eu ando ocupado. Nós tivemos as provas finais. E com todos os ensaios..."

"É." Eu cruzei os braços por cima do peito. "Eu sei. Você já disse. Tem muitas desculpas. Mas fico curiosa em saber qual é a sua desculpa por ter mentido sobre o quarto de hotel."

Ele tirou as mãos dos bolsos e estendeu na minha direção com as palmas viradas para cima, com expressão questionadora no rosto, em um gesto antiquado de inocência. "Mia, não sei do que você está falando!"

"Não tinha mais vaga neste hotel há semanas. Estou falando sério, J.P." Eu sacudi a cabeça. "Não tem como você ter ligado nesta semana e conseguido um quarto. Seja sincero. Você fez a reserva há meses, não foi? Você simplesmente partiu do princípio de que nós ficaríamos juntos hoje à noite."

J.P. deixou as mãos caírem. E também parou de fingir.

"O que tem de tão errado nisso?", perguntou. "Mia, eu sei como você e as suas amigas falam da noite do baile de formatura — e de *tudo* que isso envolve. Eu queria que fosse especial para você. Como é que isso de repente me transforma no vilão?"

"É", eu respondi. "O problema é que você não foi sincero em relação a isso comigo. E, tudo bem, J.P., eu não fui sincera com você a respeito de várias coisas, como, por exemplo, as faculdades em que eu fui aceita e os meus sentimentos e... bom, um monte de coisas. Mas isto foi muito maior. Quer dizer, você mentiu para mim em relação ao motivo por que terminou com a Lilly. Você disse para ela que me amava! Foi por causa disso que ela passou tanto tempo tão brava comigo, e você sabia, e não me disse!"

J.P. só ficou sacudindo a cabeça. Mas sacudiu *muito*.

"Não sei do que você está falando", ele respondeu. "Se andou conversando com a Lilly..."

"J.P.", eu disse. Não estava acreditando naquilo. Não dava pra acreditar no que ele estava dizendo. Não dava pra acreditar que ele estava mentindo. *Na minha cara!* Eu sou mentirosa. Eu sou a *princesa* das mentiras. E ele estava tentando mentir para *mim*? Sobre uma coisa assim tão importante? Como ele teve coragem! "Pare de mentir. Lilly e eu voltamos a ser amigas. Ela me contou *tudo*. Ela me contou que você foi pra cama com ela! J.P., você não é virgem coisa nenhuma. Você nunca se guardou para mim. Você *foi* pra *cama* com ela! E nunca achou que essa era uma coisa que devia comentar comigo? Com quantas *garotas* você foi pra cama, J.P.? Quer dizer, de verdade?"

O rosto do J.P. estava ficando tão vermelho que estava quase roxo. Ainda assim, ele ficava tentando salvar a situação. Como se ainda houvesse algo a salvar.

"Por que você acreditou *nela*?", J.P. exclamou, sacudindo a cabeça mais um pouco. "Depois do que ela fez contra você? Aquele site que ela colocou na internet? E você acredita nela? Mia, você é louca?"

"Não", respondi. "Uma coisa que eu não sou, de jeito nenhum, J.P., é louca. Lilly fez aquele site porque estava brava. Brava comigo, por não ter sido uma boa amiga para ela. E, sim... eu acredito nela. É em *você* que eu não acredito, J.P. Quantas mentiras você me contou desde que nós começamos a namorar?"

Ele parou de sacudir a cabeça. Daí ele disse: "Mia..."

E ele parecia... bom, aterrorizado é a única palavra em que eu consigo pensar para descrever.

Foi bem aí que as portas do elevador se abriram à nossa frente. E Lars se aproximou para se assegurar de que a cabine estava vazia. Daí ele perguntou, em tom seco: "Vocês não vão a lugar nenhum, correto?"

J.P. respondeu: "Na verdade, nós..."

Mas eu disse, ao perceber, só naquele momento, para onde aqueles elevadores iam — para os andares superiores, onde ficam os quartos: "Não."

E Lars recuou mais uma vez.

E as portas do elevador se fecharam e ele foi embora.

O negócio é o seguinte: eu não vou dizer que não acho que o J.P. tenha gostado de mim. Porque eu acho que ele gostou. Acho mesmo.

E a verdade é que eu também gostei do J.P. Gostei mesmo. Ele foi um bom amigo em um momento que eu estava precisando de amigos. Quem sabe um dia nós voltemos a ser amigos.

Mas não agora.

Porque agora eu estou achando que uma boa parte da razão por que ele gostava tanto de mim era porque queria ser um roteirista famoso, e achou que, se ficasse comigo, isto ia ajudá-lo a ter fama.

É um saco ter que reconhecer isso. Que um cara só gostava de mim porque eu sou da realeza. Aliás, quantas vezes eu vou cair nessa?

Mas sabe que outra coisa às vezes é um saco?

Ser *mesmo* princesa. E ver que existem tantas pessoas tão fascinadas por este fato que não conseguem enxergar quem você é por trás da coroa. O tipo de pessoa que deseja ser julgada pelos seus próprios méritos. O tipo de pessoa que não se importa se alguém oferece 250 mil dólares pelo livro dela. Que prefere receber menos dinheiro se vier de alguém que realmente valoriza o trabalho dela.

Ah, claro, as pessoas vão *dizer* que gostam de você por você ser quem é. Podem até conseguir fingir muito bem. Então tudo bem, você até vai acreditar. Durante um tempo.

O negócio é que, se você for esperta, vai perceber os indícios.

Pode demorar um pouco para se ligar.

Mas isso vai acontecer. Alguma hora.

E, no fim, tudo se resume ao seguinte:

As pessoas que eram suas amigas antes de você receber a coroa são as pessoas que vão ser suas melhores amigas independentemente de tudo. Porque são elas que a amam por você ser quem é — você, com toda a sua nerdice — e não por causa do proveito que elas possam tirar de você. Estranhamente, em alguns casos, até as pessoas que eram suas inimigas antes de você ser famosa (tipo Lana Weinberger) podem acabar se revelando melhores amigas do que as pessoas com quem você faz amizade depois de ficar famosa. Isto acontece até quando esses amigos ficam bravos com você — como Lilly ficou comigo —, você continua precisando deles, até mais do que antes. Porque talvez eles sejam as únicas pessoas que estão dispostas a dizer a verdade. As coisas simplesmente são assim. O trono é muito solitário. Pra minha sorte, eu já tinha amigos fabulosos antes de descobrir que era princesa de Genovia.

E se tem uma coisa que eu aprendi nos últimos quatro anos é que preciso me esforçar para manter esses amigos.

Independentemente de qualquer coisa.

E é por isso que eu me peguei fazendo para J.P. o discurso que Grandmère tinha me ensinado — aquele para dispensar pretendentes com gentileza.

"J.P.", falei e tirei do dedo o anel que ele tinha me dado. "Eu gosto de você. Mesmo. E desejo tudo de melhor para você. Mas a verdade é que eu acho que é melhor nós sermos só amigos. Bons amigos. Por isso, quero devolver isto para você."

E eu ergui a mão dele, e coloquei o anel no meio da palma, e fechei os dedos dele em volta da joia.

Ele olhou pra minha mão com expressão de tristeza abjeta no rosto.

"Mia", ele disse. "Eu posso explicar por que não contei sobre a Lilly. É que eu achei que você não..."

"Não", eu disse. "Não precisa dizer mais nenhuma palavra. Não se sinta mal." Eu estendi o braço e dei tapinhas no ombro dele.

Acho que eu podia ficar com pena de mim mesma porque o meu baile de formatura tinha sido completa e totalmente estragado. Eu tinha ido com um cara que se revelou o maior falso.

Mas eu me lembrei de que o meu pai disse que é obrigação da realeza sempre ser a pessoa mais forte e fazer todo mundo se sentir melhor. Eu respirei fundo e disse: "Sabe o que eu acho que você devia fazer? Ligar pra Stacey Cheeseman. Acho que ela está super a fim de você."

J.P. olhou para mim como se eu fosse louca. "Acha?"

"Acho, total", menti. Mas era uma mentirinha inofensiva. E eu tinha bastante certeza de que ela estava a fim dele. Todas as atrizes adoram seu diretor.

"Que coisa mais vergonhosa", J.P. disse. Ele estava olhando para o anel.

"Não, não tem que ter vergonha nenhuma", eu disse e dei mais alguns tapinhas no ombro dele. "Então, você vai ligar para ela?"

"Mia", J.P. disse, com o rosto contorcido. "Quero que você me desculpe. Mas achei que, se você soubesse a verdade sobre a Lilly, você nunca..."

Ergui a mão para indicar que ele não devia dizer mais nada. Falando sério, seria de esperar de um homem rodado como ele que não tentasse ficar querendo me recuperar se eu já tinha deixado bem explícito que estava tudo acabado entre nós.

Fiquei imaginando o quanto da relutância dele em ligar pra Stacey estava enraizado no fato de ela não ser assim tão famosa. Ainda.

Mas cheguei à conclusão de que esse pensamento não era nada generoso da minha parte. Eu realmente estou tentando ser mais nobre em relação aos meus pensamentos e às minhas ações.

Eu também estava tentando não deixar transparecer a minha enorme felicidade em relação a tudo aquilo. Sabe como é, que, apesar de o meu baile de formatura ter sido o maior fiasco, eu tinha recuperado a minha melhor amiga e pelo fato de eu não estar nem um pouco apaixonada pelo meu acompanhante do baile de formatura e estar terminando com ele, para começo de conversa.

Tentei manter uma expressão solene no rosto quando fiquei na ponta dos pés e dei um beijo nele.

"Tchau, J.P.", sussurrei.

Daí eu me apressei para ir embora, antes que houvesse qualquer chance de ele começar a implorar, algo muito pouco atraente em um pretendente (bom, é o que Grandmère diz. Isso não aconteceu comigo... ainda. Mas eu estava pressentindo que podia acontecer logo).

E enquanto corria, abri o celular e liguei correndo para os advogados reais de Genovia. O escritório deles ainda não estava aberto, porque só eram sete da manhã no horário da Genovia.

Mas eu deixei um recado pedindo que eles colocassem algum tipo de embargo na peça do J.P., pra que ela nunca pudesse virar filme, nem ser encenada na Broadway, nem nada do tipo.

Quer dizer, eu sei que agi como princesa e fui graciosa ao terminar com ele. E eu perdoo completamente o que J.P. fez comigo. Mas ele vai pagar pelo que fez com a Lilly.

Ele realmente devia ter se lembrado de que várias das minhas ancestrais são famosas por estrangular e/ou decapitar seus inimigos.

Quando eu estava guardando o meu telefone, dei um encontrão no Michael. Isso mesmo, *Michael*.

Fiquei totalmente estupefata. O que *Michael* estava fazendo no baile de formatura da EAE?

"Ai, meu Deus!", exclamei. "O que *você* está fazendo aqui?"

"O que você *acha* que eu estou fazendo aqui?", perguntou, esfregando o ombro no lugar em que eu tinha esbarrado, direto com as pontas da tiara de plástico que eu segurava.

"Há quanto tempo você está aqui?" Fui tomada por um pânico repentino devido à possibilidade de ele ter escutado o que eu e J.P. estávamos discutindo, em relação à Lilly. Por outro lado, se ele tivesse escutado, certamente um assassinato já teria sido cometido.

O do J.P., para ser exata. "Espere... o que você escutou?"

"O suficiente para me deixar enjoado", Michael respondeu. "Legal esta de ligar para os advogados, aliás. E é assim mesmo que vocês dois conversam?" A voz dele se ergueu em um falsete estridente: "*Sabe o que eu acho que você devia fazer? Ligar pra Stacey Cheeseman.*

Acho que ela está super a fim de você." Ele voltou a baixar a voz. "Que fofo. Do que exatamente isso me lembrou? Espera. Ah, já sei...

Seventh Heaven..."

Agarrei Michael pelo braço e o arrastei para um canto, bem longe dos ouvidos do J.P. (que ainda não tinha reparado em nada, porque já estava no telefone com a Stacey).

"Fala sério", eu disse e larguei o braço do Michael quando estávamos a uma distância suficiente. "O que você está fazendo aqui?"

Michael sorriu. Ele estava tão fofo com aquela camiseta preta da Skinner Box, o cabelo todo desarrumado e o jeans que moldava o corpo dele direitinho... Eu não consegui parar de pensar na pegação que nós tínhamos dado no dia anterior. Tudo me voltou como uma lembrança visceral, parecia um soco.

Claro que isso também pode ter acontecido porque eu senti uma lufada forte do cheiro dele quando nós nos esbarramos. O tal complexo de histocompatibilidade principal é coisa séria. É forte o bastante para praticamente derrubar uma garota.

"Não sei", ele disse. "Lilly me disse há alguns dias que era para eu aparecer aqui e encontrar você perto dos elevadores por volta da meia-noite. Ela disse que estava com a sensação de que você ia precisar... hm... do meu auxílio. Mas parece que você deu conta da situação muito bem, se é que aquela devolução cerimonial do anel serviu de indicação."

Dava para sentir que eu estava ficando totalmente vermelha, ao me dar conta do que Lilly quis dizer. Por ter escutado a minha conversa com a Tina no banheiro da escola, quando eu disse que ia reservar um quarto de hotel com J.P. hoje à noite. Lilly tinha mandado o irmão até ali para impedir que eu fizesse uma coisa de que ela sabia que eu me arrependeria...

Só que ela não tinha dito a ele *exatamente* o que era para ele me impedir de fazer. Graças a Deus.

Lilly realmente *era* minha amiga, no final das contas. Não que eu jamais tenha duvidado disto. Bom, não muito.

"Então será que você vai me dizer por que Lilly achou que a minha presença aqui era uma necessidade tão urgente?", Michael perguntou e me abraçou pela cintura.

"Sabe como é", respondi rápido. "Acho que é porque ela sabia que eu sempre quis ir ao meu baile de formatura com você."

Michael apenas riu. De um jeito meio sarcástico.

"Lars", ele chamou, por cima da minha cabeça, falando com o meu guarda-costas. "Diga a verdade. Você acha que eu preciso ir lá transformar J.P. Reynolds-Abernathy IV em mingau?"

Lars, para o meu horror total, assentiu e disse: "Na minha opinião, com certeza sim."

"Lars!", exclamei, começando a entrar em pânico. "Não. Não! Michael, está tudo terminado. J.P. e eu acabamos de nos separar. Você não precisa bater em ninguém."

"Bom, acho que talvez eu precise", Michael disse. E ele nem estava brincando. Ele não estava sorrindo quando disse: "Acho que a Terra seria um lugar melhor se alguém tivesse transformado J.P. Reynolds-Abernathy IV em mingau há um bom tempo. Lars? Você concorda comigo?"

Lars olhou para o relógio e disse: "É meia-noite. Eu não bato em ninguém depois da meia-noite. É uma regulamentação do sindicato dos guarda-costas."

"Certo", Michael respondeu. "Você segura e eu bato." Que horror!

"Eu tenho uma ideia melhor", eu disse, e peguei Michael pelo braço de novo. "Lars, por que você não tira o resto da noite de folga? E, Michael, por que nós não vamos pra sua casa?"

Bem como eu esperava, isto distraiu Michael completamente da Missão de Matar o J.P. Ele ficou olhando pra mim, chocado, durante uns cinco segundos.

Então ele disse: "Esta me parece uma ótima ideia."

Lars deu de ombros. Que outra coisa ele poderia fazer? Agora eu tenho 18 anos e sou maior de idade.

"Por mim esta ideia também parece boa", ele respondeu.

E foi assim que eu vim parar nesta limusine, correndo na direção do centro, para chegar ao SoHo, e ao apartamento do Michael.

E agora Michael sugeriu que eu pare de escrever no meu diário e preste um pouco de atenção nele.

Quer saber? Esta parece uma ótima ideia pra mim também.

Um trecho de *Liberte o meu coração*, de Daphne Delacroix

— Finnula — ele repetiu, e desta vez ela detectou a urgência em sua voz. Era equivalente à urgência que ela sentia no próprio coração, no âmago de suas veias pulsantes. — Eu sei que jurei não tocar em ti, mas...

Finnula não sabia muito bem como se deu o que aconteceu a seguir. Foi como se, em um minuto, ela estivesse em pé, olhando para ele, imaginando se ele pararia de falar e simplesmente faria aquilo, em nome dos céus...

E, no minuto seguinte, ela estava nos braços dele. Ela não sabia quem tinha se movido: ele ou ela.

Mas, de repente, os braços dela estavam ao redor do pescoço dele, puxando sua cabeça para mais perto, com os dedos emaranhados no cabelo macio, já com os lábios entreabertos à espera dos dele.

Aqueles braços fortes e dourados, que ela tanto ansiava para sentir ao redor de seu corpo, prenderam-na, apertando-a tão perto de seu peito largo que ela não conseguia respirar. Não que ela estivesse conseguindo tomar fôlego, já que ele a beijava com tanta profundidade, com tanta urgência, como se ela de repente pudesse ser arrancada dele. Ele parecia temer que pudessem ser interrompidos novamente. Só que Finnula percebeu, com uma satisfação que certamente deixaria seu irmão chocado, se soubesse, que eles tinham a noite toda. Assim, ela prolongou o beijo e conduziu uma exploração divertida daqueles braços que ela tanto admirava. Oh, eram exatamente tão perfeitos quanto ela imaginara.

De maneira abrupta, Hugo ergueu a cabeça e olhou para ela com olhos que tinham ficado ainda mais verdes do que a esmeralda pendurada no pescoço de Finnula. Ela ofegava, sem ar, o peito subia e descia com rapidez, suas bochechas altas se encheram de cor. Ela percebeu a indagação no olhar dele e compreendeu tudo muito bem. Ele não sabia que ela já tinha tomado sua decisão, que tinha sido resolvida para ela de maneira irrevogável no segundo em que o viu sem aquela barba, e seu coração — ou algo muito semelhante a seu coração, pelo menos — tinha se perdido para sempre.

Bom, talvez sua decisão tivesse sido tomada no segundo em que o fecho entrou no ferrolho. Que diferença fazia? Eram dois desconhecidos em um lugar desconhecido — bom, bastante desconhecido. Ninguém jamais saberia daquilo. Aquele não era o momento para a noção de cavalheirismo estranhamente deslocada dele.

— Agora não — ela gemeu, totalmente ciente do motivo por que ele tinha parado de beijá-la, e o que aquele olhar questionador dele implicava. — Pelo amor de Deus, homem, agora já é tarde demais...

Seja lá o que Hugo estivesse planejando dizer, o grito de impaciência dela o silenciou em relação ao assunto para sempre. Hugo inclinou o corpo dela em seus braços e encheu seu rosto e a pele macia atrás de suas orelhas de beijos, fazendo com que sua boca traçasse um rastro de fogo pelo pescoço dela até a gola de suas vestes. Finnula, todavia, ansiosa pelo gosto dos lábios dele nos dela, puxou a cabeça dele para mais perto de novo, e então engoliu em seco quando seus dedos se fecharam primeiro ao redor de um seio firme, depois do outro.

A sensação da boca de Hugo devorando a dela, das mãos dele em seus seios retesados, ameaçava sobrepujar Finnula. Ele era tudo que ela desconfiava que seria... só que muito mais. O quarto parecia girar ao redor dela, como se tivesse bebido cerveja demais, e Hugo era a única massa imóvel e sólida em seu campo de visão. Ela se agarrou a ele, desejando algo... só estava começando a compreender o que era esse algo.

Então, quando o joelho dele escorregou para o meio das pernas enfraquecidas dela e ela sentiu a virilha rija pressionando o local em que suas pernas se encontram, o espasmo explosivo que tomou conta de seu corpo foi algo que ela nunca experimentara antes.

De repente, ela compreendeu. Tudo.

Domingo, 7 de maio, 10h, na casa do Michael

ESTOU COM MEU COLAR DE FLOCO DE NEVE DE NOVO. Acontece que, quando eu joguei o colar naquele quarto de hotel, naquela noite horrível há tanto tempo, Michael o encontrou onde tinha caído.

E guardou.

Porque (segundo ele) ele nunca deixou de me amar, nem de pensar em mim, nem de ter esperança..

... exatamente da mesma maneira que eu tinha esperança, aquela faísca minúscula que eu mantinha viva dentro de mim.

Acontece que Michael também mantinha uma chama viva dentro de si.

Ele sabia que as coisas tinham ficado péssimas entre nós, mas achou que um tempo separados — para que nós dois pudéssemos nos encontrar — talvez ajudasse.

Ele nunca achou que apareceria outro homem para nos separar para sempre. (Tudo bem, ele não falou exatamente assim, mas fica mais dramático do que dizer que ele nunca achou que eu ia começar a namorar o J.P. Reynolds-Abernathy IV.)

E foi aí que ele *de fato* pediu para o Boris ficar de olho em mim (*não* para me espionar. Só para mantê-lo informado).

Michael pensou (por causa do que o Boris tinha dito a ele) que J.P. e eu estávamos completamente apaixonados. E acho que, durante um tempo, pareceu mesmo que era assim. Para uma pessoa olhando de fora (principalmente para o Boris, que não compreende os seres humanos vivos normais, inclusive — e talvez especialmente — a namorada dele).

Mas nem *assim* Michael perdeu a esperança. Foi por isso que ele guardou o colar — só por via das dúvidas.

Foi só quando Michael me viu no evento em Columbia naquele dia, e eu agi com tanta timidez, que ele começou a ter coragem de sonhar que talvez Boris estivesse errado.

Mas daí, quando J.P. me deu aquele anel de presente de aniversário, ele percebeu que precisava tomar medidas drásticas. Foi por *isso* que ele saiu da minha festa — para providenciar que o meu pai recebesse um CardioBraço (e também, como ele colocou, "porque eu sabia que precisava sair antes que pegasse aquele cara e esfregasse o chão com a cara dele").

É tudo tão romântico! Mal posso esperar pra contar pra Tina. Algum dia. Mas não agora. Por enquanto vou guardar segredo, para ser compartilhado apenas pelo Michael e por mim — pelo menos um pouquinho.

Ele me disse que, se eu quiser, pode substituir meu colar de floco de neve, de prata velha, que eu estou usando, por uma de diamante. Mas eu disse que de jeito nenhum.

Eu amo esta aqui, do jeitinho que ela é.

EEEEEEEEEEEEEEEEEEEEEEEEEEEEEEE!!!!!!!!

Mas, bom, não quero entrar em muitos detalhes a respeito do que aconteceu aqui entre nós, neste apartamento, ontem à noite, porque é particular — particular demais até para este diário. Afinal, o que aconteceria se ele caísse em mãos erradas?

Mas eu quero, sim, dizer uma coisa importante, que é o seguinte:

Se o meu pai acha que eu vou passar este verão em Genovia, ele está muito enganado!

Ai, meu Deus, MEU PAI!!!! Esqueci de olhar para conferir como está sendo a eleição!

Domingo, 7 de maio, 13h30, na limusine, a caminho do Central Park

Certo, então, o meu pai GANHOU A ELEIÇÃO!

É, eu ainda não sei muito bem como isto aconteceu. Eu acusei o Michael de sabotar as urnas eletrônicas de Genovia — além de todas as outras coisas maravilhosas que ele fez por mim ultimamente.

Mas ele jura que, apesar de ser um gênio da computação, não é capaz de sabotar as urnas eletrônicas em um pequeno país localizado a muitos milhares de quilômetros do lugar onde ele mora.

Além do mais, em Genovia usam a tecnologia de leitura óptica de cédulas Scantron.

E acontece que, no fim, o meu pai venceu por maioria significativa.

O problema é que o pessoal lá não está acostumado a votar, por isso demorou muito tempo para contar os votos. E o comparecimento às urnas foi bem mais alto do que o esperado.

E daí René não acreditou que não tinha vencido, e exigiu recontagem de votos.

Coitado do René. Mas tudo bem. Meu pai prometeu um lugar para ele no gabinete. Provavelmente vai ser alguma coisa ligada ao turismo. Acho que é uma atitude muito decente da parte do meu pai. Descobri tudo isto quando falei com o meu pai no telefone. Mas não foi uma ligação transatlântica. Ele ligou do apartamento de Grandmère. Meu pai veio para a minha cerimônia de formatura. Que é daqui a meia hora.

É uma pena que ele não viaje em voos comerciais, porque realmente ia poder acumular muitas milhas com todas as vezes que viajou entre Nova York e Genovia nesta semana. Já conversei com ele sobre as emissões de carbono que são responsabilidade dele.

Mas, bom, todo mundo agiu com a maior naturalidade quando eu cheguei em casa ainda com o vestido do baile de formatura e Michael a tiracolo. Tipo ninguém disse nada pra me envergonhar, como, por exemplo: "Ah, oi, Mia, como foi o boliche 24 horas?", nem "Mia, você não saiu aqui de casa ontem à noite com *outro* cara?".

Minha mãe, na verdade, pareceu bem feliz de ver Michael. Ela sabe o quanto eu sempre o amei, e percebe como ele me faz feliz, e isto, por sua vez, faz com que *ela* fique feliz.

E ela nunca fez questão de esconder que não gostava muito do J.P. Pelo menos não precisa se preocupar com a possibilidade de o *Michael* ser um camaleão. *Ele* tem opinião sobre tudo.

E também não tem a menor timidez de expressar o que pensa, *principalmente* quando é o oposto do que eu acho, já que isto faz com que a gente comece a discutir, e isto nos faz... bom, ficar com vontade de nos beijar. Se você não entendeu, complexo de histocompatibilidade principal é isto.

Infelizmente, não tenho certeza se Rocky de fato se lembra do Michael. E isto faz sentido, porque a última vez que ele o viu foi há quase dois anos, e Rocky mal tem 3 anos.

Mas parece que Rocky gostou muito dele. Ele foi logo mostrando a bateria dele para Michael, e também como arranca tufos de pelo do Fat Louie se o Fat Louie não consegue fugir com rapidez suficiente.

Mas, bom, agora estamos todos indo para o Central Park, para a cerimônia de formatura, e vamos encontrar meu pai e Grandmère lá. Estou usando o vestido que todo mundo escolheu pra eu usar hoje (mais uma criação do Sebastiano, igualzinho ao que eu usei ontem, só que todo branco) por baixo da beca de formanda. Estou tentando ignorar as 80 mil mensagens e áudios que recebi da Tina e da Lana, sendo que tenho bastante certeza de que a maior parte delas tem a ver com para onde eu fui quando desapareci ontem à noite. Bom, tudo bem, as da Lana devem ser todas sobre o cadete que ela arrumou na Academia Naval de Westpoint. Mas fala sério. A gente precisa ter *um pouco* de privacidade.

Estou vendo que uma das mensagens é do J.P., mas não vou abrir com Michael aqui no carro.

Outra é da Lilly. Mas tanto faz. Eu vou todo mundo daqui a, tipo, cinco minutos! Então, seja lá o que for, elas vão poder me dizer pessoalmente.

E agora eu preciso parar de escrever, porque Rocky descobriu os botões que controlam o teto solar. Meu irmãozinho tem muita coisa em comum com o primo Hank.

Domingo, 7 de maio, 14h30, Sheep Meadow, Central Park

Ai, meu Deus, Kenny — quer dizer, Kenneth — está fazendo o discurso de orador mais chato que já ouvi. Todos os discursos de orador são chatos (pelo menos os que eu escutei).

Mas este aqui ganha o prêmio. Fala sério, é sobre partículas de poeira ou qualquer coisa do tipo. Ou talvez não sejam partículas de poeira. Mas algum tipo de partícula. Quem se importa? Está quente demais aqui nesta arquibancada.

E ninguém está prestando a menor atenção nele. Lana está até dormindo. Até Lilly, a própria namorada do orador, está mandando mensagem pra alguém.

Eu só quero sair daqui pra ir comer bolo. Qual o problema? Por que isso é tão errado?

É. Acho que é mesmo.

Droga — alguém está me mandando uma mensagem...

Mia, o que está acontecendo? Te mandei mensagem a manhã toda. Está tudo bem? Eu vi J.P. ontem à noite com a STACEY CHEESEMAN! Eles subiram juntos no elevador. Onde vc se meteu????

Ah, oi, T! Está tudo bem. O J.P. e eu terminamos. Mas foi 100% mútuo. Pra falar a verdade, ontem à noite eu fui pra casa do Michael.

EEEEEEEEEEEEEEEEEEEEEEEEEEEEEEEEEEE!!!!!!!!!!!!!!!!!!!!!!!!!!

Foi o que eu disse!!!!!!!!!!!!

Ai, meu Deus, que coisa romântica!!!! Estou tão feliz por você!!!!!!!!!!!!!!

Eu sei! Eu também. Eu amo tanto o Michael!!!! E ele me ama!!!!!!!!!!! E tudo está perfeito. Eu só queria que esse discurso idiota acabasse logo pra gente poder comer bolo.

É, eu também. O negócio é que hoje de manhã, quando eu estava vindo pra cá, posso jurar que vi a Stacey Cheeseman se agarrando com o Andrew Lowenstein em uma Starbucks no centro. Mas não pode ser, né? Porque agora ela está com o J.P. certo?

Hm. Certo!

Ah, outra mensagem...

Oi, PDG. Vi você sair do hotel ontem com o meu irmão...

É a Lilly!!!!

Tá tudo bem? Ele disse que você mandou que ele fosse lá...

Tudo bem. Mas é melhor você não partir o coração dele de novo. Ou, desta vez, eu vou MESMO quebrar a sua cara.

Desta vez ninguém vai sair de coração partido, Lilly. Agora somos todos adultos.

Até parece! Mas fico feliz por você estar de volta, PDG.

Ahhhh...

Estou feliz por ter voltado, Lilly.

Ô-ôu... tem a mensagem do J.P.:

Mia. Eu só queria pedir desculpa de novo por causa de... bom, por causa de tudo. Apesar de a palavra "desculpa" parecer inadequada. Espero que você tenha falado sério quando disse que nós podíamos ser amigos. Porque nada seria mais importante pra mim. E obrigado também por sugerir que eu ligasse pra Stacey. Você tinha razão, ela realmente é uma pessoa maravilhosa. E você não precisa se preocupar com a peça. A produtora do Sean ligou hoje de manhã, e parece que teve algum problema com o licenciamento. Tem alguma coisa a ver com uns advogados. Então acho que ele não vai produzir o filme, no final das contas. Mas não se preocupe, vai ficar tudo bem. Tenho outra ideia para uma peça, é boa de verdade, sobre um roteirista apaixonado por uma atriz, só que ela — bom, é complicado. Eu adoraria conversar com você sobre isto, se for possível, você sabe como as suas opiniões são importantes para mim. Me liga. J.P.

Fala sério. Só pode ser piada. Afinal, o que mais seria?

Ai, meu Deus, mas esse cara não vai calar a boca nunca? Vou ficar toda ardida por ficar tanto tempo no sol. Se eu ficar com sardas, vou processar essa porcaria de escola. Espera aí... Esquisitona, onde você se enfiou ontem à noite? Você está com cara de quem TRANSOU! Não adianta negar! Ai, meu Deus, a esquisitona TRANSOU! Hahaha! Não é DIVERTIDO, esquisitona?????

Enviado pelo meu Blackberry®

Domingo, 7 de maio, 16h, Tower on the Green, mesa 12

Todo mundo está tirando fotos e fazendo discursos e falando sem parar sobre como nós nunca vamos nos esquecer desse dia.

Certamente é um dia que Lana nunca vai esquecer. Isto porque a Sra. Weinberger (atendendo ao meu pedido, só que isto eu nunca vou contar pra Lana, é óbvio) deu de presente pra ela a coisa que ela mais desejava ganhar na formatura, do fundo do coração.

Isso mesmo. Os pais dela encontraram o Bubbles, o pônei da Lana que eles deram pra alguém há um tempão, e devolveram pra ela. Bubbles estava à espera da Lana no estacionamento do Tower on the Green quando nós chegamos lá pra nossa recepção pós-formatura.

Acho que nunca vi ninguém gritar tanto de tanta alegria. Nem tão alto.

Este é um dia que Kenneth também não vai esquecer. Isso porque os pais dele acabaram de lhe entregar um envelope com uma carta da Universidade de Columbia. Ele entrou pela lista de espera.

Então, parece que ele e Lilly não vão mais ficar separados por um estado. Eles só vão estar separados por um alojamento — se tanto. Houve muitos abraços e gritos de alegria naquela mesa também.

No começo eu fiquei com um pouco de medo de chegar perto da mesa onde os Moscovitz estavam, apesar de Michael ter ficado conversando de boa com meus pais. Mas eu fiquei com receio do que os Drs. Moscovitz iam *pensar* de mim. É verdade que eu já os tinha encontrado na recepção em Columbia, mas aquilo parecia ter acontecido há tanto tempo e, sei lá, as coisas pareciam diferentes agora, por causa do que tinha acontecido ontem à noite (e hoje de manhã também)!

Mas eles obviamente não sabiam disso. E Michael foi corajoso de ir à minha casa (isto sem falar em ficar conversando com o meu pai e Grandmère agora). Então, o mínimo que eu podia fazer era retribuir o favor.

E foi o que eu fiz.

E, logicamente, deu tudo certo. Os Drs. Moscovitz — isto sem falar na vovó — ficaram totalmente contentes de me ver. Porque eu deixo o filho deles tão feliz. E por isso eles ficam felizes.

A parte assustadora foi quando J.P. veio até a nossa mesa com os pais dele para dar um oi. ISTO sim é que foi estranho.

"Bom, príncipe Phillipe", o Sr. Reynolds-Abernathy disse, todo triste, apertando a mão do meu pai. "Parece que, no final das contas, os nossos filhos não vão juntos para Hollywood."

Mas é óbvio que meu pai não fazia IDEIA do que ele estava falando, porque ele nunca tinha ficado sabendo desse plano (graças a Deus), para começo de conversa.

"Perdão?", meu pai disse, com uma expressão totalmente confusa.

"Hollywood?", Grandmère exclamou, totalmente estupefata.

"É", respondi rapidinho. "Mas isso foi antes de eu ter me decidido pela Sarah Lawrence."

Grandmère respirou tão fundo que eu não sei como sobrou algum ar para nós respirarmos.

"Sarah Lawrence?", ela exclamou, maravilhada e contente.

"Sarah Lawrence?", meu pai repetiu. Esta foi uma das faculdades que ele sugeriu, quando eu estava na nona série, como sendo uma das favoritas dele para mim. Mas tenho bastante certeza de que ele não pensou, nem em um milhão de anos, que eu fosse seguir a indicação.

Mas acontece que, como Michael disse, a Sarah Lawrence é uma das faculdades que não contam a nota do vestibular nos requerimentos de aceitação. E tem um programa de escrita muito forte. E fica bem pertinho de Nova York. Só para o caso de eu precisar dar uma passada em Manhattan para visitar Fat Louie e o Rocky.

Ou para cheirar o pescoço do meu namorado.

"Que ótima escolha, Mia", minha mãe disse, parecendo superfeliz. Ela andava com uma cara superfeliz desde que notou que o anel de diamante não estava mais comigo, e que eu tinha chegado em casa do baile de formatura com Michael, e não com J.P.

Mas acho que ela ficou feliz de verdade com a escolha da Sarah Lawrence também.

"Obrigada", respondi.

Mas ninguém estava mais feliz do que Grandmère.

"Sarah Lawrence", Grandmère ficou murmurando. "*Eu* ia estudar na Sarah Lawrence. Se não tivesse me casado com o avô da Amelia. Precisamos começar a planejar como vamos decorar o quarto dela. Estou pensando em paredes amarelinhas. Eu ia ter paredes amarelinhas..."

"Certo, então", Michael disse para mim, olhando torto para Grandmère enquanto ela devaneava sobre paredes amarelinhas.

"Quer dançar?"

"Se quero", respondi, aliviada por ter uma desculpa para sair da mesa.

E foi assim que nós fomos parar na pista de dança com a minha mãe e o Sr. G dançando com Rocky e se divertindo até não poder mais, como sempre; Lilly e Kenneth, fazendo algum tipo de dança new wave que eles mesmos pareciam ter inventado, apesar de a música ser meio lenta; Tina e Boris, só abraçadinhos, e olhando um nos olhos do outro, o auge do romance, como era de esperar, já que eram a Tina e... bom, o Boris; e meu pai e a... Srta. Martinez.

"Não", murmurei, e congelei diante da cena. "Simplesmente... não."

"O que foi?" Michael olhou ao redor. "Qual é o problema?"

Eu já devia saber. Quer dizer, eles tinham dançado juntos na minha festa de aniversário, mas eu achara que havia sido só aquela vez.

Foi aí que o meu pai disse alguma coisa pra Srta. Martinez, ela deu um tapa na cara dele e saiu da pista de dança pisando duro.

Acho que ninguém poderia ter ficado mais estupefato do que o meu pai... tirando talvez a minha mãe, que começou a rir.

"Pai!", exclamei, horrorizada. "O que você *disse* pra ela?"

Meu pai se aproximou esfregando a bochecha e com uma expressão mais curiosa do que de dor, para falar a verdade.

"Nada", ele respondeu. "Eu não disse nada para ela. Bom, nada mais do que eu costumo falar quando danço com uma mulher bonita. Na verdade, foi um elogio."

"*Pai*", eu disse. Quando ele vai aprender? "Ela não é modelo de lingerie. Ela é a minha *ex-professora de inglês*."

"Ela é inebriante", meu pai disse pensativo, olhando na direção dela.

"Ai, meu Deus." Resmunguei e enterrei o rosto no pescoço do Michael. Era bem óbvio o que estava acontecendo. Beeeeem óbvio! Outra vez não! "Diga que isto não está acontecendo."

"Ah, está acontecendo sim", Michael respondeu. "Ele está indo atrás dela, chamando o nome dela... Você sabia que ela se chama Karen?"

"Acredito que eu esteja prestes a saber deste fato mais do que bem", respondi, sem tirar o rosto do pescoço dele e inalando bem fundo.

"É, agora ele está indo na direção do estacionamento, atrás dela... Ela está tentando chamar um táxi para fugir, mas... ah, ele a deteve. Estão conversando. Ah, espera. Ela está pegando a mão dele... Então, será que você vai continuar a chamando de Srta. Martinez depois que eles se casarem, como faz com o Sr. Gianini, ou acha que algum dia vai conseguir chamá-la de Karen?"

"Fala sério. Qual é o problema da minha família?", perguntei, com um resmungo.

"A mesma coisa que tem de errado com a família de todo mundo", Michael respondeu. "Ela é formada por seres humanos. Ei, para de me cheirar por um minuto e levanta a cabeça."

Levantei a cabeça e olhei para ele. "Por quê?", perguntei. "Para eu poder fazer isto", ele respondeu. E me beijou.

E, enquanto nós estávamos nos beijando, com o sol do fim da tarde brilhando ao nosso redor, e com todos os outros casais rodopiando na pista de dança, rindo, percebi uma coisa. Uma coisa que eu acho que talvez seja importante de verdade:

Essa coisa de princesa, que há quatro anos eu tinha certeza de que ia acabar com a minha vida, tinha se revelado ser totalmente o oposto. Na verdade, eu aprendi muito com isto, e aprendi algumas coisas muito importantes. Como, por exemplo, a me defender, e a ser eu mesma. Como conseguir o que eu quero da vida, de acordo com os meus próprios parâmetros. E nunca ficar sentada ao lado da minha avó quando estão servindo caranguejo, porque é o prato preferido dela, e ela simplesmente não é capaz de comer e falar ao mesmo tempo, e metade da comida vai acabar em cima da pessoa que estiver ao lado dela.

E também me ensinou outra coisa.

Que é que a gente perde coisas na medida em que vai ficando mais velha, coisas que a gente não quer necessariamente perder. Algumas coisas tão simples como... bom, os dentes de leite quando se é criança, já que eles abrem lugar para os dentes de adulto.

Mas, à medida que a gente envelhece, perde outras coisas, ainda mais importantes, como amigos — se tiver sorte, só os maus amigos, que talvez não fossem tão bons quanto a gente achava. Com sorte, a gente consegue ficar com os amigos de verdade, aqueles que estão sempre prontos a ajudar a gente... mesmo quando pode parecer que eles não estão.

Porque amigos assim são mais preciosos do que todas as tiaras do mundo.

Também aprendi que existem coisas que a gente *quer* perder... como aquele chapéu que todo mundo joga para cima na formatura. Quer dizer, por que você ia querer ficar com uma coisa daquela? O ensino médio é um saco. As pessoas que dizem que esses são os melhores anos da vida delas são mentirosas... Quem vai querer que os seus melhores anos sejam na *escola*? A escola é uma coisa que *todo mundo* devia estar pronto para perder.

E daí existem coisas que a gente pensava que queria perder, mas não perdeu... e depois fica feliz por não ter perdido.

Um bom exemplo disso seria Grandmère. Ela me enlouqueceu durante quatro anos (e não só por causa da coisa do caranguejo). Quatro anos de aulas de princesa, e de reclamações, e de insanidade. Juro que houve momentos durante todos esses anos em que eu ficaria feliz de acertar a cara dela com uma pá.

Mas, no fim, fico feliz por não ter feito isso. Ela me ensinou muita coisa, e não estou falando só do jeito correto de usar talheres adequados. De certa maneira, foi ela — bom, com a ajuda da minha mãe e do meu pai, obviamente... Isso sem falar na Lilly e em todos os meus amigos mesmo — que me ensinou a apreciar essa coisa de ser da realeza — outro item que eu fiquei desesperada para perder, mas não perdi...

E, sim, no fim... estou feliz com isto.

Quer dizer, é verdade que às vezes é um saco ser princesa.

Mas eu sei que existem maneiras de me aproveitar disto para ajudar os outros e talvez, no fim, até para transformar o mundo em um lugar melhor. Não fazendo coisas grandiosas, necessariamente. Sei que não vou inventar um braço cirúrgico robotizado que vai salvar a vida de muitas pessoas. Mas eu escrevi um livro que talvez ajude alguém que tem uma pessoa que ama sendo operada por esse braço a esquecer o quanto está assustado durante a espera até o fim da cirurgia, como Michael sugeriu.

Ah, e eu levei a democracia a um país que não a conhecia.

E, tudo bem, essas são todas coisas pequenas. Mas é preciso dar um passo de cada vez.

E quer saber a principal razão por que eu estou feliz por ter descoberto que era princesa, e que vou ser pelo resto da vida?

Se não fosse isso, duvido muito que eu tivesse um final assim tão feliz.

Este livro foi composto na tipografia Minion Pro,
em corpo 10,5/15, e impresso em
papel off-white na Gráfica Corprint.